Christian Tremblay

Maquette de Marcel Dion.

LE CRIME D'OVIDE PLOUFFE

Dépôt légal
4e trimestre 1982

Les personnages fictifs de ce roman, leurs aventures, sont pure création de l'auteur, soucieux de respect pour les institutions et les hommes publics cités au cours de l'intrigue. L'attitude et l'engagement politique de ces derniers, inscrits dans l'Histoire, sont ici utilisés à des fins romanesques, de sorte que l'imaginaire et le vrai s'entremêlent tout au long de l'oeuvre avec, comme toile de fond, les événements qui secouèrent le Québec en 1948 et 1949.

ROGER LEMELIN

Le crime d'Ovide Plouffe

551, Grande-Allée est
Québec, Québec
G1R 2J5

A celles et à ceux qui, au fil des ans, m'ont gratifié de leur confiance et de leur amitié.

PREMIERE PARTIE

CHAPITRE PREMIER

— Cheerio! Madame Plouffe! fit la jolie Rita, qui dévalait l'escalier en agitant sa main baguée.

Joséphine Plouffe, le nez dans la gaze de la porte, enfouit dans la poche de son tablier le paquet de cigarettes SWEET CAPORAL laissé par sa belle-fille, écouta le staccato décroissant des talons hauts dans les marches, puis lança:
— T'amèneras la petite pour sept heures! Je veux la friser! Et rentre pas trop tard!

Humant l'odeur de Chanel 5 laissé par la coquette, Joséphine regarda disparaître la silhouette de cette superbe créature, hélas! épousée par son cadet Ovide huit ans auparavant. Son instinct de mère ne l'avait pas trompée, à l'époque, quand elle avait mis son fils en garde contre ce mariage. Pauvre Ovide. Sa situation ne s'était pas améliorée: toujours disquaire à maigre salaire, travaillant même certains soirs, il s'obstinait à demeurer à la haute ville, où Dieu sait ce que sa femme faisait de ses journées! Il arrivait trop souvent à Joséphine d'être requise pour garder leur fillette, Arlette. Encore ce soir, pendant que son mari serait cloué au comptoir de disques, Rita, invitée par une cousine, se rendrait au restaurant CHEZ GERARD entendre Charles Trenet. Joséphine grimaça d'inquiétude: ce ménage-là ne pourrait plus durer bien longtemps.

Le couple avait traversé sa crise la plus sérieuse quand, au printemps, à l'insu du mari, la belle Rita avait été choisie Miss Sweet Caporal. Quelle affaire! Sa photo, affichée aux quatre coins de la ville par le fabricant de cigarettes, la montrait en uniforme de petit caporal avec képi, justaucorps et jupette, cuisses à l'air et bottillons blancs. Et ce sourire provocateur, qui en disait long! Quelle colère Ovide avait alors faite! Malgré les supplications et les larmes de sa femme, il avait fait résilier le contrat publicitaire. La compagnie continuait cependant de faire parvenir à la majorette brimée des cartouches de SWEET CAPORAL, dont Rita détachait des paquets pour en faire cadeau à sa belle-mère chaque fois que celle-ci gardait Arlette.

Joséphine chassa une pensée désagréable. Se pourrait-il qu'Ovide soit un mari trompé? L'autre jour, revenant de l'église, elle avait cru apercevoir sa bru aux côtés d'un homme très chic, cheveux au vent, dans un cabriolet blanc à toit baissé. C'était la nouvelle mode, ces automobiles découvertes. Jamais Ovide ne pourrait se payer un tel luxe! D'ailleurs Rita ne se gênait pas, à table, le dimanche, pour déplorer devant le clan que son mari demeurait toujours un gagne-petit, et pour affirmer qu'elle l'eût préféré moins instruit, mais plus pratique et aussi prospère que l'aîné des Plouffe, Napoléon. Mais Ovide ne se plaignait jamais. Joséphine n'était pas rassurée cependant, car le disquaire arborait à nouveau le regard de noyé qui le caractérisait autrefois, quand il avait tout abandonné pour entrer chez les Pères Blancs d'Afrique.

Que se passait-il donc aujourd'hui dans l'âme de Joséphine, d'habitude si sereine? On n'était pourtant qu'au début d'octobre 1948, les oiseaux chantaient encore, il faisait chaud comme en été et tous les feuillages du Canada étaient devenus rouges, jaunes ou dorés, ou les trois à la fois. Son malaise résultait-il d'une sorte de rhumatisme des sentiments annonçant l'approche de l'hiver? Cependant alerte, elle saisit prestement le tue-mouches et écrasa une grosse bestiole verte puis, satisfaite, alla s'asseoir dans la berçante, qu'elle fit craquer sous des impulsions saccadées. Elle ouvrit brusquement le paquet de SWEET CAPORAL et alluma une cigarette dont elle tira, en toussotant, des bouffées trop rapides, car c'est moins à Rita qu'à son Théophile défunt qu'elle se mit à penser. Elle contempla durement l'alliance plaquée or offerte par son mari le jour de leur mariage et qu'elle n'avait pas enlevée depuis vingt-cinq ans. Ses doigts avaient grossi à tel point, que le jonc, renchaussé de chair jaunie, ne laissait plus luire qu'une fine ligne dorée, restée intacte malgré des milliers de lessives. Joséphine se souvint de la tumeur au côté qui, les derniers temps de leur union, lui avait servi d'excuse pour repousser les avances de son mari trop fringant. Celui-ci décédé, cette bosse, assez étrangement, avait commencé de se résorber, pour disparaître ensuite complètement. Le bon Dieu l'avait sans doute rendue malade pour la protéger des excès sexuels? L'image de Rita hanta à nouveau, mais brièvement, les pensées de Joséphine. Alors s'imposa, lancinante, la figure de cette Ramona avec qui Théophile l'aurait trompée à l'époque de la tumeur. Une mauvaise langue, Dame de la Sainte-Famille, l'en avait amicalement informée un dimanche où Joséphine avait obtenu un succès évident comme soliste à la grand'messe dans le cantique *Je te bénis, puissante et bonne mère.* Que de fois, par la suite, Joséphine avait pleuré! Mais ce chagrin était maintenant vieux et usé, une sorte de cellulite l'ayant recouvert, comme elle avait envahi le jonc plaqué or. La sonnerie du téléphone retentit. Elle chassa de la main la fumée lui irritant les yeux et décrocha.

C'était l'aîné Napoléon venant aux nouvelles du cadet Guillaume. Avait-il écrit? Quel jour exactement reviendrait-il? Elle n'en savait rien mais, comme d'habitude, il surgirait bientôt, sans tambour ni trompette. Charles Trenet? CHEZ GERARD? Merci de l'invitation. Impossible, elle gardait la petite Arlette. Joséphine raccrocha, marcha au hasard dans la cuisine où s'imposaient un poêle électrique et un gros congélateur, cadeaux de Napoléon, et sourit en allumant une deuxième cigarette.

Que d'événements depuis le retour de son benjamin Guillaume de la guerre! La voix de l'aîné tinta de nouveau à son oreille. Au moins il réussissait bien celui-là! En peu de temps, profitant du boom des années '45, il avait débordé son statut d'employé plombier-couvreur, pour devenir tout de go entrepreneur . Maintenant propriétaire d'une grande maison de brique jaune, il avait construit dans la cour arrière un vaste atelier équipé de l'outillage le plus moderne, possédait trois camions, obtenait des contrats du gouvernement Duplessis et, le dimanche, promenait sa femme Jeanne et leurs cinq enfants dans une auto décapotable. Lui aussi! Joséphine les avait accompagnés quelques fois, mais s'était vite lassée de faire détremper ses robes par les marmots alternant sur ses genoux, sur la banquette arrière, alors que Jeanne, devenue grassette, siégeait en bourgeoise arrivée, en avant, auprès de son mari. Ils dévoraient tous, à satiété, d'innombrables cornets de crème glacée.

Joséphine hocha la tête. Napoléon gâtait trop ses enfants. Ses affaires allaient trop bien. Cela ne pouvait pas durer, très certainement. L'entrepreneur avait offert à sa mère une belle chambre ensoleillée chez lui. Mais non, elle préférait vivre avec Cécile, sa fille célibataire de quarante-neuf ans, dans le même logis où elle avait élevé sa famille, tenant à rester fidèle à ses horizons familiers et à ses souvenirs. Même Napoléon, si bourré de bonnes intentions fût-il, ne réussirait pas à circonvenir la rouée Joséphine. Celle-ci prévoyait bien qu'en acceptant, elle deviendrait bonne d'enfants et gardienne perpétuelle, pendant que l'entrepreneur et sa grasse épouse sortiraient fréquemment et dépenseraient leur argent dans cette satanée invention d'après-guerre, les night-clubs, où l'on boit du gin, du scotch, peut-être aussi des singapore sling. Quelle révolution! Dans les cabarets on pouvait maintenant voir et entendre en personne Lucienne Boyer, Charles Trenet, Maurice Chevalier, Roche et Aznavour. On y permettait même le boogie woogie, cette nouvelle danse de fous, qui vous fait vous trémousser et gambader comme des barbares. Joséphine n'admettait que Maurice Chevalier: il chantait si bien *Louise* et portait un canotier comme Théophile le jour de leurs noces.

Elle secoua sa cendre et fit la moue devant la machine à coudre électrique que sa fille Cécile s'était offerte l'an dernier. Joséphine, elle, préférait sa vieille mécanique à pédale, toujours à la même place devant la fenêtre. Pauvre et brave Cécile! Longtemps inconsolable de la mort d'Onésime Ménard, le chauffeur d'autobus marié à une autre, et qui s'était fait tuer au volant de son véhicule dans un accident de la circulation, elle avait obtenu de la veuve de cet homme qu'elle avait tant aimé, la permission de défrayer les études du jeune Nicolas Ménard, le fils aîné d'Onésime. Cécile entretenait ainsi l'illusion d'avoir eu un enfant de son amoureux pusillanime, et avait fait récemment admettre le gamin au Petit Séminaire, où il poursuivait son cours classique en vue de devenir avocat. La vieille fille, sur le tard, s'était ainsi trouvé une raison de vivre.

En longeant la table, Joséphine admira la corbeille de fruits de cire, aux couleurs diverses, où dominait l'orange, offerte par l'ami le commandant Ephrem Bélanger. Cécile, quand même, se permettait quelques distractions, dont ce flirt discret avec le chef des zouaves de la paroisse, un veuf dans la soixantaine avancée et qui portait fort élégamment l'uniforme. Joséphine, l'oeil moqueur, se disait que tout était bien ainsi, Ephrem lui apparaissant comme une sorte d'Onésime amélioré, dont la qualité la plus charmante consistait à se plaire dans des conversations plus longues avec la mère qu'avec la fille. Celle-ci en était parfois agacée, mais Joséphine la rassurait en mettant sur le compte des complicités de sexagénaires, cette anomalie qui ne tirait pas à conséquence.

Joséphine se rassit pour se relever aussitôt. Pourquoi aujourd'hui, bougeait-elle sans cesse? Elle ouvrit le congélateur, puis le referma brusquement, comme choquée à la vue des saumons fumés et des pièces de gibier qui l'encombraient. Quand donc Guillaume comprendrait-il qu'elle n'en voulait plus!

Madame Plouffe tourna le bouton de la radio et le ferma peu après, en entendant "retiré au bâton". On y donnait à longueur d'après-midi les compte-rendus des parties de baseball des séries éliminatoires américaines. Cette constatation la ramena au problème complexe de son benjamin. Elle marcha vers le mur, contempla longuement sa photo en soldat décoré, accrochée entre celles de feu Théophile et du curé Folbèche.

Cette fois-ci, Joséphine se laissa tomber, très lasse, dans sa berçante; elle arrivait au bout de son inventaire de la famille, là où elle s'inquiétait le plus. Pauvre petit! Guillaume, jadis si joyeux, était maintenant un enfant malheureux. Joséphine ne comprenait pas son étrange comportement. Peut-être avait-il tué trop d'hommes à coups de grenades? Pourtant couvert de décorations, il était arrivé d'Europe, mélancolique, taciturne, refusait de parler de la guerre où il s'était conduit en vrai héros pendant cinq ans. Que de choses intéressantes il aurait pu raconter! Les clubs de baseball américains, revenus à la charge, lui avaient offert de l'essayer à nouveau comme artilleur, mais il s'enfermait dans son mutisme et répondait, rageur: "J'ai trop peur de tuer quelqu'un". Il est vrai qu'à la vitesse prodigieuse avec laquelle il pouvait lancer, il risquait, d'un seul tir, de fracasser le crâne d'un frappeur. Non, jamais plus de baseball!

Pendant des mois après son retour, on vit sombrer Guillaume dans une profonde dépression. Il ne s'intéressait pas aux femmes, craignant le mariage, inquiet sans doute de mettre au monde des enfants qui mourraient au front. De plus, il refusa de demeurer chez sa mère et loua pour lui seul l'appartement du rez-de-chaussée, abandonné par Napoléon lors de l'achat de sa maison. Dressé à la discipline militaire, le vétéran tenait sa demeure ordonnée et propre comme un sou neuf. Ayant accumulé une somme d'argent rondelette pendant ses cinq années d'armée, il pouvait se permettre des loisirs, de longues rêveries et s'adonner au plaisir malsain de la mélancolie. Il ne sortait qu'entraîné par Napoléon, qui prétextait des travaux réclamant une force herculéenne pour l'enrôler et l'arracher à son marasme.

Au bout d'une année, la dépression du militaire se mit à empirer. La nuit, dans son sommeil agité, il chantait parfois *Lily Marlene,* s'éveillait en sueurs et donnait de grands coups de poing dans les murs, réveillant en sursaut sa mère et sa soeur, au-dessus. Parfois ses directs faisaient des trous dans la mince cloison, mais Napoléon connaissait un plâtrier qui les réparait séance tenante. Guillaume dépérissait rapidement. Chaque fois que sa belle-soeur Rita arrivait, il s'enfuyait, à la surprise d'Ovide. Des cercles bleus apparurent autour de ses yeux, ses mains étaient parfois prises de tremblement; il perdait l'appétit et, quelquefois, à table, quand ses parents devisaient gaiement, il exhalait une sourde plainte venue du fond du coeur.

On tint conseil de famille. Ovide parla du mal du siècle, décrit jadis par Alfred de Musset. Napoléon n'y comprenait rien. Seul, prétendit-il, le sport guérirait Guillaume, mais celui-ci ne voulait plus jouer à rien. Joséphine savait, elle, que son garçon souffrait parce qu'il avait tué des hommes.

La solution vint de l'oncle Gédéon, cultivateur de la Beauce, frère de feu Théophile, reconnu dans la parenté pour sa verdeur, son amour des femmes qu'il appelait, l'eau à la bouche, "les belles créatures". L'oncle Gédéon avait un fils, Aimé, rebaptisé "Tit-Mé", qui affichait les mêmes goûts pour la solitude et la mélancolie que son cousin décoré. Chez les Canadiens français on retrouve souvent ce goût du silence, cette hantise de départ, ce besoin d'horizons plus vastes, de lacs, de rivières, de nature sauvage, hérités sans doute des ancêtres, colons français qui laissèrent leur pays pour la grande aventure. L'oncle Gédéon suggéra donc que Guillaume se joigne à son fils Tit-Mé, lequel passait l'été et l'automne comme guide de pêche et de chasse dans l'Ile d'Anticosti, pour les millionnaires américains et les amis du Gouvernement. Nul doute que Guillaume, doué d'un extraordinaire sens de la précision et riche de son expérience de fantassin, saurait être un chasseur émérite. Côté pêche, il avait attrapé tant d'éperlans dans le Saint-Laurent, tant de truites dans les ruisseaux et même tant de volailles dans les poulaillers environnants grâce à un hameçon garni d'un ver frétillant, qu'il deviendrait facilement lanceur expert de mouches à saumon de l'Atlantique! De plus, il apprendrait l'anglais en fréquentant les Américains. Peut-être la langue de Shakespeare l'aiderait-elle à noyer son chagrin?

Guillaume accepta donc et partit dans la belle nature, sous la protection du maître-guide Aimé Plouffe, le curieux cousin. Déjà depuis deux saisons il quittait Québec pour la grande Ile, de juin à octobre, et revenait chargé de saumons fumés, de chevreuil, de menu gibier et de chocolats Menier: Henri Menier, le célèbre industriel français, avait possédé Anticosti pendant plusieurs années, y laissant un comptoir. Joséphine devint vite saturée des abondantes victuailles envoyées ou apportées par son fils. Elle avait beau en distribuer au curé, à toute la famille, aux marguilliers, aux membres de la chorale, le congélateur ne se vidait pas.

Joséphine sourit. Son Guillaume reviendrait dans quelques jours. Ah! que le ciel fasse qu'il arrive allège! Avant la guerre, c'était la misère, pensa-t-elle, et maintenant, malgré tant de malheurs, on avait trop de tout.

Puis elle se releva et se rendit examiner à nouveau la photo du soldat. Il passerait l'hiver près d'elle et occuperait ses longues soirées à fabriquer des appâts, des mouches à saumon aux nuances les plus subtiles. Le soir, de sa chambre juste au-dessus de celle de Guillaume, elle l'entendrait ronfler et s'endormirait, heureuse et rassurée.

Alors un souvenir désagréable lui revint. Un mois auparavant, Guillaume, profitant de l'avion d'un millionnaire américain à qui il avait fait faire une pêche miraculeuse, était venu passer deux jours à la maison. Seule, comme aujourd'hui, elle s'était endormie dans sa berçante en égrenant son chapelet et en chantonnant le cantique: *Au ciel, au ciel, au ciel.* Napoléon et Guillaume étaient entrés sur le bout des pieds, l'avaient observée, puis soulevée très délicatement dans sa chaise et hissée sur la table de cuisine où, dans une demi-somnolence, elle continuait de se bercer et de chantonner "Au ciel, au ciel, au ciel, j'irai la voir un jour." Les deux larrons, aussi gamins qu'autrefois, s'agenouillèrent, les mains jointes, et se mirent à geindre: "Sainte Joséphine, priez pour nous." Réveillée en sursaut, elle les aperçut et se rendit compte de sa situation ridicule. Au lieu de prendre le parti de rire, elle s'indigna, se dressa et, debout sur la table, la tête touchant presque le plafond, proféra, le bras vengeur, des paroles solennelles: "Quand deux enfants se moquent comme ça de leur mère, il peut leur arriver des choses épouvantables!"

Aussitôt dite, cette phrase les laissa glacés tous les trois. Guillaume se dit qu'il pourrait être tué d'une balle perdue dans la forêt d'Anticosti, ou mourir noyé dans les rapides de la Jupiter. Napoléon entrevit la possibilité d'une faillite de son entreprise, mais n'osa songer à la tuberculose dont sa femme avait souffert jadis et qui pourrait s'abattre sur un de leurs enfants. Joséphine pensa immédiatement à Ovide et à Rita, à leur mariage sur le point de se rompre.

Les deux frères, moins farauds cette fois, firent descendre leur mère de la table comme ils l'y avait juchée, s'excusèrent et essayèrent de parler d'autre chose. Mais le grain de l'inquiétude était semé. Ils partirent tous les deux, tout penauds, vers l'atelier de Napoléon, laissant Joséphine mécontente d'avoir cédé encore une fois à sa manie de tout dramatiser, de prévoir le pire, traumatisant ainsi ses enfants.

Quand donc se corrigerait-elle, cessant de les couver, les laissant voler de leurs propres ailes, quand donc aurait-elle le courage de rester seule pour entreprendre sa vieillesse?

Joséphine essaya de faire tourner son alliance. Elle n'y parvint pas et le doigt lui fit mal. Et si cette prophétie allait se réaliser? S'il devait arriver à ses fils des épreuves épouvantables? Elle n'aurait jamais dû prononcer cette menace grandiloquente. Le destin n'obéit-il pas trop souvent aux appréhensions du coeur des mères?

CHAPITRE DEUXIEME

Guide de pêche à la rivière Jupiter avec son époustouflant cousin Tit-Mé Plouffe, c'était un bien doux exil pour Guillaume.

La Jupiter coule dans les rêves des grands pêcheurs sportifs de l'univers, dont le fils de Charles Ritz n'était pas le moindre (dans ses appartements du Ritz de Paris, l'hiver, il lançait savamment sa ligne dans une Jupiter fictive). Mais l'Ile qui la charrie en son sein, Anticosti, est un lieu de mystère et de légende. Le dos rond, immense cachalot immobile, elle veille à l'embouchure du golfe Saint-Laurent, bicéphale, une tête tournée vers l'Atlantique et l'autre vers l'Amérique. Deux cent vingt-cinq kilomètres de long sur soixante-quinze de large, couverte d'une forêt dense d'épinettes, sillonnée de rivières à saumons dont la Jupiter est la reine, elle recèle au-delà de cent mille cerfs, issus des quelques spécimens importés par le Français Henri Menier et son intendant Martin Zédé au début des années 1900. D'abord cédée par Louis XIV à l'explorateur Louis Jolliet en récompense de ses exploits sur le Mississipi, cette île, responsable de plusieurs naufrages, devint célèbre par ses légendes de pirates et d'écumeurs de mer.

Au début du siècle, le propriétaire de la chocolaterie Menier, las des affaires, gréa un bateau et, secondé par Martin Zédé, partit à la recherche d'une île vierge. Le riche Robinson, après avoir en vain sillonné plusieurs mers, découvrit enfin Anticosti. Il l'acheta, y érigea un château tout en bois à Port-Menier, le meubla à l'européenne, commença d'y régner en monarque absolu, disciplina les autochtones, en tira une caste de domestiques stylés. Il construisit un chemin de fer, exploita la forêt. Qu'ils étaient privilégiés ses invités parisiens à qui il offrait des séjours de deux mois dans ce paradis!

Le magasin de Port-Menier débordait de chocolats Menier. L'artisanat des pantoufles et des sacs à mains en peau de chevreuil y florissait. Mais en 1917, Menier, devenu obèse, mourut subitement et son frère, qui pestait depuis longtemps devant la fortune que la famille enfouissait chaque année dans ce lointain paradis, vendit l'Ile à une puissante entreprise forestière canadienne. Durant la crise des années '30, le président de la compagnie, par mesure d'économie, fit brûler le château. Par la suite l'Ile d'Anticosti demeura exclusivement un haut lieu de pêche et de chasse pour les riches Américains, pour les barons de la finance canadienne, pour les hommes politiques et leurs amis. En 1937, un groupe de prétendus savants allemands, dirigés par Von Ribbentrop, vint parcourir l'Ile en vue de l'acquérir, mais le Premier Ministre du Québec, le roué Maurice Duplessis, flairant le danger (quel superbe bastion pour bases de sous-marins), alerta le gouvernement du Canada. Les Allemands durent déguerpir.

En ce vendredi soir, à huit heures et demie, l'immense émeraude, Anticosti la magnifique, offrait à la lune sa plus somptueuse veine, la rivière Jupiter. De mémoire d'Indiens, on n'avait jamais vu un début d'octobre comme celui-ci, sans neige; au contraire, n'eût été le multicolore des feuillus, on se serait cru fin juillet. La Jupiter coulait, cristalline, se lovant le long des crans de rochers, vers la mer, vingt kilomètres plus bas. Les taches sombres des fosses à saumons débouchaient sur des rapides argentés par la lune; leur ronronnement égal se mariait au silence et l'arrondissait. De temps à autre, ici et là, arrivaient des bruits de branchailles cassées sous la course de quelque cerf, ou le hurlement ennuyé d'un loup gavé.

Intrus choquant dans cet éden, le camp de chasse, toutes lampes allumées, bourdonnait des exclamations et des chants des chasseurs heureux encore à table. Le long des murs en billots d'épinette vernie, pendaient accrochés tête en bas une dizaine de cerfs, descendants trop nombreux de ceux importés par Henri Menier dans son arche, cinquante ans auparavant, quand il se prenait pour Noé.

Les guides avaient presque tous rejoint leurs quartiers pour se coucher aussitôt. La dure journée recommencait à quatre heures le lendemain matin. Mais deux d'entre eux ne s'endormaient pas encore. Comme drogués par la rivière, Guillaume Plouffe et son cousin Tit-Mé étaient assis sur des bûches en face de la fosse numéro douze, la plus célèbre, la plus magique, la plus prolifique en saumons, la préférée d'Henri Menier et des grands de ce monde, étalée au pied d'un pan calcaire de vingt mètres de haut. Les deux hommes semblaient garder un silence religieux afin de mieux méditer dans le respect sur la montée du saumon vers les étangs de ses origines, du saumon dont le dos, fendant le courant, semait des éclairs d'acier au fil de l'onde.

Puis, le regard perdu sur le flanc du rocher, ils semblaient revivre les pêches miraculeuses de l'été, quand les "salmo salar" de six à huit kilos, bien ferrés, exécutaient hors de l'eau des bonds furieux en se tordant pour se décrocher. La saison de la pêche était maintenant terminée. Pour Guillaume et Tit-Mé, la chasse n'était qu'un carnage, les chevreuils étant trop nombreux et des proies trop faciles. Tandis que le saumon! Il fallait avec lui combattre, jouer au plus fin, le mériter. Après vingt minutes de lutte, de feintes, de fuites folles et désespérées, il pouvait encore, près de tomber dans l'épuisette, se libérer d'un puissant et sauvage coup de queue. Alors les pêcheurs sacraient de dépit (c'était toujours le plus gros qu'on perdait), mais Guillaume et Tit-Mé, souriant de toutes leurs dents, saluaient le vaillant vainqueur et la rivière d'un beau coup de chapeau.

Tit-Mé alluma sa pipe. Aussi grand que son cousin, mais plus mince, il offrait un visage bruni, innocent, où reposaient ses doux yeux verts. Son vieux feutre mou, imbibé d'huile et de cambouis, dont la bande noircie était sertie de mouches à saumon multicolores, semblait plus important que la tête qui le portait. Tit-Mé devait avoir quarante ans. Il parlait lentement, d'une voix profonde, par monosyllabes presque et, quand il voulait être gentil avec une femme, l'appelait "mon petit écureux." Tout son univers se ramenait au poisson et au gibier. Tit-Mé exhala une bouffée de fumée bleue, puis jeta un regard oblique vers le profil de Guillaume au visage nimbé d'un collier de barbe blonde. Approchant de la trentaine, celui-ci était maintenant un vrai homme, une sorte de Tarzan vêtu en guide de chasse, un dieu de la nature déguisé en employé. Les femmes des touristes, l'été, ne réclamaient que lui. Et pourtant...

Du camp arrivait la chanson à répondre *Alouette*, grinçante de toutes les fausses notes causées par l'épuisement et l'alcool. Tit-Mé grimaça.

— S'ils peuvent enfin se coucher, ces braillards!

Guillaume eut une moue.

— Ils paient pour brailler, nous autres on est payé pour les endurer.

Tit-Mé ralluma sa pipe.

— On sait ben, toi t'es habitué. La guerre, les soldats en gang.

— J'ai jamais aimé ça, dit Guillaume, les gangs. Je sais pas ce qu'ils ont, les Américains. Aussitôt qu'ils se retrouvent entre hommes, en groupe, ils boivent, ils crient, ils chantent comme s'ils venaient de s'évader de prison. Les Allemands sont comme ça aussi. Moi, je préfère les Américains quand ils emmènent leurs femmes, ou leurs filles avec eux autres à la pêche.

Tit-Mé le poussa du coude en se gargarisant d'un rire de gorge étouffé.

— On sait ben. Te rappelles-tu la belle blonde de Philadelphie? Tu l'avais pas manquée sur la grande roche plate juste au pied du rapide de la fosse numéro neuf.

— Qu'est-ce que t'inventes là? fit Guillaume, sans conviction.

— J'ai de bons yeux, même à cinq cents pieds.

— Oublie ça.

Il y eut un silence. Ils étaient du genre d'hommes qui ne se vantent jamais de leurs bonnes fortunes, par pudeur, par respect, pour protéger l'honneur de celles qu'ils ont compromises. C'est vrai, les deux cousins avaient une bonne vue. Ils apercevaient des choses que les autres ne voyaient pas. Devant les fosses toutes noires, ils se mettaient les mains devant les yeux, puis disaient: "Lancez là, un groupe de dix saumons. Non...Un pied plus haut!"

Dans le camp, le vacarme s'éteignait doucement, en même temps que le feu de cheminée. Tit-Mé avait longuement songé à la veine de Guillaume de ne pas être timide avec les femmes, à toutes les occasions que lui, Tit-Mé, avait ratées avec les belles visiteuses, parce que bégayant et comme paralysé devant elles. Il secoua sa pipe sur un galet.

— As-tu hâte de retourner chez vous?

— Comme ci, comme ça.

Bien sûr Guillaume serait heureux de revoir sa mère, mais les autres? Pourtant il les aimait toujours. Il les évoqua. Napoléon? Il avait tellement changé. Devenu agité, fébrile, il ne parlait que de devenir riche, d'utiliser les influences politiques, d'obtenir presque tous les contrats de plomberie de la Province de Québec. Cécile s'obstinait à l'ennuyer comme une mouche qui ne meurt jamais. Ovide? Chaque fois qu'il pensait à son frère, Guillaume se sentait coupable. Hélas! il avait été le premier à le tromper avec Rita, qui maintenant continuait certainement avec d'autres hommes. Sur ces affiches publicitaires, comme elle avait l'air putain dans son uniforme de Miss Sweet Caporal! Guillaume sentait Ovide si malheureux qu'il préférait ne pas le voir. Qu'est-ce donc que la guerre avait tué en lui, adolescent jadis si insouciant, si calmement heureux? Il faut supposer qu'après avoir vécu cinq ans de drame extraordinaire, on ne peut plus se réadapter aux petits bonheurs.

— Aïe! regarde les deux beaux petits écureux!

Par réflexe Tit-Mé avait saisi sa carabine.

— Tire pas! fit l'autre en rabattant l'arme.

Au sommet de la falaise, deux cerfs se profilaient, leur panache accroché à la nuit.

— On sait ben, on dirait que t'es guide de chasse à reculons. Pourtant, t'es le meilleur tireur de l'Ile! déplora Tit-Mé.

— Eux aussi viennent admirer la Jupiter. Ils sont là parce qu'ils savent qu'on les tuera pas.

— J'aurais pas tiré, tu sais ben.

— J'aime pas le sang versé pour rien, bougonna Guillaume.

— Pourtant t'as pas de pitié pour les saumons?

Le vétéran se demanda pourquoi. Le saumon, c'était un étranger venu de la mer, indifférent au monde des hommes. Il paraît qu'un poisson ne souffre pas de l'hameçon enfoncé dans sa gueule. Tandis qu'un cerf! Il vous regarde avec des yeux d'enfant suppliant. Guillaume se rappela ce chevreuil rachitique, privé de la mâchoire, emportée par une balle de Winchester. Il errait solitaire de buisson en buisson, l'oeil morne. Guillaume l'avait pris par le cou, et caressé. Puis il lui avait glissé dans la gorge de petites poignées de gruau. La bête, depuis, revenait souvent, tôt le matin, rôder autour de la cabane des deux guides. Il secoua la tête, n'aimant pas penser à l'animal mutilé, essaya d'évoquer ces cerfs arrogants, vigoureux, bondissant comme des faunes qu'il attrapait au lasso, pareil aux cow-boys, quand les touristes ne le voyaient pas. Il immobilisait le cou de la proie dans l'étau puissant de son bras, défaisait le noeud coulant puis, d'une tape sur la croupe, chassait en riant le chevreuil éberlué.

L'existence de Guillaume comportait deux parties: l'époque des bandes dessinées, marquée surtout par Tarzan, dont il était sorti cruel et irresponsable, et celle de ses cinq ans de guerre, dont il était revenu doux et bon. Souvent Tit-Mé avait essayé de le faire parler de ces années en Europe. Mais Guillaume se défilait, agacé, et allait se coucher. Peut-être ce soir, qui était si beau, accepterait-il de se raconter?
— Guillaume, je te comprends pas. Avec ton coeur d'écureux, comment t'as pu tuer tant de monde au front? Des gars de ton âge, après tout?

Celui-ci devint livide, se dressa.
— Parle-moi jamais de ça!
Puis il se rassit. Son coeur était lourd. Il lui fallait crier quelque chose. Sa véhémence semblait étrangère à la beauté de la Jupiter et au calme de la nuit. Etait-ce un cri de libération ou de désespoir?

Soudain Guillaume se mit à vomir des mots:
— On était comme un troupeau. On n'avait pas le choix. C'était ta peau ou la leur. Quand t'es jeune, c'est comme un sport. Plus t'en tues, plus t'en retires au bâton, comme au baseball. Tu les vois pas, y sont loin. Tuer de loin, c'est comme si t'étais pas coupable. Mais le sport est fini quand tu vois tes amis mourir à côté de toi. Là tu deviens enragé, t'as peur, le monde entier te paraît comme un enfer. Tu vois plus clair. Tu tues, tu tues et quand tu regardes ceux que t'as tués, couchés par terre, jeunes comme toi, frisés comme toi, même Allemands, tu pleures et tu te demandes ce que tu fais sur la terre. C'est pour ça que je suis bien à Anticosti.

Guillaume retenait les sanglots courts secouant ses larges

épaules. Tit-Mé reniflait, essuyait deux larmes sur sa joue. Il éprouvait soudain de la vénération devant cette douleur extraordinaire.

— Que je suis niaiseux, dit-il, j'aurais pas dû te parler de ça. C'est terrible. Mais je te comprends.

Guillaume ne pouvait plus s'arrêter:

— La pire chose que je me rappelle, Tit-Mé, c'est en Allemagne. Une belle blonde, vingt ans, m'a emmené dans son lit. Mais j'étais sur mes gardes. J'ai placé mon 38 sous l'oreiller. J'avais raison. Tout à coup deux Fritz sont sortis de la garde-robe, l'arme au poing. J'ai été le plus rapide. Je les ai descendus tous les deux!

Il y eut un silence. Un gros flac! éclaboussa la nuit. L'énorme saumon avait bondi deux mètres hors de l'eau.

— Et la fille? murmura Tit-Mé.

Le vétéran l'avouait pour la première fois, d'une voix réticente et gênée:

— Elle aussi.

— Ouais, fit Tit-Mé, tout sombre. C'est pas rien.

Pourquoi Guillaume pensa-t-il à Ovide à ce moment? Il l'imaginait soudain abattant Rita, surprise au lit avec un autre homme. Tit-Mé lui serra doucement le bras.

— C'est sûr, t'avais pas le choix, mais va falloir que tu t'enlèves ça de la tête si tu veux guérir. Comme s'il fallait que tu naisses une seconde fois.

— Plus tu vieillis, plus c'est dur, naître une seconde fois, se plaignit Guillaume.

— Dis pas ça, s'obstinait Tit-Mé en bourrant sa pipe. Tu prends, moi, j'ai mes peines, aussi.

Son voisin ne semblait pas l'écouter, hanté par le masque de Rita morte. Il se rappelait maintenant que l'Allemande l'avait séduit parce qu'elle était presque le sosie de sa belle-soeur. Tit-Mé continuait d'une voix monocorde:

— Si tu penses que ça été drôle pour moi? Le père m'a jamais aimé. Tu le connais. Faut qu'on soit plus fin que les autres. Mon frère Alexandre est Dominicain, c'est pas assez, faudrait qu'il soit évêque. Papa est maire du village, c'est pas assez, il voudrait être député. Moi, je suis le niaiseux de la famille, l'embarras du Canada; parce que j'ai pas d'ambition, parce que j'aime doucement la nature, j'y fais honte, au vieux. Quand il me parle fort, je fais des sauts, à mon âge, cousin, comme quand j'étais petit! J'ai pas hâte de revenir à la maison. Je pense que je vas bûcher tout l'hiver dans les chantiers de la PRICE BROTHERS, à deux cents milles de chez nous.

Guillaume se levait, frissonnant. La température refroidissait soudain. Il consulta sa montre Bulova, prise au poignet d'un soldat allemand. Neuf heures, vendredi soir. Ovide serait à son comptoir de disques sans doute. Napoléon arrivait certainement, avec ses amis de la politique, au night-club CHEZ GERARD pour entendre quelque chanteuse française en dégustant des john collins. Sa mère, Cécile sa soeur et le commandant Bélanger devaient jouer aux cartes en sirotant une limonade.

Avant de rentrer au camp, les deux guides jetèrent un dernier regard à la Jupiter descendant vers la mer.

CHAPITRE TROISIEME

En effet! Napoléon, sa femme Jeanne et un couple d'amis influents dans le gouvernement de l'Union Nationale dirigé par Maurice Duplessis, faisaient bombance au restaurant-cabaret CHEZ GERARD, juste en face de la gare, à la basse ville. Le propriétaire, Gérard Thibault, avait été le premier à le comprendre; en cette période folle de l'après-guerre, dans un monde où la communication commençait d'étendre ses infinis tentacules, les gens de Québec qui, quelques années auparavant étaient encore privés d'appareils radio ou même du téléphone, voulaient goulûment profiter de la prospérité nouvelle et des spectacles de music-hall, contemplés jadis dans les seules salles de cinéma. Du ghetto fermé de la cuisine, de la paroisse, du champ étroit des distractions artisanales, on débouchait sur le loisir international. On s'évadait enfin de la platitude du passé, on ouvrait les bras aux divertissements nouveaux.

Gérard Thibault avait installé son établissement dans le quartier interlope, prévoyant que les bourgeois de la haute ville s'y précipiteraient comme vers un fruit défendu. Il eut raison.

Ce vendredi-là, on faisait la queue à la porte du cabaret déjà bondé de spectateurs trinquant et s'amusant ferme devant des cuisses de poulet ou des biftecks au poivre entourés de frites. Qu'importait! Ce soir le fameux Charles Trenet, qu'on appelait le fou chantant, interpréterait *Boum! quand mon petit coeur fait boum! Le soleil a rendez-vous avec la lune, Quand j'étais p'tit,*

Ménilmontant. Le génie de Charles Trenet symbolisait la gaieté, la jeunesse, reléguait aux boules à mites les mélodies d'avant-guerre et annonçait déjà Elvis Presley et les Beatles.

Napoléon et ses invités occupaient une table de choix près de la scène, sous les réflecteurs. Celui-ci, ayant exécuté les travaux de plomberie du restaurant, avait diminué sa facture d'un montant qui lui permettait de profiter gratuitement des spectacles du vendredi soir et d'en faire jouir ses invités du monde politique. En retour ceux-ci le gratifiaient d'un petit contrat par ci par là. A sa manière naïve, Napoléon pratiquait ses "public relations" avec la brutalité d'un boxeur enthousiaste, mais il réussissait!

Ce soir-là il se montrait particulièrement démonstratif, saluait à la ronde, offrait des drinks aux clients des tables voisines. Jeanne, sa femme, paraissait inquiète. Ils s'étaient aimés dans la souffrance et la pauvreté. La prospérité changerait-elle son Napoléon au point qu'elle le perdrait, au point qu'il se perdrait lui-même? Jeanne abordait ces soirées CHEZ GERARD comme de vrais contes de fées dont elle déchantait pourtant, parfois, angoissée devant une menace imprécise. Née fille de pauvre, ancienne bonne à tout faire, elle était peut-être aussi faite pour vivre et mourir gagne-petit? Seraitelle punie un jour d'avoir défié le destin? Elle tira la manche de son mari et chuchota:

— Tu parles trop fort! Tout le monde nous regarde!

Il lui pinça le menton et lui mordilla l'oreille.

— C'est comme ça quand on est connu et qu'on a un bon gosier. Depuis que je joue de la trompette, on dirait que ma voix renforcit. Plus ça va plus j'ai du souffle...hein, ma Jeanne?

Elle rougit à cette évocation non équivoque (soulignée d'un énorme clin d'oeil de Napoléon), de ses exploits conjugaux, souvent réussis plusieurs fois par nuit. Il s'écria, appelant la serveuse:

— Marie, on répète! Vive la vie!

Celle-ci approchait de la table, suivie des regards de convoitise des hommes et des coups d'oeil d'envie des femmes. C'était une fille superbe, dans la vingtaine, Française de Paris récemment arrivée à Québec. On ne savait pas grand'chose d'elle, sinon qu'elle avait été recommandée à Gérard Thibault par un personnage influent, partisan du Maréchal Pétain durant l'Occupation.

Grande, brune aux yeux verts immenses, aux lèvres pleines et bien dessinées, elle laissait deviner, sous son uniforme bleu ciel, de fortes hanches malgré la taille très fine, des jambes dont les rondeurs troublaient les maris et agaçaient leurs compagnes. On se demandait comment une telle beauté, à l'éducation raffinée par surcroît, pourrait rester longtemps CHEZ GERARD. C'était inévitable: Gérard Thibault la perdrait bientôt. Marie gardait ses distances avec tous et accomplissait son service avec tact et diligence. Réservée, elle ne semblait pas se rendre compte de ses attraits, n'écoutait pas les propos vulgaires et, avec l'élégance d'un papillon, évitait les mains fouineuses de clients éméchés. Pendant qu'elle inscrivait les consommations, Napoléon mit la main sur la sienne. Grondeuse, Jeanne la lui retira:

— Laisse-la donc tranquille, tu l'embarrasses, grand fou.

Marie lui sourit de reconnaissance et partit sous le regard admiratif de la tablée.

— Si j'avais le droit à une autre femme, c'est elle que je prendrais...à condition que ça te fasse rien, bien entendu, hein? ma Jeanne?

— Que je te poigne jamais! fit-elle, lui pinçant le biceps. Tous les enfants qu'on a!...Je savais que cette idée-là te viendrait un beau jour, avec ces boissons et ces soirées au restaurant.

Il rit et sous la table lui caressa la cuisse. Rougissante, elle repoussa sa main. Napoléon jouissait franchement de sa vie de plombier prospère. Les complications sentimentales, les rêves furtifs d'aventures romanesques ne faisaient pas long feu en lui.

— Ah! oublions ça! Amusons-nous!

Et, trinquant avec le couple invité il déclara:

— Honorable adjoint au sous-ministre des travaux publics, sous le plus grand homme politique que le monde a connu, Maurice Le Noblet Duplessis, je vous déclare, et à vous aussi chère Madame l'adjointe, que cette belle créature Jeanne, ma petite femme, était mourante quand je l'ai rencontrée et maigre comme une échelle. On s'est mis à deux et on a guéri! Et cinq enfants après! Elle pèse quarante livres de plus qu'au jour de notre mariage.

— Fais-moi pas éclater! protesta Jeanne, déclenchant le rire du couple.

— Ce qui veut dire que, quand je prends un contrat, je le remplis jusqu'au bout et à la perfection, fit Napoléon, ajoutant tout bas:

à propos, le contrat de la prison de Québec? Vous l'oubliez pas?

La femme de l'adjoint tourna la tête et son mari fit chut! en regardant autour, inquiet. Mais personne n'écoutait personne; on annonçait l'arrivée sur scène de Charles Trenet dans cinq minutes. Napoléon ne lâchait pas, son chuchotement se faisait incisif, ses yeux luisaient comme braise:

— Mon dix pour cent de la Caisse électorale est prêt, je paye d'avance! Je vous offre de l'ouvrage bien faite, jour et nuit, moins cher que les autres! Mes prix sont imbattables!

L'orchestre s'installait, on accordait les violons. Soudain nerveuse, Jeanne poussa le coude de Napoléon. "Regarde à la table du fond!" Rita, leur belle-soeur, trinquait avec une autre femme et deux hommes élégants dans la quarantaine. L'un d'eux était Stan Labrie. Napoléon pâlit, ses dents se serrèrent.

— Qu'est-ce qu'elle fait ici, elle, avec Stan Labrie? Pendant qu'Ovide travaille à son magasin!

— Faut bien qu'elle se distraie un peu, excusait Jeanne. Elle aime ça sortir, elle aussi.

Entre les dents, Napoléon bougonnait:

— Depuis qu'elle a été Miss Sweet Caporal, elle porte plus à terre. Elle regarde tous les hommes avec un air de "guidoune".

— Elle a pas changé, corrigea doucement Jeanne, elle a toujours été, au fond, Miss Sweet Caporal!

Comme si elle eût entendu les paroles de Napoléon et senti posé sur elle un regard durci, Rita se retourna et aperçut son beau-frère. Dans la splendeur épanouie de la trentaine, elle était bien la même qui avait bouleversé Ovide dix ans auparavant, mais ses talents de séductrice avaient atteint un degré de perfection étourdissant. Dès qu'un regard masculin touchait le sien, ses lèvres devenaient humides, elle croisait et décroisait ses superbes jambes, tout son corps ondulait de façon subtile dans une troublante offrande. Devait-elle cet art accompli à l'excitante expérience vécue au printemps, quand Stan Labrie la fit choisir comme symbole publicitaire par la compagnie de cigarettes SWEET CAPORAL? Malgré les protestations d'Ovide, elle avait accepté de se costumer en majorette et de parader dans un char allégorique lors du défilé de la Saint-Jean-Baptiste. Les spectateurs sifflèrent d'admiration devant le galbe de ses cuisses, son rond petit derrière qui retroussait presque la jupette, sa poitrine ferme et agressive sous la tunique, son ravissant visage ondulant sur un cou long et gracile, ses lèvres faites pour le sourire extasié des amours et ses yeux langoureux prêts à chavirer à la moindre caresse.

Son succès fut instantané. La compagnie lui offrit alors un cachet de mille dollars pour la parution de sa photo dans le même costume sur d'énormes affiches publicitaires partout en ville. C'est là qu'Ovide, en les apercevant, se déchaîna et envoya une mise en demeure au président de la firme, avec menace de poursuite pour aliénation d'affection, et dénonciation dans le journal LE DEVOIR reconnu pour son respect des bonnes moeurs. Le contrat fut annulé et Rita boudait Ovide depuis ce temps. Mais le mal était fait. On l'identifiait maintenant dans la rue, au restaurant, à l'église et les messieurs, du regard lui enlevaient sa robe pour, après une pause, la rhabiller en Miss Sweet Caporal.

Ah! les maudits Plouffe! Fuyant l'oeil inquisiteur de son beau-frère, Rita put se ressaisir. Le germe d'une explication plausible pour Jeanne et Napoléon lui apparut, se précisa. En se levant, dans quelques minutes, mine de rien, elle réussirait facilement à attirer l'attention, autant, sinon plus, que cette Marie trop voyante. Elle sourit: amenée CHEZ GERARD par sa cousine et son ami, courtier en assurances, elle n'avait pu empêcher Stan, qui se trouvait là, de se joindre au trio. Elle raconterait la même chose à Ovide et le tour serait joué. Enfin soulagée, elle se dirigea, ondoyante, vers la table de Napoléon.

***

A quelques centaines de mètres de là, Boulevard Charest, scintillait l'affiche néon AU ROYAUME DU DISQUE. Le propriétaire de ce magasin profitait de l'engouement pour la chanson française, suscité par la radio et le passage des grandes vedettes parisiennes CHEZ GERARD. C'est pourquoi il gardait son comptoir ouvert le vendredi soir, profitant de la sortie des auditeurs du premier spectacle, entrant vite chez lui encore tout chauds des mélodies qu'il venaient d'entendre et les chantonnant gauchement. Bien sûr, la plupart des autres boutiques étaient fermées, mais le profit c'est le profit et c'était son affaire s'il cherchait à vendre des disques jusque tard le vendredi soir.

Ne payait-il pas grassement son gérant Ovide Plouffe quarante dollars par semaine? Ce garçon n'était pas un vendeur idéal, mais il attirait une clientèle fidèle à la musique classique et à l'opéra, qui appréciait les judicieux conseils d'Ovide et ses connaissances encyclopédiques sur tous les grands chanteurs. Quant à la chanson populaire, Ovide apprit avec le temps à cacher son mépris pour ce genre mineur. Mais depuis peu, à sa surprise, il s'intéressait aux créations de Charles Trenet, éclatantes de rythme joyeux, de fraîcheur, de poésie et d'optimisme.

Ovide, seul au magasin, se perdait dans des pensées gambadant dans toutes les directions. On parlait d'augmenter le prix du journal LE SOLEIL de trois à cinq sous! Vers quel avenir se dirigeait-on? Il songea aux problèmes politiques. Louis Saint-Laurent, grand avocat d'ici et ministre de la Justice, deviendrait-il Premier Ministre du Canada, succédant à Mackenzie King tombé gravement malade lors d'une visite à Londres? Ce serait là un grand honneur pour la ville de Québec! Ovide, depuis quelques mois, sentait s'éveiller en lui une conscience sociale jusque-là ignorée. La collectivité évoluait vite et toutes sortes d'indices troublants annonçaient de mystérieux bouleversements. Tous ces fiers intellectuels, issus de la Faculté des Sciences Sociales, animée par le fondateur et doyen le père Georges-Henri Lévesque, disciple des Dominicains français Maydieu, Delos et Dominique Dubarle, quel genre de société voulaient-ils? Et ces journalistes d'avant-garde, marqués par les idées européennes et entraînés par l'éditorialiste André Laurendeau, ces syndicalistes chrétiens électrisés par leur chef, le jeune tribun Jean Marchand, pourquoi contestaient-ils si farouchement le pouvoir absolu de Maurice Duplessis? Au nom de la démocratie et du pluralisme? Ovide eût aimé les connaître tous, partager leur passion, se joindre à leur dure lutte. Mais il n'était qu'un obscur disquaire!

Machinalement il épousseta un trombone, dont le cuivre brillait sous l'ampoule électrique. Il songea à des calices, à des ostensoirs d'or sertis de pierres précieuses, pensa au Trésor polonais et encore à Duplessis. Au début de la guerre, en 1939, les autorités de la Pologne avaient mis leurs richesses en lieu sûr dans la très catholique Province de Québec, où on les gardait cachées dans les voûtes du Musée Provincial. Maintenant (à la demande du clergé de Varsovie peut-être), Duplessis refusait de les rendre, sous prétexte que le gouvernement polonais actuel était d'allégeance communiste. Ovide se gratta l'oreille. Aurait-il lui aussi la même attitude que Duplessis? Ces communistes devenaient de plus en plus menaçants! Mao Tsé-Toung, en Chine, allait bientôt chasser Tchang Kaï-Chek. En France ils fomentaient des grèves dans tous les secteurs. Qu'attendait le Général de Gaulle pour renverser le gouvernement Queuille, si faible devant eux?

Les graves problèmes mondiaux oppressaient Ovide. Il se sentit soudain très las. Et ce premier spectacle CHEZ GERARD, qui n'en finissait pas! Plusieurs rappels, sans doute? Rita, debout, applaudissant, devait être la plus ardente à les réclamer? Il ne changeait pas beaucoup, Ovide, sauf que plusieurs poils blancs striaient à présent ses cheveux noirs. Sa mâchoire était aussi plus dure, plus déterminée. Il gardait toujours les dents serrées, même en dormant, en défense contre des tracas profonds et chroniques. Il fit du regard l'inventaire de sa marchandise. Les disques étaient rangés avec ordre, selon les genres. Quelques instruments de musique occupaient la moitié du magasin: des guitares électriques surtout, très populaires auprès des jeunes. Les adolescents, hélas! vibraient d'une passion inquiétante pour les rythmes échevelés que lui, Ovide, n'avait jamais connue et ne comprenait pas. Le monde entier devenait malade de la danse de Saint-Guy, c'est sûr!

Phénomène étonnant, il vendait de plus en plus de trompettes à pistons, sans doute à cause de la popularité de Louis Armstrong et autres trompettistes américains. Ces prodiges tiraient de tels sons de leur instrument, que le résultat tenait plus de l'acrobatie que de l'art. Comment, se disait Ovide, peut-on servir la musique en profondeur quand on demande tant à ses poumons, à ses joues et à ses yeux exorbités? Puis, ô surprise, son frère Napoléon était venu lui aussi acheter une trompette à pistons. Pour l'encourager peut-être? Mais Napoléon ne faisait rien à moitié. Il apprenait sérieusement à jouer et quand, après souper, il s'installait sur la galerie pendant que Jeanne faisait la vaisselle et qu'il commençait à torturer son instrument, il causait le désespoir des voisins. Ceux-ci venaient le supplier d'aller apprendre son art à la salle paroissiale ou dans les champs avoisinants. Le commandant des zouaves, Ephrem Bélanger, ami de Cécile et de Joséphine, voyait en Napoléon une future recrue pour son corps de clairons, mais le plombier hésitait.

Ovide eut un petit rire méprisant. Il lui arrivait souvent, quand il était seul, de s'offrir le luxe d'imaginer en lui deux personnages siamois: un Ovide admirable et un Ovide méprisable. Ce soir il se moquait bien de ce dernier. Rita était justifiée de s'impatienter de son maigre salaire, de son manque d'habileté à améliorer sa situation. L'exemple des succès de Napoléon, les fantaisies qu'il s'offrait, sa voiture décapotable éveillaient chez Rita des goûts faciles à prévoir. De plus en plus il se sentait coupable devant elle et se surprenait à envier son frère. Sa femme, avec raison, devait le considérer comme un rabat-joie incurable? Il se reprocha sa cruauté. Au nom de son détestable amour-propre, il avait privé Rita de sa vraie raison d'être, celle de se faire voir et admirer. Déjà, en interrompant d'autorité sa fulgurante carrière de Miss Sweet Caporal, il l'avait profondément déçue. Depuis, leurs relations n'étaient plus les mêmes. Une blessure mal cicatrisée les séparait, blessure qui se rouvrait de temps en temps. Mais que faire? Elle devait bien s'amuser ce soir avec sa cousine et son ami! Tant mieux, elle serait de meilleure humeur demain. Il essaierait de partager son enthousiasme pour Charles Trenet, lui promettrait même de réorienter sa vie, de mettre le cap sur un nouvel et plus éclatant avenir. On perd sa femme si on ne devient pas le champion qu'elle a espéré. Ovide tenta de bomber le torse, mais ses épaules retombèrent aussitôt et ses yeux un instant agressifs retrouvèrent leur regard de noyé.

Un avenir plus éclatant. Mais où et dans quoi? Il ne valait pas grand'chose en commerce et ne connaissait aucun autre métier que celui de tailleur de cuir. Mais ça non! Plutôt mourir que retourner à la manufacture! Il sentit ses entrailles mollasses, eut un autre petit rire contre l'Ovide méprisable et se dirigea vers le tourne-disque, où il mit en marche *Les Sanglots de Paillasse* interprété par Caruso. Puisqu'il était seul, il chanta et sanglota avec son idole.

La porte s'ouvrit devant deux couples euphoriques. Pris en flagrant délit, Ovide fit taire le ténor et se composa une attitude de vendeur sérieux.

— A votre service, Messieurs-Dames!

— On veut tous les disques de Charles Trenet!

***

Il attendit jusqu'à onze heure et demie. Manifestement Rita, tout à son plaisir CHEZ GERARD, l'avait oublié. Il n'irait certes pas la déranger au cabaret. Quelque chose lui disait qu'il pourrait en souffrir, mais il préférait adopter l'attitude noble du mari qui permet à son épouse une certaine liberté, car si on l'aime et la respecte, on lui fait confiance, non? Il ferma et partit à pied vers son logement à la haute ville, au sommet de l'escalier de la rue de l'Alverne, juste à côté du monastère des Franciscains. C'est là, au pied du mur, qu'un soir, jadis, il s'était jeté sur Rita, d'ailleurs très consentante, après plusieurs cocktails singapore sling absorbés au bar du Château Frontenac. Après, fou de remords, il avait essayé de s'enrôler afin d'aller mourir pour la démocratie.

D'où venait sa manie de rester fidèle aux symboles qui avaient marqué sa vie? Attelé à son cortège de souvenirs, il les traînait, tête baissée, sans regarder l'horizon. N'avait-il pas appelé, la semaine dernière, le frère Léopold, son voisin de cellule au monastère des Pères Blancs d'Afrique, pour lui demander de ses nouvelles? Peut-être Ovide n'était-il fait que pour se rappeler toutes sortes de choses, surtout les airs d'opéra et les monastères?

Il habitait un petit quatre pièces modestement meublé. A quarante dollars par mois, il respectait le sage: un mois de loyer, une semaine de salaire. Naturellement ses moyens ne lui permettaient pas d'acquérir une automobile. Mais Rita avait tendance à acheter des vêtements à crédit; il la suppliait de mettre fin à cette habitude, mais sa femme raffolait à tel point des colifichets qui lui allaient à ravir, qu'il se contentait maintenant de dépouiller avec angoisse le courrier constitué en majeure partie de factures. Cependant Rita, sur ce chapitre, était très raisonnable depuis quelque temps. Minuit approchait. Il raccrocha le téléphone. Grand'maman ne voulait pas qu'il vienne chercher la petite Arlette, âgée maintenant de cinq ans, adoration de Joséphine. Rita pourrait la prendre demain matin. Ovide se pinça une narine, songeur. Sa mère avait prononcé une phrase énigmatique à propos de Rita: "Tu lui donnes trop de corde. A force de trotter, elle pourrait partir au galop. Il est temps que tu y voies, Ovide. Réfléchis bien à ce que je te dis. Ta mère a le nez long."

Il se rendit à la fenêtre, écarta le rideau. Minuit et quart. Vraiment Rita exagérait. Peut-être avait-elle eu un accident? Il arpenta nerveusement la cuisine meublée d'arborite rose, aux bras et pattes nickelés. C'était la mode, mais Ovide n'aimait pas ces horreurs qui lui donnaient l'impression de vivre dans une boîte métallique. Au petit salon trônait le piano couvert de livres, flanqué d'un moderne appareil radio-tourne-disque, payé en trente-six versements mensuels. C'est là qu'Ovide s'oubliait pour se fondre dans Verdi, Puccini et Leoncavallo. Des fauteuils massifs, couverts de peluche beige, achevaient d'encombrer la pièce où les lampes avaient peine à trouver place.

A une heure du matin Rita rentra enfin.

— Pauvre toi, t'es pas encore couché? fit-elle, apitoyée mais le ton égrillard et l'oeil trouble.

— Je ne peux dormir avant que tu sois là, tu le sais, se plaignit-il.

Elle déposa son sac à main sur l'arborite de la table.

— Ah! quelle soirée! Charles Trenet! Un beau grand blond frisé, les yeux bleu ciel, fit-elle en chantonnant "Ménilmontant, mais oui, Madame."

Ovide esquissa un sourire triste.

— Moi je préfère "Quand j'était p'tit, je vous aimais à la folie."

Elle lui chatouilla le menton. "Quand t'étais grand, menteur".

— Tu as bu?

Rita virevoltait.

— Tu comprends, deux spectacles! C'était si beau! T'es forcée de boire. C'est la condition. Ah! Ovide, qu'on a eu du plaisir! Ma cousine était accompagnée de son ami Fred, un gérant de bureau d'assurances. Je te dis que l'argent lui pèse pas au bout des doigts.

— C'est jamais lourd quand on en a, réfléchit Ovide.

Elle protégeait ses arrières.

— Ah! j'oubliais! Est-ce que je suis bête! Imagine-toi donc qui a pu venir nous trouver à notre table? Cherche, cherche!

— Napoléon?

Rita affichait ses airs de chatte.

— Ben non. Napoléon était là en effet avec sa Jeanne et ses amis de la politique. Oh! tu le trouveras pas. C'est Stan Labrie en personne!

Tout le passé se rua sur Ovide. Son rival, jadis fiancé de Rita, l'impuissant Stan Labrie, le responsable du contrat Miss Sweet Caporal, Stan Labrie, devenu courtier en débauches, peut-être même agent d'un réseau de traite des blanches, rôdait à nouveau autour de sa femme.

— Je te défends de parler à cet ignoble individu! Je te l'ai déjà dit!

— Que voulais-tu que je fasse! J'étais coincée.

Alors il se trouva ridicule. Apparemment calmé, il demanda:

— Avez-vous bu des singapore sling?

Elle eut un rire perlé:

— Les singapore sling, c'est pour toi, seulement avec toi. La mode est passée. Aujourd'hui, c'est le john collins qui est dans le vent. Pauvre Stan, il a l'air bien triste et bien seul, tu sais. C'est entendu, ça doit être décourageant pour un homme de pas pouvoir satisfaire les femmes. Dis donc, est-ce qu'il nous reste du gin? On trinquerait avant de se coucher?

— T'as assez bu pour ce soir. Tu ne penses pas? Gardons notre argent pour acheter des vitamines à la petite, c'est plus indiqué. Quand j'ai vu que t'arrivais pas, j'ai demandé à maman de la garder à coucher.

Elle fit une moue de couventine, se frappa le front:

— Je l'oubliais! Que c'est donc tannant des fois d'être captive des enfants, quand tant de choses se passent dehors!

Elle bâilla.

— Allons dormir et faisons de beaux rêves.

Elle disparut dans la chambre. Ovide pensa à Napoléon, à l'ami Fred le gérant du bureau d'assurances, à l'argent qui est si léger au bout des doigts heureux. Il se mit à regarder fixement le sac à main de Rita, oublié sur la table de cuisine, puis tâta son propre portefeuille, l'extirpa de sa poche arrière et l'ouvrit. Il contenait trente dollars. Pauvre petite Rita, se dit-il, qui aime tant rire et s'amuser! Elle est saine, elle. Comme elle devait le trouver ennuyeux!

Elle se montrait raisonnable depuis quelque temps. Tiens! Il fallait lui causer une heureuse surprise! Il glisserait un billet de vingt dollars dans son sac et, en le trouvant, elle s'épanouirait de tendresse pour lui. Il écrivit sur un bout de papier "fais-en ce que tu voudras, chérie. De ton Ovide." puis en enveloppa le billet de banque. Il ouvrit le sac à main pour l'y déposer. Ses yeux s'arrondirent. Au milieu des menus articles qu'on trouve dans le sac d'une coquette, il apercevait trois billets neufs de cinquante dollars, de couleur orange. Stupéfait il les effeuilla. Un morceau de carton d'allumettes CHEZ GERARD tomba sur la table. Un numéro de téléphone y était inscrit. Ovide n'osait conclure, tout son être se figeant dans une attitude de défense effrayée. Mais la mise en garde de sa mère lui martelait les tempes. Et ce Stan Labrie qui refaisait surface! Comme en panique, il cria: "Rita!"

Elle apparut en peignoir, aperçut le sac à main ouvert et les trois billets de banque dans les doigts tremblants d'Ovide, blanc comme cire. Elle pâlit elle aussi, faillit perdre le souffle.

— Tu te permets de fouiller dans mes affaires intimes, à présent, comme un espion?

— Je fouillais pas! Je voulais te faire une surprise, y déposer vingt dollars. Mais où prends-tu cet argent, Rita?

— C'est...c'est de l'argent que j'économise sur mon budget depuis des mois, plus les allocations familiales d'Arlette! J'ai tout changé en coupures de cinquante. Ça prend moins de place et ça me fait sentir plus sûre de moi qu'un paquet de billets de un ou de deux dollars! Qu'est-ce que tu penses donc, hein? Regarde-moi pas avec ces yeux-là!

Elle passait à l'attaque et il commençait à bredouiller:

— Excuse-moi, je deviens fou, je pense. C'est que je suis tellement fatigué ces temps-ci.

Rita avait traversé l'épreuve; elle arracha des mains d'Ovide le carton où elle avait inscrit le numéro de téléphone.

— Ça c'est un numéro que je dois composer pour me trouver une situation.

Il suffoquait. Sa femme à lui, Ovide Plouffe, une situation? Sa fierté prit vite le dessus.

— Jamais! Si je ne suis pas capable seul de te faire vivre et de te rendre heureuse, j'aime autant mourir!

Elle haussait les épaules et, maintenant dégrisée, lui parlait doucement, attentive comme une garde-malade professionnelle:

— Mais Ovide! Reprends tes sens! J'en peux plus de te voir te torturer les méninges. Soyons réalistes: on vit comme un couple de pauvres. Je pourrais faire garder la petite ou la mettre en pension pour un temps. Un salaire de plus qui rentrerait! Et j'aimerais ça! On se remettrait à flot, au lieu de tomber en morceaux de jour en jour, comme on le fait. Tiens, CHEZ GERARD, je pourrais travailler comme serveuse dès demain. Et les pourboires, hein? Tu verrais que la Française, la Marie, prendrait son trou. Et ça nous regarde de haut, avec son accent précieux! Elle va voir de quel bois je me chauffe! Et l'argent rentrerait ici à pochetée, je t'en passe un papier.

Ovide se sentait défaillir. Sa Rita serveuse dans un night-club! Une humiliation encore pire que celle de la voir parader en Miss Sweet Caporal!

— Ne me fais jamais ça, Rita! Je n'oserais plus me regarder dans le miroir.

La voix blanche, il la suppliait comme un enfant, avait envie de se mettre à genoux devant elle. Mais il réagit et dit sèchement:

— Va te coucher; on parlera de tout ça demain.

— Tu veux jamais rien! se plaignit-elle.

Elle s'enfuit en retenant de petits sanglots, fit claquer la porte et se recroquevilla dans son lit en tirant les couvertures par-dessus sa tête.

Ovide s'assit au bout de la table, coudes sur l'arborite rose et le menton dans les mains. Quel calvaire il vivait! Le coeur lui faisait mal. Un étourdissement total s'installait en lui. Pendant de longues minutes il se sentit près de perdre conscience. Puis il put se lever en titubant, chuchotant son acte de contrition, but un verre d'eau chaude et alla s'étendre aux côtés de Rita en murmurant:

— Si je mourais, fais-moi incinérer et remarie-toi. Tu serais heureuse enfin.

***

Le lendemain, Ovide se leva tôt, discrètement, sans éveiller Rita, but un jus de tomate et se rendit au magasin. Il s'y sentait moins malheureux que chez lui, où la présence de sa femme dans un décor médiocre lui rappelait, chaque seconde, la grisaille de sa vie. Ici, au milieu des disques, dont plusieurs, totalement ignorés de la clientèle, lui offraient une évasion dans l'irréel, il trouvait le répit nécessaire à son équilibre intérieur, à tout instant menacé de se rompre.

Le propriétaire entra, lui trouva la mine souffreteuse mais le félicita d'être le premier arrivé le matin. Ovide expliqua qu'il avait pris ses habitudes de lève-tôt au monastère. Quant à sa mine maladive, il prétendit avoir mal dormi à cause d'un ragoût de pattes de porc préparé par Rita, qui le savait incapable de digérer cette viande au grain trop serré, laquelle, d'ailleurs, la plupart du temps contenait encore des bactéries agissantes.

— On va manquer de Charles Trenet si ça continue! dit le propriétaire en vérifiant l'inventaire. Vous êtes un bon vendeur, vous connaissez votre affaire, mais vous êtes distrait, vous oubliez de renouveler les succès en temps. De plus vous écoutez trop longuement vos disques avec des clients pique-assiette de musique gratis, qui finalement n'achètent rien. Quant à la musique en feuille, vous en commandez trop. Les jeunes n'apprennent plus le solfège. Aujourd'hui on joue et on chante à l'oreille. Je vous donne le la, mon garçon!

Le rouge monta aux oreilles pâles d'Ovide. Une féroce envie le prit de lancer tous les disques à sa portée à la figure du propriétaire, dans un acte de révolte absolue, pour en finir, comme ça lui était arrivé quand il avait assommé son tortionnaire le Frère Léopold au monastère des Pères Blancs d'Afrique, quelques années auparavant, après quoi il avait défroqué et épousé Rita. Mais cette fois il s'enfuirait seul n'importe où et pour toujours. Il écrirait une lettre d'adieu à Rita, à sa mère, à sa fille, en leur avouant son échec total. Il leur demanderait pardon et les supplierait de ne point le chercher, de le considérer désormais comme un atome anonyme dans le tout appelé genre humain. Il partirait, roulerait sa bosse, finissant comme clochard sous les ponts de Paris, ou revenant par surprise, après plusieurs années, millionnaire en Rolls Royce, cigare au bec. Les trois billets de cinquante dollars dans le sac à main dansèrent devant ses yeux. L'explication de sa femme sonnait faux! Ovide avait de l'oreille après coup. Quand il se remémorait certains accords comme ceux, étonnants, de Debussy, il découvrait soudain leur merveilleuse nouveauté.

— Répondez-moi quand je vous parle! s'impatienta le patron.

Ovide ne lui dit pas que l'évocation des billets orange venait de refréner l'envie féroce qui l'avait pris de jouer une scène de rupture mémorable. Il parut sortir d'une réflexion profonde.

— C'est que je pensais à l'avenir de votre entreprise, dit-il, comme fasciné par une vision soudaine. Si j'oublie de renouveler les inventaires en temps, je m'en confesse, c'est que je suis le genre d'homme à faire de la planification à long terme.

Le propriétaire ouvrait de grands yeux. Planification à long terme? Quelle était cette nouvelle lubie de son curieux gérant?

— Tous ces disques 78 tours que nous vendons comme des petits pains chauds, eh bien! apprenez qu'ils vivent leurs derniers beaux jours.

— On n'en vendra plus? Y a pas à dire, vous avez des matins pessimistes! Si on est destiné à faire faillite, fermons boutique tout de suite!

— Je n'ai pas dit ça, fit Ovide, sentencieux. Seulement, des recherches se poursuivent qui révolutionneront l'industrie du disque et du tourne-disque. On produira des 45 tours, puis des 33 tours. Vous voyez ce que ça signifie? (Les yeux du propriétaire s'arrondissaient.) Pour les 33 tours, chaque côté offrira huit à dix chansons et vous en aurez pour vingt minutes d'audition sans tourner le "record" comme on dit.

— C'est inquiétant, ça? On en vendra vingt fois moins?

Ovide haussa les épaules. Avec quelle calme sagesse il entrevoyait l'avenir des autres!

— Alors vous les vendrez vingt fois plus cher! Ça prendra beaucoup moins de place! Et le commerce des tourne-disques sophistiqués s'étendra en dimension inimaginable au vendeur d'aujourd'hui.

Le propriétaire ébranlé tomba dans une profonde réflexion. Ce garçon était vraiment étonnant. Une importante destinée l'attendait sûrement. Il perdrait ce précieux employé un jour ou l'autre. Et si Ovide allait s'aviser d'ouvrir son propre commerce! Il faudrait le ménager, le complimenter souvent, hausser son salaire, peut-être?

La porte s'ouvrit et une jeune fille ravissante entra. Ovide resta comme figé devant cette superbe femme, la plus belle qu'il eût vue de toute sa vie. Il pensa à *Carmen* de Bizet. Ces cheveux, ces yeux, ce corps, ces jambes! S'il avait été présent CHEZ GERARD, la veille, il eût reconnu Marie la Française, dont Rita lui avait parlé avec jalousie, espérant elle-même lui voler la vedette.

Devant l'immobilité d'Ovide, le propriétaire se précipita vers la cliente. Elle dit qu'elle cherchait un disque de musique classique. Une Française! Le coeur d'Ovide avait bondi. Quel langage châtié! Quelle voix troublante! Cette tonalité de contralto il l'identifia: sensuelle à la manière d'Erta Kitt, mais moins tragique que celle d'Edith Piaf. Presque sûre de se faire répondre par la négative, elle demanda si on tenait en magasin les chansons de Francis Poulenc.

— Francis Poulenc? fit le propriétaire hésitant, se tournant, prudent, vers Ovide.

Les yeux rivés sur le visage admirable de cette fille, Ovide acquiesça, la gorge sèche, se préparant à surveiller son accent québécois. Le regard de Marie s'alluma d'une joie enfantine et Ovide sourit.

— Bien sûr, Francis Poulenc, se rengorgea-t-il. Au ROYAUME DU DISQUE, nous avons tout. Ah! Francis Poulenc, ce grand compositeur français né en 1899, qui subit l'influence de Debussy, de Chabrier, de Ravel. Membre éminent du groupe des six, son talent l'a surtout porté vers la chanson classique et le théâtre.

Tout fier, le propriétaire bombait le torse, approuvait.

— C'est ça, c'est bien ça, confirmait la jeune fille, étonnée de trouver ici un langage qu'elle n'avait pas encore entendu à Québec. Auriez-vous par hasard *Les chemins de l'amour*, chanté par Yvonne Printemps?

— Demandez et vous recevrez! dit Ovide tout joyeux.

Il se mit à chantonner "Chemins du souvenir, chemins de nos amours." La jeune fille approuvait, distraite, le regard perdu dans son passé. Le propriétaire admirait la performance d'Ovide et se sentait soudain étranger dans son propre magasin. Ovide était lancé:

— Bien sûr, on connaît surtout Yvonne Printemps pour son *Pot-Pourri* d'Alain Gerbault et à cause de son mariage avec Sacha Guitry. Mais hélas, ici du moins, on ignore trop que la chanson *Les chemins de l'amour* a été composée pour elle par Francis Poulenc sur un poème de Jean Anouilh.

— Ah! Yvonne Printemps! ajoutait Ovide, Quelle voix inimitable, d'une sensibilité à vous donner le frisson, comme la vôtre, Mademoiselle, ajouta-t-il galamment, mais dont le registre est plus grave. Oh! excusez-moi, je cours vous chercher ce chef-d'oeuvre.

La jeune fille souriait, découvrant un Canadien français comme elle n'en avait jamais rencontré depuis ces derniers mois vécus à Québec. Il y avait chez lui quelque chose de comique et en même temps de prenant, d'attachant, qui vous enveloppait comme une odeur d'encens. Marie ne s'attardait pas trop à ce genre d'analyse mais Ovide, quoique disparu dans l'arrière-boutique, lui semblait encore présent.

— Ce garçon-là est le plus grand expert en musique au Canada. Au ROYAUME DU DISQUE on tient de tout, on offre ce qu'il y a de meilleur.

Ovide revenait en exhibant le trésor.

— Je l'ai! Je ne l'ai fait tourner qu'une fois, pour moi.

Ovide avait ce sourire merveilleux de douceur, de bonté et de ravissement qui illuminait son visage quand il était heureux. Il fit démarrer l'appareil, ferma à demi les yeux avec respect, en mélomane qui sait écouter et apprécier une belle mélodie. L'attitude de la jeune fille l'y prédisposait encore plus. Elle-même se recueillait, nostalgique, comme si la voix d'Yvonne Printemps éveillait chez elle d'émouvants souvenirs.

Ovide n'osait poser de questions à cette jeune femme dont les yeux se mouillaient légèrement. Il se contenta de murmurer:

— Quelle qualité d'interprétation, quelles nuances, quelle chanson admirable! N'est-ce pas?

Il glissa soigneusement le disque dans son enveloppe brune.

— Vous êtes française?

Elle acquiesça, le regard toujours lointain, puis ouvrit son sac à main.

— On dirait que vous avez connu Yvonne Printemps...personnellement? osa-t-il.

— Oui. A Paris, chez maman, autrefois. Très bien, j'achète ce disque.

Elle était réticente et Ovide trop délicat pour poursuivre ses questions. Une inquiétude montait en lui. Se pourrait-il qu'il ne la revoie jamais?

— Je vous invite à revenir. Nous possédons plusieurs très beaux enregistrements. Je serai heureux de vous les faire entendre.

Etait-ce une illusion? Elle lui souriait avec une tendre reconnaissance. Elle se préparait à payer son achat, mais il repoussa sa main.

— Non, je vous l'offre en hommage. Je le prends à mon compte, Monsieur le Président, fit-il au patron.

Soudain il pâlit. Le même étourdissement qui l'avait saisi la veille, après sa scène avec Rita, l'envahissait, plus intense, lui fit craindre de mourir, cette fois. Etait-ce la vue du sac à main entrouvert, lui rappelant celui de sa femme, qui le mettait dans un tel état, ou le fait qu'une si belle fille lui sourît avec tendresse, ou les deux à la fois? Comme foudroyé il s'évanouit, s'étendant de tout son long sur le parquet. "Mon Dieu!" fit la jeune fille. "Ça parle au diable! s'exclama le propriétaire. C'est probablement encore son ragoût qui passe mal!"

Marie, désemparée s'agenouilla, lui tapota les joues. "Monsieur! Monsieur!"

Le patron revenait en courant avec une serviette d'eau froide.

— Seigneur, je le trouvais pâle ce matin, aussi! Il aime trop la musique, quand il en parle on dirait qu'il va mourir. Quelle histoire!

C'était un curieux spectacle: une jeune beauté parisienne et le propriétaire du ROYAUME DU DISQUE agenouillés auprès d'Ovide Plouffe étendu de tout son long au milieu des trompettes, des guitares, des étalages de disques et des orgues électriques. Si d'autres clients allaient entrer! Marie humectait doucement le visage d'Ovide. "Monsieur, Monsieur!" Il ouvrit enfin des yeux égarés. "Là, ça va mieux" dit-elle soulagée, car un instant elle l'avait cru mort.

Le propriétaire s'épongeait le front. Il n'allait quand même pas perdre ce vendeur extraordinaire, qui planifiait à long terme, imaginait toutes sortes de trucs commerciaux; Ovide lui avait déjà suggéré de commanditer une émission radiophonique sous le titre "Disque-Atout au ROYAUME DU DISQUE".

Devant cette jeune fille magnifique qui, aussi bien qu'Ovide, connaissait Poulenc, il se sentit soudain l'âme généreuse d'un grand patron français.

— Je vous augmente de dix dollars! Réveillez-vous!

Les yeux d'Ovide, égarés, gardaient un éclat vitreux. Marie continuait d'humecter son cou, ses joues. "Mais qu'est-ce que vous avez?" Avant de sombrer de nouveau dans l'inconscience, il réussit à murmurer "merci, merci".

— C'est un cas d'ambulance, et ça presse! déclara le propriétaire.

CHAPITRE QUATRIEME

Ovide avait été hospitalisé à l'étage dit de "médecine" à l'hôpital Saint-Sacrement. Toute maladie qui ne débouchait pas sur la chirurgie s'y voyait entourée d'une sorte de halo mystérieux dès que le médecin déclarait: "cas de médecine."

Dans la salle commune où s'alignaient une quarantaine de lits, les malades d'affections les plus diverses trouvaient gîte et soins gratuits ou payés par les assurances. Les religieuses de la communauté des Soeurs Grises, propriétaires de l'immense hôpital, et un escadron d'étudiantes gardes-malades dévouées, sous la gouverne d'infirmières aguerries et de médecins, tous soumis à la poigne de fer de la mère supérieure, prenaient un soin jaloux des patients, sans discrimination, comme s'ils avaient été des victimes confiées aux soeurs grises par Dieu lui-même. On nourrissait pour le malade, encore en 1948, un respect inspiré de l'humanisme chrétien. On jugeait l'organisme comme un tout complexe soumis aussi aux désordres psychologiques. Le "spécialisme" faisait fortune aux Etats-Unis, mais les médecins de Québec, formés à l'école clinique européenne, en repoussaient obstinément la conception, qui tendait à considérer le corps humain comme une automobile en panne dont il ne s'agissait que de réparer les éléments défectueux. A l'hôpital Saint-Sacrement, la prière, la foi en Dieu avaient autant d'importance que les meilleurs remèdes.

Dans la salle où reposait Ovide, on trouvait les maladies les plus diverses. Ici une hypertrophie du coeur, là un exzéma. Peut-être là-bas une leucémie ressemblant à de l'anémie, ici une pleurésie, plus loin une coxalgie. Se côtoyaient des cas de diabète, de blenhorragie, d'hémorroïdes, de cancer et d'urémie. Tel jeune homme se mourait tranquillement d'un sarcome du genou, dont les métastases se lançaient maintenant à l'assaut des poumons. L'adolescent grattait tristement sa guitare dans le lit du coin, près du bureau de la religieuse en chef, tandis que des ivrognes prématurément vieillis se racontaient leurs ennuis en fumant des pipes bourrées de tabac canadien fort, assis autour de l'appareil radio dans l'attente de l'émission des rigodons.

Cette hospitalisation d'Ovide, par ambulance dont la sirène hurlait dans une longue plainte stridente, tragique, causa une angoisse profonde chez les Plouffe. Pour Joséphine, les ambulances, jusque-là, avaient été pour les autres. Elle se précipita à l'hôpital, mais fut repoussée. Pas de visite! Ovide reposait sous observation à l'urgence. Rita essuya le même refus. Joséphine l'emmena à l'église pour y faire brûler des lampions et la força à s'agenouiller auprès d'elle pendant dix minutes afin d'obtenir de saint Joseph la guérison du malade. Monseigneur Folbèche promit de célébrer la messe à son intention le lendemain matin.

Ces prières furent efficaces: vingt-quatre heures après, Ovide reposait dans le lit numéro quatorze, l'air guéri, se demandant encore pourquoi il avait subi une telle défaillance. On n'avait rien trouvé, sauf ce léger souffle au coeur déjà repéré par le médecin de l'armée quand Ovide, pris de désespoir, avait tenté de s'enrôler en 1940. Mais Ovide n'était pas trop surpris. Il lui arrivait dans l'âme, dans l'esprit et dans le corps des phénomènes mystérieux que personne ne comprenait. Deux heures. Les visiteurs allaient bientôt arriver, Une religieuse revint prendre son pouls, l'examina avec insistance et lui dit:

— Y a-t-il quelque chose qui ne tourne pas rond dans votre vie? Vous semblez avoir un coeur exagérément sensible. Il augmente de dix battements si on vous demande "avez-vous des ennuis de vocation, de famille, ou d'argent?"

Il détournait les yeux.

— Parlez-moi de musique et vous verrez qu'il augmentera de vingt battements.

Cette religieuse s'occupait de lui avec sollicitude, informée qu'Ovide avait fait un séjour au monastère des Pères Blancs d'Afrique.

— Peut-être n'étiez-vous pas fait pour vous marier, soupira-t-elle. Au moins vous êtes un bon garçon, contrairement (elle baissa la voix et lui chuchota presque) à cet athée de Français, votre voisin du treize qui, entre nous, n'est pas loin d'être un chenapan. Ne se confesse jamais, ne communie jamais, pour ne pas parler du reste.

Le visage durci, souverainement digne, elle passa au lit numéro quinze. Ovide, intrigué, tourna la tête vers le treize. Depuis ce matin, il observait souvent du coin de l'oeil cet individu blâmé par la religieuse.

L'homme présentait un visage net, bien dessiné, d'abondants cheveux poivre et sel solidement plantés et, surtout, des yeux extraordinaires d'un gris acier au regard pointu, qui vous glaçait en vous pénétrant comme l'aiguille d'une seringue. Ovide, soucieux, se demandait comment un Français de la "doulce France" pouvait avoir l'air si dur.

Des béquilles s'appuyaient à la tête du lit de l'éclopé, qu'Ovide n'avait pas encore vu se lever. Il ne parlait à personne. Un microscope monoculaire vissé sur l'oeil, il passait ses journées à examiner, à réparer des montres de tous formats, maniant avec dextérité des outils extrêmement délicats. Ainsi armé, il fouillait avec précision, la main ferme, les mécanismes d'horlogerie apportés par un individu à mine patibulaire. Celui-ci, vérifiant que les religieuses ne l'observaient pas, glissait furtivement à chacune de ses visites, une bouteille de gin De Kuyper sous l'oreiller du malade français.

Un chenapan? Ovide réservait son jugement. Il connaissait l'intransigeance de certains catholiques de Québec, en particulier celle des frères et des soeurs. Dès qu'on n'est pas croyant, on est un dévoyé. Au contraire, il semblait à Ovide qu'il faut un certain courage pour avouer ne pas avoir la foi à ceux qui l'ont. Un Français! Comment donc était-il arrivé à échouer dans cet hôpital? Ovide pensa alors à Marie, se remémora avec attendrissement la dernière image qui lui restait d'elle, penchée sur lui, humectant délicatement son visage. Cette vision de Marie commençait d'occuper l'avant-plan de son cinéma de rêveur chronique, tandis que celle de

Rita s'estompait dans un fond d'orage où elle exécutait un ballet de coquette, pieds nus, sous une pluie de billets de banque. Que lui arrivait-il? Son esprit allait-il devenir prisonnier d'une image de femme qu'il ne reverrait peut-être jamais, une femme dont il n'osait rêver qu'elle pût devenir l'âme soeur, jusque-là introuvable? La vie était injuste de lui avoir fait miroiter, l'espace de quelques minutes, un espoir qui s'envolerait pour toujours.

Il y eut un léger brouhaha. C'était l'heure! Parents et amis envahissaient la salle, mais c'est Rita qui attirait tous les regards. Consciente de l'intérêt admiratif qu'elle soulevait, portant sa robe blanche et ses souliers rouges, cet ensemble qui rappelait à Ovide l'époque de leurs fiançailles, huit ans auparavant, elle souriait de loin à son mari. Elle marcha jusqu'à lui, essayant d'atténuer les ondulations suggestives de sa démarche, mais n'y réussit qu'à moitié tant elle en avait l'habitude; plusieurs malades firent tourner la poignée du treuil qui relevait le dossier de leur lit, tandis que d'autres sifflèrent discrètement.

— Ovide! fit-elle, lui prenant la tête à deux mains et l'embrassant sur le front. Que tu m'as fait peur! T'as rien, hein? Juste de la fatigue? La religieuse me l'a dit. J'ai hâte que tu sortes d'ici. Tu verras comme j'aurai soin de toi! Et je vais te gâter, mon minou!

Ovide ému, retrouvait une Rita disparue depuis longtemps. En jouant avec une boucle des cheveux de sa femme, il observa que le voisin du treize avait enlevé son curieux monocle et observait, de ses yeux gris acier, les hanches et les jambes de Rita encore debout, ce charmant mécanisme dont les rouages se voyaient sans doute mieux à l'oeil nu.

— Mais veux-tu me dire ce que t'as eu, mon chéri?

***

Une tranquillité heureuse envahissait Ovide. Il retrouvait la Rita des premiers jours de leur mariage. Quelle délicate et amoureuse pensée elle avait eue de porter sa robe blanche et ses souliers rouges! De reconnaissance il eut envie de la serrer contre lui. Mais devrait-il s'astreindre à s'évanouir de temps en temps pour la garder ainsi? Voir Rita si sincèrement chagrinée et inquiète le détendait, l'installait dans un état de sécurité qui fit monter à ses lèvres un air tendre. Machinalement il chantonna "Les chemins qui vont à la mer".

— Bon signe, tu chantes!

Il parut s'éveiller, eut honte de sa distraction.

— Et la petite? fit-il, redevenu sérieux.

— La voisine la garde. Elle te cherchait ce matin pour te donner son baiser, mais pour pas l'énerver, je lui ai dit que t'étais parti à New York.

Ovide nota que chez Rita, le mensonge s'avérait une constante dont la virtuosité ne se démentait jamais. Elle lui enveloppait les mains comme pour les réchauffer, était maintenant assise de guingois sur le bord du lit, permettant au faucon voisin du treize d'admirer encore mieux le galbe parfait de ses genoux ronds, sur lesquels la jupe étroite s'était retroussée.

— Je souhaite que le médecin te mette au repos. Ah! si t'étais pas si têtu! J'irais travailler quinze heures par jour s'il le fallait, et là je pourrais enfin te prouver que je te suis utile, que dans le malheur, ta femme est capable de prendre la relève.

— Je t'en prie, ne me reparle pas de ça!

La religieuse apparaissait à l'orée de la salle. Ovide, nerveux de ce que le voisin du treize semblait hypnotisé par les genoux découverts de Rita, lui recommanda tout bas de s'asseoir sur une chaise. Elle le fit, agacée. Son mari ne mordait pas vite à sa suggestion. Quel jaloux! Elle esquissa une moue triste.

— Comme c'est bête! Tout l'argent que je gagnerais irait à la Caisse Populaire, où j'ai déjà ouvert un compte. J'y ai déposé mes cent cinquante dollars. En consultant notre petit livre d'épargnes, on verrait monter le magot, chaque semaine. Ce serait excitant. Ah! si tu voulais, tu me ferais tellement plaisir?

Elle le léchait de son regard suppliant de petite fille gâtée. Il se sentit faiblir. Mais il fallait tenir bon! Ovide Plouffe ne se ferait pas vivre par sa femme. Pour mieux se défendre, il exagéra la dureté de son refus:

— Rita, je te répète qu'il ne peut en être question! Ce serait là la meilleure façon de me rendre encore plus malade. Reste à la maison. Sois patiente, je sortirai blindé de mon épreuve. Ce séjour à l'hôpital m'a déjà plongé, après un sérieux examen de conscience, dans l'élaboration de projets positifs dont je ne peux te dévoiler la nature. D'ailleurs, financièrement, je n'ai pas tellement de problèmes, mon salaire court quand même et il est augmenté de dix dollars par semaine. Mon patron a vraiment été très chic.

Elle garda un silence amer. Ce matin encore, bouleversée par l'hospitalisation d'Ovide, elle avait eu son entrevue avec monsieur Thibault de CHEZ GERARD qui, enchanté d'embaucher l'ex-Miss Sweet Caporal, lui avait offert de commencer dès vendredi prochain. La rancoeur remontait à ses lèvres, mais elle se tut. Elle n'allait tout de même pas le contrarier avec des pleurs, le faire s'évanouir à nouveau et peut-être mourir? Elle frissonna d'épouvante à cette pensée, car toute sa vie elle porterait en plus sur la conscience le fardeau de ses trois crimes à cinquante dollars chacun avec Bob l'architecte, avec l'avocat et avec l'ingénieur que lui avait présentés Stan. Elle s'était bien amusée au restaurant avec chacun d'eux et l'épilogue s'était déroulé comme un jeu dans de luxueux garnis de célibataires où, après avoir trinqué et mangé du caviar sur toast, elle avait trompé son mari.

Au premier abord, ces escapades ne lui avaient pas semblé tellement condamnables. Elle n'avait pas découché! De surcroît, pas un instant, elle n'avait oublié le sentiment profond qui l'unissait à Ovide. Au contraire, elle avait repris confiance en elle-même, forte de l'assurance qu'elle pouvait conquérir les plus beaux hommes à n'importe quel niveau de la société. Mais si Ovide mourait, ces agréables incidents d'un soir deviendraient des crimes! Il fallait qu'Ovide vive. Donc, elle devait gagner du temps.

— Je sais bien que je te fais de la peine, fit-il, presque repentant, en lui caressant les cheveux auburn aux reflets de feu. En sortant d'ici, tiens, je te le promets, je mettrai ordre à mes affaires et nous partirons pour Paris, tous les deux.

Le regard de Rita brilla à nouveau, puis devint inquiet.

— A Paris! Mais ça coûte cher! Tu dis qu'on n'a pas d'argent?

Ovide fabulait:

— Bof! Nous nous endetterons et nous paierons plus tard. Les voyages que tu as faits, personne ne peut te les enlever. Rappelle-toi l'extrait de *Manon* "Nous irons à Paris, tous les deux." (Ils chantonnèrent ensemble, tout bas). Nouveau chevalier Des Grieux, je te ferai faire la tournée des grands restaurants. Nous fréquenterons tous les cabarets, les théâtres, les symphonies, l'opérette et l'opéra. Nous irons même entendre chanter Yvonne Printemps!

Elle l'écoutait religieusement, reprise par son magicien de mari, conquise par le rêve qu'il lui ouvrait comme un beau livre de contes.

— Tiens, ta mère arrive! dit Rita se remettant debout et se composant une attitude digne.

Un groupe de cinq personnes, avec à leur tête Joséphine Plouffe, se dirigeait vers le lit d'Ovide. Suivaient Napoléon, Jeanne, Cécile et le commandant Ephrem Bélanger. Ovide sourit devant la détermination angoissée avec laquelle sa mère marchait vers lui, le prenait par les épaules mais ne l'embrassait pas.

— Ah! mon grand fou, tu peux dire que tu m'as fait peur!

— Je vous rassure tout de suite, maman, je n'ai rien. Je pense même sortir demain.

Rita, gauchement, péniblement, justifiait son départ.

— Je vous laisse. Ça fait déjà une demi-heure que je suis ici. Faut que j'aille reprendre la petite chez la gardienne.

— Arlette, c'est l'enfant la plus gardée de la ville de Québec, coupa sèchement Joséphine.

Rita rougit.

— D'ailleurs, y a plus d'inquiétude. Ça fait longtemps que j'ai pas vu Ovide en aussi bonne forme. Même que nous partirons peut-être pour Paris. Hein? Minou? Je t'embrasse. Je reviendrai demain. Bye, Cécile, bye, Jeanne, bye Napoléon, bye commandant, bye belle-maman!

Elle virevolta, se composa une attitude, un port de tête noble et digne, évita les regards lourds, accusateurs de Napoléon, mais ne put échapper aux yeux de braise grise du malade numéro treize dont l'intensité l'avait brûlée pendant toute la visite.

La conversation d'usage s'engagea entre Ovide Plouffe et les siens. La présence de Rita avait empêché Joséphine d'avoir les yeux mouillés devant son fils qui, lui, s'était refroidi à la vue du commandant, qu'il n'aimait pas. Maintenant, Joséphine se sentait d'attaque comme un capitaine de navire devant la tempête. Cécile songeait que le mariage crée toutes sortes d'ennuis au coeur et au portefeuille et qu'il était bon pour elle que ses goûts attiédis pour la fréquentation des hommes soient satisfaits par les visites du commandant Bélanger. Celui-ci apportait, à elle et à sa mère, une présence faite de sage et calme amitié masculine (c'est lui, devant leur énervement, qui avait tenu à les accompagner à l'hôpital). Jeanne et

Napoléon étaient là parce que celui-ci se disait que bientôt il devrait intervenir dans la vie d'Ovide, comme il l'avait fait jadis. En dépit de sa bonne volonté, de sa générosité, de son désir d'aider son frère, Napoléon, prisonnier de tant de calculs et de tant de contrats, éprouvait de plus en plus de difficulté à s'attendrir sur le sort des autres, quoique son propre succès le culpabilisait chaque fois qu'il réfléchissait à la situation pénible dans laquelle Ovide se débattait.

— Dans les hôpitaux, déclara Joséphine, après s'être fait dépeindre par son fils le malaise qui l'avait mené à l'hôpital, ils connaissent rien. Moi, ta mère, je le sais, ce que t'as. Je t'ai mis au monde. Tu pleurais jamais. Mais de temps en temps, tu te pâmais et tu paraissais sans connaissance. L'automne surtout, à la chute des feuilles, jusqu'à l'âge de deux ans. Et tu jaunissais. C'est ton foie, mon garçon. Tu fais de la bile. Trop de bile. T'as le blanc des yeux jaune et on est en automne.

— Et s'il part pour Paris, au prix que ça coûte, tu vas faire encore plus de bile, mon petit frère, dit Cécile.

— C'est bien simple, mon gars, c'est une bonne purgation qu'il te faut. Je t'ai apporté une bouteille d'huile de ricin pour te nettoyer et un flacon d'huile de foie de morue pour te renforcir. Parles-en pas aux soeurs. Je les aurais contre moi. Faut pas, fit Joséphine en souriant. Je te cache tout ça dans ton tiroir. Et je t'ai fait deux boîtes de sucre à la crème.

Comme elle se tournait, son regard tomba sur celui du malade numéro treize. Les visages d'hommes durs n'impressionnaient pas madame Plouffe.

— Vous avez pas de visite, vous?

Interloqué, l'infirme grogna:

— Non...Ça fait trop longtemps que je suis malade. La visite s'est lassée, puis m'a oublié! fit-il avec un mince sourire amusé.

Joséphine devint fort triste.

— Pauvre vous! Tu vois, Ovide, comme t'es chanceux, toi. Une famille, c'est quelque chose, oublie-le jamais!

Elle reprit une boîte de sucre à la crème du tiroir et la tendit au voisin.

— Jamais personne? Si c'est Dieu possible! Disons que je suis aussi votre visite à vous aussi, aujourd'hui. Prenez ça, c'est de bon coeur. Vous m'en donnerez des nouvelles. Ça te fait rien, Ovide?

Stupéfait, le treize faisait tourner la boîte de friandises dans ses mains agiles, l'examinait sur toutes ses faces. Il regarda longuement Joséphine. "Merci Madame." Cécile souriait à l'infirme.

— Jamais vous en aurez mangé de pareil, hein, Ephrem?

— Oui, Monsieur, le sucre à la crème de Madame Plouffe, c'est du bonbon digne d'un général.

Et, observant les béquilles:

— Blessure de guerre?

Le treize répondit par un regard féroce qui laissa le commandant bouche bée. Napoléon sortait d'une longue réflexion:

— Ovide, j'ai bien pensé à ça. Tu pourrais devenir mon associé. Tu ferais les contacts avec les ministres, pour les gros contrats. Moi je peux pas. Tu te présentes bien, t'as la parole facile?

Ovide le regarda avec une reconnaissance attendrie.

— Tu es toujours le même, Napoléon. Tu pourrais donner ta chemise. Non, mon frère, tes affaires vont bien, parce que tu leur as imprimé ton style. Et si je te nuisais, plutôt que t'aider? Je ne suis pas fait du tout pour solliciter des contrats de plomberie. Je suis plutôt du genre moraliste!

— Ovide a raison, approuva Cécile. Il est tellement scrupuleux! A part ça, il me demanderait jamais une cenne pour se lancer en affaires.

— Pas plus que moi je t'en ai demandé! dit sèchement Napoléon.

— N'empêche que c'est pour ça qu'on n'est jamais en chicane, conclut Cécile. Oh! tu sais, Ovide, que mon beau Nicolas a eu quatre-vingt-cinq pour cent dans ses premiers résultats au Petit Séminaire? Il est comme toi, vif, intelligent, c'est pas croyable.

— Sauf que Nicolas aura fait ses études classiques, fit-il tristement.

Il y eut un silence. Jeanne, de sa voix très douce, suggéra à Ovide de ne pas s'inquiéter de son malaise, ayant elle-même souffert de tuberculose. Elle avait été désespérée, mais aujourd'hui, elle était la femme la mieux portante et la plus heureuse du monde.

— Bien sûr! conclut Cécile, tant qu'y a de la vie, y a de l'espoir!

— Tu devrais venir passer ta convalescence avec moi, dit Joséphine. C'est pas Rita qui est capable de te soigner. Moi, je t'en passe un papier, je te remettrais sur le piton, ça serait pas long.

En parlant de piton, j'avance vite dans l'étude de ma trompette, dit Napoléon. Je sais déjà jouer *Stardust.*

— Et pour mon cadeau de Noël, entrez donc dans la fanfare de mes zouaves, fit le commandant. Je suis sérieux, vous savez?

— Fais-lui donc ce plaisir-là, quémanda gentiment Cécile.

Napoléon, songeant à un contrat qui lui donnait beaucoup de soucis, répondit distraitement: "on verra à ça."

— Qu'est-ce que t'en penses, Ovide, de venir passer un mois avec moi? insistait Joséphine. Guillaume arrive la semaine prochaine d'Anticosti. On serait bien, ensemble?

Ovide essayait de les écouter, mais leurs propos lui parvenaient comme des échos de la planète Mars. Il hocha la tête et dit avec un soupçon de lassitude dans la voix:

— Je vous suis très reconnaissant de votre belle sollicitude. Mais j'ai besoin de retrouver mon équilibre et mes esprits. Je veux régler mes problèmes tout seul, selon ma vraie nature. Il faut, maman, que je le coupe un jour, le cordon ombilical.

— Cordon, pas cordon, tu seras toujours mon enfant!

Ovide soupira. Couper le cordon ombilical? Il n'avait jamais senti un besoin aussi total d'enfouir son visage dans le giron de Joséphine et d'y pleurer en écoutant *Les Chemins de l'amour.*

Dans le lit voisin, le Français suçait un morceau de sucre à la crème et écoutait chaque parole prononcée par les Plouffe. Son esprit affûté, tel un microscope monoculaire, scrutait à présent le rouage infiniment complexe d'un projet ambitieux, qui marquerait l'horloge du temps dans le destin d'Ovide.

CHAPITRE CINQUIEME

Après souper, Ovide crut bon de se présenter à son voisin du treize.

— Puisque vous semblez avoir apprécié le sucre à la crème de maman, je me présente, Ovide Plouffe, disquaire.

Le voisin hésita:

— Oui, j'ai cru entendre ça. Moi, c'est Pacifique Berthet. Horloger.

Ovide sourit:

— Pacifique, c'est rassurant.

— On m'a déjà fait la blague, coupa, sec, le voisin. Pacifique Berthet, ça court pas les rues, Ovide Plouffe non plus d'ailleurs.

Ovide n'osa poursuivre la conversation. Cet homme maussade n'y tenait pas. Il se contenta d'observer du coin de l'oeil ce curieux individu qui, patiemment reliait son réveille-matin, par des fils de laiton, à son appareil radio installé sur la table de nuit. Pacifique Berthet ne souffla mot de la soirée et, les mains croisées derrière la tête, fumait cigarette sur cigarette, les yeux perdus dans sa solitude de malade chronique. Les lumières s'éteignirent vers neuf heures et quelques patients s'endormirent. Ici et là des ronflements inégaux grondaient, on toussait, on gémissait doucement. On dirait que l'obscurité porte les souffrants à se plaindre davantage. Guéri tout à fait, Ovide se sentait là comme un intrus. Au contraire il ressentait un certain bien-être à reposer ainsi dans un lit étranger, comme protégé contre le reste d'un monde truffé de toutes sortes de malheurs qui lui courraient après dès qu'il franchirait la porte de l'hôpital.

Ovide observa que Pacifique Berthet, après avoir scruté l'obscurité de son oeil incisif pour s'assurer que nulle religieuse ne rôdait (on l'avait déjà expulsé pour possession d'alcool lors d'un séjour précédent), extirpa son flacon de gin de dessous l'oreiller et but, à même la bouteille, de fortes rasades. Avant de revisser le bouchon, il tendit brusquement la bouteille. “Une lampée?”. Ovide refusa poliment. Il n'aimait pas le gin De Kuyper, surtout après avoir mangé du sucre à la crème. Cela ne semblait pas ennuyer le numéro treize, qui avait déjà croqué la moitié des célèbres friandises de Joséphine. Il but le tiers du contenu de la bouteille d'un seul trait, puis la replaça sous l'oreiller. C'était la meilleure recette qu'il avait trouvée pour s'assommer, chaque soir. Presque tous ses gains de réparations de montres y passaient, ainsi que ses profits de revente sur des bijoux volés. Ovide, éberlué d'une telle performance, le vit sombrer dans le sommeil dix minutes après.

Ovide dormit mal, puis se réveilla en sueurs, imaginant que Rita l'avait surpris embrassant cette jeune déesse rencontrée au magasin, Marie en sarong, comme Dorothy Lamour. Puis vers trois heures du matin, il fit un cauchemar: son corps s'en allait à la morgue dans un lit qu'on faisait rouler hors du dortoir. De sa couche, il observait sa longue dépouille maigre se dirigeant vers la salle de dissection. Il était mort! Il s'assit dans son lit, les yeux hagards. Ouf! Il put se rendormir. A six heures le grelot d'une clochette le réveilla à nouveau. L'aumônier, assisté d'une religieuse, offrait la communion à la ronde. Peu de malades refusaient: c'était mal vu de dire non. Vraiment cet hôpital n'était pas l'endroit rêvé pour dormir douze heures d'affilée. Peu après, Pacifique Berthet, rendu fébrile par l'alcool, avait laissé tomber son urinal sur le béton du plancher. Ovide le lui remit. Vers sept heures, alors qu'il avait commencé à profiter d'un court sommeil réparateur, il sursauta en même temps que Pacifique au son d'une musique de rigodon. Devant sa surprise, l'infirme lui indiqua le réveille-matin, relié à l'appareil radio par des fils.

— J'aime mieux ouvrir l'oeil au bruit du violon qu'au vacarme des fichues clochettes à communion, ricana Berthet.

Impressionné, Ovide se dit que cet homme était bien ingénieux. Après déjeuner, deux infirmiers vinrent changer le pansement à la hanche de Pacifique Berthet. Il souffrait d'une tuberculose coxalgique. Une plaie y existait depuis des années, qui se bouchait presque pendant des mois, puis se rouvrait et suppurait de plus belle après des semaines d'excès de toutes sortes de Pacifique. Un véritable petit volcan. Alors il rentrait à l'hôpital. L'articulation de la hanche étant toute rongée, il ne pouvait marcher, sauf avec l'aide de béquilles quand l'éruption se calmait. Mais lorsqu'elle éclatait sous la poussée des bacilles furieux, Pacifique restait confiné au lit ou à la chaise longue.

Pansé à neuf, rasé de près, le voisin d'Ovide sembla tout à coup d'excellente humeur.

— Bien dormi, Monsieur Plouffe?

— Moins bien que vous, Monsieur Pacifique...euh...

— Berthet.

— Si je ne me trompe, vous êtes français?

Ça ne semblait pas flatter le malade outre-mesure.

— Oui, je suis un maudit "França" comme disent vos gens. De Grenoble. Je suis arrivé ici il y a bien quinze ans. Là-bas, je crevais de faim comme apprenti orfèvre-bijoutier. Ici, à Québec, je faisais bien, malgré la crise, et crac! cette maudite maladie qui ne guérit jamais m'est tombée dessus. Une chute sur un trottoir glacé. Mais je réussis à vivoter. Même couché je peux réparer des montres. Je suis spécialiste en Waltham. Je peux ainsi faire un petit commerce. J'achète des grossistes. Mais va donc chercher des clients quand tu es pris dans une chaise roulante ou avec des béquilles.

Ovide, ému, adoptait en même temps que Pacifique un masque de mépris dégoûté, comme si l'amertume de l'infirme déteignait sur lui. Le drame de cet homme le faisait se sentir triomphant, malgré ses défaites, généreux, compatissant.

— Je pensais à nos deux prénoms avant de m'endormir. Moi, Ovide, je suggère le souvenir du grand poète latin, et vous portez le même nom que la plus grosse compagnie du pays, le Canadien Pacifique. Ah! Ah! Ah!

L'infirme ne le trouvait pas drôle, mais il réussit à cacher son mécontentement, ayant commencé à jeter les bases d'un projet où Ovide jouerait un rôle de premier plan.

— Allons, riez, cher cousin de France! Riez! Ça sonne formidablement, Pacifique Berthet. C'est un des plus beaux noms que j'aie entendu prononcer. C'est pas Dupont, c'est pas Durand, c'est Pacifique Berthet, c'est comme Napoléon Bonaparte. Soyez-en fier. Moi qui vous parle, on s'est souvent moqué de mon nom Ovide Plouffe, mais j'y tiens comme à un drapeau. Il me vient d'ancêtres et de parents courageux et fiers qui l'ont noblement défendu. (Ovide essayait en vain de se rappeler les hauts faits de ses ancêtres). Même ma femme me le reproche. Mais je suis de roc. Vive le nom Ovide Plouffe! Malheureusement mon frère, Napoléon, sur le conseil de ses amis en politique, l'a ignoré dans la raison sociale de son entreprise de plomberie, appelée NAPOLEON ET FILS. J'admets que cette appellation amputée a quand même du panache et que le nom Plouffe dans une entreprise de plomberie peut faire sourire, parce qu'il évoque des onomatopées de salles de bains. Les gens sont en général si vulgaires.

Soudain Ovide, frappé par une découverte subite, se prit le menton dans les mains en murmurant "Berthet, Berthet"?

Pacifique Berthet continuait de l'observer, de l'évaluer. Il guettait le moment propice où il ferait à Ovide la proposition ruminée toute la soirée. Lors de la visite de Rita et de la famille, il n'avait pas perdu un mot et connaissait tous les problèmes du disquaire, dont la femme, cette fille superbe à propos de qui il avait fait des rêves lubriques toute la nuit, ne devait pas être le moindre. Il fallait qu'Ovide entre dans la vie de Pacifique Berthet. Rita reviendrait-elle aujourd'hui?

Ovide, le regard perdu dans le dix-neuvième siècle, fouillait de sa mémoire étonnante l'amoncellement désordonné de ses lectures. Il éclata soudain:

— Eureka! J'ai trouvé! Grenoble...Grenoble...Antoine Berthet!

— Comment? Antoine Berthet? fit Pacifique en fronçant ses sourcils en broussailles.

— Mais oui, je l'ai! exultait Ovide. Eureka! Antoine Berthet, ce garçon dont le crime relaté dans la GAZETTE DES TRIBUNAUX, a inspiré Stendhal dans la création de son roman *Le Rouge et le Noir*, dont l'action se déroule à Grenoble. Antoine Berthet avait abattu d'un coup de revolver une femme du monde qu'il avait séduite.

Seriez-vous un descendant de cet Antoine Berthet, qui eut le cou tranché en 1800 et quelque?

Pacifique, qui n'avait jamais entendu parler de Stendhal, encore moins d'Antoine Berthet, marmonna, de mauvaise humeur:

— C'est ça, faites de moi un descendant de guillotiné! Je ne serais pas surpris, étant donné la chienne de vie que je mène, d'être le rejeton d'une race maudite.

Ovide grimaça de regret, prêt à se confondre en excuses. Une fois de plus il s'était laissé emporter par le plaisir d'étaler ses connaissances littéraires, sans se rendre compte, lui si délicat, qu'il insultait l'infirme. Il sauta hors du lit, la main tendue, se pencha sur son voisin:

— Pardonnez-moi et disons PAX! Je me suis conduit comme un goujat. Mais admettez que ce genre d'association d'idées est un tonique pour mon esprit féru de culture! Un Berthet, voisin d'hôpital d'Ovide Plouffe, quelle rencontre! Je vous en prie à nouveau, excusez-moi, je n'ai pas voulu vous blesser.

L'infirme accepta la main tendue. Ovide grimaça sous cet étau de fer. Pacifique desserra l'étreinte.

— A force de marcher avec des béquilles, nos mains acquièrent une force exceptionnelle. Je dois me méfier. De mes cinq doigts, je pourrais briser le cou d'un homme.

Ovide toussa prudemment, recula et s'assit sur le bord de son lit. Il y eut un long silence. Pacifique, redevenu froid et efficace, se moucha et, après un silence, poussa plus loin sa stratégie.

— Ovide Plouffe, vous êtes un garçon remarquable. (Ovide, flatté, protestait d'un sourire). Oui, oui, remarquable et de beaucoup supérieur à tous ceux que j'ai rencontrés à Québec depuis quinze ans. Ça n'était pas mon affaire, mais comment ne pas avoir entendu tout ce qui s'est dit autour de votre lit hier après-midi?

Le disquaire se refermait comme une huître devant un danger obscur. Le ton de Pacifique s'adoucissait:

— Je n'allais quand même pas me boucher les oreilles? Un type de votre calibre, qui a des problèmes d'argent, c'est inacceptable! Vous me semblez plus fort que votre frère, qui pourtant opère une entreprise, soupira-t-il.

— Je sais bien, bredouilla Ovide, mais que voulez-vous? Je n'ai pas de diplôme et aucun talent pour les affaires.

Pacifique hochait la tête, souriant.

— Croyez-moi, vous avez beaucoup d'étoffe, mais vous doutez de vous-même, et vous ne voyez pas les grandes choses que vous pourriez accomplir. Vous vous observez de trop près.

— Vous croyez? souffla Ovide, accroché, le cou tendu en avant.

— Oui, Monsieur Ovide Plouffe, parole de Pacifique Berthet. Un des grands privilèges des infirmes, c'est de savoir évaluer les gens. Parce qu'on est en retrait, comme en dehors de la danse.

Ovide buvait ses paroles. Faudrait-il que ce soit un Français infirme de Grenoble, homonyme du modèle qui inspira Stendhal, qui ait compris sa valeur? Pacifique Berthet avait laissé tout le temps à Ovide pour savourer le compliment. Puis il lança son dard dans la cible:

— Je sais comment vous faire faire beaucoup d'argent.

L'infirme laissa sa phrase produire l'effet désiré.

— A la Bourse? dit enfin Ovide.

— Pas du tout. Je me cherche un associé, ça pourrait être vous? Je n'ai pas encore décidé. J'ai deux autres personnes qui attendent ma décision. Une mine d'or, le commerce des montres.

— Je ne connais rien aux montres?

Pacifique sourit.

— Moi je m'y connais. Il nous faudrait une boutique d'au moins deux pièces. En avant le comptoir des ventes et en arrière, l'atelier de réparation et de comptabilité. Les réparations paient le loyer, le téléphone, mais le gros profit n'est pas là. Il est dans la vente des montres et des bijoux achetés des grossistes.

— Les gens n'achètent pas une montre tous les jours, fit remarquer Ovide.

— Il faut voir ça autrement! Vous rendez-vous compte qu'en organisant un réseau de points de vente à travers la Province de Québec, avec des représentants à commission, nous pourrions monter une affaire extraordinaire? Et savez-vous que ce sont les gens des villages, de la campagne, et les Indiens de la Côte Nord qui achètent les plus belles montres et les bijoux les plus brillants?

— C'est fort possible, songea tout haut Ovide, Jacques Cartier avait amadoué les Indiens avec de la bimbeloterie.

— En bijouterie, on réalise un gros profit sur chaque article. Du cinquante pour cent. Si on vend mille montres à quarante dollars pièce, en six mois, on fait un profit de vingt mille dollars, c'est-à-dire dix mille chacun, associés à cinquante cinquante. Avec ça, on peut s'acheter des autos décapotables, faire la belle vie, être son propre patron, voyager en train, en goélette et en avion. Je vous dis ça, Monsieur Plouffe, mais si l'idée ne vous intéresse pas, n'en parlons plus. Pas pires amis.

— Non, non, parlons-en! parlons-en! protesta Ovide.

L'imagination d'Ovide détalait dans toutes les directions. Enfin Rita serait fière de lui. Il pourrait l'emmener en voyage, lui permettre toutes sortes de fantaisies. Il apprendrait rapidement l'univers de l'horlogerie. Comme le docteur Knock, de Jules Romains, il dresserait sur le mur une carte immense piquée de petits drapeaux rouges indiquant ses bastions de vente. Ensuite son commerce pourrait s'étendre à tout le Canada. Ovide essayait de refréner l'afflux de son enthousiasme, y réussissait mal.

— C'est une idée de génie! s'exclama-t-il.

— Je le sais, opina Pacifique. Au début, ça pourrait vous sembler difficile, mais on n'a rien sans peine. Moi je ferais les réparations dans l'arrière-boutique, et mon associé prendrait le grand large, organisant les ventes dans toute la Province. Dans votre cas, si je vous choisis, votre femme pourrait se tenir au comptoir? Dans les premiers mois, ça peut être lent. Il faut défricher, semer pour enfin récolter. Mais quand ça se met à rouler, ça roule.

Ovide, inquiet tout à coup, osa demander:

— Ça prend beaucoup d'argent pour démarrer?

— Oh! avec une dizaine de mille dollars, c'est suffisant. Sur une idée pareille, la banque nous prêtera l'argent.

— Sans doute, sans doute, murmura Ovide, pensant à Napoléon qui lui enseignerait comment procéder, lui qui parlait des cinq mille et des dix mille comme de la température.

— Il s'agira pour mon associé de se faire connaître. Il devra donner des conférences sur les marques de montres, se faire inviter à la radio, se créer des amis chez les curés de campagne, les journalistes, les dirigeants de chantiers forestiers, les mineurs et j'en passe!

— Mon frère Guillaume pourrait m'en faire vendre beaucoup à l'Ile d'Anticosti: tous les pêcheurs, les chasseurs, les bûcherons qu'il connaît! C'est drôle, soudainement, les clients possibles, je les vois pousser comme des épis.

— Vous voyez! En y réfléchissant bien? Moi je pense que ce serait votre genre.

Pacifique Berthet tenait son homme. Sentant le succès possible, il était franchement heureux, l'espérance commençant à briller dans sa triste vie. Ovide songeait au ROYAUME DU DISQUE. Il aurait du chagrin de quitter sa clientèle, du désarroi de sauter des disques aux montres. Mais le manque d'argent gâchant sa vie s'imposait comme premier problème à résoudre afin de retrouver sa dignité aux yeux de tous et de lui-même. Il se sentit l'énergie d'un conquistadore.

— On commence quand?

— Pensez-y, réfléchissez d'abord. Ne prenez aucune décision sur le coup de l'enthousiasme. D'ailleurs je me dois d'être juste envers mes deux autres candidats.

— Moi, quand c'est décidé, c'est décidé! fit Ovide, impatient.

— Votre esprit déterminé me plaît beaucoup, apprécia doctement Pacifique. Dans une telle association, il faut partir du bon pied, préparer un contrat chez le notaire, chercher un emplacement en face d'une église, de préférence. Tant de gens s'y rendent. Ils s'arrêteront tous devant notre vitrine.

— Mais vous avez pensé à tout! admirait Ovide.

— Etes-vous Chevalier de Colomb?

Désarçonné, l'air un peu idiot, Ovide disait non.

— Indispensable d'entrer dans les Chevaliers de Colomb, et d'essayer d'atteindre au plus vite le quatrième degré, le plus important. Là-dedans, c'est une vraie confrérie, tout le monde se tient et s'entraide. Il y a des milliers de Chevaliers de Colomb dans le Québec. Faut aussi fréquenter les clubs sociaux, le Kiwanis, le Rotary et le Richelieu, il faut établir des contacts dans tous les milieux. Avec le charme et la personnalité que vous possédez, en plus d'un vocabulaire étendu, vous deviendrez un personnage connu, populaire et, dans un an vous roulerez carosse.

Ovide sentit le projet mirobolant, plein de possibilités, mais lourd sur son coeur. Comme son patron, si chic avec lui, serait déçu de le perdre! Quelques soirs, il pourrait déserter ses montres et se rendre chez son ex-employeur servir gratuitement ses fidèles amis mélomanes. Mais c'était cette nouvelle carrière de faiseur de contacts qu'Ovide appréhendait surtout, carrière pour laquelle il ne se sentait aucun penchant à cause de son tempérament d'individualiste forcené. Il essayait de trouver des failles au projet de Pacifique Berthet.

— Vous buvez beaucoup de gin de Kuyper?

L'infirme avait prévu la question.

— Si je vous choisis pour ce projet, je coupe ça complètement. Encore une couple de semaines et ma plaie, qui a commencé à se cicatriser, ne sera plus assez importante pour m'empêcher de sortir d'ici.

Ah! et puis trêve de tiraillements de faible! L'idée de Pacifique était extraordinaire et grouillait de possibilités fabuleuses. A trente-six ans, il était temps qu'il se branche, l'Ovide Plouffe. Une telle occasion ne se représenterait peut-être jamais? Ce ne seraient plus des billets de vingt et de cinquante dollars qu'il déposerait à la banque, mais des coupures de cent dollars et peut-être de mille! Il tendit une main solennelle à l'infirme qui fit bien attention de ne pas broyer ses longs doigts.

— Topez-là, mon cher Pacifique, notre raison sociale sera: CHEZ OVIDE ET PACIFIQUE.

— Votre confiance m'honore. Alors, j'avertis mes deux autres candidats que je vous ai choisi?

— Vous les avertissez!

Ovide se sentait comme un navire partant à la conquête du Graal de la réussite financière et sociale, où son triomphe laisserait bouche bée ceux qui l'avaient cru fini. Sa femme, Cécile et Napoléon apprendraient à lui faire confiance! Il sembla grandir, sa mâchoire se durcit:

— Je quitte cet hôpital à midi, je ne me sens pas malade! J'avise mon patron de ma démission, je me mets à la recherche d'un local, j'entre dans les Chevaliers de Colomb et je vois le banquier.

— Le banquier d'abord! fit Pacifique en levant l'index.

— Evidemment, mais ce sera facile. Que votre plaie se referme au plus vite. Je vous attendrai. Préparez-moi vos adresses, vos catalogues, un précis d'initiation à l'horlogerie.

— Moi je vais rédiger un projet de contrat de notre société, conclut Pacifique, qui ne s'était pas attendu à une telle précipitation de la part d'Ovide.

Pacifique bouillait lui aussi d'impatience. Ah! pourvu que cette plaie se cicatrise au plus vite! Il eut un élancement cuisant au côté et retint sa grimace. Il était convaincu que cette association serait un succès. Au moins il pourrait s'offrir de temps en temps une plus belle prostituée, et peut-être une chaise roulante à moteur électrique? Ovide en voyage, il passerait de longues journées à observer les fesses et les jambes de Rita, ou ses seins, de profil, ou, ou...Des rêves se précisaient.

— Ne prenez aucune décision sans que je l'approuve, dit Berthet, j'ai de l'expérience. N'oubliez pas, on sera uni comme deux frères siamois.

— C'est juré, cher associé!

Ovide se frottait les mains, tendait l'oreille et prononçait OVIDE ET PACIFIQUE. Ça sonnait plutôt bien!

— En quittant l'hôpital, je vais aller tout de suite surprendre ma femme avec cette excellente nouvelle.

Ovide se demanda s'il n'était pas préférable d'aller plutôt parler de ses projets à sa mère, à Cécile et à Napoléon. Mais Joséphine et Cécile, habituées depuis toujours à un salaire fixe, tenteraient sans doute de le décourager devant un tel risque. Napoléon comprendrait, lui. Mais il voudrait peut-être intervenir, rencontrer Pacifique? Il poserait tellement de questions pour protéger les intérêts de son frère, qu'il ferait peut-être reculer l'infirme et celui-ci, choqué, lancerait son entreprise avec un autre? Ah! si son ami d'enfance Denis Boucher avait été là pour le conseiller, comme jadis? Mais non, Denis demeurait à New York depuis la fin de la guerre, où il était à l'emploi du magazine TIME.

— Je vais d'abord aller surprendre Rita. C'est ma femme, après tout?

Il ne croyait pas si bien dire.

— Vous lui direz bonjour pour moi, sourit Pacifique.

Et, fredonnant le succès des années '30 chanté par la Palma de l'Empire: *Tu diras un bonjour pour moi,* Ovide se dirigea vers le bureau de la religieuse en chef.

CHAPITRE SIXIEME

Rita, l'air contrarié, apportait un gin-jus d'orange à Stan Labrie, jadis lanceur de baseball, rival jaloux de Guillaume Plouffe et de surcroît ex-fiancé de Rita. Il était affalé comme chez lui dans le divan de peluche beige du salon. La veste tombée, la cravate dénouée, talons appuyés sur une table basse aux pattes chromées, il admirait tendrement Rita.

— T'aurais pas dû venir ici, Stan, j'aime pas ça.

Il prenait le verre, lui embrassait la main. Toujours beau garçon, imberbe, il paraissait plus jeune que ses quarante ans. Tous ses traits de gouape ricanèrent.

— T'as pas de reconnaissance, ingrate, pour moi ton Stanislas qui t'a fait rencontrer des beaux hommes qui savent faire des cadeaux, ton Stan qui t'a fait choisir comme Miss Sweet Caporal.

— Pour Miss Sweet Caporal, oui. Mais pour le reste, je t'en veux, j'ai du remords. J'avais bu, mais je suis pas une "guidoune." Je recommencerai plus jamais ça. Quand j'ai vu Ovide hier, sur son lit d'hôpital, je me suis sentie comme une criminelle.

— Bah! fit-il, sirotant son gin, quand même t'aurais eu un peu de distraction de temps en temps. C'est en rencontrant d'autres hommes dans des milieux distingués, que t'apprécieras mieux ton mari, ensuite. Tu le trouveras encore plus "cute", ton Ovide extraordinaire.

— T'es un vrai démon, Stan! j'aime mieux que tu t'en ailles; ça m'énerve; c'est comme si Ovide te voyait ici, de l'hôpital.

Tendue, assise devant Stan, les genoux serrés, elle faisait craquer les jointures de ses doigts. Elle détaillait du regard les traits doux, réguliers de cet homme qui, quoique impuissant, avait occupé une si grande place dans sa vie. Depuis le mariage de Rita, le destin de Stan Labrie avait suivi une curieuse tangente. Marqué, humilié par cette soirée inoubliable où elle avait rompu parce qu'il n'avait pu lui prouver qu'il était sexuellement normal (Denis Boucher l'ami d'Ovide, en avait prévenu les parents de Rita), il traînait depuis, comme un boulet, la honte de son échec au lit. Il n'avait par la suite songé qu'à se venger, qu'à trouver à Ovide un autre genre d'impuissance: celle par exemple de ne pouvoir rendre Rita heureuse. Stan avait exercé trente-six métiers, mais il avait abouti finalement là où devaient le mener ses tendances profondes: au proxénétisme.

Il s'initia aux "public relations", dans un secteur peu recommandable. Stan avait mobilisé un groupe impressionnant de jeunes filles et de femmes mariées, intéressées à connaître des aventures rapides et sans conséquence, en échange d'une gratification. Il les nommait ses "hôtesses". L'époque voyait naître la mode de l'escapade chez beaucoup de québécoises. Dix ans auparavant, les mêmes femmes se seraient laissé caresser, pas davantage, sur les banquettes arrière des automobiles. Aujourd'hui elles allaient beaucoup plus loin.

Stan dépistait avec un flair remarquable ses recrues dans les bars populaires, chez les employées de bureau au Parlement ou chez les jolies téléphonistes de la compagnie Bell. Il occupait un poste clé au gouvernement: agent spécial auprès du ministre du Commerce. Se tenait-il un congrès à Québec, c'est Stan qui louait sa troupe "d'hôtesses" aux congressistes américains ou canadiens-anglais, qui se voyaient offrir des spectacles de déshabillé progressif ou des coucheries davantage marquées par l'alcool que par le désir. Stan adorait sa situation où, à travers tous ces clients satisfaits, il jouissait par procuration d'orgasmes qu'il n'avait jamais connus lui-même.

Il n'aurait jamais emmené Rita dans un tel milieu, ayant gardé pour elle un attachement qui lui serrait le coeur chaque fois qu'il pensait à Ovide, ce Don Quichotte qui ne méritait pas sa femme. Ne pouvant le tromper lui-même, Stan avait présenté à Rita trois hommes bien placés, respectés, des professionnels, dont la reconnaissance pourrait le servir un jour. Il dit:

— Justement, l'architecte, le beau Bob, je pense qu'il est amoureux de toi. Il voudrait bien te revoir.

— Ah! je sais que je fais encore mon effet, fit-elle battant des cils. Il est vrai que Bob, c'est quelqu'un. Il est gentil, délicat, a de si belles manières. Si je l'avais connu avant de me marier...

Secouant la tête, elle se défendit de poursuivre cette pensée:

— Pas question! C'est arrivé trois fois, et trois fois de trop. C'est fini. Mon mari mérite pas ça.

Il but la dernière goutte de son gin-jus d'orange.

— Veux-tu me dire ce que tu lui trouves, à ton grand manche à balai, insignifiant, cassé comme un clou?

Elle devint rêveuse.

— Tu peux pas comprendre. Il est pas comme les autres. C'est un homme qui, avec des paroles, t'invente un autre monde, où tout serait plaisant. Mais c'est bien ennuyant de le voir si souvent triste et pensif.

La porte s'ouvrit et Ovide apparut les bras en l'air, comme au théâtre.

— Alleluia! Je suis guéri! Notre vie change à partir de maintenant! Nous allons devenir riches! Enfin!

Il tendait les bras. Quoi? Elle était toute gauche, restait immobile, ne se précipitait pas contre son coeur? De la tête, elle montra Stan Labrie.

— A ta santé, chum! fit Stan.

Goguenard, Stan Labrie levait son verre. Ovide devint tout pâle. Ses bras tombèrent; il bégaya:

— Qu'est-ce que vous faites ici, dans ma maison, avec ma femme, pendant que je suis malade à l'hôpital?

Stan prenait un ton plaintif et l'air innocent:

— Quand j'ai appris ta maladie, j'étais tout à l'envers. Alors je suis venu aux nouvelles. Belle réception! Ça m'apprendra à m'intéresser aux amis. L'ingratitude m'attendait!

Ovide grinçait des dents. Rita avait peur.

— C'est la première fois, tu sais, chéri, que Stan vient ici! Je te jure!

— Et ce sera la dernière! rugit Ovide. Allez-vous-en!

Rita, toute en sueurs froides, crut défaillir. Si la bataille éclatait entre les deux hommes, et si Stan pour se venger de son mari lui jetait à la face que grâce à lui, Ovide avait été cocu trois fois à cinquante dollars pièce? Stan devina le désarroi de Rita, mais d'un coup d'oeil la rassura. Il ne la dénoncerait jamais. Las soudain, il l'enveloppait d'un regard très doux, car il la comprenait mieux que le mari. Il parla d'une voix calme, marquée au coin du regret:

— Calme-toi, Ovide, calme-toi. Seulement je te trouve pas gentil. T'es égoïste, même. Tu vois comment tu es? T'es guéri, tu cries Alleluia! tu vas devenir riche, et tu m'engueules, tu me traites comme le dernier des derniers. Enfin, je te trouve pas chic. Rita, tu l'as eue par défaut, tu le sais et tu devrais me remercier, comprendre ma peine au moins, toi qui comprends tout. S'il y a un gars avec qui tu devrais te sentir en sécurité, c'est bien moi. Même que je pourrais passer une nuit à côté d'elle dans un lit, que tu pourrais dormir sur tes deux oreilles. Et le pire, c'est à Rita que tu fais le plus de peine.

Dégoûté, Ovide saisit le veston de Stan, le lui lança. Stan, se levant, l'attrapa. Haussant les épaules, il regarda fixement Ovide, puis se dirigea vers la sortie.

— On vit dans un monde sans coeur. A la prochaine, Rita!

— Bonne chance, Stan, murmura-t-elle.

Il avait fermé la porte derrière lui.

— Et que le diable vous emporte! cria Ovide.

Il fulminait, essayait de retrouver ses esprits. Après un long silence embarrassé, Rita osa s'expliquer:

— Eh! que je suis donc pas chanceuse, gémit-elle. C'est pas de ma faute, je te le jure! Je te l'avais dit qu'il était venu se joindre à notre table CHEZ GERARD, l'autre soir, et tout à coup, tantôt, ça sonne à la porte. Je croyais que c'était le facteur, mais c'était lui. Je pouvais pas le mettre dehors! On l'a si bien connu! Et tu sais que c'est pas dangereux.

— Je n'aime pas ça du tout, maugréait Ovide, devenu un peu plus calme. Cette visite fortuite n'augure rien de bon. Primo, il a recommencé à te tourner autour CHEZ GERARD l'autre soir. Et voilà que je tombe dessus, chez moi!

Elle lui sauta au cou.

— L'important, c'est que tu sois guéri! Que je suis contente!

Il lui caressait doucement les cheveux.

— C'est bête que ce salaud ait gâché ma joie du retour.

— Parle-moi plus de lui! Tu disais qu'on allait devenir riche? C'est quoi, ça?

Elle l'avait remis sur ses rails. Il se rengorgea:

— Nous déménageons d'ici. Je me lance en affaires. Un domaine formidable!

— Hourra! applaudit-elle.

Rita ne pouvait tolérer bien longtemps une situation embarrassante. Elle jouissait d'une appétence naturelle pour les petites joies successives qui excitaient son étroit cerveau, pour les heureuses surprises en chapelet qui vous donnent l'impression d'un bonheur recommencé à chaque instant.

Ovide bombait le torse.

— Le médecin m'a déclaré parfaitement sain. Quant à mes évanouissements il les soupçonne d'être des spasmes psychologiques, affection très rare, qu'on retrouve chez les patients à sensibilité aiguë et à forte imagination. Normal, je comprends ça. Attends ma nouvelle carrière, j'y ferai au bas mot vingt-cinq mille dollars par année.

— Vingt-cinq mille! C'est pas croyable!

— Et sans doute davantage! Prépare-toi à une vie trépidante de voyages et de découvertes, prépare-toi aux joies dont je t'ai toujours privée. Nous fêterons ça CHEZ GERARD vendredi soir!

Vivait-elle un rêve? Elle se colla contre lui, lui embrassa les joues, le front, le menton, le nez.

— Conte-moi tout en détail!

Il expliqua la proposition que lui avait faite Berthet et les dimensions qu'avaient prises l'affaire projetée des montres et des bijoux. Il était déjà mûr pour le profit, aurait même voulu commencer le lendemain matin.

Rita trouva d'abord désagréable l'idée qu'ils devraient déménager à la basse ville et tiqua à la pensée que cet infirme Pacifique Berthet, qui, à l'hôpital, l'avait brûlée de son regard de braise, allait devenir l'associé d'Ovide. La raison sociale OVIDE ET PACIFIQUE la décevait aussi.

Mais Rita oubliait vite les détails désagréables et tombait facilement dans la magie évocatrice des rêves d'Ovide quand il fabulait. Comme elle se félicitait maintenant de son attitude ferme vis-à-vis Stan! Ovide dans une affaire de bijoux! Elle s'en imaginait couverte, et presque gratuitement. Elle étrennerait toutes les nouveautés.

Oui, elle serait au comptoir. On pouvait se fier à elle pour effectuer des ventes record.

— Avec les premiers mille dollars de profit, on s'achètera une décapotable.

— Courons chez nous! éclata Ovide, au huitième ciel. J'ai hâte de voir la réaction de Cécile, de Napoléon et de maman. Je frapperai comme un coup de tonnerre!

— Vas-y, moi faut que je reste ici. Il est presque midi.

Bien sûr, il fallait qu'elle reste. Quelle bonne petite femme il avait!

— Ferme ta porte à clé, fit-il, souriant, en la quittant. J'ai toujours peur que tu te fasses enlever!

CHAPITRE SEPTIEME

Ovide marchait en direction de la maison de sa mère à grands pas saccadés, comme si l'accès de colère qui le reprenait contre Stan Labrie eût raidi ses membres. Quel malappris! Cette colère se mêlait aussi d'une vague inquiétude: depuis le coup de Miss Sweet Caporal, Ovide avait espéré Stan à jamais disparu de leur paysage. Et voilà que soudain ce voyou réapparaissait avec son sourire cynique! Ovide sentait que la visite de Stan à la maison, alors qu'il le croyait encore à l'hôpital, n'augurait rien de bon. Rita était si naïve et si vulnérable.

Le précédant d'une dizaine de minutes, le commandant Ephrem Bélanger s'y rendait aussi en sifflotant un air martial. Ovide, qui considérait le militaire d'apparat comme le dernier des insignifiants, était vaguement choqué par son assiduité auprès de sa mère, comme si feu son père, Théophile, en avait été lésé.

Il avait fière allure Ephrem Bélanger, dans son uniforme de commandant des zouaves pontificaux du quartier, plusieurs galons dorés en forme de V s'échelonnant sur sa manche gauche. Ce jour-là sa poitrine arborait toutes ses décorations, dont la médaille *Bene Merenti,* celle de la Fédération des Gardes paroissiales de la région de Québec, dont il était le président, celle de l'Association des anciens marguilliers et celle de la Société Saint-Jean-Baptiste. Réciter l'énumération de ses titres devant lui le faisait rougir de fausse modestie, mais le lançait dans le récit banal de motifs, de démarches, de circonstances ennuyeuses, de petits faits qui l'avaient conduit à l'obtention de ces honneurs. Comme ces monologues prenaient un temps infini (ses auditeurs avaient envie de l'interrompre en lui disant "aboutis!"), on ne se hasardait plus à le lancer sur le sujet.

Ancien conducteur de tramway maintenant à la retraite, il avait bien connu et estimé le défunt Onésime Ménard, le confrère que Cécile avait aimé. Ephrem, veuf sans enfants, vivait, heureux, une fin d'existence bien remplie. Le commandement de ses zouaves pontificaux, ses diverses présidences, les parades et les discours prononcés à l'occasion de différents banquets lui laissaient peu de répit, mais assez cependant pour qu'il fît sa visite quotidienne à Joséphine et à sa fille Cécile Plouffe.

Ce jour-là, en grande tenue militaire, l'épée au côté, portant sous son bras gauche un énorme sac blanc qui ressemblait à un oreiller, il se rendait d'abord chez Joséphine. Ensuite il irait prendre l'autobus deux rues plus loin, n'apercevant pas les sourires moqueurs des commères dans leur fenêtre ni ceux des passants. Il ne trouvait pas curieux qu'un militaire aussi pompeusement décoré, à l'allure d'un général, le fourreau traînant en cliquetant sur les madriers disjoints des trottoirs, se rende à pied à l'autobus ou se mette à courir pour l'attraper à temps.

En ce midi frisquet mais ensoleillé d'octobre, il allait dire bonjour à ses deux amies et faire une heureuse surprise à Joséphine. Il aimait évoquer avec elle la mémoire de Théophile, dont la photo occupait une place d'honneur dans les locaux de la Saint-Jean-Baptiste de la paroisse, en souvenir de l'acte de patriotisme accompli par le défunt lors de la visite du Roi et de la Reine d'Angleterre en 1939, en refusant de décorer sa maison. Ce haut fait avait amené le brave Théophile à la perte de sa situation, à la paralysie, puis à la mort.

Justement Cécile venait d'arriver de la manufacture et s'installait devant son assiétée de soupe, la fouillant, soupçonneuse, avec sa cuiller, à la recherche de quelque morceau d'oignon.

— J'en ai presque pas mis, risqua Joséphine, qui adorait les oignons.

— Vous le savez, pourtant, que j'en veux pas du tout dans ma soupe!

— A l'approche de l'hiver, les oignons renforcissent l'organisme, ma fille, s'entêtait Joséphine. Si Ovide en avait mangé plus, aussi! Surtout que cette année, la pelure des oignons est épaisse. Gros hiver qui vient.

Elle irait le voir, son Ovide, cet après-midi à trois heures. Avait-il pris son huile de ricin et son huile de foie de morue? Ephrem frappa discrètement et entra.

— Venez manger une bonne soupe avec nous autres! fit Joséphine, empressée.

— Mais, voyez-vous comme il est beau aujourd'hui! admirait Cécile.

— Non, mes chères dames, je peux pas. Je m'en vais déjeuner avec mes huit commandants de gardes paroissiales. J'y vais à titre de Président de la Fédération. Nous avons une importante décision à prendre: dans quel ordre les gardes de Québec vont marcher aux processions de la Saint-Jean-Baptiste, du Sacré-Coeur, puis de la Fête-Dieu, le printemps prochain.

Les processions, les défilés, les cérémonies religieuses avaient toujours été les spectacles préférés de Joséphine qui, naturellement, appréciait fort, elle aussi, les uniformes chamarrés.

— J'espère que vous ferez passer vos zouaves en premier, fit-elle. Au moins, ils ont défendu notre Saint-Père le pape contre Garibaldi. Tandis que les autres gardes paroissiales, ça fait pas trop sérieux.

— Qu'est-ce que vous avez dans cette poche-là? fit Cécile entre deux cuillerées.

Ephrem avait déposé sa taie d'oreiller gonflée dans la berçante. Bonhomme, tout souriant de l'heureuse surprise qu'il ferait à Joséphine, Ephrem extirpa du sac quelques tuniques militaires.

— Je vous offre un contrat, dit-il, si ça vous intéresse! Un contrat payant.

Un contrat? C'est la première fois qu'on en proposait un à Joséphine.

— Oui, poser les galons dorés des grades sur les manches gauches. Vous avez une machine à coudre, hein, Joséphine? Et vous cousez bien.

— Maman a assez travaillé dans sa vie, fit Cécile. Elle va tout de même pas se mettre à pédaler pour les gardes paroissiales? A part ça vous oubliez que moi aussi, j'ai une machine à coudre! Electrique et pas à pied, comme celle de maman!

— Laisse-le donc parler, fit Joséphine, déjà tout intéressée.

— La Fédération contrôle au-delà de trois mille membres, dit fièrement Ephrem. On a un gros problème du côté galon. Les femmes ou les fiancées les posent trop souvent de travers, ou veulent pas les poser du tout. Par contre, plus ça va, plus ça monte en grade. On peut pas garder nos recrues simples soldats plus de deux mois. Le monde change. Ça veut avoir une promotion presque tout de suite. Alors on les nomme caporal, un galon, et six mois après, sergent, deux galons, puis on les fait grimper à sous-lieutemant, trois galons. Mais, à lieutenant, là, on commence à être plus sévère. Ça prend pas des n'importe qui. Un type comme Ovide, par exemple. Qu'est-ce que vous en dites? Il ferait même un bon lieutenant?

Cécile calculait vite. Trois mille membres, caporaux, sergents, sous-lieutenants, un roulement continu de trois mille fois trois galons, c'est-à-dire neuf mille unités. Elle dit:

— Moi, à cause de ma machine électrique, je vous les ferais à vingt cennes chacun. C'est pas cher, Ephrem?

Ephrem ne s'adressait qu'à Joséphine:

— Vingt cennes! s'exclama-t-il, semblant prendre la dimension de la statue du Commandeur. Pour des galons bien cousus, droits, solides, je vais donner l'ordre final de vous donner le contrat exclusif de toute la Fédération, cinquante cennes pièce. Nous fournissons le matériel.

Le chiffre magique, en éclatant, sembla avoir creusé un grand trou dans l'atmosphère de la cuisine. Le somptueux canonnier qui l'avait fait exploser attendait son effet, les mains sur les hanches et souriant d'orgueil.

— Neuf mille fois cinquante cennes! Quatre mille cinq cents dollars par année! s'exclama Cécile, repoussant son assiétée de soupe, pendant que Joséphine trottait vers sa machine à coudre et la découvrait.

— Ça vous intéresse, Joséphine? Ça couperait vos longues journées et vous pourriez vous offrir des petites fantaisies?

— Quatre mille cinq cents dollars! suffoquait Joséphine, mais c'est deux fois le salaire que Théophile gagnait avant de mourir? Je le prends, le contrat! dit-elle avec fermeté. Merci Ephrem. Je suis bien contente.

Elle pensait à Ovide, à qui elle pourrait remettre une partie de ses gains. Alors, il redeviendrait heureux et guérirait. A l'idée de lui donner de l'argent, elle l'aimait davantage. Cécile ne voulut pas avoir l'air cupide. Presque doucereuse, elle dit à sa mère:

— Voyons, maman, à votre âge! Vous allez tout de même pas vous arracher les yeux à faire de la couture comme si on était dans la misère? Je vais le prendre moi-même, ce contrat. Une partie de l'argent sera mis de côté pour Nicolas; quand il voudra ouvrir son bureau d'avocat en sortant de l'Université, le capital sera là.

Joséphine était inébranlable. Pour la première fois depuis cinquante ans, elle gagnerait de l'argent!

— J'ai les yeux très bons, je vois même des choses que vous voyez pas. Les journées sont longues l'hiver et, j'aime coudre, surtout des beaux galons dorés en V sur des manches gauches. Et toi, tu travailles déjà trop à la manufacture. T'arrives ici, le soir les yeux cernés de fatigue.

Cécile refréna de son mieux son impatience, mais ne put s'empêcher de protester:

— Au fond, vous voulez donner tout cet argent-là à Ovide. Et la Rita, aussitôt qu'elle va le renifler, va tout flamber en souliers de plastique, en jupes courtes et en john collins dans les clubs de nuit.

— Je sais ce que j'ai à faire! trancha Joséphine. Divisons-nous le contrat cinquante cinquante.

Le commandant Bélanger n'avait jamais cru déclencher une lutte aussi âpre. Il voulut partir. Satisfaite du cinquante pour cent déjà arraché, Cécile se précipita vers le militaire.

— Mais, commandant, vous pouvez pas vous rendre à votre déjeuner officiel avec le ceinturon tout croche comme ça? On sait bien, quand on n'a pas de femme dans la maison pour nous aider dans l'habillement!

Ephrem baissa la tête, rougissant. C'était vrai. Son large ceinturon, long de cinq mètres, avait été enroulé de façon très inégale et lui donnait un air de zouave négligé. Un commandant sévère comme lui ne pouvait le tolérer, puisque, à ses recrues, il servait de longues semonces sur leur inaptitude à s'enrouler avec art.

— Décrochez votre fourreau et déroulez-vous! fit Cécile.

Les deux femmes saisirent l'extrémité de la bande de drap bleu ciel et le commandant, après avoir déposé le fourreau nickelé contre le mur, se mit à virevolter sur lui-même, comme une toupie, jusqu'à l'évier.

Cette scène eût fait bien rire Théophile, Guillaume, ou Ovide, eux qui ne respectaient pas ce genre de falbalas. Elles étaient attendrissantes, ces deux femmes soucieuses de perfection. Elles débobinaient leur zouave pour mieux le "rembobiner!" A cinq mètres de distance, il commença à revenir vers elles, tendu, droit comme un I, tourniquetant sur lui-même avec une gravité qui conférait à l'opération un caractère sacré.

Quand Ephrem fut à deux mètres des femmes, Cécile laissa échapper un stop! sec. "On commence à être croche!" Elle se rendit jusqu'à Ephrem immobilisé, le déroula d'un tour puis le fit elle-même virevolter vers l'avant en lui tenant la taille jusqu'à Joséphine en proie à une concentration infinie, les deux mains crispées sur l'extrémité du ceinturon. Ephrem arriva au port sanglé avec une correction qu'il n'avait jamais atteinte. "Hourra!" s'écrièrent les deux femmes, fières d'elles-mêmes. Au moment où, devant cet exploit, Joséphine, étrangement, se remémorait l'habileté avec laquelle en un tournemain, elle changeait les "couches" de ses bébés, Ovide survolté, en canotier Maurice Chevalier, faisait irruption dans la cuisine.

— Je vous salue, femmes Plouffe!

— Comment? t'es sorti de l'hôpital! s'exclama Joséphine stupéfaite et ravie.

— Eh oui! m'man. Parfaitement guéri et prêt à mordre dans l'avenir!

— Et en canotier Maurice Chevalier! admira Cécile.

— Comme ton père en voyage de noces! T'as pris l'huile de ricin et l'huile de foie de morue! Je te l'avais dit, hein? Dans les hôpitaux, ils connaissent rien.

Joséphine, dans un élan qui montait de ses entrailles chaque fois qu'un de ses fils venait lui rendre visite, courut vers la cuisinière, qu'elle appelait toujours "mon poêle".

— Tu manges avec nous autres! Je te trempe une soupe!

Ovide, agacé par la présence du commandant s'écria, dégaînant le sabre:

— Fi des nourritures terrestres!

— Attention, la lame est fraîchement aiguisée, fit le commandant, très choqué.

— Aiguisée? Pourquoi? ricana Ovide.

Celui-ci avait-il bu? Il pourfendait l'air de la cuisine avec l'ardeur scénique d'un chanteur d'opéra, il feintait, fonçait, embrochait des ennemis invisibles, les yeux pleins d'éclairs amusés. Médusé, le trio n'osait bouger, de peur de passer dans le champ d'action de cette épée folle.

Il savourait leur désarroi, mais surtout le mécontentement du commandant, dont la présence ici violait le souvenir qu'il gardait de son père. Ovide, à qui les grandes joies ou les peines profondes inspiraient des mouvements de grandiloquence inattendue propres aux héros des romans de cape et d'épée, profitait de la scène loufoque qu'il jouait pour ridiculiser le commandant, lui dire son fait, en même temps qu'il faisait comprendre à sa mère et à sa soeur que leur amitié pour ce zouave indisposait la famille. Et si l'âme est immortelle, Théophile lui-même ne méritait certes pas d'être trompé post-mortem. Toujours brandissant l'arme, Ovide se mit à chanter: "Toréador, en garde!" et il fonça sur le commandant comme pour l'embrocher. Celui-ci, livide (ce garçon lui avait toujours paru "dérangé"), reculait jusqu'au mur, sous la photo de Théophile. La pointe de l'estoc sur la poitrine du commandant épouvanté, Ovide ajouta:

— Et n'oublie pas qu'un oeil noir te regarde!

— Ovide! crièrent Joséphine et Cécile. Arrête ça!

Peut-être était-il devenu fou? En pensée il dépeçait aussi Stan Labrie. Abandonnant sa victime et pointant le sabre vers le plafond, il déclama:

— Nouveau Lagardère, je m'attaque à un destin mirobolant où je ferai rouler la tête de la défaite et transpercerai la poitrine du désespoir. L'erreur de ma vie a été de croire qu'il n'y avait pas de place ici-bas pour Ovide Plouffe, éternel battu par le destin. Alors je me saoulais, je pleurais et j'entrais au monastère!

— Et tu te mariais à Rita Toulouse, ne put s'empêcher d'achever Cécile.

Ovide pâlit et encaissa le coup.

— Désormais, c'est fini, dit-il, dans un monde qui change je ferai la preuve, noir sur blanc, que ce sont les Ovide Plouffe, les incompris, les inadaptés, les sans grade (il vrillait Ephrem du regard) qui, dans leur repaire de maquisards incorruptibles, se préparent à conquérir le monde!

— En parlant de grades, dit Cécile, maman et moi on a eu le contrat de poser tous les galons de caporal, de sergent, de sous-lieutenant des trois mille membres des gardes paroissiales.

Ovide, éberlué, écouta le récit de l'offre du contrat, dont le commandant semblait désirer que sa mère accomplît la majeure partie. Quatre mille cinq cents dollars! Tout arrivait dans ce bas monde! Il éclata d'un rire immense qui installa un grand chagrin dans le coeur du zouave, décidé maintenant à détester pour toujours cet homme, ennemi de ce qui lui était le plus cher. Ovide, devinant ce sentiment, baissa son arme, en piqua la pointe dans le linoléum du plancher et, regardant le commandant droit dans les yeux:

— J'ai voulu vérifier le degré de bravoure d'un militaire qui n'a jamais fait la guerre, qui est décoré comme un char allégorique, que dis-je, un reposoir! Je vous félicite, vous avez tenu le coup. Et si je me trompe, je ne le saurai jamais, car votre vaste pantalon saura garder son secret.

— Comment, mon vaste pantalon? bredouilla Ephrem, encore sous le choc.

— C'est assez, mon garçon! coupa sévèrement Joséphine. (elle n'osait aller trop loin dans sa réprimande, se sentant un peu coupable depuis "un oeil noir te regarde.")

— Je te trouve loin d'être poli pour notre ami, dit Cécile. Tu peux guérir, sortir de l'hôpital, sans pour ça nous faire des scènes de fou.

— Oui, votre pantalon, continuait Ovide avec un doux amusement savouré comme un dessert exquis. Connaissez-vous, commandant, le pourquoi de ce large et interminable ceinturon, de ce vaste pantalon bouffant? C'est que, dans les armées du désert, la nécessité crée l'organe. Donc, vous ne savez pas?

Le commandant esquissait des petits non secs de la tête en regardans fixement la pointe de la lame piquée dans le linoléum.

— Alors, je vais vous l'apprendre. Les Zouaves ont d'abord été un régiment de héros en Afrique. Le général Lyautey, dans ses mémoires, affirme que le soleil, cognant très dur dans le Sahara, occasionnait aux soldats de terribles accès de dysenterie. Voilà!

C'est le pourquoi de l'ample pantalon et du large ceinturon! fit-il, éclatant d'un grand rire. Un problème d'intestins!

— Ah! cet enfant-là, y sait tout, tâcha d'arranger Joséphine, à qui l'explication donnée par Ovide paraissait logique, quoique irrespectueuse.

Cécile, que les histoires scatologiques faisaient toujours éclater d'un rire sonore, réussit à se contenir. Prudente, elle prit l'épée des mains d'Ovide et la replongea dans le fourreau. Sans un mot, blanc d'humiliation, le commandant le remit à sa ceinture. Il ne voulait pas piquer une colère, chagriner Joséphine et Cécile, dont il tenait à conserver l'amitié et la fréquentation, étant bien seul au monde, occupant un poste si élevé qu'il ne pouvait même pas fréquenter familièrement ses subalternes. Furieux et malheureux il sortit et Ovide fit un clin d'oeil à la photo de Théophile en assénant au commandant un dernier coup de massue, clouant Ephrem sur le seuil de la porte:

— Et apprenez, cher Monsieur, qu'aucun zouave canadien n'est mort en Italie, sauf un, décédé d'une maladie vénérienne!

Ovide, lâchant un grand soupir, conclut, ennuyé:

— Maintenant vous savez commandant, que je ne suis pas de ceux qui marchent dans le rang!

— Merci pour le contrat! firent Joséphine et Cécile, voyant leur ami encore tout décontenancé.

Le commandant Ephrem descendit l'escalier, l'oeil humide. Il était un homme très doux qui trouvait dans son rôle de militaire d'apparat l'occasion d'afficher une autorité pour laquelle il n'était pas du tout fait. En cinq minutes Ovide avait détruit, devant ses deux seules amies, une confiance en lui péniblement tricotée. Il pensait à son ceinturon, à son vaste pantalon, à ses grades, à ses médailles, au soleil du désert et à la dysenterie! "T'es un vieux fou!" scandait en cliquetant le fourreau de l'épée traînant de marche en marche.

— Tu peux avoir été malade, mais je te trouve bien cruel, dit tristement Joséphine à Ovide.

— Plus que méchant, t'as été cochon! renchérit Cécile. Ephrem mérite pas ça. D'autant plus que, avant que t'arrives, il disait que t'as le genre à devenir lieutenant. Il te nommerait même tout de suite si tu voulais! Ça te ferait bien!

— Moi, lieutenant zouave! Ça c'est le bout! s'écria Ovide, insulté.

Puis il se mit à réfléchir. C'est vrai, il avait exagéré. Quelle mouche l'avait donc piqué, lui qui prenait toujours soin de ne blesser personne? La colère que lui avait inspirée la présence insolite de Stan chez lui, avec Rita, n'avait fait que croître pendant qu'il se rendait chez sa mère. Cette colère éclata à la vue d'Ephrem trop familier avec les deux femmes pendant l'absence de Théophile, son père qui, dans le coeur d'Ovide, était toujours vivant. Il eut peur de s'en avouer le vrai motif: son projet de bijouterie avec Pacifique Berthet commençait à l'épouvanter, et il cherchait une diversion à son effroi en adoptant un comportement curieux pour se dérouter lui-même. Il avait été lâche d'assouvir sa colère contre ce brave commandant sans défense. Le disquaire ne put tolérer plus longtemps son remords et dit:

— Vous avez raison. Je vais aller m'excuser.

Pendant que les deux femmes, soulagées, convenaient qu'on reconnaissait bien là le bon fond d'Ovide malgré son comportement méchant et inattendu, Ovide courait et rejoignait le commandant qui, en le voyant, redressa son torse découragé. L'ennemi allait-il le charger à nouveau? Il crispa la main sur la poignée de son sabre.

— Commandant, je vous fais mes excuses! Je me suis conduit comme un goujat. Je trouve que vous êtes un homme estimable et vous suis reconnaissant de l'amitié que vous portez à ma mère et à ma soeur.

Le pauvre homme eut envie de pleurer.

— Oh! C'est rien, c'est rien, merci, Monsieur.

Ovide trotta de nouveau à la rencontre des deux femmes. Il se rappelait maintenant pourquoi il était venu voir sa mère et cela était plus important que n'importe quoi d'autre au monde. Il déclara, avant de passer au but véritable de sa visite:

— Je lui ai présenté mes excuses, il est heureux, tout est oublié. N'en parlons plus!

Quand il expliquait un projet, Ovide se laissait vite transporter par son imagination débordante. Pendant son exposé, sa mère essayait péniblement de se le représenter président d'une bijouterie, vendant des milliers de montres à travers toute la Province. alors que Rita se dandinerait derrière un comptoir et verrait des hommes à satiété. Et cet infirme dans l'arrière-boutique? Ça sonnait malsain et insolite.

— Mais...t'es pas bien, comme ça? T'as une situation assurée, un beau salaire fixe dans ce que t'aimes, la musique?

— Ce qu'on aime faire, on cesse de l'aimer si on crève de faim! Amen! protesta Ovide qui s'accrochait à son projet comme à la seule planche de salut possible. De plus, je suis content de m'associer à Monsieur Berthet. Je suis même fier de traiter un handicapé d'égal à égal. Je suis heureux de m'incliner devant un homme de grande valeur et de ne pas nourrir à son endroit un sentiment de pitié qui le blesserait. Vous savez, il a très apprécié votre sucre à la crème.

Joséphine n'osait trop contrer ce nouveau projet d'Ovide, sentant qu'il lui était peut-être nécessaire pour améliorer ses relations conjugales.

— Et je ne vous ai pas tout dit, continua-t-il. Je reviendrai vivre dans la paroisse et j'y louerai un local devant l'église. C'est très passant. Et les gens de faible revenu achètent plus de bijoux que les gens à l'aise.

— Et tu le disais pas!

Le visage de Joséphine s'illumina. Revenir dans la paroisse, c'était revenir dans la famille! Elle inciterait les Dames de Sainte-Anne, les membres de sa chorale à "encourager" son fils. Une montre chacune. De plus Joséphine aurait plus de facilité à garder l'oeil sur Rita, mine de rien, en se rendant à l'épicerie, ou à l'église. Cécile réfléchissait ardument.

— Si frérot peut faire tellement d'argent, vous avez plus besoin de poser des galons pour l'aider dans ses finances?

— Comment m'aider dans mes finances! Ça, jamais! s'écria Ovide qui, déjà, éprouvait la difficulté de retenir Rita, obsédée par son ambition de devenir serveuse CHEZ GERARD, sous prétexte de l'aider elle aussi! Les femmes de ma vie ne me feront pas vivre! Merci bien!

Joséphine était ravie. Elle était une "femme de sa vie"! Un grand bonheur emplit sa poitrine.

— Pour les galons, on se divisera ça quand même, Cécile; j'aime bien me garder une poire pour la soif.

Cécile vit bien qu'il était inutile d'insister. Son esprit calculateur se mit à envisager une nouvelle équation.

— Ça prend de l'argent pour lancer une affaire comme ça!

— Un petit dix mille, au plus, laissa tomber Ovide.

— Dix mille dollars! s'écria Cécile. En tous cas, moi, je peux pas toucher à mon capital, qui est déjà prêté à gros intérêt. (Son pécule totalisait maintenant vingt-six mille dollars). Je peux même pas endosser personne. Aucun risque à prendre. Je pense à l'avenir de Nicolas et à mes vieux jours.

Détaché comme si c'était là une idée saugrenue de seulement penser à recourir à l'argent de Cécile, Ovide déclara:

— Allons, ma soeur, ça ne m'a jamais même effleuré l'esprit. J'irai voir le banquier de notre frère Napoléon. L'ampleur de mon projet le convaincra. Mon endossement est valable, mais sa garantie absolue, ce sera la richesse de notre idée.

— Et ton Français, combien d'argent va-t-il investir? fit Cécile.

On verra, on verra. Mais pour le moment, c'est son expérience et ses clients déjà acquis qu'il m'apporte. C'est beaucoup.

— C'est ça, parles-en donc à Napoléon, fit Joséphine, soucieuse et vaguement inquiète.

CHAPITRE HUITIEME

Les enfants de Napoléon, sauf les deux aînés partis pour l'école, jouaient dans un des trois camions de leur père, pendant que les employés, assis contre le mur de la boutique de plomberie, bouteille de coca-cola en main, boîte à lunch ouverte entre les jambes, mangeaient leur sandwich du midi en admirant, rêveurs, la corde à linge de la famille voisine, qui comptait quatorze fortes filles célibataires dont l'âge s'échelonnait de dix-sept à trente-cinq ans. C'était aujourd'hui jour de lessive dans ce harem sans sultan et les quatorze culottes et soutiens-gorge de ces dames flottaient dans le vent.

Jeanne faisait la vaisselle et Napoléon, les deux talons appuyés sur la rampe de la galerie, soufflait dans sa trompette, remplissant l'atmosphère de ce début d'après-midi de hurlements stridents et douloureux. Le téléphone avait sonné plusieurs fois. Les voisines se plaignaient et c'est Jeanne qui absorbait les protestations. Mais son Napoléon, qui connaissait tant de tracas d'affaires, trouvait dans son instrument, après chaque repas, une détente chèrement méritée. Elle sortit sur la galerie.

— Poléon...C'est pas bon pour ta digestion, de jouer de la trompette, comme ça, tout plié en deux.

Et elle ajouta timidement:

— Ça dérange les voisins qui téléphonent pour se plaindre.

Napoléon rit de toutes ses dents et lui pinça la cuisse.

— Quand je saurai jouer à la perfection, ça va téléphoner pour me demander de continuer. En attendant, qu'y souffrent!

Il caressait maintenant les genoux de Jeanne. Elle se dégagea en riant, lui donna une bourrade, puis le gronda doucement:

— Toi, mon amoureux du midi, commence pas ça. Tu sais comment ça tourne?

Souriant, l'oeil luisant, il essuyait du doigt l'embouchure de sa trompette.

— C'est la corde à linge d'à côté qui me donne des idées.

Il se releva subitement.

— Mais c'est Ovide! T'es sorti de l'hôpital, déjà?

Ovide esquissa un pas de danse.

— Comme tu vois! Guéri complètement! Je n'avais rien! Vous allez bien, Jeanne?

Elle aimait beaucoup son beau-frère, ses belles manières; elle lui fit des compliments sur sa bonne mine et sur son canotier, mais réintégra sa cuisine quand elle s'aperçut qu'Ovide avait à parler "entre hommes" avec Napoléon. C'était une fille de qualité, au coeur sensible, généreux et délicat, qui aimait la famille de son mari à qui elle devait tout, la vie, le bonheur, de beaux enfants, l'aisance.

Napoléon attendait qu'Ovide s'explique. Patient, il jouait avec les pistons de son instrument, rappelant ainsi à Ovide LE ROYAUME DU DISQUE.

— Joues-tu à la note? demanda Ovide.

— Non, à l'oreille. Mais j'avance bien.

Puis, repoussant les problèmes de trompettes à pistons, Ovide, devant Napoléon éberlué, déballa son projet en faisant miroiter les possibilités financières inouïes de cette affaire d'horlogerie.

Napoléon n'apporta pas les mêmes objections que sa mère et sa soeur. Ce brave et naïf garçon croyait aux possibilités infinies offertes par la société nord-américaine à ceux qui savent prendre des risques calculés et osent foncer. Du fond du coeur, il espéra qu'Ovide réussisse, car il se culpabilisait de faire tant d'argent alors qu'Ovide, qui le dépassait de cent coudées, végétait.

La pensée de Napoléon, alertée, remontait au passé.

— T'as pas peur de tout lâcher en cours de route? Tu te rappelles quand ça allait pas, j'essayais de te faire monter des côtes à bicyclette, pour te prouver que tu pouvais atteindre le haut. Tu lâchais tout à mi-côte.

Ovide se débattait. Il jura en agitant ses longs bras que la vie avait forgé sa volonté dans l'acier et qu'il était débarrassé de tout sentiment velléitaire. Maintenant, c'était décidé, il prenait son destin en main. Oh! bien sûr, il n'était pas question d'emprunter de l'argent à Napoléon. Il lui demandait seulement de le présenter à son gérant de banque, car ça l'intimidait d'en rencontrer un lui-même pour lui demander un prêt, ce qu'il n'avait jamais osé. Cette dure démarche lui apparaissait une montagne. La présence de Napoléon rassurerait le banquier qui ferait confiance au frère mal connu de l'entrepreneur prospère. De plus, Napoléon surveillerait Ovide et lui prodiguerait ses conseils.

— O.K. on ira le voir à son retour de lunch, vers une heure et demie.

Ah! ce bon vieux frérot! Ovide éprouva le besoin de le serrer contre lui. Il sursauta. Des freins crissaient, une auto blanche décapotable, à bancs de cuir rouge, stoppait brusquement devant eux, la conductrice jouant gaiement du klaxon. Mais c'était Rita en personne?

— Restez pas là comme des statues! Venez admirer mon achat!

Le coeur d'Ovide se serrait. Il approcha vers l'auto avec Napoléon. Rita exultait, appuyée nonchalamment sur le rebord de la porte ouverte, comme elle l'avait vu faire par les jolies mannequins au Salon de l'Auto.

— T'es pas sérieuse? T'as acheté cette voiture? protestait Ovide.

— Dodge '46, une bonne année, décréta Napoléon qui, d'un oeil connaisseur, examinait le véhicule.

— Mais oui, Ovide, je l'ai achetée. Fais pas cette face-là! A midi et demie j'entrais au garage, et quinze minutes plus tard, j'en sortais propriétaire. Et me voilà! Une occasion extraordinaire: huit cent cinquante dollars, dont cent cinquante comptant et le reste à soixante dollars par mois. Quand on se lance en affaires, on se promène plus à pied, hein, Napoléon? Et puis, mon cent cinquante dormait à la Caisse Populaire pendant que nous autres on marchait!

Ovide pensait avec horreur aux primes d'assurance, à l'essence, aux pneus crevés, aux bris de moteur qui feraient tomber à la maison une autre pluie de factures. Minaudant, Rita lui caressa le menton:

— Et tu remarques pas qu'elle est blanche avec des bancs de cuir rouge, comme ma robe et mes souliers que t'aimais tant, quand tu me voulais à pas voir clair? Viens! Monte! Essaye-la!

Il s'assit au volant, le fit tourner. Il avait belle allure avec son canotier! Il commença à sourire franchement, d'un sourire que son inquiétude aux aguets fit vite jaunir. Il devenait urgent qu'au plus tôt il fasse démarrer le commerce des montres.

— Rendons-nous à la banque! dit-il à Napoléon.

— T'en demanderas le plus possible, de l'argent! fit Rita, désinvolte. C'est fait pour rouler.

Jeanne arrivait, admirait l'auto, s'assit sur le banc avant, joyeuse comme une fillette ravie.

— Et presque pas de millage! Elle a jamais sorti l'hiver. Aïe, Jeanne, on ira se promener toutes les deux, en filles, par les belles après-midi.

— Jeanne est trop occupée, coupa Napoléon, qui doutait de la vertu de sa belle-soeur. Mais je te félicite, Rita, t'as fait un bon achat.

Elle ne dit pas que c'était Stan Labrie qui, un mois auparavant, lui avait recommandé de profiter de cette occasion consentie par un marchand d'automobiles client des "hôtesses" de son réseau, lors du congrès récent des distributeurs de Chrysler, tenu au Château Frontenac. Elle ne disait pas non plus que ce cabriolet blanc avait été la propriété de Bob l'architecte avec qui elle avait trompé Ovide un soir.

— C'est moi qui vous conduis à la banque! décida Rita.

Napoléon n'était pas à son aise.

***

Ovide se sentait un coeur d'hirondelle devant ce banquier à qui Napoléon l'avait présenté comme le cerveau de la famille. Il parlait, parlait, évoquait les grands noms de la finance, les Médicis, les Rothschild (c'étaient les seuls qu'il connaissait). Mais cet homme, le gérant, nuque appuyée sur le dossier de son fauteuil de cuir noir, le ramenait constamment à ses préoccupations immédiates. Non Ovide n'avait jamais dirigé un commerce, non il n'avait pas de capital, oui il était marié sous le régime de la séparation des biens, non il ne connaissait pas le fonctionnement d'une bijouterie, encore moins le fonctionnement d'une montre, mais Napoléon était là qui balayait ces objections d'un revers de la main et proclamait sa confiance en l'avenir de son frère. Il offrait un endossement pour dix mille dollars, comme ça, les yeux fermés, tant il voulait qu'Ovide réalise son rêve. Le gérant se leva, demanda au disquaire de le laisser seul avec Napoléon.

Ovide marcha nerveusement, les mains derrière le dos, devant toutes ces caissières effeuillant d'énormes liasses de billets avec une virtuosité étonnante. Il n'y en aurait sans doute pas un pour lui. Il sentait bien que la démarche de Napoléon ne donnerait rien. Et Rita qui attendait à la porte dans cette automobile achetée à crédit! Il en suait d'angoisse.

— Monsieur Napoléon, dit le gérant, je vous défends de vous porter garant de votre frère dans cette aventure de rêveur en couleur. Il n'est pas fait pour les affaires. Il connaît peut-être beaucoup de choses, mais il n'a rien accompli, à son âge! Ah! Pour être un beau parleur, c'est un beau parleur, mais pas un homme d'action.

Napoléon insistait:

— J'ai confiance en lui. Je les paierai de ma poche, s'il le faut, les dix mille dollars! Nous autres les Plouffe, on gagne tout le temps. Dites donc oui! Chef!

— C'est non! dit sèchement celui-ci. Je veux vous protéger contre vous-même. De plus, je vous ferai remarquer que vos limites de crédit sont déjà atteintes. Il est temps que vous commenciez à collecter vos comptes. Vous êtes trop mou avec vos débiteurs.

Napoléon expliqua que le gouvernement prenait un temps fou à acquitter ses factures, qu'il n'allait quand même pas envoyer le huissier chez des clients honnêtes mais peu fortunés qui lui demandaient des délais, et qu'il avait cru agir sagement en stockant des tuyaux de cuivre, car le cuivre allait monter, etc. etc.

— Je comprends ça, coupa le gérant. Mais si je vous surprends à investir dans l'affaire de votre frère, je rappelle votre marge de crédit. Vous savez ce que ça veut dire!

L'entrepreneur plombier, président de NAPOLEON ET FILS, sortit en se jurant qu'il trouverait bien un autre moyen de dépanner Ovide.

— Viens, dit-il, penaud. La banque aime pas ça, deux frères dans la même succursale.

— J'en étais sûr, se lamenta Ovide, doucement.

Celui-ci se sentait comme un toutou anémique, tenu en laisse par sa famille, ses amis, le monde entier. Un bon à rien chronique! Un sans grade qui n'en aurait jamais! Comment avait-il osé se moquer d'Ephrem Bélanger? Il était dégonflé, minable.

Devinant son désarroi, Napoléon serra les poings et, déterminé:

— Je lâche pas, Ovide. Tu me connais pas encore. J'ai mon plan (il n'en avait pas). D'abord on va fêter la fondation de ta compagnie. Je vous emmène, toi et Rita, CHEZ GERARD, écouter un trio de violonistes de Broadway. Ils jouent du classique, du populaire, de tout. C'est bien simple, ils font pleurer leurs violons, et le monde avec!

Cette assurance de Napoléon réconfortait Ovide. Peut-être vivait-il ses dernières angoisses avant le grand saut dans l'avenir et le succès? Parfois, il faut payer cher l'espérance. Napoléon sourit:

— Y a Guillaume qui revient d'Anticosti ces jours-ci. Quand on sera les trois frères ensemble, on parlera de tout ça, on sera fort sans bon sens.

Et, sursautant à une idée soudaine:

— Et l'oncle Gédéon, le père de Tit-Mé, qui est riche à craquer! Ton parrain par-dessus le marché!

Ovide retrouvait l'optimisme.

— Nous allons CHEZ GERARD, mais c'est moi qui paye! fit-il en assénant une lourde tape sur l'épaule de son frère qui plia sous la puissance du coup de ce grand maigre, Ovide, un vrai Plouffe!

CHAPITRE NEUVIEME

Alors qu'Ovide se tordait dans les mailles du destin, deux hommes libres, le teint cuivré, devisaient gaiement, accroupis à l'avant d'une goélette chargée de billots de bois de pulpe. Le capitaine les avait cueillis à Matane avec leur abondant bagage: quatre chevreuils en train de geler dans la glacière du bateau, du saumon, des truites fumées, différents petits gibiers, des havre-sacs, une tente roulée, en somme tout l'arsenal d'objets que rapporte un guide de chasse et de pêche qui, la saison terminée, revient en ville ou se prépare à aller faire chantier dans les forêts du Québec.

La goélette voguait en face de Rimouski. On sentait l'hiver venir quoiqu'il faisait un temps magnifique en ce début d'octobre. La vague était courte et offrait des reflets parfois sombres, parfois argentés. D'énormes marsouins, dans leur poursuite du capelan, petit poisson qui constitue leur nourriture préférée, exécutaient un admirable ballet, bondissant, plongeant avec une grâce étonnante pour des bêtes de cette taille.

A cet endroit, le fleuve Saint-Laurent s'étend sur une largeur d'une cinquantaine de kilomètres et, du centre, il faut plisser l'oeil pour apercevoir les rives partiellement couvertes de brume. Des voliers de canards et d'outardes, là-haut, fuyaient vers le sud en régiments bien ordonnés et caquetants, tandis qu'autour de la goélette planaient des goélands affamés attendant que Tit-Mé eût fini sa banane pour saisir la pelure qu'il lancerait à l'eau.

— On a un bien beau pays, murmura Guillaume, pensant au Danube si sale, traversé durant la guerre.

— Beau certain, grogna Tit-Mé. Mais j'ai hâte d'arriver en face de la Malbaie, puis de Baie Saint-Paul et de Petite Rivière Saint-François. C'est là qu'on commence d'entrer au ciel.

Il y eut un long silence.

— Quand on arrive à Québec, c'est là qu'est le ciel, corrigea Guillaume. J'oublierai jamais mon retour d'Europe après cinq ans d'absence. En sautant sur le quai, j'ai embrassé la terre et je pleurais comme un veau.

— C'est parce que ta famille qui t'aime t'attendait. Ah! et puis t'es un gars de la ville, toi, c'est pas pareil.

Tit-Mé grimaça, se prit le crâne à deux mains.

— Ah! Quel mal de bloc! Je pense que la tête va m'éclater. Et j'ai la gorge sèche! Et mon crucifix me brûle encore le bras!

— Ça t'apprendra à te saouler à mort, comme un Allemand. Souffre, endure, tu l'as pas volé!

— Arrête de me disputer, se plaignit Tit-Mé, t'es pas juste.

Il examinait son bras gauche où il avait fait tatouer, à Matane, chez un Libanais, pour vingt-cinq dollars, un crucifix. Malgré les objurgations de Guillaume, ce tatoueur avait entraîné le cousin dans une cuite énorme de deux jours entiers, au cours desquels Tit-Mé se rappelait vaguement des séances au lit avec une jolie et forte Gaspésienne aux fesses plantureuses. Guillaume, furieux, dut attendre à l'hôtel tout le temps que Tit-Mé compense ses longs mois de chasteté sur Anticosti. Quand Tit-Mé "fuguait", il "fuguait". Presque tous les gains de sa saison de guide y avaient passé. Le tatoueur, l'alcool, la fille, le bar de l'hôtel où il avait cassé tous les verres l'avaient à peu près soulagé de six cents dollars! Pauvre Tit-Mé!

Guillaume, resté marqué par l'éducation stricte reçue de sa mère, répugnait à ce genre de folie et endurait le désir lancinant, régulier comme un mal de dents, qu'il avait des femmes. En Europe, où il était le plus joli garçon du régiment, n'avait-il pas conquis facilement les plus aguichantes Françaises, des Françaises qui voyaient en lui un gentil géant blond libérateur, venu du Canada? Et puis, était arrivé le drame avec cette Allemande, sosie de Rita, qu'il avait tuée au lit d'une balle de 38. Comment avait-il pu faire cela!

Depuis, à cause de cette hantise, il avait laissé plusieurs bonnes fortunes lui filer sous le nez. Les rares fois où il lui était arrivé de posséder une femme, le souvenir de l'Allemande morte le tenaillait, attristait ses plus violents orgasmes. Sauf au mois de juillet, quand il avait guidé une blonde Américaine à la fosse numéro neuf de la Jupiter. Après avoir dégusté un castillon, grillé à peine sorti de l'eau, et arrosé de Pouilly-Fuissé dont les touristes fortunés apportaient d'amples provisions, le couple s'était étendu sur une vaste roche plate en vue de faire la sieste. Guillaume fit plutôt trois fois l'amour à la jeune fille qui, depuis, lui avait écrit trois lettres de trois pages, comme pour célébrer ces merveilleux moments. Il y songeait quand il dit à Tit-Mé:

— Je te comprends pas, mon cousin, de dépenser en deux jours tes gains de tout l'été.

— Quand t'as pas d'enfant, soupira Tit-Mé, que tes parents t'aiment pas, que ta vie passe comme une rivière, qu'il t'arrive rien, que t'es timide, que seuls les écureuils sont tes amis, qu'est-ce que ça peut faire? C'est un beau gros écureuil que j'ai eu à Matane, glousa-t-il. Je l'ai fait tourner dans ma cage!

— Grand cochon de Tit-Mé! fit l'autre en lui allongeant un coup de poing amical.

— Aïe! Défonce-moi pas! J'ai déjà assez mal au bloc! Dis donc, cousin, qu'est-ce que tu vas faire cet hiver?

— Des mouches artificielles, comme d'habitude, puis aider Napoléon dans ses contrats. Imagine-toi donc qu'il m'achale pour que je me mette à jouer au hockey. Il prétend que je serais aussi bon que Maurice Richard, des Canadiens de Montréal, et champion du monde.

Tit-Mé devint extrêmement triste tout à coup; il comparait son crâne à lui, couvert d'un feutre poisseux, au ruban hérissé de mouches de sa fabrication, à la tête magnifique de Guillaume. Celui-ci avait le front ceint d'un mouchoir rouge, noué sur la nuque, à l'indienne, agrémenté de plumes multicolores d'oiseaux importés par Henri Menier et peuplant par milliers le paradis d'Anticosti. Cette coiffure ferait bien rire sa mère. Guillaume eut soudain très hâte de retrouver la famille.

— Tu me garderais pas une semaine avec toi, à Québec, à la

maison? quémanda Aimé, tout humble, craignant un refus.

Cela, Guillaume ne le comprenait pas. Comment n'avait-il pas hâte de revoir ses parents à lui, son village, ses amis?

Aimé secouait la tête obstinément.

— En quittant chez vous, je prends ensuite le bois directement. Je veux bûcher jusqu'au printemps. Et là on retourne à Anticosti. Tu viens, hein? L'année prochaine? Lâche-moi pas! Faut la construire notre cabane en billots, près de la crique aux homards, avant que les touristes arrivent.

Les yeux de Guillaume luirent à l'évocation de ce merveilleux projet. Ils avaient tous les deux décidé d'ériger, à l'insu de tous, une cabane dans la forêt, près de la mer, en face d'une crique où, de l'eau à mi-jambe et en déplaçant des roches plates à l'aide d'un bâton, on attrapait à l'épuisette des homards de deux kilos. Cette cabane, connue d'eux seuls, serait pleine de provisions, de poissons séchés, de viande fumée, de confitures, de ketsup aux tomates vertes préparé par Joséphine, de lait en poudre. Que le monde entier les déçoive, que des peines énormes les accablent, qu'une guerre atomique éclate (il n'y aurait pas de Hiroshima à Anticosti), ils se réfugieraient dans leur éden, loin du monde, à l'abri de tous les malheurs.

Tit-Mé lança une banane entière aux goélands.

— Non, certain, je veux pas aller chez nous! Vois-tu l'engueulade du père en apprenant que j'ai brûlé en deux jours avec une "créature", l'argent de tout mon été?

Guillaume haussa les épaules.

— T'exagères! Ton père s'est jamais gêné lui non plus pour courir la "galipote"? Il va prendre ça en riant. T'as peur de lui pour rien; ton père, mon oncle Gédéon, je le trouve tellement drôle. Et le coeur sur la main! Parlez-vous donc face à face, une bonne fois pour toutes.

— Je te dis que j'en ai peur. C'est pas de ma faute! Y me glace!

Guillaume trouvait cette situation regrettable. Le père Gédéon possédait une scierie, une grande terre, un roulant de ferme complet et moderne, s'enorgueillissait du plus beau troupeau de vaches de toute la Beauce; il était de plus l'organisateur en chef du comté pour l'Union Nationale, le parti au pouvoir, et Duplessis, le Premier Ministre de la Province de Québec, l'appelait "Sir Gédéon" (Celui-ci répondait "Sir Maurice" gros comme le bras); le père de Tit-Mé était maître-chantre, brassait trente-six affaires et on le craignait, voyant en lui l'homme le plus puissant de la Beauce. Guillaume soupira. Cet oncle-là pourrait rendre son fils heureux en le faisant participer à l'une ou l'autre de ses activités? Il le dit à Tit-Mé. Celui-ci avoua alors la cause de son désarroi:

— Le père m'a écrit la semaine passée. Imagine-toi qu'il a fondé une manufacture de tombes; il veut que j'en sois le gérant! Me vois-tu? Aïe! N'importe quoi, mais pas ça!

Guillaume tombait des nues. On pouvait s'attendre à tout de son oncle.

— M'imagines-tu, Guillaume, avec des dizaines de tombes alignées sur le plancher, en inventaire? Je me croirais toujours en période d'épidémie! Je penserais à la mort tout le temps et je me mettrais à boire comme un trou. Je me connais!

Devant cette nouvelle saugrenue, Guillaume riait aux éclats en se tapant les cuisses.

— Ce serait un bel apprentissage pour devenir embaumeur et ensuite entrepreneur de pompes funèbres. Tu serais ton propre maître. Je te vois très bien, tout en noir, le chapeau sur le bras, à la tête du cortège des funérailles et disant: "Les parents d'abord!"

Plus Guillaume riait, plus Tit-Mé s'attristait.

— Surtout, ris pas de moi. Le père prétend qu'y a une fortune à faire là-dedans. Au lieu de faire venir les cercueils de Québec, on les fabrique sur place, vue notre scierie et, en Beauce, plus ça va, plus y a de monde, et naturellement, plus ça meurt. Le père dit qu'à la longue on pourrait contrôler tous les morts de la région jusqu'à la frontière américaine.

Guillaume songeait que lui non plus n'aimerait pas ce métier, ayant vu tant de cadavres sur les champs de bataille; il comprenait la réaction de Tit-Mé, qui aimait tellement la vie, la bonne santé sous toutes ses formes. Il admirait quand même son oncle, si entreprenant, comparé à son propre père, feu Théophile.

— Quel homme, ton paternel! A soixante-dix ans, lui si vivant, se lancer dans une affaire pareille!

— Et pas fou, le bonhomme! ajouta fièrement Tit-Mé; le fond des tombes est en contreplaqué mince. C'est lui qui a l'agence exclusive pour toute la Beauce. Tu sais que le contreplaqué vient de l'Ouest, vers le Pacifique?

Guillaume pensait à Ovide, à Napoléon, à lui-même, à Cécile, à son père décédé, ancien champion cycliste, et dit:

— Y en a de toutes sortes dans les familles.

Un long silence s'installa, martelé par le tiquetoc tiquetac du Diesel de la goélette. Des piles de billots encore humides, montait la riche et lourde odeur de la résine. Très loin en avant, se profilait l'Ile Verte.

— On sera à Québec demain soir, dit Guillaume. C'est correct, cousin, tu passeras une semaine chez nous, dans mon logement. Et pas d'alcool, hein, tu connais maman?

Heureux, Tit-Mé sourit doucement.

— Je te promets d'être sage comme une image!

***

Pipe de plâtre au bec, le père Gédéon Plouffe contemplait avec une mimique d'empereur heureux l'étendue somptueuse de sa terre beauceronne. Il en était fier comme d'une jolie femme et songeait ce jour-là au labeur de toute une vie s'étalant à perte de vue devant lui. Frère aîné de feu Théophile, il n'avait jamais compris la désertion de son cadet pour la grande ville, où Théophile avait préféré devenir apprenti typographe. Il est vrai que Gédéon avait hérité de la terre paternelle et qu'avec son tempérament possessif, il était ardu pour un être plus faible de vivre à ses côtés. Même ses fils l'avaient quitté pour prendre toutes sortes de directions, mais ses filles, mariées au village, s'arrangeaient fort bien de ses humeurs. Elles se retrouvaient en lui. La femme de Gédéon, Démerise, était morte depuis trois ans, d'une indigestion aiguë, après un repas trop plantureux, quand douze à table on avait dévoré deux cochons de lait. Pauvre Démerise! Elle avait souffert après sa ménopause un véritable martyre au chapitre des relations conjugales. La chose ne l'avait jamais attirée, mais Gédéon, au contraire, avec l'âge, s'était maintenu, jouissant, d'année en année, d'une verdeur et d'un appétit charnel que lui eût enviés Victor Hugo.

Regardant toujours fixement sa terre, il ralluma sa pipe en hochant la tête. L'ennui, pour lui, après toute une vie de succès, c'était de ne pouvoir jouir absolument de la douce contemplation de ses vastes champs fertiles et de son troupeau; il était assailli de toutes parts par différents projets, par sa recherche des "créatures" et par des combines de politicailleur de village. Il régnait sur tellement de gens et s'adonnait à tant d'activités, qu'il ne trouvait pas le temps de jouir complètement de chacune d'elles. Le calcul, la ruse paysanne viciaient ses joies les plus profondes. Il souffrait de l'éparpillement et de la diversité de ses petits bonheurs, mais comme un chat retombait vite sur ses pattes et chassait la mélancolie par de bonnes grosses farces. Il fourra sa pipe dans un sac à tabac fait d'une vessie de cochon, la chargea consciencieusement de "pet de saint Jude", un mélange spécial, beauceron, créé par Gédéon et réputé pour sa force et son odeur repoussante. Il marcha vers son étable en chantant avec des trémolos: *J'ai deux grands boeufs dans mon étable.*

Songeur soudain, il ralentit le pas. Il venait de penser à Tit-Mé qu'il espérait bien voir lui revenir, à Tit-Mé qui l'avait toujours fui. Gédéon ne savait pas comment se comporter avec ce garçon. Il avait essayé toutes les manières. Adoptait-il un ton doucereux et conciliant d'un père qui veut se rapprocher de son fils, il échouait au bout de quelques minutes; si Gédéon lui reprochait son manque d'ambition, il faisait un geste comique ou se permettait une réflexion saugrenue qui déclenchaient la colère et l'impatience de son père et crac! son Tit-Mé décroché repartait pour les chantiers.

Cette manufacture de tombes, déjà florissante, c'est pour Aimé qu'il l'avait lancée. Gédéon se disait naïvement que le spectacle journalier des cercueils ferait réfléchir son grand insignifiant, lui mettrait du plomb dans la tête, le ferait songer à son avenir et à ses fins dernières. De plus il imaginait avec fierté qu'à sa mort à lui, il serait inhumé dans un cercueil fabriqué par son propre fils. Au lieu d'entrer à l'étable où beuglaient les animaux, il se dirigea vers sa macabre usine.

Quel ronron sympathique de coups de marteau joyeux, de chants de scie, d'odeurs de colle forte, de parfums de vernis et d'effluves de bois vert! Après la guerre, la demande pour le bois de construction était tellement abondante, qu'on ne prenait pas le temps de le laisser sécher.

Les menuisiers du village s'étaient vite familiarisés avec leur nouvelle spécialité. Aujourd'hui, une vingtaine de cercueils bien alignés sur le plancher de l'usine attendaient de passer au vernissage.

— Ça marche, Josaphat, nos boîtes à cadavres? dit Gédéon au contremaître, un homme maigre et bilieux.

— Ça va comme c'est mené, fit celui-ci, sceptique.

Josaphat ausculta de la jointure le fond d'un cercueil qui rendit un son fragile.

— C'est trop mince, patron, un beau jour, ça va lâcher.

Gédéon repoussa cette remarque d'une bouffée de "pet de saint Jude" qui fit tousser le contremaître.

— Tu vois tout en noir, Josaphat. En général on meurt maigre, très maigre. Surtout aujourd'hui que les cancers augmentent. Ça sert à rien d'épaissir le fond; le bois pourrit dans la terre, mince ou épais. Pense aux vivants, à l'homme d'affaires qui veut faire son profit et contrôle ses coûts. C'est comme ça qu'on peut battre nos concurrents, par l'économie sur le transport et par la minceur du bois. Le contreplaqué, c'est pas épais. J'en ai l'agence exclusive, oublie pas. Pense au prix de revient et cesse de jouer à l'oiseau de malheur, tu me fatigues.

Josaphat saisit la menace mais cette fois-ci il était armé pour contrer Gédéon.

— Boss, y'a Elzéar Cliche...

— Elzéar me cherche?

Josaphat ne répondait pas. Devant l'expression navrée de son contremaître, Gédéon pâlit:

— Dis-moi pas? Pas Elzéar?

— Oui, le marguillier Elzéar Cliche, votre grand ami, est mort tantôt dans son lit. Crise d'apoplexie. Je viens de recevoir le téléphone.

Gédéon avala sa salive. Elzéar, son ami d'enfance, son compagnon de chorale, son acolyte dans les joyeuses virées à Québec, où ils se rendaient souvent verser des fonds au trésorier du parti de l'Union Nationale! Elzéar, un géant, un authentique "jarret noir" (surnom donné aux gens de la Beauce.)!

— Je sais que ça vous affecte, boss, mais c'est comme ça. Le bon Dieu vient nous chercher un par un, des fois quand on s'y attend pas.

Il commençait déjà à utiliser le vocabulaire de circonstances, qu'il débitait gravement en recevant la visite des acheteurs en larmes.

— Elzéar! C'est pas croyable! Tu peux le dire. Ça me donne un sacré coup! fit Gédéon, le coeur gros. Mon Elzéar, tout jeune!

A peine soixante-sept ans! Y a pas de justice! Mon grand ami!

— Aïe! boss, y vous est pas venu à l'idée qu'Elzéar est le plus grand et le plus gros homme du comté? Six pieds quatre pouces, trois cent cinquante livres. Faut lui faire le cercueil sur mesure. Et solide!

Et il frappa à nouveau de la jointure le fond de la tombe.

— T'as raison, Josaphat. Elzéar, c'est un ami, faut faire un spécial. Mets-y un fond de trois épaisseurs. Au lieu de clous de deux pouces, mets-en de trois pouces. Et quatre couches de vernis. Mais je te le répète, Josaphat, une fois n'est pas coutume! Oublie pas. Les morts en général sont maigres.

Bouleversé, il tourna les talons et se rendit chez le défunt. Il songea que nul n'est exempt d'un tel accident et que la même chose lui arriverait un jour sans crier gare. Assez étrangement cette pensée triste alluma en lui un désir charnel dont il fut fier.

CHAPITRE DIXIEME

Le soir même, Ovide et Rita, tendus et cérémonieux comme s'ils s'étaient rendus à un prestigieux concert, amenèrent leurs invités Napoléon et Jeanne CHEZ GERARD dans la voiture de Rita, dont elle avait tenu à baisser la capote de toile malgré la fraîcheur du temps. Napoléon eut l'influence voulue pour entrer au cabaret avant les clients faisant la queue.

Comme ce cabaret était le seul à Québec à présenter des spectacles de music-hall de calibre international, on y faisait salle comble le week-end. L'euphorie d'après-guerre, la naissance d'une nouvelle ère y trouvaient leur expression violente et ravie. Certains clients le fréquentaient deux ou trois fois la semaine. On se libérait!

Dans l'agitation et le bruit précédent le show, on incitait les clients à terminer leur repas ou à commander des drinks avant l'arrivée des artistes. Installé à une table de choix, Napoléon, d'une voix forte, présentait fièrement son frère aux habitués du night-club, malgré les protestations chuchotées d'Ovide rougissant mais encouragé par Rita qui saluait les voisins de son plus aguichant sourire. Jeanne se trouvait bien heureuse d'avoir à sa table Ovide et sa femme, plutôt que les politicailleurs amenés par Napoléon.

Rita, excitée, siphonnait son john collins par une paille déjà toute tachée de rouge à lèvres. Elle était contente. Enfin Ovide avait accepté ce soir de lui offrir la vie qu'elle méritait et aimait. Ses yeux avides et mobiles de femme flirt avaient déjà fait l'inventaire des clients. Pas de Stan, heureusement. Mais...mais! Elle cacha son trouble. Là-bas, au fond, n'était-ce pas Bob l'architecte avec sa femme (il lui en avait montré la photo, après l'amour), et un couple d'amis? De loin, à l'insu d'Ovide, elle le salua discrètement, mais il fit mine de ne pas la reconnaître.

Ovide, sur la défensive, gardait les mains croisées et les yeux baissés, comme chaque fois qu'il sortait de son univers propre pour affronter une situation nouvelle et mal venue, dont il comptait sortir intact, comme s'il ne l'avait pas vécue. Il se trouva soudain ennuyeux et but une lampée de gin. Il se surveillait, sachant que l'abus d'alcool pourrait le jeter dans un état dépressif aigu. Car il soupçonnait que mille éléments se mettaient en place pour le pousser au découragement. Il n'était pas dupe. En s'offrant cette soirée, il espérait contrer son inquiétude en la noyant dans une atmosphère de fête artificielle. Dix mille dollars! Une somme énorme et quasi introuvable! Pacifique Berthet, à qui il avait fait miroiter le Pérou, devait se morfondre d'impatience dans son lit d'hôpital? Et Rita avait commencé à faire des folles dépenses en escomptant des revenus qui ne rentreraient sans doute jamais! Quelle étourderie, l'achat de cette automobile!

Jeanne, radieuse, saisit le poignet de sa belle-soeur.

— Je suis tellement contente de sortir avec toi, chère. On se voit pas assez, entre parents. Faudrait faire ça plus souvent, fit-elle, approuvée par Napoléon qui lui avait suggéré d'user de son influence afin de ramener Rita à une conduite plus rassurante pour Ovide.

— Mais je demande pas mieux! fit Rita. On viendra une fois par semaine, hein, mon mari?

— On verra, on verra, fit-il, sentencieux. Tout plaisir qui devient une habitude n'est plus un plaisir, mais une corvée.

Elle boudait.

— Y a pas à dire, Jeanne, je suis pas comme toi. J'ai pas marié un homme bien gai. Allons nous poudrer le nez.

Pendant que les deux femmes s'éloignaient, Napoléon, devinant les pensées qui absorbaient son frère, lui secoua le bras, le regard suivant le couple des épouses.

— Regarde-les aller. On a-t'y des belles femmes, un peu?

— Je n'aime pas les "lavabos" dont la porte donne directement sur la salle à manger, décréta Ovide d'un ton sec. Avant d'entrer, inconsciemment les femmes pincent déjà leur robe et les hommes leur braguette. Ça me dégoûte et me coupe l'appétit.

Napoléon rit.

— Tu remarques tout, toi, ma foi. Allons! Déraidis-toi! Relaxe! Amuse-toi donc, comme tout le monde, passe une belle soirée. Ensuite au dodo. C'est la nuit, c'est pendant qu'on dort que nos problèmes se règlent. Tout va s'arranger, compte sur moi. Je gagne tout le temps. Ton argent, on va le trouver, je te le jure. Regarde tout ce monde, ça rit, ça vit; ils ont des tracas eux aussi. Tu brises le plaisir de Rita, tu nous glaces!

Ovide s'en voulut, resta songeur. Puis il se surprit à observer les poignets des gens. Ils portaient tous des montres-bracelets. Le Québec comptait trois millions d'adultes, assurément. Il se contenterait de cinq pour cent de ce nombre, cent cinquante mille montres. Il parut touché soudain par la bonne humeur:

— T'as raison, je suis un "casseux" de veillée. Je te fais confiance, pour l'argent, Napoléon.

— Enfin, là tu parles!

Ovide avalait gaiement une large rasade. Les femmes revenaient, Rita tout occupée à produire son effet.

— On a ce qu'il y a de mieux comme femmes dans le restaurant, fit Napoléon en enlaçant la taille de Jeanne.

Des employés s'affairaient sur la scène, préparant le spectacle.

— Je suis certain, Ovide, que tu vas aimer le show. Trois violonistes de New York. Grimace pas. Ils jouent pas seulement du jazz, mais du grand classique aussi. Tu vas voir.

Une nouvelle équipe de serveuses prenait la relève. Rita fut la première à remarquer Marie la Française. Ovide, s'étant mis à repenser à Pacifique Berthet, ne l'aperçut pas d'abord; mais à la vue de Marie, une lueur de jalousie avait brûlé le regard de Rita et adouci d'un contentement heureux celui de Jeanne.

— Bonsoir, ma belle, fit Napoléon, tendrement cordial; deux john collins pour les femmes, et deux gin à l'eau pour mon frère Ovide et moi.

Ovide et Marie se reconnurent à la première fraction de seconde. Figé, il croyait rêver. Elle en oubliait son carnet, son crayon, ne voyait qu'Ovide, évanoui sur le parquet du magasin de musique, où un instant avant de s'écrouler il lui avait offert, en hommage, le disque *Les Chemins de l'amour.* Elle l'avait cru presque mort, avait humecté son visage et tapoté ses joues.

— C'est mon frère Ovide, un grand musicien! fit Napoléon, nullement étonné qu'Ovide paralysât du premier regard une jolie fille étrangère, française de surcroît.

— Ah! votre frère? murmura la jeune fille.

Etonnée, soudain méfiante, Rita se durcit. Ovide et Marie avaient l'air de se connaître? Ovide lui cachait donc des choses? Et quel regard intense cette Marie posait sur son mari!

— Je vois que vous êtes guéri? dit Marie en souriant, timide.

— Oh! ça n'était pas grave. Merci encore, vous avez été si gentille.

Embarrassée par l'attitude hostile de Rita, Marie nota les drinks et passa à une autre table. Rita la suivit d'un regard agressif. Elle attaqua:

— Vous vous connaissez?

— Une cliente du magasin, une fille très bien, bredouillait-il.

Napoléon était ravi et disait à Jeanne:

— Ça, c'est le bout! Ovide qui connaît notre petite Marie!

— Comment ça se fait qu'elle savait que t'étais malade? insistait Rita.

Il expliqua brièvement, comme si cela était bien secondaire, que lors de l'évanouissement qui l'avait conduit à l'hôpital, il était en train de vendre un disque à Marie. En reprenant brièvement ses sens, étendu sur le plancher, il s'était aperçu qu'elle humectait son visage. Mais la scène de jalousie prenait de l'ampleur. La voix se faisait mordante:

— Puisque cette "minoune" t'a sauvé la vie, t'aurais pu au moins me la présenter, à moi ta femme bien-aimée? Je l'aurais remerciée à genoux!

— Tu charries, Rita, se défendit mollement Ovide.

— Pour un type qui m'écrase de tant de questions, je suis bien niaiseuse de pas t'en poser davantage! coupa-t-elle.

Le malaise d'Ovide augmentait. Rita avait un peu raison. Il lui cachait certaines choses, bien sûr, comme cet incident particulier de sa première rencontre avec Marie, qu'il avait enfoui en son moi secret. D'une certaine façon, sa femme, par instinct, n'avait pas tort d'être agacée. La connaissant, il se disait qu'elle bondirait comme une tigresse si elle apprenait que, depuis cet évanouissement au magasin, le visage auréolé, merveilleux de Marie s'était souvent superposé à celui de sa femme. Il essaya d'atténuer l'aigreur de la dispute:

— Pauvre Rita, tu t'imagines toujours des choses! Cette demoiselle est une cliente que je n'ai vue qu'une fois. J'ignorais même qu'elle était serveuse ici. Cependant son accent, sa culture, ses goûts musicaux m'avaient impressionné, je l'avoue. C'était la première fois que, AU ROYAUME DU DISQUE, on me demandait *Les Chemins de l'amour* de Francis Poulenc, chanté par Yvonne Printemps, qu'elle connaît personnellement, m'a-t'elle assuré. Tu comprends que j'en ai été frappé! Puis le hasard a voulu que je m'évanouisse devant elle. Mais de la retrouver ici, comme serveuse! Je tombe des nues.

Rita souriait méchamment, sûre que son instinct ne la trompait pas. Ovide s'expliquait en bémol et sa voix sonnait faux.

— Ça te choque pas de voir une Française si instruite et si distinguée servir CHEZ GERARD? Quel travail humiliant!

La moutarde montait au nez d'Ovide, devant Napoléon et Jeanne qui auraient préféré se trouver ailleurs.

— Si je te dis que ça me choque, dit-il sèchement, tu vas m'accuser d'avoir un faible pour elle. Comme je suis indifférent, j'affirme sans arrière-pensée que je suis étonné de la voir ici comme serveuse. Des raisons d'ordre matériel, sans doute?

— Comme si on en n'avait pas, nous autres, des raisons d'ordre matériel! fit Rita, les dents serrées. Mais que ta femme, une petite Miss Sweet Caporal de rien du tout, qui veut t'aider, qui a pas beaucoup d'instruction, qui est pas française de France et qui voudrait devenir serveuse, ça c'est humiliant!

Ovide craignit de ne pouvoir s'en sortir.

— Mais toi, t'es ma femme! C'est différent!

Napoléon crut trouver une échappatoire.

— Marie, on la connaît, tu sais, Rita. C'est une petite fille distinguée, orpheline, je pense, qui garde ses distances avec les clients.

— C'est vrai ce que dit Napoléon, fit Jeanne. Marie, on l'aime bien gros, nous autres, ajouta-t-elle, se demandant comment Ovide pouvait être à ce point cachottier avec sa femme, quand elle et Napoléon se disaient tout.

— On sait bien! On sait bien! Faites-moi donc pleurer. Et moi, mes distances, je les garderais pas? fit Rita, sur le point de pleurer.

— Chut! Le maître de cérémonie arrive! dit Napoléon soulagé. Le spectacle va commencer!

Les clients, comme si un rite religieux allait se dérouler, changèrent d'attitude et se calèrent, attentifs, dans leur chaise. A la table de Napoléon, le silence, l'immobilité étaient empreints d'une crispation et d'un embarras profonds. Rita, d'un geste brusque, vida son verre, puis celui d'Ovide, coup sur coup, et se réfugia sous un masque boudeur et malheureux.

Les violonistes, devant un public conquis à l'avance, donnèrent un pot-pourri composé de jazz, de mélodies populaires ou semi-classiques, des extraits d'opérette et d'opéra. Toute l'assistance fredonna quand ils exécutèrent l'aria de Carmen de Bizet, *Toréador.*

Ovide sourit en pensant à la scène qu'il avait jouée au commandant Bélanger, mais Rita crut qu'il se moquait des notes fausses émises par des spectateurs éméchés. Puis le maître de cérémonie, qui avait attendu la fin des applaudissements, annonça que, pour terminer le spectacle, le trio des musiciens, en demande spéciale, interpréterait une très jolie mélodie fort appréciée en Europe. “En primeur au Canada, et dédiée tout spécialement à Madame et Monsieur Ovide Plouffe, *Les Chemins de l'amour* de Francis Poulenc!”

Ovide et Rita se levèrent sous les applaudissements, saluèrent, surpris, flattés, puis se rassirent, la figure écarlate. Napoléon et Jeanne en avaient le souffle coupé. Et Ovide qui ne croyait pas en lui-même! En mettant le pied dans un endroit, il devenait tout de suite vedette. On lui dédiait des chansons! C'était un Plouffe! Rita, comblée tout à coup, prit un air de mairesse. Ovide écouta religieusement cette musique qui lui était dédiée par Marie elle-même, il en était sûr, car elle devait en avoir fait la demande au premier violon. Il écoutait, les yeux fermés, observé par toute l'assemblée peu férue de cette musique subtile, et sous la surveillance de Rita, dont la machine cérébrale, comme sa voiture, ne comptait presque pas de kilométrage mais tournait maintenant à plein régime.

La mélodie terminée, tandis qu'on continuait d'applaudir poliment, Ovide d'un signe de tête, remercia les musiciens et Marie qu'il apercevait tout là-bas. Celle-ci lui rendit gentiment la pareille, et Rita intercepta leur regard.

— Tu la connais bien plus qu'on pense, cette Française. Elle vient quasiment de te faire une déclaration d'amour en public! ironisa-t-elle. Mon nom a servi de paravent.

Encore tout baigné de Poulenc, Ovide entendait à peine sa femme. Il était confondu par la pensée délicate de Marie. A sa façon charmante, elle venait de lui dire merci de lui avoir offert un disque. En même temps, peut-être lui souhaitait-elle une heureuse convalescence?

— Ces *Chemins de l'amour*, c'est le disque que tu lui as vendu, ou peut-être donné? Je te connais, Ovide Plouffe, fit Rita. T'as déjà sifflé l'air deux ou trois fois devant moi. Je suis sûre que tu lui en as fait cadeau!

Par son silence embarrassé, il confirmait le soupçon de Rita. Il expliqua mollement que Marie n'avait montré là que délicatesse de femme sensible. Et pourquoi Rita s'en formaliserait-elle? La pièce de musique lui avait été dédiée à elle aussi! Il conclut, exaspéré:

— Je ne t'aurais jamais crue si jalouse. A force de me harceler, tu vas me l'enfoncer dans le coeur, l'image de cette jeune fille! Et puis, c'est assez! L'incident est clos!

Rita s'y connaissait trop en trucs de ce genre. Cette Marie était d'une habileté diabolique. Le spectacle des violonistes étant terminé, celle-ci revint à la table, rougissante sous les "merci". Rita, semblant commencer à se déchaîner sous l'effet subit de l'alcool, lui arracha le carnet des mains et lui offrit de s'asseoir à sa place, près d'Ovide.

— Reposez-vous, parlez un peu avec mon mari, puisque vous vous connaissez si bien!

Et avant que les deux frères aient eu le temps d'intervenir, Rita filait, minaudante, entre les tables et se rendait en se déhanchant vers celle de l'architecte Bob qui se raidit, inquiet en la voyant approcher.

Jamais Ovide n'avait dû agir avec autant de présence d'esprit. Devant le désarroi de Marie il se transforma en homme d'action, rejoignit vite sa femme et, souriant jaune, l'empoignant par le bras, dit sèchement:

— Viens danser! Petite folle!

Entraînant sa femme, Ovide lui enlevait le carnet des mains

et le remettait en s'excusant du regard à Marie confondue près de Napoléon et Jeanne.

En effet les couples montaient sur scène, entre deux spectacles, pour tournoyer au son du juke-box, où les airs sentimentaux alternaient avec les rythmes sauvages d'une nouvelle sauterie, le boogie woogie, dont Rita raffolait. Celle-ci, remuée par l'alcool et la découverte chez son mari d'un pan de vie sentimentale jusqu'à présent inconnu d'elle, se laissa tirer vers le parquet, puis se colla voluptueusement contre lui en ondulant aux accents d'un extrait du film *Le Quai des Orfèvres*, chanté par Suzy Delair: *Danse avec moi*. Elle pleurnichait presque sur l'épaule d'Ovide:

— Je le sais, que tu me trompes, je le sais que tu m'aimes plus!

Il tressaillit, se voyant vengé de ses souffrances à lui, quand il s'interrogeait sur la fidélité de Rita, imaginant qu'elle avait peut-être fait l'amour, du moins en pensée, avec d'autres hommes? Il bombait le torse, puisqu'elle le serrait très fort et se lovait contre lui.

— Il est vrai que le coeur humain est insondable, dit-il. Mais rassure-toi, je t'aime encore et je te suis toujours fidèle.

Un disque de boogie woogie remplaça Suzy Delair. Les danseurs se ruèrent. Des couples se formaient, se défaisaient. Entre deux bonds, on changeait de partenaire. Cette mode débutait à Québec. On commençait à la salle de danse, parfois avec un pur étranger, et cet échange se maintenait jusque dans la chambre à coucher. Les couples prêts à pratiquer ce nouveau sport étaient en train de former un club sélect, au grand scandale de l'Eglise et des gens bien pensants.

Rita agissait toujours avec une spontanéité désarmante. Ovide, lui, trépignait sur place, incapable de saisir le rythme du boogie woogie. En passant près de Bob l'architecte, Rita, abandonnant soudain la molle étreinte de son mari, sépara le couple Bob-épouse, et jeta celle-ci dans les bras d'Ovide:

— Essaye-la, moi je prends le mari.

Sitôt dit, sitôt fait, les deux hommes et l'autre légitime restant abasourdis, continuèrent quand même de trépigner. Napoléon, dansant avec Jeanne, quitta le parquet, choqué, en avertissant sa femme qu'il ne tolérerait jamais une chose pareille. Jeanne l'approuva puis se dit bien inquiète de l'avenir du ménage Rita-Ovide.

Napoléon devenait de plus en plus soucieux. Si Ovide vivait de si chahuteuses relations conjugales, comment pourrait-il mener à bien une entreprise commerciale d'envergure provinciale, qui exigerait toute l'énergie du coeur et de l'esprit d'un homme?

***

Le retour à la maison fut orageux. Ovide accusa Rita de danser le boogie woogie en levant si haut la jambe qu'on voyait sa culotte. Elle pleura bruyamment, l'accusa d'être amoureux de cette Marie, qui n'était pas plus belle ni plus désirable qu'elle. Elle s'enferma dans sa chambre et Ovide, malgré ses objurgations pour qu'elle sanglotât et parlât moins fort, n'y put rien. Il se dit, atterré, qu'elle demanderait peut-être la séparation et s'inquiéta de ce qu'il deviendrait alors. Puis à deux heures du matin, le nuit et la fatigue vinrent à bout de leur dispute. Après de longues minutes de silence, il entendit soudain l'appel plaintif de Rita:

— Tu viens dormir, chéri?

Il entra sur la pointe des pieds. Elle était toute nue, debout dans le lit et lui tendait les bras. Il ne put s'empêcher d'évoquer le célèbre aria: *Comme la plume au vent.*

Il savoura ce soir-là des extases inattendues. Rita manifestait un raffinement dans les ébats, les positions, une science de l'amour que, sous l'aiguillon de la jalousie, elle semblait réinventer. Elle fut extraordinaire, géniale et Ovide, secoué par cette tempête de volupté, se demanda qui elle était, femme ou démon. Il se dit qu'il serait bon de la rendre encore jalouse, de temps à autre. Entre deux excès de passion, ils grillèrent une cigarette. Ovide, distrait, se mit à fredonner: "Les Chemins qui vont à la mer."

— Mon salaud!

Elle se rua sur lui avec une fureur accrue et il vécut une nuit fabuleuse qui le laissa fourbu le lendemain matin. Son cerveau était vide. Ses plans de société de bijouterie s'estompaient.

Pourquoi ne laissait-il pas tout tomber, pour disparaître pendant un an avec Rita, couchant sous la tente, vivant et s'aimant comme des primitifs occupés seulement d'aller au bout d'eux-mêmes?

Il décida de se rendre à l'hôpital et d'expliquer à Pacifique Berthet les difficultés énormes que représentait pour lui cette affaire d'horlogerie.

Rita insista pour l'y conduire.

CHAPITRE ONZIEME

Quelle satisfaction que de traverser en visiteur, le pas alerte, une salle d'hôpital bordée de malades quand, hier encore, on y était étendu avec l'angoisse d'y mourir. Rita avait préféré attendre Ovide dans la voiture, car le regard de Pacifique Berthet la terrorisait. Cet homme étrange faisait naître en elle une crainte impossible à définir. Ovide, encore sous les effets de l'étonnante nuit d'amour, se dirigeait le coeur léger vers le lit de Pacifique. Pourtant, après avoir vu le banquier hier, il avait prévu cette rencontre avec appréhension.

En somme il aurait pu ne pas venir, écrire une courte lettre, laisser tomber, mettre son enthousiasme sur le compte d'une poussée de fièvre, puis oublier Pacifique Berthet. Mais Ovide était un homme intègre et il tenait à se faire relever de sa promesse par le Français de Grenoble en personne. Julien Sorel en eût fait autant.

Il se sentait puissant aujourd'hui, Ovide; il se pressentait apte à vivre en bohémien. Son patron ne lui avait-il pas consenti deux semaines de vacances payées, ne partirait-il pas au hasard dans la campagne avec Rita, cheveux au vent, dans cette décapotable blanche de seconde main? Et hier soir, ah! hier soir, Marie la serveuse ne lui avait-elle pas rendu elle aussi l'hommage de poser sur lui un regard troublé, tendre, et de lui avoir dédié la chanson de Francis Poulenc? Comment peut-on vivre sans l'amour des femmes? Il sourit, se morigénant doucement. Dans ses ébats passionnés toute la nuit dernière, il avait eu par moments l'impression de faire l'amour avec deux beautés, faisant équitablement alterner l'image de l'une et de l'autre. Il se découvrait Don Juan. Serait-il, sans le savoir, un extraordinaire charmeur?

Canotier en main, il se tenait devant le lit de Pacifique Berthet, qui sursauta. Un cartable sur son bon genou, le malade s'adonnait à de nombreux calculs mathématiques. Son visage, si bourru d'habitude, s'illumina.

— Enfin! Ovide!

Celui-ci éprouva un commencement d'angoisse au ventre. Pacifique Berthet était rasé de près, sentait la lotion et ses cheveux soigneusement peignés luisaient de propreté. Du bout du bras il approchait la chaise au visiteur.

— Cher associé, asseyez-vous. Notre affaire avance à pas de géant.

Il parlait rapidement, comme pour retenir Ovide, devinant que ce velléitaire avait changé d'idée. Que d'énergie, que de génie doit déployer un homme qui ne marche pas pour immobiliser un homme qui marche! Celui-ci peut s'éloigner avec une telle rapidité.

— Etes-vous bien avancé? demanda Ovide, qui espérait le contraire.

Par charité il n'osait froidement éteindre tout de suite cette lueur dont le visage de l'infirme rayonnait, ce visage qu'il avait connu sombre et haineux.

— Si j'ai travaillé! s'exclamait Pacifique. Tous mes chiffres sont préparés, mes contacts rejoints. Trois représentants de grossistes en montres suisses sont venus me voir et sont prêts à négocier. Je leur ai parlé beaucoup de vous. Au bas mot, la première année, on peut compter chacun sur un bénéfice d'au moins trente mille dollars! Ah! la vie sera belle! Et vous-même, où en êtes-vous? La banque, le local?

Trente mille dollars! Ovide se surprenait à rebasculer dans le projet qu'il avait décidé d'abandonner. Pacifique Berthet avait l'air si convaincu! Et puis cet homme travaillerait comme deux, ne pouvant perdre de temps, à cause de son handicap, dans les longues et captivantes occupations de l'amour.

Ovide suggéra prudemment:

— J'ai tâté le terrain. Mes parents ne sont pas riches. Je ne peux pas hypothéquer leurs économies. Le très dur banquier que j'ai vu, celui de mon aîné Napoléon, ne semble pas très favorable à notre genre d'entreprise. Mais je dois avouer que mon frère y croit et qu'il est prêt à s'activer, et à nous indiquer comment trouver les dix mille dollars.

Tous les traits de Pacifique s'altéraient.

— Faut pas reculer. C'est une trop belle idée! Ne lâchez pas, surtout. Et le local? C'est où?

Ovide se sentait poussé au pied du mur.

— Le local? Je n'en suis pas là. Je marche, j'avance, très bien, mais pas plus vite que le vent. Non je n'ai pas eu le temps de chercher un local.

Pacifique Berthet avala sa salive. Allait-il perdre Ovide? Il eut un long soupir désolé. Il y mit fin pour revenir à la charge:

— Quand deux hommes comme nous se rencontrent, c'est un miracle dans la vie. Et quand ils ont une idée comme celle qu'on a eue, ils ne doivent pas la laisser refroidir, mais la pousser au grand galop. C'est la fortune, Monsieur Plouffe! Tenez, regardez-moi cette carte de la Province de Québec!

Appuyé sur son coude, il l'étalait sur le lit et d'un index fiévreux indiquait les étapes choisies pour son offensive. Villes du Nord, celles qui profiteraient d'abord de l'expansion formidable en train de transformer le Québec: Hauterive, Baie-Comeau, Sept-Iles, Mingan, Labrador City, Rimouski, Matane, Rivière-du-Loup. A l'est, elles seraient les châteaux-forts de leur empire d'horlogerie. On prévoyait ériger des barrages immenses sur la Manicouagan, on se préparait à exploiter les fabuleux gisements de fer du Nord du Québec et ceux de l'Ungava. Une prospérité folle s'abattrait sur cette Terre de Caïn, on assisterait à la naissance d'une nouvelle ère industrielle aux retombées inouïes. Ovide Plouffe et Pacifique Berthet laisseraient filer cette occasion? Quelle aberration!

Les yeux ronds, Ovide, qui pouvait très bien imaginer des mondes fantastiques, voyait déjà des hordes de pionniers, bêche sur l'épaule, montre en or au poignet, envahir les immenses territoires et y construire des campements, puis des cités, d'où partiraient dans toutes les directions des trains débordants de minerai de fer. Il éprouva la fierté de vivre dans un pays si riche. Lui, Ovide Plouffe, allait-il continuer de moisir, obscur dans la ville de Québec, bonne tout au plus pour les fonctionnaires et les touristes? Fasciné il suivait l'index fébrile de l'infirme parcourant les croix rouges indiquant les premiers bastions choisis pour leur commerce.

— Mais c'est à faire peur, les possibilités qu'on aurait devant nous! s'exclama Ovide.

— A faire peur? s'indigna Pacifique. Dites plutôt à faire bondir de l'ambition d'en profiter! La vie commence toujours demain. Pensez aux pionniers qui ont décidé de construire le Canadien Pacifique et de lui faire traverser les Rocheuses! C'étaient des gens comme nous, attaqués et moqués par les sceptiques.

Pacifique s'agrippait farouchement à la seule espérance qui lui restait.

— Moi, Français de Grenoble, j'ai cru au Canada, j'ai cru aux défricheurs, aux aventuriers canadiens. Le malheur que vous savez m'a empêché de me joindre à eux. Enfin j'ai trouvé une autre sorte de défricheur, vous, Ovide Plouffe.

Ovide pensait de moins en moins à décevoir Pacifique. C'est vrai, il était de la race de ces Canadiens qui ont construit un grand pays, trop peu peuplé! Et il se défilerait comme un minable devant les richesses que son Canada lui offrait, se contentant de mourir simple petit boutiquier?

— Vos paroles me font du bien, dit-il. Vous avez raison de me rappeler certains devoirs.

— Regardez!

Pacifique souleva la couverture et lui montra sa hanche malade. Le pansement était beaucoup plus petit et, de plus, n'était pas maculé.

— La plaie se ferme! triomphait-il. Comme je vous l'ai promis, j'ai cessé de boire avant de m'endormir. Par ma volonté de sortir de l'hôpital au plus vite et, à cause de l'enthousiasme que je nourris pour notre projet, la plaie s'est rapetissée à presque rien, elle ne suppure à peu près plus, sauf quelques sérosités, de sorte que je pourrai être libéré d'ici la semaine prochaine. Le médecin n'en revient pas. J'ai même communié ce matin, par amabilité pour les religieuses! Mais moi je sais que si je suis en train de guérir, c'est parce que je vous ai rencontré, que vous avez fait de moi un autre homme, en me donnant une grande raison de vivre.

Cette fois Ovide sut qu'il était piégé pour de bon. Il se voyait investi d'une responsabilité ressemblant à un sacerdoce. Grâce à lui, Ovide Plouffe, Pacifique Berthet combattait avec succès la tuberculose. Capable de cela, il pouvait réussir également dans une entreprise, si complexe fût-elle. Il prouverait bien son talent aux hommes d'affaires de sa connaissance, qui roulaient carosse comme son frère Napoléon.

— J'ai bien fait de venir vous voir, Pacifique. La solitude n'est pas bonne conseillère. Je ruminais trop.

— Ah! j'aime autant ne pas y penser. Ç'aurait été un vrai crime de ne pas donner suite à notre projet, Monsieur Plouffe. J'ai besoin de vous, vous avez besoin de moi. Et la preuve que je suis sérieux, la voici. Je possède un chalet qui vaut environ trois mille dollars au lac Saint-Augustin. C'est ma seule richesse. J'y tiens comme à la prunelle de mes yeux. Eh bien! je suis prêt à le donner en garantie au prêteur!

Cette preuve de bonne foi de la part de Pacifique emporta le morceau. Il ne restait plus que sept mille dollars à trouver. Lui, Ovide, ne pouvait hypothéquer ses meubles, puisque par contrat de mariage, il les avait donnés à Rita. Et il n'avait même pas de chalet au bord d'un lac! Il pouvait marcher, lui, et l'autre était infirme, qui offrait une garantie matérielle! Qui était-il lui, Ovide Plouffe, pour faire la fine bouche?

— Tope là! fit-il en serrant la main de Pacifique Berthet. Je pars à l'instant à la recherche d'un local et des capitaux nécessaires.

— Et venez me voir tous les jours, insista Pacifique (éprouvant la sensation du pêcheur conscient, par le style de combat que le saumon lui livre, que la proie n'est accrochée que par le bord de la gueule). En attendant je raffine mon projet de contrat. J'ai déjà mon notaire.

Ovide rejoignit rapidement Rita qui causait, animée, avec un médecin interne prenant l'air entre deux opérations. Ovide s'excusa et demanda à sa femme de démarrer.

— Et puis?

— On s'en va chez maman. J'ai besoin de consulter la famille. Nos plans changent à nouveau. Ce Berthet est un génie. Il apporte même trois mille dollars en garantie. Son plan est parfait, sans faille, et très avancé. Une fortune à faire. Il ne faut pas laisser passer le train, ma chérie.

Elle fit la moue.

— Comme ça, on part pas en "nowhere" comme deux amoureux?

— Seulement si tu insistes, fit Ovide, sans conviction.

Elle ne le fit pas. Elle avait même commencé à s'inquiéter des longues soirées qu'ils passeraient en tête à tête dans des motels ennuyeux de village, loin de l'action. Roche et Aznavour ne venaient-ils pas CHEZ GERARD la semaine prochaine?

— Tu es le maître, dit-elle, et tu as raison. Notre avenir est plus urgent. Je dirai même que ça presse! D'ailleurs c'est pas bon pour un couple marié de traîner tous les soirs dans des hôtels ennuyants. On est le genre, tous les deux, à vouloir de l'action.

Elle lui offrit de le laisser chez madame Plouffe, mais Ovide plaida pour qu'elle soit présente, afin de resserrer des liens devenus plutôt lâches entre elle et sa famille. Il avait besoin du clan derrière lui pour se lancer dans l'inconnu. A ce moment même, l'évocation de la généreuse poitrine de sa mère fit monter en lui une sensation de sécurité absolue.

CHAPITRE DOUZIEME

Ovide et Rita allaient tomber, en ouvrant la porte, sur une scène de cuisine bouillonnante de joie et d'animation. Guillaume et Tit-Mé étaient de retour. Quatre chevreuils gelés encombraient la table, mais tout à sa joie de revoir son fils, Joséphine oubliait de protester. Comme une grosse esclave béate d'admiration et d'amour, elle le suivait aux quatre coins de la cuisine, attentive à ses moindres désirs et, se pâmant:

— Mais ce qu'il est beau avec son mouchoir rouge! Un vrai dieu des bois!

— Va-t'y falloir que je m'habille en Indienne pour que vous m'aimiez autant, maman? taquinait Cécile.

Elle aussi admirait son frère. De sa vie elle n'avait rencontré plus bel homme que lui. Ah! ce collier de barbe blonde! Guillaume s'en aperçut et la serra tendrement, deux furtives secondes. Elle eut la larme à l'oeil. Jamais il n'avait eu un tel geste pour sa soeur.

Les boîtes pleines de saumon fumé, de truites de mer gelées, de menus gibiers s'alignaient sur le linoléum du plancher; les bagages des deux guides s'empilaient dans un coin. Les raquettes que Tit-Mé s'étaient fabriquées pour l'hiver en émergeaient ainsi que le canon de sa carabine. A la nouvelle du retour de Guillaume, tous étaient accourus: Napoléon et Jeanne, Cécile, le commandant Bélanger et le curé, Monseigneur Folbèche, friand de saumon fumé. Tit-Mé avait ouvert une bouteille de gros gin, en tendait le goulot à la ronde et, entre deux refus s'écriait: "J'ai besoin de me rincer le dallot".

— Repars pas sur la brosse! l'avisa Guillaume, craignant les excès auxquels pouvait se livrer Tit-Mé en état d'ivresse. Autrement, je te garde pas une minute dans mon logement.

— Je suis tellement heureux! protestait Tit-Mé, brandissant sa bouteille et montrant fièrement son bras tatoué à Monseigneur Folbèche. Aimez-vous mon crucifix, Monseigneur? Il me lâche pas d'un poil, dans les bons comme dans les mauvais moments.

— Je vous conseille d'entrer dans le Cercle Lacordaire, fit Monseigneur d'un air moqueur, car Tit-Mé l'intéressait peu, n'étant pas son paroissien.

Joséphine, les mains sur les hanches, contemplait le gibier en hochant la tête:

— Si ça a du bon sens! Quatre chevreuils et à peu près trente saumons fumés. J'en peux plus de manger ça! Trop c'est trop.

— Aucun problème, Madame Plouffe, fit Monseigneur en levant l'index. Faites un signe et nous vous débarrasserons de ce fardeau, n'est-ce pas, Napoléon?

— You bet, Monseigneur. Moi, du chevreuil je prends les fesses! fit-il en tapant celles de Jeanne.

— T'es fou! s'écriait-elle en reculant. Napoléon! devant Monseigneur!

Guillaume saisit sa mère dans ses bras et se mit à valser, déclenchant l'hilarité de tous. Rassurée, elle n'agitait même pas ses grosses jambes.

— Vive notre petite maman qui rouspète tout le temps! "Alouette, gentille alouette", commença-t-il à chanter pendant que Joséphine souriait, ravie.

— Un beau jour tu vas tomber avec elle, dit Cécile, en train de montrer à Ephrem une tunique de zouave sur laquelle elle avait cousu, en V, le premier galon doré de leur contrat.

Ephrem appréciait en expert. Du vrai travail de spécialiste! Monseigneur admirait les saumons, flattait les pattes des chevreuils. Napoléon en faisait autant. Cécile remarqua qu'elle pourrait en disposer à bon prix, mais Guillaume, choqué, déclara que ses cadeaux n'étaient pas à vendre. Le commandant Bélanger, voyant les raquettes, vanta les qualités de la fabrication et en profita pour suggérer aux deux frères de faire partie du club de raquetteurs des

Zouaves. On prévoyait un gros hiver de neige.

— Oubliez les raquettes, mon commandant, coupa Napoléon. On s'habitue à marcher les jambes tout écartillées! Guillaume et moi, cet hiver, on se lance dans le hockey.

C'est dans ce groupe heureux que firent irruption Ovide et Rita.

Il y eut un léger froid chez Joséphine et Cécile, tandis que le commandant Bélanger reculait au fond de la pièce et se faisait tout petit. Il ne se remettrait jamais du ridicule dont l'avait couvert Ovide à sa sortie d'hôpital. Rita, mal à l'aise, se demandait pourquoi les deux femmes la boudaient, mais Jeanne la récupéra en évoquant le plaisir qu'ils avaient eu la veille CHEZ GERARD en dansant le boogie woogie. Rita s'y montrait championne.

— Tu sais déjà cette danse-là? fit Cécile. C'est vrai! T'es tellement moderne!

Tit-Mé offrit le goulot de sa bouteille à Rita et lui déclara qu'elle était le plus beau petit "écureux" jamais rencontré. Encore plus beau que l'an dernier, quand elle était venue aux sucres, à l'érablière de son père, en Beauce. Il s'en était fort occupé, couvrant de tire sa palette de bois, de sorte qu'en fin de journée elle en avait partout sur son tailleur.

— Reviens-tu aux sucres le printemps prochain, ma cousine?

Gentille, elle caressa la moustache noire du cousin, lui déposa un baiser coquet sur la joue en disant:

— J'espère, mon gros "nounours".

Ovide, après avoir brièvement, à la sauvette, averti Napoléon que son projet avec Pacifique Berthet avançait rapidement et qu'il aurait l'occasion de lui en reparler seul à seul, contempla longuement les saumons puis se mit à expliquer à la ronde:

— Le saumon est le roi des poissons d'eau froide, et celui qui recèle le plus de protéines. A l'époque de la Révolution Française, les Jacobins réclamèrent que le "salmo salar", lequel montait aussi dans la Loire et dans la Seine, ne soit plus réservé aux seuls aristocrates et au haut clergé, car les pauvres de France avaient aussi besoin de protéines. Par contre les employés d'écluse se plaignaient d'en manger trop. Le peuple n'est jamais content nulle part.

Guillaume, qui avait déjà entendu cette explication, prit Tit-Mé par la manche: celui-ci, guilleret, ne cessait de caresser le cou et les épaules de Rita.

— Viens, mon fatigant, je vais te montrer ta chambre dans mon logement du dessous.

Penaud, Tit-Mé quitta l'assemblée comme un gros ourson déçu. Les deux hommes transportèrent leur équipement dans le logis du bas. Bouteille de gin dans sa poche de veste à carreaux, le Beauceron admira l'intérieur propret, toisa les dimensions de la grande cuisine et sembla établir un plan de séjour. Guillaume lui indiqua sa chambre. Tit-Mé grimaça. Il sentit qu'il y étoufferait, lui si habitué aux grands espaces. Il eut soudain besoin de solitude.

— Laisse-moi, je vais m'arranger. Va retrouver ta "mouman".

En effet Tit-Mé avait ses raisons de ne pas remonter tout de suite. Un désir épuisant, suscité par Rita, le tenaillait. Ovide, choqué devant ses audaces, avait commencé à lui lancer des regards sévères, après avoir averti sa femme de mieux se tenir. Une virgule d'inquiétude fit hésiter Guillaume. Tit-Mé profiterait-il d'être seul pour vider sa bouteille de gros gin? Ah! qu'il s'arrange! Il n'était pas son ange gardien! Il monta l'escalier deux par deux et retrouva la famille. Monseigneur Folbèche se préparait à demander aux Plouffe de lui rendre un petit service.

— J'écoutais tantôt le récit de vos soirées au cabaret et je me disais: voilà un symbole frappant de la désertion de l'église par les fidèles. Vous autres, la famille Plouffe, vous êtes restés mes paroissiens les plus loyaux, les plus authentiques, mais d'autres commencent à s'éloigner des pratiques religieuses.

— C'est vrai, soupira Joséphine. Quand je vais à l'église, en semaine, j'ai l'impression de prier dans une grange abandonnée.

— Pardon, Joséphine, coupa Monseigneur, offusqué. Une grange! Voyons! Une belle église! Et le Christ est toujours là, intensément présent, et que vous avez presque à vous toute seule.

— On s'entend bien, lui et moi, sourit doucement Joséphine. Pour la grange, la langue m'a fourché.

— J'en viens donc à mon propos, dit Monseigneur. Je commence ce soir une série de vingt-six heures saintes, le mercredi soir, de onze heures à minuit. Je vous demande de les suivre. Votre bon exemple en entraînera d'autres.

— Je vous promets pas d'en suivre vingt-six, fit Napoléon, à cause de mes contrats, mais on va faire notre possible, hein, Jeanne? (il se réservait aussi quelques soirées pour le hockey et CHEZ GERARD.)
— C'est un gros contrat que j'ai à rencontrer, moi aussi, soupira Monseigneur. Presque plus personne ne vient à Vêpres, et les messes basses, sur semaine, n'attirent que quelques vieillards. Rappelez-vous mes prédictions, il y a quelques années: on commence à voir mourir la paroisse. Des jours sombres s'annoncent. Quand on s'éloigne de Dieu, on perd ses défenses contre l'épreuve.

Ils lui promirent tous leur collaboration, sauf Rita et Ovide qui habitaient un autre quartier. Monseigneur Folbèche avait vieilli; au lieu du ton agressif du lutteur tant admiré chez lui pendant la guerre, il parlait maintenant avec tristesse, comme en se plaignant:
— J'ai beau essayer toutes sortes de moyens, des bingos, des prédicateurs étrangers, des messes diacre-sous-diacre avec des évêques, rien ne bouge. J'ai fait installer l'air climatisé, la seule église qui l'ait à Québec, un Chemin de croix moderne peint par un artiste de chez nous...

Joséphine et Cécile froncèrent les sourcils. Elles abhorraient, comme les autres croyantes de la paroisse, ce Chemin de croix à la Picasso, où le Christ n'avait qu'un oeil et les pieds plus longs que les jambes. Mais elles n'osaient le reprocher à Monseigneur, qui en paraissait si fier.

Mystérieux, créant du suspense, Monseigneur continuait:
— Et ce soir, j'ai une autre surprise à vous offrir. Vous m'en donnerez des nouvelles!

On réagissait à peine. Il y a quelques années, on l'eût supplié comme des enfants curieux de révéler son secret tout de suite. Ils étaient polis mais indifférents. Le vieux prêtre se sentait comme un boxeur qui, en rêve, tente d'assommer un nuage. Il soupira. Peut-être serait-il temps pour lui de devenir vieil aumônier d'un couvent de religieuses? Il souleva un gros saumon par la queue:
— Je reçois l'évêque auxiliaire dimanche. Il va se régaler! J'organiserai un festin qui me fera oublier mes déboires de vieux pasteur abandonné.

Il partit, le dos courbé, en remerciant ses Plouffe.

Guillaume et Napoléon redescendirent au rez-de-chaussée et restèrent abasourdis en entrant dans la cuisine. Tit-Mé y avait monté sa tente, installé un fanal allumé et, assis en Indien, son feutre huileux baissé en visière, la bouteille de gros gin entre les pieds, il mit la main devant ses yeux pour scruter l'horizon:

— J'ai hâte à la brunante pour dormir, dit-il.

— Eteins-moi ce fanal et viens souper. Ça va te dessaouler! ordonna Guillaume.

***

Quinze minutes avant onze heures la famille, sans enthousiasme et baîllant d'ennui (cette heure sainte leur paraissant une fausse messe de minuit), quitta la maison pour l'église où Monseigneur Folbèche les attendait avec sa "surprise". On avait soupé tous ensemble d'un énorme saumon frais; les bons mots fusaient; Cécile et Ephrem s'étaient même permis de déguster deux apéritifs au gros gin de Tit-Mé, et Rita s'était conduite de façon tout à fait charmante, reconquérant un peu la famille par son attitude de fillette repentante. Elle avait même dit à Joséphine:

— Je devrais vous voir tous les jours, Madame Plouffe. Je deviendrais parfaite!

Jeanne avait renchéri devant l'air sceptique de Joséphine.

— Croyez-la, Madame Plouffe. Ma petite belle-soeur, je la connais bien, elle a un coeur d'or. Et bonne fille, vous seriez surprise!

Cécile, rendue généreuse par ses deux gin et par les vingt galons posés l'après-midi sur des manches d'uniforme, approuva:

— Tout ce qui lui manque, c'est un autre bébé.

Rita baissa les yeux chastement et Ovide, devisant à voix basse de son entreprise de montres avec Napoléon, lui jeta un regard oblique qui semblait dire: "C'est bien le temps d'avoir un autre enfant!"

Le commandant Bélanger, qui lui n'en avait jamais eu, réfléchit tout haut qu'en cette époque moderne, on enfantait de moins en moins. Il voulait ainsi amadouer Ovide. Guillaume examinait Rita et se demandait pourquoi, autrefois, il avait éprouvé un penchant pour elle. Maintenant sa présence l'embarrassait, comme superflue, comme si elle eût dû disparaître en même temps que son sosie, l'allemande qu'il avait été forcé d'abattre, là-bas, en Europe, à la fin de la guerre. Tiré brusquement de sa solitude de plusieurs mois sur la Jupiter, il s'intégrait mal à ce flot de paroles, à cette animation familiale à laquelle, après tant d'années d'absence et de séjours en forêt, il avait peine à se reconvertir. A dix heures, les yeux lourds de sommeil, voyant que son cousin recommençait à exagérer, il décida de l'emmener se coucher.

Tit-Mé, flattant les joues de Rita après avoir essayé celles de Cécile (elle l'avait repoussé en le traitant de vicieux), avait conclu:

— Toi, ma cousine Cécile, quand t'auras goûté à un homme, tu mangeras dans ma main, comme un petit "écureux".

Cécile rougit. Vrai, elle n'avait jamais goûté à un homme.

— Vous commencez à être un peu pompette, Tit-Mé, dit Rita en lui échappant. Guillaume a raison, allez vous coucher.

Celui-ci déclara qu'il avait trop sommeil pour les accompagner à l'heure sainte et disparut tenant son cousin par le bras. Mais c'est Rita qui eut le mot de la fin:

— On va à l'heure sainte, nous autres aussi, Ovide! Ça nous fera du bien de prier.

Tous ouvrirent de grands yeux, sauf Joséphine qui les baissa en souriant de contentement.

— J'ai hâte de voir la surprise que nous prépare Monseigneur, fit-elle.

***

Vers minuit moins le quart, Tit-Mé sortit à quatre pattes de sa tente dressée dans la cuisine et ralluma son fanal. Il s'était couché tout habillé. L'air effrayé, les yeux hagards, il appela Guillaume par trois fois. Celui-ci, engourdi de sommeil, apparut en bâillant dans la porte de sa chambre.

— Oui, quoi?

— As-tu entendu? Y'a un ours qui rôde autour de la maison. Ecoute!

— Un ours? T'es malade?

— Ecoute, je te dis!

La main en cornet sur l'oreille, Tit-Mé écoutait. On n'entendait que le vent d'octobre qui hurlait, strié de quelque coups de freins d'automobile attardée.

— Ça y est, t'es encore sur la brosse. T'as ouvert un autre De Kuyper, fit Guillaume, dégoûté.

Tit-Mé, la voix pâteuse et soumise, s'avouait doucement coupable.

— J'étais tellement heureux de tomber dans la famille. Ecoute! cousin.

— C'est le vent, seulement le vent, et des coups de klaxons, fit celui-ci impatienté.

Tit-Mé se voyait encore à Anticosti, en forêt. Dans son ivresse, il entendait des bruits d'animaux sauvages qui rendent la nuit plus vivante que le jour.

— Entends-tu la Jupiter qui gronde?

— C'est pas la Jupiter, gros épais, c'est l'autobus qui repart.

Des klaxons se firent entendre. Tit-Mé se dressa.

— Des orignaux! T'as pas entendu l'appel du mâle? fit-il en saisissant sa carabine.

Guillaume s'approcha, lui arracha l'arme et s'assura qu'elle n'était pas chargée.

— Allons, couche-toi, espèce d'ivrogne!

Celui-ci fit le dos rond, joua la soumission.

— N'empêche que j'entends le vent dans les arbres, et les feuilles qui tombent. Ça va être betôt l'hiver!

— Y a pas d'arbres dans la paroisse! répondit l'autre, excédé.

— J'en ai vu pourtant, insistait Tit-Mé, mystérieux, en levant son index d'homme ivre.

Guillaume le poussa brutalement à l'intérieur de la tente, où il feignit de s'endormir en ronflant. Quand Tit-Mé était ivre il faisait preuve d'une rouerie remarquable. Bien sûr il poursuivait sa brosse commencée à Matane.

En état d'ébriété, ses profondes frustrations s'affirmaient, surtout celles de ses relations manquées avec son père. Et il souffrait. Ce soir, il évoquait la fabrique de cercueils que Gédéon lui destinait. Epouvanté, il se voyait fuyant dans un chantier forestier, loin du monstre paternel, loin du village, de la ville, attaquant furieusement la forêt avec sa scie mécanique toute neuve, abattant avec volupté les épinettes, battant tous les records de vitesse, sectionnant les troncs en billots de quatre pieds, prêts à se faire dévorer par l'usine de pulpe à papier.

Après avoir ronflé dix minutes, il s'éveilla et se mit à se haïr et à pleurer de son inaptitude à prendre rang parmi les autres, à être heureux comme tout le monde. Alors il fut saisi d'une féroce envie de couper des arbres. Ah! si la belle grosse fille de Matane avait été là, elle l'aurait retenu sous la tente, mais il était seul et répondait à l'appel du destin. Il surgit de son abri en rampant sur le linoléum rose pâle, se leva péniblement, marcha sans bruit, souliers en main puis, jetant des regards sournois vers la chambre de Guillaume, il prit sa scie mécanique, sortit et réussit à atteindre le trottoir sans réveiller son cousin.

Il respira longuement l'air frais de la nuit, eut un gros rire de gorge d'évadé ivre. Sacré menteur de Guillaume qui affirmait ne pas voir de forêt ici!

C'était quoi, sinon des arbres, tous ces poteaux en cèdre, qui s'échelonnaient le long des trottoirs, de rue en rue, dans toutes les directions? Les branches, faites d'une multitude de fils de téléphone ou d'électricité, s'entrechoquaient, battues par le vent. Bien sûr, les feuilles étaient tombées.

Tit-Mé, amoureux de sa scie mécanique (auparavant il coupait les troncs au godendard), se rappela le poids, à la corde, du cèdre séché, deux mille livres peut-être, alors que l'épinette fait un peu plus. Une soudaine et sauvage envie de faire mordre sa scie fraîchement aiguisée, dans le bois debout, le fit vivement se ruer sur le poteau de téléphone et d'électricité le plus proche, lequel très vite s'écroula, entraînant dans sa chute l'écheveau des fils et causant leur rupture. Toutes les lumières du quartier s'éteignirent. Ti-Mé s'attaqua au poteau suivant.

***

Monseigneur Folbèche, tout fier, faisait admirer la surprise réservée aux Plouffe. A la fin de l'heure sainte il les avait retenus comme des invités privilégiés et leur décrivait son "purgatoire électrique", installé près des porte-lampions. Ce purgatoire illuminé en forme d'aquarium, de deux mètres de long par deux mètres de haut, voulait reproduire les flammes dans lesquelles se débattaient des âmes à l'allure frétillante d'énormes spermatozoïdes affolés.

— La compagnie GENERAL ELECTRIC l'a fabriqué spécialement pour moi, dit-il, tout fier. Alors, hein, qu'en pensez-vous?

— C'est à vous donner le frisson, fit Rita, se mettant à penser qu'elle irait en enfer si elle mourait ce soir sans confession.

— C'est un bon purgatoire électrique si ça te fait réfléchir de même, ma fille, fit Joséphine, qui se comprenait.

Ovide pensait à son séjour au monastère. La vue de cet appareil original, macabre, l'indisposait. Et ça lui rappelait trop vivement qu'il avait déjà l'esprit en feu. Monseigneur Folbèche se régalait de son effet.

— Voyez ces âmes qui souffrent, qui se tordent, on dirait qu'elles sont vivantes, on les entend presque pleurer en expiant leurs péchés jusqu'au jour de la délivrance. J'espère que ça impressionnera les fidèles.

— Une petite musique triste avec ça, ça serait fameux, dit Napoléon qui aimait "patenter" toutes sortes de gadgets.

Jeanne le pinça:

— Un peu de respect, voyons!

— S'il y a moyen, conclut Cécile, le purgatoire, merci pour moi. Je vais m'arranger pour aller directement au ciel.

Soudain toutes les lampes s'éteignirent, ainsi que le purgatoire électrique qui se découpa comme un immense catafalque.

— Patatras! panne de courant! déplora Monseigneur Folbèche, se rendant allumer quelques lampions.

— Tant mieux! les âmes vont se reposer, observa Ovide d'un ton moqueur.

— Vos instincts de voltairien se réveillent? dit sèchement Monseigneur.

Pendant ce temps, les agents de la police provinciale, alertés par les gendarmes du quartier, armés de lampes de poche, découvraient l'épicentre du désastre. Accompagnés de représentants de la compagnie de téléphone, ils trouvèrent Tit-Mé assis, triomphant, sur une corde de billots de cèdre coupés en longueurs de quatre pieds. Il chantait "Un Canadien errant, banni de ses foyers." Les apercevant il s'écria:

— V'là les mesureurs! J'en ai coupé une corde en dix minutes, les gars! Un record!

On l'arrêta, on lui mit les menottes et on le projeta dans la voiture de police. Il commençait à retrouver ses esprits, qui revenaient de loin:

— Mais...vous êtes pas des mesureurs! Ça y est! Je vous reconnais! Vous êtes des gardes-chasse!

CHAPITRE TREIZIEME

Le curieux méfait de Tit-Mé allait causer de sérieux problèmes à son père, déjà douloureusement plongé dans la préparation des funérailles de son ami Elzéar, si grand et si gros.

Gédéon, rotant, hoquetant, titubait un peu en rentrant chez lui en fin de soirée. On avait fait bombance chez Elzéar, car c'était la dernière veillée du corps avant l'enterrement le lendemain. Les amis, les parents s'étaient rassemblés dans la cuisine. On avait jeté quelques regards à l'énorme défunt, installé dans une tombe faite sur mesure chez son ami Gédéon, fier de ce premier cercueil vendu à une famille amie. On avait récité tout un chapelet et, curé en tête, on avait bu du caribou à larges rasades, en racontant de grosses histoires drôles. Après trois jours d'exposition du défunt, on ne parlait même plus de celui-ci, mais plutôt de politique, de récoltes, de projets pour l'hiver. Les femmes s'affairaient autour du poêle en fonte à deux ponts, faisant frire oeufs, bacon et oreilles de criss (poignard malais à lame sinueuse, dont les lames de lard grillé prennent la forme tordue). On se serait cru à la cabane à sucre, au printemps, quand on cueille la sève des érables pour la transformer en sirop, le meilleur au monde, prétendent les Beaucerons. Gédéon avait ingurgité au moins un litre de caribou, croqué plusieurs oreilles de criss, cinq ou six oeufs et assaisonné le tout de rôties trempées dans le sirop d'érable.

Vers minuit, il prétendit devoir aller dormir s'il voulait rendre parfaitement les deux cantiques qui l'avaient rendu célèbre aux messes d'enterrement: *Arrête ici passant* et *Encore un ami dans la bière.* A la vérité, il se sentait un peu lourd.

Après avoir enfilé sa chemise de nuit et coiffé son crâne chauve d'un bonnet, il s'étendit dans le grand lit conjugal. Il ne fut pas long à s'endormir d'un sommeil agité. Comme à chaque fois qu'il se couchait après avoir trop bu et trop mangé, sa main gauche, fureteuse, cherchait en vain les cuisses de sa femme Démerise qui lui avait tenu compagnie pendant si longtemps. Mais il avait fait l'erreur d'évoquer, en fermant l'oeil, le poids énorme de son ami Elzéar et les trois épaisseurs de contreplaqué formant le fond du cercueil. Seraient-elles suffisantes? Plusieurs personnages visitèrent son rêve, puis il entra de plain-pied dans l'église du village où, devant le catafalque, son gros livre de cantiques ouvert en main, entouré de ses trois acolytes chantres, il beuglait d'une forte voix éraillée, secouée de trémolos douloureux, "Arrête ici passant, regarde cette tombe". Puis résonnèrent trois coups de clochette agitée par l'enfant de choeur.

En geignant, Gédéon se retourna dans son lit. La clochette de son cauchemar, c'était en fait la sonnerie du téléphone, mais comme il se croyait au moment du *Sanctus*, il ne se réveilla pas. On dut supposer, à l'autre bout, qu'il n'était pas encore rentré et l'appareil accroché au mur se tut.

Le cauchemar se poursuivait. A la fin de la cérémonie, Gédéon se vit, avec ses acolytes, marchant à reculons, chantant devant le cercueil d'Elzéar. Comment se faisait-il que les six porteurs ne juchaient pas la tombe sur leurs épaules? Ils la tenaient par les grosses poignées de bronze? Evidemment Gédéon posait de très solides poignées, jolies, parce que destinées à être enlevées pour servir de souvenirs aux parents. Mais les vis! On n'avait pas prévu la grosseur des vis dans le cas d'Elzéar, qui pesait si lourd! Entouré des parents éplorés, inquiet de la résistance des ferrures et des clous, Gédéon chantait quand même à pleins poumons: *Encore un ami dans la bière.*

Soudain un craquement déchirant se fit entendre (en réalité c'était la porte de la grange qui battait au vent) et le cadavre chut par terre, le fond du cercueil en contreplaqué ayant cédé. Elzéar reposait bien calmement sur le plancher de l'église, les mains croisées, sans pantalon, alors que les porteurs, le prêtre, les chantres et l'assemblée des parents et amis restaient figés d'horreur. C'était la ruine pour la fabrique de cercueils de Gédéon.

Alors il se réveilla, tout en sueurs, les yeux exorbités.

Il s'essuya le front. "Ah! merci mon Dieu!" Ouf! ça n'était qu'un rêve! Il se versa un verre d'eau à même le pot en porcelaine de la table de nuit et se jura que jamais plus il ne mangerait ni ne boirait autant la veille de funérailles. Il ne parvenait plus à se rendormir. Lui qui se relevait rapidement d'habitude des pires attaques de pessimisme, il se surprenait à ressentir sans raison une vague et lourde angoisse, comme si ce cauchemar eût été prémonitoire d'une grande épreuve prête à bondir sur lui. En effet, le téléphone sonna encore. Le coeur de Gédéon battit la chamade. "Ça y est, trembla-t-il, un de mes enfants est mort!" Il se traîna au téléphone et, la voix altérée, décrochant, il put prononcer:

— Allô?

Il poussa presque un cri de joie:

— Tit-Mé? Ah! merci, je te pensais mort! Quoi? T'es en prison? C'est rien que ça! Pourvu que tu sois en vie, c'est rien. Qu'est-ce que t'as fait encore, mon petit "peau de chien"?

Il lui parlait en père, avec miséricorde. A mesure que le récit de Tit-Mé avançait, il se rembrunissait en hochant la tête de désolation.

— Encore une fois, t'as viré une brosse en sortant d'Anticosti? Hein? C'est ça?

Tit-Mé l'informait au compte-gouttes en louvoyant, comme le chasseur qui traque le gibier alerté.

— Quoi? T'as scié des poteaux de téléphone! Mais deviens-tu fou? Ta boisson va nous ruiner! On pourrait recevoir par la tête une poursuite de cent mille piasses! Sans compter le pénal! Mais c'est grave, mon garçon!

Gédéon recommençait à suer.

— Ton avocat est à côté de toi? Donne-moi-le.

Celui-ci, qu'on avait assigné à Tit-Mé, à la Sûreté provinciale, fit entendre sa voix.

Gédéon redevenait lui-même. Quand il parlait à un plaideur, il se transformait en grand patron nageant majestueusement dans son élément naturel. Il avait intenté tellement de procès, son sport favori! Il le pratiquait avec une passion de joueur.

— Que mon Tit-Mé admette rien, qu'y signe rien tant que je l'aurai pas vu! J'arrive par le premier autobus et je vas voir "qui de droit"! Qui? Je peux pas vous le dire, mais faites ce que je vous dis! Compris? Redonnez-moi Tit-Mé!

— Décourage-toi pas, j'arrive, mon petit garçon. En attendant, dessaoule-toi, bois beaucoup d'eau, signe rien, réponds à rien, fie-toi à ton père pendant que tu l'as encore. Tu sais que le gros Elzéar est mort d'apoplexie, funérailles à neuf heures. J'irai pas. Ça fait que, apprécie ton père vivant. Essaye de dormir, j'irai voir le grand boss pour toi demain matin. On est mal pris en torrieu! Espère-moi et dors.

Il raccrocha, le front sillonné de rides additionnées. Il irait voir Maurice Duplessis lui-même, le Premier Ministre de la Province de Québec, qui lui devait le député Poulin, élu récemment contre les Libéraux depuis trop longtemps détenteurs de son beau comté de Beauce. Duplessis, qui l'appelait "Sir Gédéon", Duplessis à qui il n'avait jamais encore demandé de récompense personnelle, accepterait sûrement de sauver son Tit-Mé? Heureusement on était à l'époque où le Premier Ministre était obéi de tous, même de la police provinciale!

Déterminé comme un bélier, Gédéon prit à l'aube l'autobus pour Québec. A la grande déception de tous, il avait dû contremander sa présence au service funéraire de son vieil ami trépassé. Il fallait que le père Gédéon Plouffe fût sollicité par une urgence extraordinaire pour manquer ainsi à ses devoirs de maître-chantre et de loyauté envers son ami Elzéar.

Devant ce voyage surprise, l'élite du village, levée à très bonne heure, resta aux aguets. En reconnaissance de services rendus, Duplessis allait-il nommer Gédéon conseiller législatif? Ou encore voulait-il décrocher un contrat de pavage de chemins ou la construction d'un pont moderne sur la rivière Chaudière?

Sphynx moustachu, évasif, cravate bariolée battant au vent, la poche arrière bourrée de billets de banque, la chaîne de montre en or barrant sa poitrine maigre et s'assurant que sa pipe, son tabac “pet de saint Jude”, dans la vessie en peau de cochon, étaient bien en place, Gédéon dit au bedeau venu vérifier les racontars à la station d’autobus:

— Dormez tranquilles mes enfants. L’avenir de notre beau village est entre bonnes mains. Et je vous promets de saluer Maurice en votre nom à tout le monde!

***

Pendant que Gédéon, dans l’autobus qui l’emmenait à Québec, échafaudait son plan d’attaque pour convaincre Maurice Duplessis, Tit-Mé, abattu, dessaoulé maintenant, la tête lourde et la gorge sèche, faisait dans sa cellule le bilan de son escapade en contemplant le crucifix tatoué sur son bras gauche. Assis au bord de son lit, il se détourna de la silhouette du policier se découpant derrière la porte grillagée.

— Qu’est-ce que tu veux manger, grand niaiseux?

Il regarda les barreaux à la fenêtre. Plus il rêvait d’être libre de cette société, plus il en devenait prisonnier. Ah! qu’il avait hâte de construire sa cabane en billots à Anticosti! Il s’y enfuirait, s’y cacherait pour toujours. Des oiseaux chantaient. Il se leva, marcha vers la croisée, s’accrocha à la grille. Un immense noyer se dressait en face, un noyer qui perdait ses feuilles jaune et or. Les noix jonchaient le sol et deux écureuils les transportaient vivement, faisant leur provision pour l’hiver.

Tit-Mé eût bien voulu être comme eux.

CHAPITRE QUATORZIEME

Maurice Duplessis, le Premier Ministre de la Province de Québec, avait quitté à huit heures ses appartements du Château Frontenac et remontait à pied la rue Saint-Louis vers le Parlement. Célibataire dans la cinquantaine avancée, il aimait marcher ainsi chaque matin, canne à la main, cigare au bec, feutre mou posé à la Humphrey Bogart; légèrement bedonnant, chaîne de montre en or brillant sur son gilet, il saluait tous les passants d'un sourire mince, gouailleur, que fendait un long nez aquilin. Il s'arrêtait parfois pour donner cinq sous à un gamin, ou il était accosté par quelque mère de famille qui lui racontait ses problèmes et lui demandait son aide. Parfois un automobiliste en Cadillac lui lançait en passant: "Bonne journée, Maurice!" Ce passant était sûrement un partisan de l'Union Nationale au pouvoir, car les autres, les Libéraux, avaient peine à survivre dans l'opposition et se contentaient souvent de l'autobus.

Maurice Duplessis était plus que le Premier Ministre depuis plusieurs années, il était le chef de l'Union Nationale, le parti qu'il avait fondé et qui détenait une majorité écrasante au parlement. Duplessis était l'empereur, le maître tout-puissant du Québec français. Il exerçait un pouvoir personnel direct sur l'Eglise, l'éducation, les syndicats ouvriers et le monde des affaires. Il remplissait aussi les fonctions de Procureur Général; même l'exercice de la justice n'échappait pas à son emprise. Avocat, d'une intelligence supérieure, d'un humour à la gamme étendue où le pire calembour côtoyait la plus subtile fantaisie de l'esprit, il n'avait vécu que par et pour la politique. Sans pitié pour ses ennemis, il comblait de faveurs ses amis. S'il lui arrivait de secourir un adversaire, c'était souvent pour mieux l'humilier par la suite. Qu'on le détestât ou qu'on l'aimât, chaque Canadien français avait l'impression de connaître personnellement Maurice.

Le grand thème politique de ce dur conservateur consistait à défendre farouchement l'autonomie provinciale et l'intégrité culturelle du Québec français dans le continent anglo-saxon, un Québec français qui réussirait à survivre et à progresser dans l'ordre et le maintien des traditions à l'intérieur du fédéralisme canadien. Le pouvoir de négociation que lui donnait une telle tribu de cinq millions d'âmes, aux moeurs charmantes, encore folkloriques, lui assurait des armes puissantes pour exercer un maquignonnage efficace auprès du gouvernement central, Ottawa. Toute nouveauté idéologique apte à menacer sa société primitive, artisanale et refermée sur elle-même le mettait hors de lui et le faisait déclencher toutes les forces de son royaume politique et de sa police.

Ce matin-là, dans le cerveau clair et vigilant de Maurice Duplessis, toutes sortes de symptômes annonçaient des nuages à l'horizon; diverses indications le convainquaient que des termites idéologiques commençaient à miner son pouvoir encore absolu. Il lui fallait combattre les Témoins de Jéhovah qui parcouraient la Province et menaçaient l'Eglise une et indivisible. Et ces Syndicats Catholiques, qui n'avaient plus de catholique que le nom! Auparavant contrôlée par les évêques, cette formation syndicale avait maintenant à sa tête le fier tribun Jean Marchand, champion de la justice pour les travailleurs et ami d'une génération de jeunes intellectuels: Pierre Elliott Trudeau, Maurice Lamontagne, André Laurendeau, Gérard Pelletier. Duplessis accusait ces petits coqs de vouloir le remplacer afin d'imposer le pluralisme et les idées socialisantes. Ils tentaient, croyait Duplessis, de lancer la société dans une aventure qu'elle ne pouvait se permettre car, devenu libre, décapité de son "Chef" bien-aimé, le Québec ferait des folies, s'endetterait avec une légèreté toute latine et se verrait le jouet des forces extérieures. Alors agoniserait lentement, au cours des années, le peuple canadien-français.

Maurice Duplessis rougit de colère. Il pensa à son plus dangereux adversaire, ce Dominicain de malheur, le père Georges-Henri Lévesque, fondateur et doyen de la Faculté des Sciences Sociales de l'Université Laval, populaire auprès des jeunes, des dames et soutenu par d'influents religieux de France. Comment s'y prendre pour le museler?

Avec ses idées avancées, presque communistes, le religieux apparaissait donc à Maurice Duplessis comme l'ennemi public numéro un. Il fallait, par n'importe quel moyen, s'en débarrasser.

Justement son premier visiteur ce matin était le supérieur du Petit Séminaire, lequel avait la haute main sur l'Université. Ce supérieur avalerait un après petit-déjeuner acidulé. Maurice Duplessis les tenait bien, les Messieurs du Séminaire. Pas d'obéissance, pas d'octrois. Perdaient-ils la tête, ces séculiers? Confier ainsi un décanat aussi politisé à un Dominicain pareil! Ce démon en soutane blanche n'était-il pas en train de former une cohorte de jeunes hommes fanatisés par le concept de liberté, en vue de détruire le grand oeuvre de l'Union Nationale et le faisant paraître, lui, Duplessis, en dictateur moyenâgeux?

Puis il sourit en pensant aux aciéries américaines désireuses d'exploiter les immenses gisements de fer du Nord québécois. Pour les attirer il leur avait promis une main-d'oeuvre docile. Les Américains ne paieraient qu'une ridicule redevance de un dollar la tonne. Les adversaires protestaient, mais Maurice se disait que l'important était de faire démarrer les travaux. Quel boom économique cette exploitation déclencherait dans ce qu'on appelait la "Terre de Caïn"! Il pensait comme Pacifique Berthet là-dessus. D'autres Américains, propriétaires d'importants gisements d'amiante situés dans les Cantons de l'Est, au Québec, s'étaient récemment plaints à lui que le chef syndical Jean Marchand préparait une grève aux mines en dépit de la promesse que Duplessis leur avait faite de mettre ce révolutionnaire à la raison. Il faudrait le mâter, ce jeune homme, mais il semblait avoir la couenne dure.

Majestueux, les édifices du Parlement se profilaient au loin. Ils étaient sa véritable demeure. Ah! si Dieu permettait qu'il vive très longtemps! A ce chapitre le diabète dont il souffrait semblait se stabiliser. Il se sentait à peu près bien. Il pensa à Mackenzie

King, le Premier Ministre du Canada, sur le point d'être remplacé par Louis Saint-Laurent, grand avocat de Québec. Encore une attaque des fédéraux contre les nationalistes! Jusqu'à quel point l'élection à la tête du pays d'un autre Canadien français aimé et respecté, jetterait-elle de l'ombre sur le prestige et l'autorité de Maurice Duplessis? L'autonomie du Québec serait encore plus vulnérable. Et de plus on disait que le père Lévesque était un ami de Louis Saint-Laurent!

Il grimaça. Dans ce cerveau politique organisé comme un ordinateur, les nombreux problèmes et les individus défilaient en parade. La machine s'arrêta pile sur le nom de Gédéon Plouffe, qui l'avait appelé à sept heures ce matin au Château Frontenac pour lui réclamer un rendez-vous urgent. Que pouvait-il bien lui vouloir, "Sir Gédéon"? Il sourit, amusé. Duplessis vouait plus de considération à ses organisateurs paysans, type Gédéon Plouffe, qu'à ses ministres eux-mêmes. Issu de Trois-Rivières, milieu presque rural, Maurice Duplessis savait jusqu'à quel point il devait la puissance de son parti à ces solides barons de village. D'abord Maurice aimait leur rouerie frustre, leur loyauté et leur dévotion pour le Parti. Et ces militants-là ne lui coûtaient pas cher! Un pont de bois, un bout de route en gravier, une bourse d'études, une situation mineure au Parlement, un permis de taverne, c'était pour eux le pactole. Tandis qu'à Québec ou à Montréal, on lui réclamait l'adjudication de contrats énormes ou d'importantes sinécures. Il fallait bien nourrir la Caisse électorale! Tous ces prétentieux des villes ignoraient que l'addition de tous les Gédéon Plouffe du Québec donnait plus à la Caisse du parti que les pourvoyeurs citadins. Maurice salua deux éboueurs ravis, puis continua de penser à Gédéon. L'Union Nationale ne lui devait-elle pas l'élection du député Poulin dans la Beauce? Il avait arraché le comté aux Libéraux et à l'emprise d'Edouard Lacroix, le riche industriel de la région. De toute façon il lui plaisait de recevoir Gédéon, car il était un de ses seuls organisateurs à savoir le faire rire à gorge déployée. Selon Duplessis, Gédéon Plouffe était de la race de ceux qui bâtissent les grands pays.

Le Premier Ministre traversa le bureau de sa secrétaire quinquagénaire, Auréa, entra dans le sien, accrocha sa canne, jeta le mégot de son cigare et en alluma un autre. Il haussa les épaules en pensant qu'il n'avait même pas salué l'ecclésiastique inquiet, dans l'antichambre. Ce velléitaire en soutane ne le méritait pas.

Pendant ce temps Gédéon Plouffe quittait les quartiers généraux de la police provinciale. Il avait rassuré Tit-Mé et ordonné aux policiers de traiter son fils avec respect, car lui, son père, allait rencontrer sur-le-champ le "Chef", de qui il obtiendrait dare-dare la libération du prisonnier.

Peu après, Guillaume et Napoléon étaient venus aux nouvelles et obtinrent de parler à leur cousin. Ils lui avaient apporté un sac de pinottes que Tit-Mé adorait et d'énormes sandwiches au saumon fumé, préparés par Joséphine. Elle avait ajouté un litre de lait et six bouteilles de bière d'épinette en lui faisant dire que s'il s'en tenait toujours à ces deux breuvages, il ne couperait jamais plus de poteaux de téléphone et ne risquerait plus de moisir au violon. Un policier zélé fut d'abord cavalier avec Guillaume, mais quand il croisa son regard dur et aperçut ensuite sa médaille de vétéran, cinq ans de guerre, il retourna à sa partie de whist. Alors Guillaume dit à Tit-Mé:

— Maudit fou! Pour un gars qui vit seulement pour la liberté, comme les écureuils, te v'là derrière les barreaux! C'est intelligent.

— Renfonce pas le clou, dit Tit-Mé, piteux. Moi qui pensais que tu m'apporterais ton support moral. En tous cas, j'ai au moins gagné quelque chose. P'pa a eu les larmes aux yeux quand j'y ai parlé tantôt et m'a promis que je travaillerais pas à la manufacture de tombes.

Napoléon regardait tout autour. Il eût aimé essayer son chalumeau à acétylène dernier cri contre ces barreaux. Il en vérifia la solidité de ses mains puissantes et conclut:

— Ce serait facile. En tous cas, inquiète-toi pas mon cousin. On a des amis partout dans la politique.

— C'est ce que le père m'a dit. Y paraît qu'après dîner, je sors d'ici. Il veut qu'on aille souper chez ta mère, pour voir toute la famille. Il aimerait aussi que Rita lui prépare une tarte aux oranges, comme l'année passée.

Rita? Guillaume et Napoléon fronçaient les sourcils. Une tarte aux oranges! C'était bien la seule tarte que Rita sût préparer, elle qui nourrissait si mal son Ovide, toujours maigre. Elle le laissait mourir de faim: à preuve ces curieux évanouissements. Il est vrai que le père Gédéon avait toujours aimé donner des petites tapes sur le joli derrière retroussé de Rita. Elle en riait, ne le grondait pas fort, contrairement à Cécile qui poussait toujours des hauts cris de poule plumée vivante. On convint de se retrouver chez Joséphine.

***

Le père Gédéon entra dans l'édifice du Parlement avec une détermination de Viking envahisseur. Au centre du corridor, il marchait comme dans un sillon de sa terre, le pied assuré, vers le bureau du Premier Ministre, tenant en main une lourde boîte. La secrétaire, le voyant venir, le reconnut et esquissa un sourire amusé. Cette femme, d'une loyauté aveugle envers son maître, le servait depuis ses débuts de carrière, à Trois-Rivières; elle avait voué sa vie entière à Maurice Duplessis.

— Je vous ai apporté un petit cadeau, Mademoiselle, fit Gédéon. Six pintes de sirop d'érable de ma propre érablière: ma meilleure récolte du printemps.

Elle les déposa sur une tablette consacrée à ce genre de présents apportés par des visiteurs qui connaissaient son influence sur Maurice.

— Asseyez-vous, Monsieur Plouffe, vous avez fait bon voyage?

Il lui dit qu'il ne s'en était même pas aperçu, pensant à tant d'autres choses.

— On a-t-y un bel automne chaud! fit-il.

— L'été des sauvages, c'est toujours comme ça, soupira-t-elle.

Il l'examinait et se demandait comment une femme pouvait passer sa vie dans un bureau à attendre des téléphones, à écrire des lettres, à faire patienter les visiteurs. Mais il ne s'était jamais demandé comment sa défunte Démerise avait pu, sans jamais se plaindre, élever ses nombreux enfants, être debout à cinq heures chaque matin pour lui aider à faire le "train", prisonnière des travaux domestiques et de la boustifaille à la maison, trois cent soixante-cinq jours par an.

— Vous devriez vous marier, Mademoiselle Auréa. Ça change les sangs.

Elle rougit, puis le gronda. Elle était heureuse comme ça. Le ministre des Terres et Forêts, un épais dossier sous le bras, vint s'enquérir s'il pouvait voir le patron.

— Pas avant deux heures, dit Auréa.

Le ministre sembla déçu. L'examinant, Gédéon eut une idée soudaine et voulut lui parler, mais celui-ci s'éloignait, ne connaissant pas les puissants organisateurs de comtés. Le silence s'établit. L'inquiétude commença à poindre chez Gédéon. Si Maurice se montrait impuissant devant la gravité du méfait de Tit-Mé?

La secrétaire décrocha le téléphone.

— Monsieur Plouffe est arrivé, dit-elle, et raccrocha.

Gédéon eut un large sourire. Donc Maurice l'attendait! Quelques minutes plus tard, l'important ecclésiastique, penaud comme un écolier morigéné par le préfet, sortait du sanctuaire. Maurice, le visage encore marqué de dureté, apparaissait derrière lui dans l'embrasure de la porte et lui lançait une dernière flèche:

— Je vous le répète, faites-lui fermer le bec, ou bien vos octrois vont maigrir. La Province en a assez de faire rire d'elle.

Gédéon ne savait pas qu'il parlait du père Lévesque et de la Faculté des Sciences Sociales. Le monseigneur faisait oui de la tête, mais ce oui indiquait de l'impuissance devant la montée des idées nouvelles. Comme si ce visiteur fût mort et enterré, Maurice tendit la main et fit entrer le paysan.

— Salut, Sir Gédéon!

— Salut, mon Sir Maurice!

Ils s'assirent, s'observant l'un l'autre. Gédéon sortit de sa poche un cigare de fabrication artisanale.

— Change de sorte, un peu. Goûte-moi ça! Un cigare fait exprès pour toi.

Le Premier Ministre écrasa son havane dans le cendrier, prit le cigare tendu par Gédéon, l'examina, le porta à ses narines.

— Il sent drôle. T'as pas mis de dynamite dedans, j'espère?

Gédéon manifesta une sainte indignation.

— Si t'étais un Libéral, peut-être! Mais ce cigare-là, Maurice, c'est un cri du coeur! Fait avec du "pet de saint Jude" et enveloppé des plus belles feuilles de mon tabac.

L'oeil coquin, il ajouta:

— Et roulé entre les cuisses de la mère supérieure!

Duplessis eut peine à ne pas éclater de rire et tenta de jouer la sévérité. Le regard dur, le ton sec, il fit sursauter Gédéon.

— Ris pas des soeurs! Gédéon! C'est du bon monde. Ce sont nos religieuses, nos frères enseignants, notre petit clergé qui donnent l'éducation dans nos écoles et les soins hospitaliers dans nos hôpitaux. Si on les perd, danger pour l'avenir chez nous. Là-dessus, je badine pas, Gédéon. T'as vu, au début de la guerre, les Polonais m'ont confié leur trésor. On le garde au Musée. Le gouvernement polonais le redemande aujourd'hui. C'est non, je le retiendrai aussi longtemps que j'aurai pas reçu un ordre du Vatican. Ce gouvernement-là est communiste, je le sais. Les journaux diront ce qu'ils voudront.

— Quand même! Faut ben rire de temps en temps, fit Gédéon en bourrant son brûlot. Allume, aie pas peur, je fume le même tabac, mais dans ma pipe.

Les deux fumées montèrent en même temps et leurs volutes semblaient vouloir se rejoindre. Le Premier Ministre avait réussi à cacher sa répugnance pour ce goût âcre et amer. En matière de tabac, Québec, il l'admettait sans peine, était fort inférieur à Cuba. Gédéon comprenait à demi-mot.

— C'est une habitude à prendre, Maurice. Au bout d'un mois on peut plus s'en passer.

Ces deux fils de la terre se faisaient face, s'évaluaient comme deux maquignons à la foire. Gédéon dit:

— Je ris jamais des religieux. Oublie pas que ma plus vieille est Soeur Grise et que mon Alexandre est Dominicain.

Duplessis sursauta.

— Il aurait pas pu être Jésuite, ou séculier?

Gédéon flaira le danger, avança en zigzag:

— Les Dominicains ont une belle soutane blanche, comme le pape. Ça fait distingué et optimiste. Le noir, c'est pas encourageant.

Duplessis ne voulut pas poursuivre davantage sur ce terrain. Il laissa entendre, mystérieux, qu'il espérait voir le père Alexandre éloigné de la faction révolutionnaire de l'Ordre. Son regard s'illuminait et, de son index, il pointait une pépite de minerai de fer déposée sur son bureau:

— On est riche, Gédéon; tu vois là du fer du Nouveau-Québec, de la Terre de Caïn. On va construire des villes dans le désert du Nord, on va créer un immense port de mer à Sept-Iles, des usines, un chemin de fer, toutes sortes d'industries nouvelles, je te le dis!

Les minéraux ne disaient pas grand'chose à Gédéon, depuis que le curé de sa paroisse, un Libéral par surcroît, lui avait fait acheter des actions d'une mine d'or appelée "Sainte Thérésa Gold Mine". Bien sûr le curé avait été victime de promoteurs sans conscience; mais comme il avait proclamé en chaire que cette mine du grand Nord était sous la protection de sainte Thérèse de l'Enfant-Jésus, plusieurs paroissiens achetèrent des paquets d'actions et y perdirent leurs économies. Pour sa part, Gédéon s'était fait rouler pour dix mille dollars.

— Moi j'aime mieux l'industrie du bois, dit le paysan.

— Et des cercueils, fit Duplessis. Ça marche, ton usine?

— Ma foi tu sais tout! s'écria l'autre, émerveillé.

— Faut! faut! J'ai l'oeil partout.

Le regard cruel et rieur, Gédéon ralluma sa pipe.

— Plus ça va, plus les Libéraux meurent, tu sais! On les a-t-y eus, hein, Maurice? Enfin, on le tient le beau comté de Beauce. Y nous l'arracheront plus jamais.

Duplessis, informé du méfait de Tit-Mé par le directeur de la police pendant que Gédéon faisait antichambre, admirait l'habileté du vieux paysan louvoyant vers le but réel de sa visite. Patient, le "Chef" voulait d'abord profiter de Gédéon pour lui tirer quelques informations. Quelle était l'image de Duplessis en Beauce? L'Union Nationale y détenait-elle un bastion imprenable? L'étoile montante de Louis Saint-Laurent à Ottawa éclipsait-elle la sienne? Duplessis, dans ses heures noires, se demandait si son parti, après plusieurs années de pouvoir, ne montrait pas des signes d'usure, marqués par le boom économique d'après-guerre. Depuis quelque temps il voyait germer des factions au sein de son cabinet et identifiait facilement ceux qui aspiraient à lui succéder. Pour beaucoup plus tard, il avait choisi le militaire Paul Sauvé et ensuite le charmant et ambitieux Daniel Johnson. Il s'informa du village même de Gédéon. Le paysan rallumait encore sa pipe:

— Le curé m'achale un peu. Il spécule dans les parts de mines, fait perdre de l'argent au monde. Un naïf et un Libéral. Il passe son temps à vanter Sir Wilfrid Laurier, Alexandre Taschereau, nos deux plus terribles ennemis dans le passé. Les Libéraux, pouah! heureusement que t'as été là. Autrement le Québec serait mort à la guerre et les Anglais auraient été ben contents. Tu penses pas?

Duplessis sourit. Au fond il aimait bien les Anglais, surtout ceux d'Angleterre, puisque pour montrer son appréciation envers quelqu'un il l'affublait du titre de "Sir". Il tempéra, bonhomme:

— Plusieurs Anglais ont bien du bon sens.

Gédéon déployait prudemment sa stratégie.

— En parlant du curé, il est sur mon comité exécutif à la Caisse Populaire, tu sais que je suis le président, et je l'ai toujours dans les jambes. Quand je veux faire approuver un prêt pour un de nos amis, il invente toutes sortes d'objections. Mais quand c'est pour un Libéral...Ah! là, y est généreux! Dis donc franchement, Maurice, tu pourrais pas le faire changer?

Duplessis ne rallumait pas son cigare, le déposait dans le cendrier. Sacré Gédéon! Le vrillant du regard il laissa tomber un "c'est possible" évasif, puis:

— C'est tout ce que t'as à me demander?

Craignant que Maurice Duplessis ne mette subitement fin à l'entrevue, le Beauceron, inquiet, se hâta:

— Tu me parlais de ma manufacture de cercueils, Maurice. Je veux la vendre à mon assistant-organisateur, Pète-dans-le-trèfle, qui a les jambes si courtes. C'est pas que c'est pas payant mais...je la destinais à mon garçon Tit-Mé, tu sais, celui qu'est guide de chasse et pêche. Mais y veut pas, le sans-génie. Ça fait que la Caisse Populaire prêterait l'argent à Pète-dans-le-trèfle, qu'est déjà propriétaire du corbillard du village. Ça lui donnerait de l'importance, lui qu'est si petit qu'il en fait une maladie. On fixerait le prix pour que je sois satisfait et qu'il en reste pour la Caisse du Parti, le dix pour cent habituel, en beaux billets du Dominion.

Duplessis reconnaissait bien là le génie de Gédéon.

— Pourtant, ton entreprise fait de l'argent? Et si tu vends, qu'est-ce que tu veux en retour?

Gédéon plissa les yeux:

— J'haïrais pas une concession forestière de cent mille carrés le long de la route de Chibougamau vers les mines de cuivre. T'en as déjà donné à d'autres mais, il en reste, je le sais. C'est là que j'aimerais placer mon Tit-Mé.

C'est là aussi que Maurice l'attendait. Il dit, légèrement ironique:

— Si Tit-Mé sort jamais de prison!

Gédéon en eut le souffle coupé. Son univers de combinard se

lézardait. Il déposa sa pipe, s'accorda quelques secondes pour récupérer. Le Premier Ministre le tenait maintenant et, dans son for intérieur, jubilait, car il eût volontiers passé toute une journée à jouer de cette escrime avec le vieux renard. Celui-ci était bien plus intéressant que tous ces grands avocats des villes qui lui léchaient les bottes. Mystérieux il dit:

— Tu le vois, ton "Chef" sait tout.

Le paysan reprenait une respiration plus régulière. Après sa visite à la prison, où il avait laissé entendre qu'il irait voir le "boss", le jeu des téléphones avait dû aussitôt gravir la hiérarchie pour atterrir au bureau du Premier Ministre.

— Y a pas à dire, tu contrôles tout, dit Gédéon. Avec une organisation pareille, avec une tête comme la tienne, je vois pas comment les Libéraux pourront un jour t'enlever le pouvoir. L'Union Nationale est là pour l'éternité.

Le paysan, qui avait pleuré en voyant son Tit-Mé derrière les barreaux, car lui, le père s'était senti le vrai coupable, dit, la voix altérée:

— Sors-moi-le de là, Maurice, et je suis ton esclave pour l'éternité. T'as pas eu d'enfant, mais même sans ça, t'es tellement grand, je sais que tu me comprends.

Duplessis eut un pincement au coeur. C'est vrai, célibataire, il avait comme seuls héritiers des politiciens trop ambitieux. Il hocha la tête:

— C'est grave ce que ton garçon a fait là! Couper des poteaux de téléphone et d'électricité! Tu te rends compte! D'abord il aurait pu tuer des passants, électrocuter du monde, arrêter le courant dans une salle d'opération et quoi encore! Non seulement t'es menacé d'une réclamation au civil, mais aussi d'une poursuite au criminel.

Gédéon pâlissait, sa voix craquait:

— Je le sais ben! C'est pour ça que je suis venu! Tu sais ce que c'est un gars fort comme un boeuf qui sort du bois après quatre mois? A Matane il est parti sur le De Kuyper à en devenir fou, puis s'est fait tatouer un beau crucifix sur le bras gauche. Il a un si bon fond catholique, mon Tit-Mé. Il s'est "paqueté", et il est devenu comme un sauvage. Arrivé en ville, il a vu des arbres sans branches et sans feuilles, des poteaux quoi, et ça l'a démoralisé, comme la manufacture de cercueils. A part ça, il voulait essayer sa scie mécanique neuve. Tu vois, ça serait pas mal plus dans sa hache d'avoir une concession en forêt? Ah! si tu pouvais m'en donner une!

Duplessis écoutait avec ravissement ce Gédéon essoufflé, pathétique qui, à ce moment, commit un impair sérieux:

— Tu le sais ce que c'est, toi, Maurice, les folies qu'on peut faire quand on prend un verre de trop. T'es capable de comprendre ça?

Le visage de Duplessis se rembrunit, son regard se durcit. Alors Gédéon se crut perdu. Quelques années auparavant, l'homme politique, dans sa solitude de chambre d'hôtel, s'était permis plusieurs cuites célèbres, mais les médecins, ayant découvert chez lui un diabète assez sérieux, réussirent à le convertir à l'eau minérale.

— Ah! j'aurais pas dû dire ça, boss. Excuse-moi! Mais quand on défend son enfant, on dit n'importe quoi!

Duplessis songea qu'il devait se rendre à la Chambre dans dix minutes.

— T'aperçois-tu Gédéon, que seulement au civil, on a contre nous la BELL TELEPHONE et la QUEBEC POWER, qui se servent des mêmes poteaux? Des dommages sérieux, Gédéon?

— Je les paierai, les dommages! s'exclama le paysan. Quant au criminel, c'est toi le Procureur Général, non?

Duplessis gardait le silence. Gédéon regretta de s'être trop avancé.

— Même pour les dommages, tu peux arranger ça. Je le sais, c'est toi qui décides des tarifs de ces compagnies-là. Deux coups de téléphone, hein? Ils vont comprendre. Et oublie pas, fit-il, changeant de ton, Tit-Mé est un Union Nationale! Un de tes meilleurs hommes!

Duplessis méprisait les mous, admirait les gens déterminés et forts. Il réfléchit longuement, se leva et se planta devant le vieux Beauceron.

— Sir Gédéon, en dehors du fait que je sois ton "boss" comme tu dis, je vais te poser une question: "M'aimes-tu?"

C'est avec un grand cri et les yeux presqu'en larmes que Gédéon lança:

— Oui, je t'aime Maurice, et je serais prêt à mourir pour toi! Vrai comme je suis là!

Duplessis toussota. Il lui répugnait de montrer de l'émotion. Mais lorsqu'il en ressentait, sa voix devenait un peu nasillarde.

— Retourne à la prison. Ton Tit-Mé t'attend, sur un banc, dans le bureau du directeur. Le reste, oublie-le et continue de bien servir le Parti et ton Premier Ministre. C'est tout ce que je te demande.

Gédéon voulut lui baiser la main. Aux prochaines élections, s'il le fallait, il parcourrait tous les comtés de la Province pour servir son maître.

Duplessis l'évita, le prit par l'épaule et le reconduisit à la porte.

— On est comme ça dans l'Union Nationale, nous autres. On protège et on défend nos amis.

Gédéon poussa un long soupir.

— T'oublies pas, hein? La concession forestière? Et le curé?

CHAPITRE QUINZIEME

Les Plouffe, dans les grands moments de malheur ou de bonheur réagissaient comme les abeilles: ils se précipitaient à la ruche autour de la reine Joséphine. Ils avaient tous été là pour le retour triomphal de Gédéon et de son fils. Rita s'y montra la plus zélée. On remarqua qu'elle n'avait jamais été aussi charmante avec toute la famille, spécialement envers Joséphine, presque prête à reviser ses préjugés contre sa bru puisque, tout compte fait, c'est le bonheur d'Ovide qui importait. Les filles d'aujourd'hui étaient soumises à tellement de tentations qu'il fallait les juger avec tolérance, surtout les très jolies, exposées plus que les autres, pensa Joséphine.

Rita, accorte, courait du fourneau à Gédéon, puis à Joséphine. Mignonne dans son court tablier et jouant la fausse offensée, elle repoussait la main envahissante du Beauceron par de petites tapes coquettes sur les poignets. Jeanne, femme de Napoléon, se démenait elle aussi en délicates attentions, mais l'oncle n'avait d'yeux que pour la belle-soeur. Pauvre Jeanne, si transparente, si entière, un peu peinée peut-être? Le commandant Bélanger, devant ce manège, imagina vaguement qu'il pourrait lui aussi donner de semblables petites tapes sur les fesses de Joséphine, mais à ce moment il croisa le regard de Cécile agacée, se demandant à quoi Rita voulait en venir. Ovide, Napoléon et Guillaume étaient tous partis avec Tit-Mé admirer les poteaux neufs que la compagnie avait installés pendant la nuit, tout de suite après le délit. Rita ouvrit le fourneau.

— Mon oncle, vous m'avez demandé une tarte aux oranges, vous allez en manger une sucrée. Elle commence déjà à dorer.

— Et le cuissot de chevreuil sera le meilleur que t'aies jamais mangé, mon beau-frère, renchérit Joséphine.

— Je serais surprise que vous n'aimiez pas ma soupe aux gourganes, fit timidement Jeanne, ne voulant pas être en reste.

Cécile, pour s'excuser, dit à son oncle:

— Si ça continue, va falloir que je m'achète un livre de recettes. La manufacture, les galons, la cuisine en plus, j'aurai même plus le temps de dormir. Moi qui pensais pouvoir me reposer en vieillissant, soupira-t-elle.

Rita et Jeanne dirent spontanément:

— Laisse-nous faire, Cécile, on est jeune et on aime ça, nous autres!

— Je suis pas si vieille que ça! Faut pas pousser, hein! fit aigrement Cécile.

Le regard absent, Joséphine pensait au passé. L'ancienne chaleur familiale, qu'elle avait crue évaporée pour toujours, semblait renaître. C'était grâce au retour de Guillaume et à la présence de Gédéon, qui arpentait la cuisine en brandissant sa pipe.

— Maurice m'a dit en me mettant la main sur l'épaule: "Tout ce que tu voudras, Sir Gédéon! Trois poteaux de téléphone coupés, qu'est-ce que c'est!" Et y a des choses plus importantes encore, que je peux obtenir!

Le commandant Bélanger n'osa pas lui demander si, avec son influence, il ne pourrait pas lui décrocher un octroi pour la Fédération des gardes paroissiales. Le vieux marcha ensuite vers la photo de son frère Théophile et l'interpella:

— Mon pauvre Théophile, si t'avais pas aimé rien que les journaux et les bicycles, si t'avais eu plus confiance en toi et en moi, ton frère, tu m'aurais suivi dans les affaires, et t'aurais fait un tas d'argent.

— Et y serait peut-être pas mort, remarqua Cécile.

Joséphine, embarrassée, corrigeait:

— Mon mari a suivi sa vocation et ses goûts. On a été heureux ensemble. S'il t'avait écouté, il m'aurait peut-être pas mariée et tu serais pas ici en train de te vanter, grand fin-fin!

C'est ainsi que Gédéon aimait Joséphine, prompte à défendre sa nichée, vivante ou morte. Il se rappelait la colère qui s'abattit sur sa défunte Démerise, quand celle-ci, observant la cordée de linge que Joséphine avait épinglé pour le faire sécher au vent, se permit de remarquer:

— Dis donc, ma belle-soeur, ton linge est ben jaune? Le mien est toujours blanc comme du lait.

— Mon linge est peut-être jaune, mais il est propre. Y en a du plus blanc à l'oeil, mais qui des fois sent encore la crasse! Ça dépend des savons.

Rita s'approchait de Gédéon, lui donnait sur la joue un bec en pincette.

— Vous êtes le plus formidable des oncles. Un amour! Je peux-t-y vous parler en confidence, une minute, de l'autre côté?

— Certain, ma belle petite chatte.

Elle marcha vers le salon, tenant Gédéon par la taille, et ferma la porte derrière eux.

— Y a pas à dire, elle a du chien, admit Cécile. Elle veut se faire payer son auto. J'en mettrais ma main dans le feu.

— Ovide aimera pas ça, fit Joséphine, hochant la tête.

Jeanne fut la plus perspicace. Elle sourit:

— Maintenant je suis sûre qu'Ovide va pouvoir lancer son commerce de montres.

En effet, quand celui-ci revint avec le groupe des hommes, il fut assailli par sa femme lui sautant au cou.

— Et tu me diras même pas merci, sans-coeur! Ecoute mon oncle Gédéon.

Celui-ci prit la direction des opérations:

— Graye tes petits, mon filleul, on s'en va à l'hôpital Saint-Sacrement voir ton associé.

Napoléon applaudit, mais Ovide n'exultait pas. Au fond, embarrassé d'être rescapé par un paysan complice de la dictature de Duplessis (Ovide était Libéral et pluraliste), il ressentait à nouveau une crainte indéfinissable devant l'échéance. Il lui était désormais impossible de reculer.

***

Pacifique Berthet pouvait quitter son lit maintenant, et déambuler dans la salle commune sur ses béquilles. Il songeait, assis de guingois sur sa chaise, qu'Ovide Plouffe n'avait pas donné de nouvelles depuis trois jours. Un pusillanime, un instable, cet amateur d'opéra, prétentieux et sans le sou. Pacifique avait été naïf de s'accrocher à cette épave. Encore un jour d'attente et Berthet, qui avait tenu sa promesse de ne point boire, retomberait dans son vice. Cette fois c'est un litre de gin qu'il avalerait d'un trait. Sa plaie à la hanche, presque fermée, se rouvrirait et l'incendie tuberculeux l'embraserait de plus belle. A quoi sert de guérir à moitié si on est malheureux entièrement? Ovide et Gédéon, au pied du lit, l'observaient de profil.

— Pacifique, je vous présente mon oncle Gédéon.

Pacifique sursauta, puis son coeur fit un grand bond. Les présentations faites, ces deux hommes rusés commencèrent de s'affronter prudemment. Pacifique comprit tout de suite qu'il avait affaire à forte partie; quant à Gédéon, il réservait son jugement pour plus tard. Sa première réaction fut de trouver antipathique cet éclopé venu de France. Le paysan évaluait les gens comme les chevaux à la foire: il leur ouvrait la gueule, examinait les dents, la couleur des gencives. Il décidait alors si le cheval avait la gourme. Le besoin aigu d'en faire autant avec Pacifique le saisit. Ce Berthet, s'il avait pu marcher, peut-être aurait-il avancé trop vite!

Pacifique extirpait la montre en or du gousset du paysan.

— Vous me permettez? Oh! une Waltham 1900! La meilleure de toutes. C'est la préférée des conducteurs de train, fit-il en écoutant le tic tac. Et parfaitement en ordre! De la vraie musique!

Il la replaçait, convaincu d'avoir marqué un point, mais Gédéon ne le laissa pas voir, ajoutant:

— J'ai toujours su l'heure qu'il est, fit-il. Et celui qui veut me rouler a besoin de se lever de bonne heure.

Le regard d'Ovide allait de l'un à l'autre. Il espéra que Gédéon trouve une faille dans l'armure de Pacifique Berthet. Celui-ci lança la conversation sur la Beauce française, qu'il connaissait bien, et sur la Beauce canadienne, qu'il n'avait pu visiter à cause de son handicap. Le paysan l'assura que la canadienne était bien plus belle et bien plus vaste que la française, quoi qu'il n'eût jamais visité la France. Mais Gédéon en avait assez de tourner autour du pot. Il voulait aussi impressionner Ovide:

— Comme ça, vous voulez vous lancer dans un commerce de

montres avec mon neveu? Parlez-moi donc un petit peu de vos plans.

Pacifique recommença le discours qu'il avait tenu à Ovide. Rita se tiendrait au comptoir et lui, Pacifique, dans l'arrière-boutique, s'occuperait de réparation et de comptabilité. Ovide, lui, établirait des contacts dans les milieux influents, ferait des "public relations" et monterait un réseau de vendeurs dans la Province, surtout dans la région de Sept-Iles, destinée à prendre un essor considérable grâce à l'exploitation des énormes gisements de fer de la Terre de Caïn. Fébrile, Pacifique déplia la carte géographique, où des croix rouges identifiaient les centres nerveux et les avant-postes de la future entreprise. Gédéon, un instant distrait, croyait entendre la voix de Maurice Duplessis. Ce bijoutier était sans doute un visionnaire, comme Maurice? Peut-être son neveu rencontrait-il enfin la grande occasion de sa vie, celle qui lui apporterait la fortune? Ovide, écoutant le discours convaincant de l'infirme, reprenait confiance dans l'affaire. Il osa même ajouter:

— On pourrait gagner des milliers et des milliers de dollars par année!

Gédéon savait tout cela. Il trancha:

— Ça prend dix mille dollars pour commencer? Vous endossez trois mille dollars à cause de votre chalet. Moi, je peux vous prêter l'argent par la Caisse Populaire de mon village; je garantirai le reste.

— Alors vous marchez? haletait Pacifique.

— Si je marche? Ben sûr! Mais c'est soixante pour cent des actions pour Ovide et quarante pour vous.

Ovide le trouva dur, et son coeur se serra à la vue de l'infirme révolté.

— Mais c'est injuste! Monsieur Plouffe! J'apporte mes connaissances, mon savoir-faire, mon chalet, et votre neveu, rien! Vous profitez de ce que je suis sans défense...

Gédéon se levait, n'avait pas l'intention de discuter.

— Pensez-y, les affaires sont les affaires. Vous me donnerez une réponse à soir, parce que demain matin, faut que je retourne au village.

Le désarroi, la crainte et le désespoir faisaient brûler le regard gris de Pacifique. Gédéon lui tendait la main.

— Soignez-vous bien, mon ami, et consultez le Saint-Esprit. Viens, Ovide!

Ovide jeta un regard contrit vers Pacifique, comme pour s'excuser de la brutalité de son oncle. Celui-ci ne se retournait même pas, mais ralentit soudain, pensant à sa belle petite nièce Rita qui lui avait préparé une tarte aux oranges. Elle serait déçue, trépignerait d'impatience, et la famille accuserait Gédéon d'avoir fait miroiter de faux espoirs à Ovide. Il s'arrêta. Debout, mains crispées sur la poignée de ses béquilles, Pacifique était tout tendu en avant. Le paysan, pressé de sortir de l'hôpital pour allumer sa pipe, revenait, disait, bref:

— Cinquante-cinq quarante-cinq, ça marcherait-y mieux?

— Ah! oui, ça marche! s'exclama Pacifique.

Ils se serrèrent la main tous les trois.

CHAPITRE SEIZIEME

Certaines scènes relèvent davantage de la caméra du cinéaste que du pinceau du peintre ou de la plume du romancier. *Le Déjeuner sur l'herbe* de Manet eût paru pâlot devant le spectacle du pique-nique que Gédéon avait improvisé pour célébrer l'été indien et le bonheur de la famille, sur les bords de la rivière Jacques-Cartier, à quarante kilomètres de Québec.

Les Plouffe et la nature rendaient au ciel une action de grâce commune et éblouissante. Gédéon, bras croisés, appuyé sur un merisier, contemplait fièrement cette beauté. La forêt québécoise, en ce début d'octobre, rougeoyait, se dorait de ses feuillus et se sertissait du vert sombre des épinettes. La Jacques-Cartier, large comme un fleuve, dévale des montagnes, scintillante d'éclairs argentés, grosse des dizaines de lacs qui s'y déversent, plus haut, dans le Parc des Laurentides. Elle aboutit, joyeuse, dans la plaine où, entre les rives piquées de clochers, garnies de maisons peintes à la chaux, elle se dirige gaiement, tantôt calme tantôt rapide, vers le fleuve Saint-Laurent.

C'est à sa sortie des montagnes que les Plouffe accueillaient la superbe rivière. Gédéon, pipe entre les dents, se sentait aussi puissant sur le destin des Plouffe que Duplessis sur celui du Québec. Dans un coin d'eau calme, le commandant Bélanger ramait gauchement, faisant avancer la chaloupe, où Cécile gloussait de peur à l'idée de voir l'embarcation entraînée dans les rapides. Tit-Mé pêchait illégalement dans un coin d'ombre pour arrondir la brochette de truites déjà prises. Napoléon s'en donnait à coeur joie en soufflant à pleins poumons dans sa trompette, dirigée vers la Jacques-Cartier, comme pour la saluer. Guillaume, en canot, avironnait aussi élégamment qu'un Indien, promenant Rita, qui le trouvait de plus en plus beau. Par monosyllabes, il lui suggérait de bien se conduire, car il croyait encore pouvoir exercer de l'influence sur elle.

La paire de camions et les deux décapotables du clan étaient rangés à l'ombre sous des érables aux feuilles d'or d'où les écureuils laissèrent choir leurs crottes sur le banc de cuir rouge de la voiture blanche de Rita; des glands se détachaient d'un chêne, faisant tinter dans leur chute la tôle des camions. Des cris de joie, de disputes d'enfants éclataient sous un bouleau, où des pneus de camion, suspendus par une corde à une solide branche, servaient d'escarpolettes à la marmaille.

Ovide, heureux, jouait l'homme des bois. Avec une hache minuscule, il préparait les copeaux pour alimenter le feu de camp ceinturé de pierres rondes, érigé par Tit-Mé. Suant par tout son corps, il en transportait de petites brassées près du four improvisé sur lequel Napoléon avait installé une plaque de tôle déjà rougie. Le gros chaudron de fer noir laissait entendre la plainte du saindoux bouillant, attendant les patates que Jeanne, assise sur une bûche, taillait en habituée et accumulait dans le creux de sa jupe. On avait installé l'invité d'honneur, Pacifique Berthet, dans une chaise de toile pliante où il se trouvait à son aise; il souriait en entendant Joséphine lui dire:

— C'est beau, la vie, hein? Attendez de goûter à mes patates frites et à mes truites au bacon. Et si vous en voulez deux fois, trois fois, gênez-vous pas!

Malgré les regards brefs et froids qu'il jetait parfois vers la silhouette de Gédéon, l'infirme paraissait prudemment heureux. Il s'adaptait mal à ce bonheur fait pour les autres. C'est toujours ainsi quand on ne peut marcher. On est un être à part, une sorte de paria.

Tit-Mé approchait en brandissant sa brochette de truites et Pacifique se dit qu'avec un peu de dynamite, la pêche serait plus abondante et plus rapide.

— Les patates sont prêtes à frire! dit gaiement Joséphine à Jeanne. Napoléon, appelle tout le monde!

Sa trompette à pistons dirigée cette fois vers les enfants, Napoléon fit résonner *L'Appel aux armes.* Les embarcations se dirigèrent prestement vers la rive, les enfants dégringolèrent chacun de leur pneu, Jeanne jeta à poignée les tronçons de pommes de terre dans le chaudron de fer où le saindoux crépita, et Gédéon s'approcha du feu gaillardement, en chantant de sa forte voix éraillée le *Credo du paysan.*

— "Je crois en toi, maître de la nature".

DEUXIEME PARTIE

CHAPITRE DIX-SEPTIEME

On atteignit le mois de mai 1949. Cette année, célèbre dans l'histoire des vins français, fut aussi exceptionnelle dans l'existence du Québec et dans celle d'Ovide Plouffe. Que de changements, quelle évolution rapide en quelques mois! Maurice Duplessis en avait eu l'intuition: son autorité absolue menacée de tous bords, il assistait, en dépit d'un farouche combat, à la séparation de l'Eglise et de l'Etat. Dans le secteur de l'amiante, une grève spontanée de cinq mille mineurs sévissait depuis le mois de février. Dirigée par le secrétaire général des Syndicats Catholiques, Jean Marchand, qui prônait la déconfessionnalisation de son organisme, cette grève était devenue un symbole d'émancipation pour les jeunes intellectuels, contre les Américains qui exploitaient les gisements, puis contre les pouvoirs civils et religieux hostiles à tout changement.

Maurice Duplessis sentait le sol se craqueler sous ses pieds. Louis Saint-Laurent, devenu Premier Ministre du Canada, jetait la légende de Duplessis dans l'ombre et, à l'instar de Truman aux Etats-Unis, prônait une politique de justice sociale pour tous ses concitoyens. Duplessis paraissait bien chiche, à côté de lui, dans ses appels à la prudence, au conservatisme et à l'économie! Même le clergé, jusque-là son plus puissant allié, se divisait en deux clans, comme en 1940 au sujet de la conscription, mais cette fois le nationalisme se réclamait de justice et de démocratie. Duplessis l'avait prévu: les deux leaders incontestés de cette révolution au Québec étaient le Dominicain Georges-Henri Lévesque, doyen de la Faculté des Sciences

Sociales de Laval, suivi de ses élèves, puis le jeune Jean Marchand. Celui-ci, par sa fougue, sa soif d'équité et ses qualités de tribun, bouleversait la société en voie d'éclatement. C'était comme si, pensait Duplessis, une troupe énorme de Québécois marchait contre lui, parallèlement aux soldats fanatisés de Mao Tsé-Toung en Chine qui, après la Longue Marche, allaient bientôt chasser Tchang Kaï-Chek.

Même les moeurs se détérioraient. Les divorces se faisaient encore rares, mais plusieurs couples se brisaient; des épouses se rendaient rencontrer leurs amants durant l'après-midi, et des maris découchaient jusqu'à l'aube. La police de Duplessis multipliait les raids dans les kiosques à journaux, confisquant les revues osées venues des Etats-Unis ou pourchassant les quelques bobines pornographiques commençant à circuler sous le manteau. Le bureau de censure du cinéma, fouetté par Duplessis, cisaillait les nouveaux films arrivant de France. Ah! Monseigneur Folbèche avait eu bien raison de prédire, en 1940, que les Canadiens français, après un séjour en terre étrangère, reviendraient déracinés, tout changés. La guerre avait tué moins de jeunes gens qu'elle n'en avait transformés en ennemis du système établi.

Les plus conformistes n'échappaient pas à ce raz de marée comme, par exemple, Joséphine et Cécile Plouffe. A huit heures du soir ce lundi-là, Cécile, toute pimpante, élégante, prit une longue bouffée de sa cigarette avant de l'écraser dans le cendrier, car elle n'osait pas encore fumer dans la rue.

— Je vais peut-être arriver un peu tard, maman, dit-elle, prudente. Ça vous fait rien?

Joséphine se berçait, cigarette au bec elle aussi.

— Prends ton temps, amuse-toi, quarante-neuf ans c'est encore jeune, le temps perdu revient pas. Moi je vas écouter *Ceux qu'on aime* à la radio. Y a tellement d'amour dans les feuilletons, de ce temps-là. A la fin de la saison, ça se corse! J'aime ça! fit-elle en aspirant une longue bouffée.

— Je remarque que vous fumez encore plus que moi, maman. Modérez-vous!

— Bah! je me fume, comme un saumon. Je serai meilleure à manger par les vers, plaisanta Joséphine.

— Quand je l'entends parler de la mort! Vous allez vivre jusqu'à cent ans, fit Cécile, vérifiant son maquillage maladroit une troisième fois et rectifiant son rouge à lèvres. Quand le commandant Bélanger venait tous les soirs, c'était plus désennuyant pour vous, ajouta-t-elle.

— Pauvre lui, soupira Joséphine. Depuis le scandale des galons, ça le gêne, tu comprends. C'est dommage, nos affaires allaient si bien.

Ç'avait été un des grands événements survenus dans la vie des Plouffe, ce scandale des galons, éclaté au mois de janvier dernier. Le commandant Bélanger avait dû démissionner de la présidence de la Fédération des gardes paroissiales, accusé de patronage et de favoritisme. Ô honte! Il avait exploité ses militaires d'apparat en les faisant payer près de deux mille dollars à Joséphine et à Cécile. Naturellement il avait été dénoncé par un jaloux, devenu son successeur d'ailleurs, dont la femme demandait vingt sous du galon au lieu de cinquante. Depuis, Ephrem souffrait d'une dépression et, trop humilié, n'osait plus se présenter chez les deux dames Plouffe.

— T'as raison, Cécile, je lui parlerai dimanche à la grand'messe de Monseigneur Folbèche, dite pour les grévistes de l'amiante. Ephrem va être sûrement là, à la tête de ses zouaves, pour le service d'ordre. Toute une messe, avec quête publique, puis des haut-parleurs. C'est ton père qui aurait aimé être là. Des grévistes! Mais cesse de bretter! Décolle! pars, Cécile!

— Bon, j'y vas. J'espère que c'est un beau film. Dans une maison privée, c'est rare.

— Le monde change, soupira Joséphine. C'est rendu que les gens s'achètent des projecteurs et se montrent des vues à la maison. Ça me surprend que Napoléon en n'ait pas encore acheté un?

Cécile partit enfin. Il faisait doux comme en juillet. Le vent tiède du printemps, filtré par la gaze de la porte, caressait le visage empâté de Joséphine et poussait les volutes de fumée bleue. Heureusement Monseigneur Folbèche n'avait pas encore surpris sa paroissienne cigarette au bec!

Joséphine, se berçant doucement, fit l'inventaire des six mois qu'elle venait de vivre. Sauf le scandale des galons, l'hiver s'était passé sans heurts. Napoléon et Guillaume, tels deux gamins, avaient souvent joué au hockey et, comme d'habitude, Guillaume, avait fait parler de lui dans les journaux à cause du nombre inusité de points qu'il comptait à chaque joute. On le voyait déjà comme recrue du club Canadien à Montréal, on le comparait même au célèbre Maurice Richard. Mais Guillaume se moquait de ses succès, se disait trop âgé. Il était même parti avec Tit-Mé pour Anticosti avant la date prévue. Pressés, enthousiastes, les deux cousins avaient voulu profiter du mois de mai pour construire en vitesse leur cabane en billots d'épinette dans un coin secret de l'Ile.

Et Ovide! Comme il avait vite prospéré! Son commerce florissait. On l'entendait toutes les semaines à la radio, où il avait acheté, le mardi soir, une période de cinq minutes; il faisait lui-même la réclame de sa bijouterie, puis se permettait des commentaires sur des sujets chers à son esprit et à son coeur. Ovide devenait un personnage connu. Entré en octobre 1948 membre chez Les Chevaliers de Colomb, il s'y était vite imposé, de sorte qu'en peu de temps, il avait pu décrocher le "troisième degré". Somme toute on disait de lui: "Ovide Plouffe est un garçon arrivé!" Quel privilège lui avait consenti la Providence en le faisant rencontrer Pacifique Berthet! Et Rita! Elle se conduisait comme une grande fille sage derrière son comptoir et se révélait une vendeuse exeptionnelle.

Joséphine pensa à Napoléon et sourit. Il jouait maintenant si bien de sa trompette à pistons que les voisins, au lieu de se plaindre, se rassemblaient devant sa maison pour l'entendre après souper. Joséphine sourit encore. Elle se rappelait le réveillon de Noël, où Cécile et elle-même dévoilèrent leur vice caché: elles fumaient! A l'ébahissement de la parenté, elles avaient grillé plusieurs cigarettes!

Et Gédéon! On l'avait à peine revu. L'important, c'était qu'Ovide l'eût déjà remboursé. On prétendait que l'oncle beauceron se rendait souvent à Montréal, où on le soupçonnait de fréquenter une veuve de soixante ans.

On revenait presque au bon vieux temps. Monseigneur Folbèche renaissait à la vie, inspiré, rajeuni par la grande manifestation organisée pour dimanche prochain. Ovide en était tout excité. Joséphine contempla la photo de son défunt.

— Là, mon Théophile, tu te serais démené avec le curé, hein?

Puis elle tourna le bouton de l'appareil radio, en songeant que dans deux ou trois ans la télévision entrerait dans les foyers. Pourvu qu'elle vive jusque-là! Elle se redressa, fière de sa vigueur. Elle durerait encore longtemps.

***

C'est une Cécile bouleversée qui rentra à minuit. Elle avait été prise au piège, un piège odieux. Avec une vingtaine de ses consoeurs de la manufacture, elle s'était rendue comme à un pique-nique à la maison de ce contremaître veuf, propriétaire d'un projecteur 16 mm qui leur montrerait des films rares, exclusifs, disait-il, et importés des Etats-Unis.

Pour ces ouvrières dont l'âge variait entre vingt et soixante ans, qui peinaient devant leur machine ou leur établi du lundi au samedi midi, cette soirée se révélait une grande première. Qu'elles étaient privilégiées! Elles grignotèrent rapidement quelques sandwiches arrosés de coca-cola, puis aidèrent à placer les chaises et à installer l'écran. L'obscurité se fit. Dans un silence d'église, le projecteur se mit à ronronner, l'écran à s'éclairer et les personnages à apparaître. Les genoux serrés et les mains jointes, Cécile se tendait vers l'image. Serait-ce un beau roman d'amour? Un homme hirsute entrait dans la chambre d'une femme plantureuse, l'air vulgaire, qui commença d'enlever sa robe. Cécile fronça les sourcils. Des gloussements coquins fusaient ici et là parmi ses jeunes consoeurs. Se sentant observée, Cécile se raidit. Mais qu'arrivait-il? L'homme se déshabillait aussi? Elle poussa un cri en forme de O majuscule devant l'énorme sexe exhibé par le mâle.
— Qu'est-ce que c'est que ça? s'exclama Cécile.

Quelques-unes de ses compagnes riaient très fort. Cécile esquissa le geste de se lever puis de partir avec éclat, mais malgré son indignation grandissante, ses yeux restaient prisonniers des obscénités se déroulant à l'écran. Fallait-il qu'elle eût attendu presque cinquante ans pour découvrir une chose pareille? Elle n'avait même jamais vu ses trois frères tout nus! Le sang lui battait aux tempes. Elle revit comme si c'était hier le jour où, avec toute sa classe dirigée par une religieuse de l'école, elle s'était rendue à l'Exposition provinciale. Devant la stalle où trônait, seigneurial, un superbe étalon noir, propriété de la brasserie BLACK HORSE, elle avait été stupéfiée à la vue de la somptueuse érection que ce cheval se permettait devant elles. "Sauvons-nous!" avait crié la bonne soeur en poussant avec affolement les fillettes hors de l'écurie. En rêve, quelquefois, elle avait revu cette image et aussi, curieusement, durant l'enterrement d'Onésime, le chauffeur d'autobus qu'elle avait aimé. On s'habitue à tout. Elle ne partit pas en criant au scandale. Grommelant de temps à autre, condamnant de toute son âme de pareilles cochonneries, elle restait mais ne pouvait comprendre que des êtres humains puissent perdre toute dignité à ce point. Cécile sortit complètement bouleversée de cet ambigu supplice de deux heures.

Elle rentra chez elle sur la pointe des pieds, éprouvant le besoin de prendre un bain. Elle aspergeait d'eau tiède, lentement, distraitement, son corps nu. Puis, d'un regard neuf, elle se mit à l'examiner et conclut qu'il était plutôt bien, comparé à celui de ces femmes scandaleuses, dont les ébats obscènes l'avaient épouvantée, puis troublée. Alors un vide froid s'installa dans son ventre. Elle aurait bientôt cinquante ans et son corps n'avait jamais servi, n'avait jamais connu l'amour! On tambourinait discrètement sur la porte.

— Tu prends ton bain bien tard, Cécile? s'inquiétait sa mère.

— Oui, il faisait tellement chaud dans cette maison-là. La prochaine fois j'irai au vrai cinéma, c'est plus frais.

Joséphine retourna se coucher et Cécile commença à envier sa belle-soeur Rita. Demain, elle irait la voir et lui relaterait son expérience.

CHAPITRE DIX-HUITIEME

Le lendemain matin, à la station de radio, Ovide Plouffe, le président de la bijouterie OVIDE PLOUFFE INCORPORÉ, enregistrait son laïus hebdomadaire d'une durée de cinq minutes, car il devait quitter Québec pour Sept-Iles le soir même, pour rencontrer son représentant régional. Au cours de l'émission il vantait les avantages de son commerce, évidemment, mais il profitait surtout de ce temps d'antenne pour émettre des opinions diverses, étaler ses connaissances musicales et littéraires, s'attendrir sur la beauté de la culture française et se permettre de juger la situation politique, ce qui inquiétait parfois Claude Saint-Amant, le speaker très connu. Ce dernier revendait à divers commanditaires, par blocs de cinq minutes, les deux heures achetées de l'entreprise radiophonique. A cause de l'originalité de la réclame truffée des curieux billets d'Ovide, le nom de ce bijoutier lettré à la pensée très personnelle, s'imposait de plus en plus. Ovide Plouffe était devenu un nom familier et respecté.

Ajustant ses écouteurs, texte en main, Ovide attendait le signal du technicien, qui lui souriait derrière une glace épaisse. Il avait hâte de lire son billet, qui serait fort discuté, il en était sûr. On commencerait à l'enregistrer dans trois minutes. Ovide se dit qu'il avait pris une bonne décision en ne coiffant pas son entreprise du nom OVIDE ET PACIFIQUE, ou PLOUFFE ET BERTHET. C'est l'oncle Gédéon, fort de son dix pour cent des actions du commerce, qui avait exigé que seul le nom Plouffe y soit présent. Ovide avait presque réussi à convaincre son associé mécontent que cela était mieux ainsi: la raison sociale d'un commerce ne doit pas porter à sourire. OVIDE ET PACIFIQUE eût fait songer à ROBINSON CRUSOE ou à PAUL ET VIRGINIE. Il avait même réussi à dérider l'infirme en lui mentionnant une librairie appelée TRANQUILLE ET BOUCHER et un salon funéraire nommé SANSCHAGRIN.

Le technicien leva le bras. Ovide, d'une voix grave, parla d'abord de sa bijouterie, de ses prix raisonnables, du réseau provincial des ventes, de l'expansion phénoménale réussie après moins d'un an d'opération, et des plans qu'il nourrissait pour étendre sa présence à tout le Canada. Avant de se lancer dans le sujet principal, il conclut la partie réclame de son texte par ces mots:

— Evidemment le rêve d'un bijoutier préoccupé de beauté est de voir briller à tous les poignets une montre venant de la bijouterie OVIDE PLOUFFE INCORPORÉ. L'entretien parfait et garanti de nos montres vous y est assuré par un expert français de réputation internationale, Monsieur Pacifique Berthet, de Grenoble. Si vous voulez bien vivre, vivez à l'heure des montres de la bijouterie OVIDE PLOUFFE INCORPORÉ.

“Et maintenant, chers auditeurs, venons-en à quelques réflexions sociales et politiques. En ce Canada où nous voyons notre concitoyen, le grand Louis Saint-Laurent, Premier Ministre du pays, se faire le champion de mesures sociales généreuses tout comme le Président des Etats-Unis, Harry Truman, d'ailleurs, nous sommes les témoins, dans ce Québec même, d'un entêtement incroyable de la part du gouvernement de Monsieur Duplessis, qui s'obstine à ne pas comprendre la misère et le désespoir des milliers de mineurs de l'amiante, en grève depuis trois mois. Pourtant, il serait possible, il nous semble, d'imposer aux propriétaires américains un règlement honorable! Il devient de plus en plus clair que cette grève cruelle masque un conflit plus profond. Elle cache cette guerre à finir entre Duplessis et les Syndicats Catholiques! Les mineurs de l'amiante sont devenus les victimes expiatoires d'un autocratisme odieux et dépassé. Ce sont eux qui paient la montée difficile des bonnes idées nouvelles comme le pluralisme et la justice sociale. Eh bien! qu'ils ne soient pas les seuls à assumer le prix de cette dure lutte! On dit que tout le haut clergé est derrière Monsieur Duplessis. C'est faux!

"Pensez à cette grande quête collective en faveur des grévistes, qui sera faite à la porte de toutes les églises du Québec, dimanche prochain. Dans celle de Monseigneur Folbèche, qui a organisé une manifestation exceptionnelle pour l'occasion, seront présents le père Lévesque et Jean Marchand eux-mêmes, ainsi que des intellectuels connus et des journalistes d'ici et de Montréal. Bravo! Monseigneur Folbèche, bravo! aux mineurs de l'amiante, nos frères, qui nous donnent un merveilleux exemple de courage et de ténacité! Chers auditeurs, à la semaine prochaine. Ici Ovide Plouffe qui vous a parlé de Québec."

Par délicatesse, il ne dit pas que Napoléon prêterait ses trois camions, porteurs des haut-parleurs, loués et payés par la bijouterie OVIDE PLOUFFE INCORPORÉ, qui inviteraient, aux quatre coins de la ville, la population à se rendre en foule à l'église de Monseigneur Folbèche dimanche à dix heures et demie. Remerciant d'un sourire le coup de tête approbateur du technicien, lui-même intéressé à devenir syndiqué un jour, il sortit du studio pour se trouver face à face avec le patron Claude Saint-Amant qui lui dit à brûle-pourpoint:

— Monsieur Plouffe, il y a audace et audace. Vous y allez un peu fort! Remarquez: je pense comme vous. Mais toute chose n'est pas bonne à dire, surtout sous un gouvernement qui a le bras si long. A cause de votre attaque contre Duplessis, les propriétaires de la station de radio pourraient bien être forcés de m'enlever mes deux heures, ou moi, de...Je me demande si je vais passer cet enregistrement?

— Alors vous me perdrez comme client! La liberté de parole, ça existe encore, j'espère? rétorqua Ovide, tranchant.

Ovide ne le savait pas, mais il intimidait Claude Saint-Amant. Perdre la commandite d'Ovide Plouffe? Il apportait à la station une si bonne cote d'écoute! Le speaker soupira:

— Espérons que ça me causera pas de pépins.

— N'oubliez pas que le courage, à la longue, ça paye, Monsieur Saint-Amant! Salut!

Il partit en repliant soigneusement les feuilles de son laïus.

***

Dans son bureau, Monseigneur Folbèche souriait d'aise en lisant le texte dont Ovide lui avait laissé copie. Ah! quel brave garçon! Généreux, intelligent, très renseigné malgré ses maigres études, voilà qu'il était sensibilisé aux vrais problèmes de l'heure, presque autant que Monseigneur Folbèche lui-même! Le vieux prêtre reprenait goût à la vie. Devant la défection de ses ouailles et l'érosion de la paroisse, il avait vécu des années tristes où son dos se mit à courber et ses cheveux à blanchir. Puis soudain, les luttes qui agitaient le Québec le firent ressusciter. Chez lui, la ferveur passionnée du pasteur champion de la toute-puissante unité paroissiale se transforma en une soif farouche de justice sociale. Les cérémonies du culte, les processions perdaient de leur intérêt? Dommage! Mais la grand' messe de dimanche prochain, par sa portée politique, s'inscrirait comme un grand jour dans l'orientation et la passion nouvelle de Monseigneur Folbèche. Bien sûr il avait reçu l'ordre de ses supérieurs d'éviter tout esclandre, toute attaque contre les autorités politiques. Mais on verrait ce qu'on verrait! Il se frotta les mains. Jean Marchand prendrait la parole dans la chaire même du curé. Les plus célèbres intellectuels du Québec seraient présents! Il regretta l'absence de son protégé, le reporter Denis Boucher, qui eût pu admirer l'évolution de son vieux bougon de pasteur.

Les beaux jours de fièvre collective revenaient. Monseigneur Folbèche attendait pour dimanche huit à dix mille personnes. Evidemment, il ne pourrait les loger toutes dans l'église, mais le parvis était tellement vaste! Le système de haut-parleurs était déjà en place et il en vérifiait depuis trois jours l'efficacité, l'oreille tendue comme un expert. Ses doigts secs tambourinèrent sur le bureau. On ferait alors une quête fabuleuse! Il espérait au moins cinq mille dollars pour ces pauvres mineurs grévistes. Le montant éclaterait en gros chiffres dans les journaux et Monsieur Duplessis, comme certains évêques de sa connaissance, serait furieux. Il eut son sourire de vieux délinquant. Dans son sermon lors de cette grandiose cérémonie, Duplessis en prendrait pour son rhume, ainsi que quelques prélats. Monseigneur Folbèche serait sûrement puni! Et puis après? Tout homme de Dieu qui ne finit pas sur une croix n'est pas digne du Christ. Il sonna son deuxième vicaire, le jeune abbé Marquis, responsable des relations avec la presse. L'abbé était encore sorti. Le curé haussa les épaules. Ce freluquet devait être encore accoudé au comptoir de la bijouterie d'Ovide, en train de perdre son temps avec la flirteuse Rita Toulouse Plouffe. Il faudrait bien y voir. On commençait à jaser dans la paroisse. Monseigneur consulta sa montre-bracelet Bulova plaquée or, achetée d'Ovide Plouffe au prix de gros, sur une supplication-commandement de Joséphine. Il approchait midi.

***

Effectivement l'abbé Marquis causait au comptoir avec Rita, à qui il venait d'apporter une brassée des premiers lilas du jardin derrière le presbytère. Du dehors on pouvait la voir le visage enfoui dans le bouquet mauve.

Les locaux de la bijouterie OVIDE PLOUFFE INCORPORÉ étaient situés en face de l'église dans une bâtisse neuve de deux étages, en briques d'un rouge vif. La boutique donnait sur le trottoir et se voyait flanquée de la Caisse Populaire paroissiale. Ovide avait fait là un choix judicieux. Le va-et-vient vers la Caisse et l'église permettait aux nombreux passants de s'arrêter devant la vitrine joliment arrangée par Rita, où, derrière des barreaux de fer et une glace épaisse, brillaient de tous leurs feux, montres de divers formats, colliers, bagues et boucles d'oreilles. Ovide avait réintégré la paroisse en louant le cinq pièces au-dessus de la boutique. Il comptait maintenant parmi les personnages les plus importants de son milieu, tant il est vrai qu'un homme qui brasse des affaires en impose et jouit d'un prestige certain dans le monde des ouvriers. On était fier de ce petit gars du quartier qui, en quelques mois avait brûlé les étapes, devenait riche et parlait toutes les semaines à la radio!

Au début de son commerce, il avait continué, par ses soirs encore libres, de servir au ROYAUME DU DISQUE, mais bientôt la croissance de ses ventes avait réclamé tout son temps. Suivant le plan de Berthet, il comptait déjà, bien en place, des représentants à Baie-Comeau, à Sept-Iles et à Rimouski, où les affaires s'avéraient florissantes et forçaient Ovide à de nombreux voyages.

Ses clients du magasin de disques devinrent des acheteurs de montres et de bijoux. Puis, tout le clan Plouffe désirait tellement qu'il réussît, que tous les amis et connaissances se voyaient presque obligés "d'encourager" Ovide. Il en était de même pour les réparations: Pacifique Berthet, installé dans une chaise longue (sa hanche le faisait souffrir quand il avait les jambes pendantes), travaillait de douze à quatorze heures par jour et commençait à se déclarer fatigué et à manifester une humeur de plus en plus massacrante, indisposant Ovide à un haut degré.

Après six mois d'opération, comme l'avait prédit l'infirme, le prêt initial de dix mille dollars était remboursé et le compte bancaire affichait un surplus de quelque six mille dollars. Et comme s'en plaignit Berthet, il en eût compté davantage si Rita, après deux mois de bénévolat, n'avait réclamé un salaire hebdomadaire de cinquante dollars et si Ovide ne s'était permis des dépenses exagérées avec les clients au restaurant. Mais Rita, craignant toujours Berthet et ses critiques constantes, tentait de l'amadouer en le reconduisant chez lui dans sa décapotable blanche aux bancs de cuir rouge, certains soirs où, surchargé, il avait travaillé plus tard et qu'Ovide était parti en tournée.

Rita avait passé un hiver exemplaire: elle n'avait jamais reparlé de CHEZ GERARD ni de Marie la belle Française. Quand on sortait, on se rendait danser au Château Frontenac où la nouvelle condition d'Ovide en faisait un client tout naturel. Il avait tellement changé, son mari! Depuis qu'il accédait au succès, il souriait souvent, s'exprimait avec assurance. Mais plus il retrouvait la quiétude du coeur et de l'esprit, plus sa femme se sentait contrainte, comme ficelée. Le printemps venu, elle se surprenait, seule au comptoir, à rêver d'aventures imprécises, où elle charmerait des coeurs et éveillerait le désir d'hommes séduisants, étrangers à cette paroisse. Maintenant on était en mai, elle se sentait des fourmis dans les jambes. Pour l'instant, elle enfouissait son visage dans cette touffe de lilas et, du coup, troublait le jeune abbé pourpre d'émotion devant elle.

— Ah! si vous étiez pas prêtre, vous, vous en feriez tomber, des femmes! dit-elle, coquine.

Le regard plongé dans son décolleté agressif, le vicaire s'apprêtait à lui confier qu'elle occupait à ce point ses pensées qu'il songeait à se faire muter dans une autre paroisse, quand Cécile entra en coup de vent, les cheveux en bataille et les yeux pétillants de joie:

— Rita, j'ai quelque chose d'extraordinaire à te raconter!...Oh! excusez-moi, Monsieur l'abbé!

Il sortit à la sauvette, comme pris en flagrant délit.

— N'oubliez pas, c'est une Roamer 22 carats que je veux pour mon père!

Il disparut et marcha d'un pas rapide vers l'église. Cécile fit une oeillade à Rita.

— Paraît qu'y vient souvent, que tu le tiens par la gance, le petit vicaire?

Rita, surprise, s'adapta vite au style inusité de Cécile.

— Faire se trémousser un jeune prêtre, c'est excitant. Allons, qu'est-ce que c'est que t'as de si extraordinaire à me raconter? T'es comme pâmée, on dirait?

Tout bas, épiant à droite et à gauche pour s'assurer que personne ne l'écoutait, Cécile chuchota:

— Imagine-toi qu'hier soir, je me suis fait attraper comme y faut. Je suis allée à une projection de film dans une maison privée! Eh bien! ma fille, j'ai failli perdre connaissance! Aux premières images! Des images d'une cochonnerie incroyable!

— Des films de fesses! Ah! faut que tu me contes ça! exulta la femme d'Ovide. Monte à la maison. On va luncher ensemble et tu me décriras tout en détail. Mais, c'est-y possible? Notre Cécile qui regarde des films pornographiques!

— Chut! petite malcommode! Si quelqu'un nous entendait!

Quelqu'un les entendait, et les voyait aussi. C'était Pacifique Berthet qui, de son coin, épiait tous les visiteurs. A l'insu de son associé, il avait percé dans la cloison qui séparait l'atelier du magasin un orifice assez grand pour lui permettre d'entendre toute conversation et d'observer à loisir. La clochette de la porte sonnait-elle? Il soulevait le calendrier, levait une petite trappe qui masquait son trou, écoutait et regardait.

Ainsi, Pacifique Berthet s'était inventé et imposé un supplice souventes fois répété. Fou d'un désir qui allait grandissant pour Rita, il devait souvent recommencer des réparations. Qu'elle minaudât au comptoir comme avec ce jeune abbé ou que, se croyant seule, elle se caressât les seins devant le miroir, ou relevât sa jupe pour ajuster sa jarretelle, laissant voir ses cuisses magnifiques entourées de dentelle, il bouillait de jalousie, d'impuissance et de passion inassouvie. Les deux femmes montaient au logis d'Ovide. Berthet grogna. Cette Cécile Plouffe eût pu raconter son histoire ici dans le magasin! La réaction de Rita à un récit croustillant l'eût tellement passionné!

La vie était chiche de plaisirs pour ce pauvre Pacifique. Bien sûr, les chauffeurs de taxi lui amenaient parfois quelque prostituée, soit à son chalet du lac Saint-Augustin, soit au taudis qui lui servait de logis. Mais plus sa passion pour Rita augmentait, plus son dégoût pour lui-même et pour ces femmes vulgaires s'approfondissait. Il détestait son mal inguérissable et son infirmité, qui le rendaient si dépendant et le tenaient en marge de la vie. Il n'avait pas mérité cela. Il eût été fort présentable, Pacifique, avec sa belle tête bien dessinée, ses yeux gris fauve, ses traits nets et ses épaules carrées. Il fit plusieurs rêves amoureux et sensuels où Rita lui servait de partenaire. Il en vécut un, curieux, absolument platonique, où il grimpait le Mont-Blanc, bondissant comme un mouflon, tirant Rita par la main. Au réveil, ces songes le laissaient abasourdi à la vue de ses béquilles posées par terre, ses béquilles qui semblaient ricaner et dire: "tu nous appartiens à perpétuité!" Il maudissait la vie de l'avoir ainsi accablé, mais loin de songer au suicide, il sentait graduellement monter en lui une forme de folie meurtrière, une haine universelle avide de victimes. Il était persuadé que Rita avait déjà trompé son mari, mais depuis les six mois qu'il l'épiait, sauf ses innocentes coquetteries avec les clients, il n'avait aucune preuve qui pût lui servir d'arme de chantage. Car il en était rendu à cette extrémité comme moyen ultime de la posséder. Puis il doutait. N'était-il pas trop timide, ne se diminuait-il pas exagérément? Elle n'était pas si mauvaise fille, après tout? S'il essayait d'être gentil, d'exploiter sa pitié pour les infirmes? Car elle avait bon coeur? Et puis, non. Impossible. Elle semblait toujours crispée en l'apercevant et ne venait à l'arrière-boutique que pour lui apporter les montres à réparer, ne prononçant que des mots brefs et fuyant son regard brûlant. Il n'aurait jamais Rita que de force.

Midi. Il ouvrit une bouteille de coca-cola et mordit distraitement dans un sandwich. Il eût payé cher pour entendre ce que Cécile racontait, là-haut.

***

Cécile et Rita, assises face à face au coin de la table, semblaient parcourues par un courant électrique qui les exaltait, les faisait vivre au-delà des platitudes ordinaires. Cécile s'exclamait:

— Et ces images cochonnes ont duré pendant deux heures, ma petite fille! Je comprends pas que je sois pas partie au bout de cinq minutes!

— Seigneur! s'exclamait Rita, les yeux brillants, t'aurais donc dû m'emmener avec toi. Moi qui ai jamais vu ça!

— Est-ce que je savais, moi? Bien sûr, c'est un tour qu'on a joué aux plus vieilles de la manufacture, nous autres les scrupuleuses. Mais on a tenu le coup, on est resté.

Rita ne s'apercevait pas que la soupe prenait au fond. Elle était bien loin de sa cuisine!

— Les images montraient tout dans le moindre détail, t'es sûre?

— En gros plan, ma chère! Tu connais ça, t'es mariée. De la pure saloperie! Quand je pense que la police aurait pu venir! Me vois-tu moi, Cécile, arrêtée, jetée en prison?

A quoi donc réfléchissait Rita, le menton dans la main? Cécile soupira:

— En tous cas, en arrivant chez nous, j'ai pris un bain, je me sentais sale. Et sais-tu? Je me suis regardé le corps. Je me suis trouvée pas mal présentable, pour mon âge. Sans me comparer à ces femmes-là, des actrices après tout, eh ben! ris de moi si tu veux, mais je me suis trouvée mieux qu'elles.

— Je comprends! s'exclamait Rita. T'es une femme bien faite, élégante?

C'était la première fois qu'on disait une chose pareille à Cécile. Elle rougit, eut envie d'embrasser sa belle-soeur:

— Oh! pas comme toi, ben sûr. Même quand j'avais ton âge! C'était la crise! On travaillait dix heures par jour, six jours par semaine, pour des miettes. On pouvait pas se toiletter. Ah! ce que tu pouvais être belle, Rita, dans ton costume de Miss Sweet Caporal!

Rita était debout, applaudissait, comme une fillette:

— Et je l'ai encore, le costume! Cécile, je te le fais essayer!

— Es-tu folle?

— Puisque je te dis! T'es pas plus grosse que moi! Il va t'aller comme un gant. Suis-moi! Mon Dieu, Cécile, que c'est excitant!

Cécile se levait en hésitant, le coeur battant.

— Pourquoi est-ce qu'on rirait pas un peu? Allons-y, faisons les folles! fit Rita en l'entraînant vers sa chambre.

***

Ovide, pensant encore au texte qu'il venait de débiter à la radio, marchait à longues enjambées vers sa bijouterie. Le camion de Napoléon se rangea à côté de lui.

— Monte, mon petit frère! je te reconduis chez nous. J'ai une bonne nouvelle!

Ça n'était pas dans les normes, qu'Ovide, à cause de son nouveau prestige, s'asseoie dans un camion de plombier aux sièges tout maculés de cambouis. Il étendit son mouchoir et s'assit.

— Une bonne nouvelle? s'enquit-il pendant que son frère démarrait.

— Ouais! J'ai enfin obtenu le contrat de la prison des Plaines! Le toit, les dalles, tout le système de chauffage et de plomberie.

— Nous montons au zénith du succès financier, sourit Ovide. Je te félicite!

Napoléon se gourmait:

— Et toi, donc! J'entends parler de toi partout! A cause de tes programmes de radio. T'es populaire. Ça fait que je suis fier d'être ton frère. Tu mérites ça.

Il y eut un silence. Ovide sentit une réticence chez son aîné. Voulait-il lui suggérer à nouveau de mentionner NAPOLEON ET FILS dans son émission radiophonique? A un arrêt obligatoire de la circulation, près de l'école paroissiale, le plombier toussa légèrement et dit:

— On t'a pas vu depuis longtemps, CHEZ GERARD?

Ovide hésita, pensa aux jours calmes qu'il avait vécus avec sa femme depuis qu'ils fréquentaient plutôt le cabaret du Château Frontenac tous les samedis.

— CHEZ GERARD, ça donnait à Rita des ambitions de serveuse; ça m'agaçait! Ça la tournait à l'envers chaque fois. Elle en est bien revenue.

— Ben sûr, tu mènes ta barque comme tu veux, approuva Napoléon qui, à brûle-pourpoint, parvint à décontenancer Ovide. Tu te rappelles Marie, notre belle petite Française?

Une fraction de seconde le souvenir de celle-ci prit Ovide tout entier. La chanson de Poulenc *Les Chemins de l'amour* lui remonta aux lèvres. Il demanda:

— Elle est repartie en France?

— Non; toujours CHEZ GERARD. Elle s'informe souvent de toi, écoute tes programmes de radio. Te trouve ben intelligent, ben intéressant. Elle me l'a dit encore hier.

— Ah? C'est gentil. C'est une bien jolie fille. Tu lui diras bonjour de ma part. Je passerai peut-être, un de ces soirs, pour la saluer.

L'image de Marie l'envahissait à nouveau, lui qui avait presque réussi à l'oublier, pris par son commerce, ses billets à la radio et par sa nouvelle passion, la politique. Il ne voulut pas le laisser voir à Napoléon qui enfin lui confiait:

— A cause de mon contrat à la prison, tu sais, je pense que ça serait mieux si mes camions servaient pas pour les haut-parleurs, pour annoncer la quête de Monseigneur Folbèche, dimanche prochain.

Ovide pâlit d'indignation.

— Tu es comme tout le monde! Tu as peur des représailles de Duplessis! Ah! il vous tient bien tous! Le tyran!

Le plombier se plaignit:

— Je parle pas à la radio pour me défendre, moi. Et j'ai une grosse famille, oublie pas, et des emprunts à la banque. Faut que tu me comprennes. Loue des automobiles et je paierai la facture, cash.

Ovide soupira, radouci.

— Je te comprends, mais quand même, c'est dommage.

***

L'abbé Marquis dévala l'escalier du presbytère plutôt qu'il ne le descendit, tenant en main le texte des messages radiophoniques d'une minute que Monseigneur Folbèche l'envoyait remettre à

Ovide, responsable du paiement. Le bijoutier les porterait au poste de radio et obtiendrait une période favorable pour la diffusion de ces courts appels vibrants à la population, deux fois par jour, d'ici dimanche. Monseigneur Folbèche préparait sa cérémonie comme s'il se fût agi du couronnement d'un nouveau pape. Mais le jeune abbé songeait plutôt au gentil bonheur que lui procurait cette occasion justifiée de revoir Rita dans son logis, même en présence du mari.

Chez Rita, Cécile, émue, déguisée en Miss Sweet Caporal, paradait devant sa belle-soeur, qui exagérait son émerveillement, lui suggérait des allures coquettes que celle-ci n'aurait jamais osé se permettre. La vieille fille se cambra, mains sur les hanches, devant le grand miroir où elle s'admira de la tête aux pieds. C'était pourtant bien elle, Cécile, si altière, avec ce haut képi, ce justaucorps aux boutons dorés, cette jupette, ses longues jambes droites bien galbées, rendues toutes rondes par les bottillons blancs à hauts talons? Suffoquée de surprise puis de fierté, elle se découvrait plus belle et plus jeune que vingt-cinq ans auparavant. A ce moment, elle songea qu'elle s'était laissé voler sa vie.

— Je te l'avais dit, hein? claironna Rita. Tu ferais tourner la tête à tous les hommes si tu te promenais dans la rue habillée comme ça! Autant que moi.

Rita installait un disque.

— On va rire, on va mettre un boogie woogie.

Le rythme sauvage de cette musique à la mode emplit la cuisine et déchaîna Rita qui, en dépit des protestations rieuses d'une Cécile Miss Sweet Caporal, laquelle affirmait ne pas savoir danser, l'entraîna dans une sauterie endiablée. Rita criait de surprise en bondissant et en battant des mains. Etait-ce parce que Cécile portait un déguisement qu'elle s'adaptait si vite à cette danse de cannibales et y inventait même des pas?

L'abbé Marquis, dont on n'avait pas entendu les trois coups de sonnette durant ce tintamarre, se permit d'entrer. Il resta bouche bée. C'est Cécile qui l'aperçut la première. Elle s'immobilisa, rouge de honte, ses mains essayant fébrilement de baisser la jupette.

— Monsieur l'abbé! bredouilla-t-elle.

Rita diminua le volume du son.

— Excusez-moi, je suis venu porter, de la part de Monseigneur, les textes pour la radio. Je croyais trouver ici votre mari. Je vous les laisse.

— Excusez-vous pas, Monsieur l'abbé! fit Rita encore toute vibrante de rythme. Je dansais avec notre nouvelle Miss Sweet Caporal.

Il sourit:

— Vous pouvez continuer! Ça ne me dérange pas. Et le boogie woogie, quel rythme, hein? Je suis de la nouvelle génération, j'aime les danses modernes.

— Ah! oui?

Rita haussa le volume.

— En ce cas, venez danser!

Il ne résista pas longtemps. Et l'on vit ce curieux trio, Rita en tablier, Cécile en Miss Sweet Caporal et l'abbé Marquis, soutane virevoltant et talons aux fesses, sauter et se déhancher comme on savait le faire en 1949 grâce au boogie woogie.

Ovide, surpris par ce tapage, à midi et demie, dans sa cuisine, entra comme un coup de vent et resta d'abord immobilisé devant ce spectacle, puis se mit à rire à gorge déployée, un rire qui continua de le secouer pendant qu'il se joignait au trio.

Et pourquoi pas? N'avaient-ils pas tous raison de rire, de chanter et de danser pendant qu'il était encore temps?

***

Rita garda Cécile et l'abbé Marquis à déjeuner. On causa avec bonne humeur. Ovide fut particulièrement brillant après que l'abbé lui eût dit l'admiration de Monseigneur Folbèche à la lecture du texte courageux qui serait diffusé le lendemain. Rita, ayant découvert en Cécile une amie nouvelle, promit que toutes les deux, de temps en temps, iraient au cinéma ensemble. Puis on se sépara. Il faisait si beau! Ovide retourna à la station de radio où il remit les messages du curé. Il revint en sifflotant à la bijouterie. Sa femme, qui n'était pas encore descendue au comptoir, rangea la vaisselle et prépara la valise d'Ovide, qui partait pour Sept-Iles le soir.

Celui-ci, le coeur léger comme il ne l'avait eu depuis longtemps, entra dans l'atelier de Pacifique Berthet, dont l'attitude rébarbative fit sur lui l'effet d'une douche froide.

— Bonjour, mon cher Pacifique!

— Salut! fit sèchement l'infirme.

— Quelque chose ne va pas?

Pacifique exprimait son mécontentement plus clairement que d'habitude.

— Ça ne va sûrement pas. Encore cinquante dollars donnés en annonces de radio pour la cérémonie de votre Monseigneur!

Ovide fut violemment agacé:

— C'est ce qu'on appelle de la publicité institutionnelle. La plus efficace, sachez-le! On ne peut y échapper. C'est en participant à l'évolution de la société qu'on profite de ses succès.

— Ou que l'on court à sa perte! persifla Pacifique.

— Mais c'est vous-même qui insistiez pour que je fasse partie des organisations sociales, comme Les Chevaliers de Colomb, rappelez-vous!

— Je n'avais pas dit de jeter l'argent par les fenêtres. Je m'esquinte dix heures par jour, dans une boîte fermée, à réparer des montres sous la lampe électrique, pendant que vous vous montez une popularité personnelle à la radio; et vous parlez beaucoup plus de musique et de politique que de nos bijoux.

Le coup porta. Ovide avait senti cette colère croissante de Pacifique depuis quelque temps. Il déplia son texte.

— Ecoutez ce que je dis de vous cette semaine. "L'entretien parfait et garanti de nos montres vous y est assuré par un expert français de réputation internationale, Monsieur Pacifique Berthet de Grenoble!"

Celui-ci haussait les épaules.

— Ça me fait une belle jambe. On ne gagne pas l'argent qu'on devrait. Tous ces frais de voyage...

Ovide se rebiffa:

— Ces voyages en brousse, j'en ai assez! C'était notre entente. Vous la réparation, moi la vente. Faites-en donc quelques-uns à ma place! J'en serais ravi. J'aimerais mieux rester ici avec ma femme et ma petite fille que de traîner dans les hôtels de campagne.

— Où coulent le scotch et le vin à tous les repas. On peut vendre des montres sans ça!

Ovide, troublé, l'examina longuement. Pacifique cherchait-il à briser leur association? L'infirme devina sa pensée.

— Non, non. Je ne pense pas à me séparer de vous. Il est trop tard. Votre oncle le Beauceron m'a bien eu, puis votre famille et, finalement, vous-même. L'affaire c'est vous: OVIDE PLOUFFE INCORPORÉ. Vous pourriez maintenant trouver facilement quelqu'un d'autre pour la réparation. C'est quand même injuste! Je détiens, comme vous, quarante-cinq pour cent des actions, mais c'est votre oncle qui, avec ses dix pour cent peut tout décider et faire pencher la balance de votre côté. Seulement j'espère avoir encore le droit de dire ma façon de penser et de m'objecter contre la mal-administration?

Ovide eut soudain un peu honte. Ses épaules s'affaissèrent. Il devait sa prospérité à l'idée première d'un infirme sans défense, qu'il négligeait maintenant. Celui-ci avait bien le droit de se plaindre.

— Vraiment, Pacifique, si j'ai eu des torts, excusez-moi. J'essaierai de m'améliorer et de vous faire plaisir. Ça va?

— Ça va! bougonna son associé.

Ovide passa à l'avant, fit du regard l'inventaire de sa marchandise. Il se sentait triste et amer tout à coup. Lui, le grand Ovide Plouffe, avait été fabriqué par un infirme qui maintenant le jalousait, le haïssait, il le devinait bien. Sans se l'avouer, l'ancien disquaire avait commencé depuis peu à se détacher de son commerce. Ses nombreuses tournées lui pesaient. Devenu commis-voyageur débordé, il voyait avec tristesse l'histoire du Québec se dérouler sans lui; dans ses billets à la radio, l'élément de la réclame lui paraissait de plus en plus ridicule, attiédissant la portée du texte de fond qui suivait. Souvent loin des siens, il les voyait également s'éloigner. En arrivant de tournée, il trouvait sa femme songeuse, comme étiolée par un ennui profond, un manque à vivre évident. Sa fille Arlette lui consentait par habitude un petit baiser bref et fuyait vers son lit. Ovide se désolait de la voir sauter plus volontiers sur les genoux des papas de ses petites amies que sur les siens mêmes.

En un sens sa vie avançait sur des béquilles, comme Pacifique avançait sur les siennes. Une vague inquiétude s'installait au plus profond de son être. Pourtant tout allait bien? Non, pas tout à fait.

A sept heures du soir, portant une valise remplie de montres et de bijoux pas chers, il monta avec lassitude dans l'avion qui le déposerait à Sept-Iles. Il mettrait les bouchées doubles, ne perdrait pas son temps dans les restaurants et reviendrait au plus vite.

CHAPITRE DIX-NEUVIEME

Le lendemain, mine de rien, Joséphine fit sa visite journalière à la bijouterie. Disparue un instant dans l'atelier où elle laissa une tarte au sucre d'érable à Pacifique, elle revint bientôt au comptoir où Rita attachait aux montres des petits cartons en indiquant les prix. La tête encore dirigée vers l'arrière-boutique, elle chuchota:

— Il est à prendre avec des pincettes, aujourd'hui! On a beau lui apporter toutes sortes de bons petits plats, c'est à peine s'il vous dit merci. Bien difficile à amollir.

— Ah! lui, fit Rita en haussant les épaules. Parlez pas trop fort, il a l'oreille fine.

Joséphine n'en voulait pas trop à Berthet de ne pas se laisser amadouer. Elle savait bien au fond que l'infirme n'était pas dupe: elle le gâtait pour qu'il serve bien Ovide et lui fasse gagner beaucoup d'argent. De plus n'était-il pas un surveillant idéal, inoffensif puisque impotent, de la conduite de Rita au comptoir?

— Il paraît que vous avez eu beaucoup de plaisir hier, toi et Cécile? Tu l'avais habillée en Miss Sweet Caporal?

— Si on a eu du plaisir, Madame Plouffe! Mettez-en! On a ri pendant deux heures.

Joséphine se plaignit:

— Appelez-moi donc dans ce temps-là. J'aimerais ça, moi aussi, m'amuser avec vous autres. Je suis pas si vieille, ni si bornée que ça, vous savez?

Elle observait, les yeux mi-fermés, le va-et-vient ondulant de sa belle-fille. Il n'était pas du tout étonnant que les hommes...

— Tu t'embellis, tu t'embellis. C'est le beau temps de la vie, trente ans. T'aurais dû me voir à ton âge, fit-elle en promenant tout autour un coup d'oeil scrutateur. J'étais comme une hirondelle. Y a pas à dire, tu tiens bien la boutique. Je te félicite.

Rita minauda:

— J'ai toujours eu du goût pour le décorum.

— Le décorum peccatorum, rit Joséphine, en mal de blagues, cherchant par tous les moyens à savoir ce qui se passait dans ce film visionné en privé par sa fille et au sujet duquel elle demeurait fort évasive. Bon, je te laisse, faut que t'ailles manger.

Mais elle ne partait pas. Sa belle-fille lui dit:

— Oh! je pense que je vais sauter un repas ce midi, si je veux rester mince. Je vais en profiter pour faire l'inventaire. Pas de problème, Arlette prend son repas au jardin d'enfants.

Joséphine eut un haussement d'épaules. Qu'était-ce cette nouvelle manie, où les jeunes femmes se mettaient à la diète, maigrissaient, devenaient comme des anguilles décharnées?

— Attention, ma fille, fit la belle-mère, qui paraissait en connaître long sur les goûts des mâles. Oublie jamais qu'un homme préfère une femme bien en chair. Si tu deviens trop maigre, tu risques de perdre ton mari.

— Oh! pas de soin pour ça, Madame Plouffe. Je peux maigrir sans toucher au capital, au contraire. Rassurez-vous.

Joséphine souriait malicieusement:

— Je te dis ça, comme ça. Tu sais comment Cécile est plutôt maigre, eh bien! le commandant Bélanger, du temps qu'il venait à la maison, j'ai eu l'impression que c'est moi qu'il préférait, parce que j'en ai épais sur les os. Mais j'ai jamais rien laissé voir. Une folle!

— Madame Plouffe! fit la bru, faussement scandalisée.

Joséphine eut un clin d'oeil malicieux et les deux femmes rirent de bon coeur. Rita commençait à la juger différemment, cette belle-mère qui, pendant des années, avait gardé à son endroit une attitude froide et réservée.

— Bon, j'y vais, fit Joséphine. Cécile doit être arrivée. Oh! en parlant d'elle! Elle t'a raconté son fameux film?

Rita avait été mise en garde par sa belle-soeur. Elle en donna la même version.

— Juste un peu. C'était ennuyant. Des mannequins, des danseurs qui paradaient.

— Bah! ça fait dix ans que je suis pas allée au cinéma. La radio me suffit, fit-elle en partant, insatisfaite! Et tâche de manger!

***

Elle la reconduisit jusqu'au trottoir et suivit du regard la solide silhouette aux jambes courtes. Gardant les yeux ouverts, Rita offrit son visage au soleil et s'en laissa inonder. La journée était éblouissante, le parfum des lilas embaumait l'air et une légère brise caressait les êtres et les choses jusqu'au coeur. Rita, heureuse comme une plante qui boit le printemps, entendait dans sa chair toutes sortes de musiques, de ces musiques qui habitent ceux qui font danser la vie. Elle ne remarqua pas l'automobile de Stan Labrie qui se pointait au loin, et rentra dans le magasin en chantonnant.

Stan gara sa voiture. A la dérobée il put entrer dans la boutique avant que la porte soit refermée. Rita était penchée sur une étagère quand il lui caressa la taille d'une main baguée, discrète et admirative. Elle sursauta en se retournant, choquée.

— Aïe! là!

Il se tenait droit, élégant, grand et beau, devant elle.

— Allô beauty!

— Stan! Toi ici?

— Long time no see? On peut pas dire que tu t'es pâmée de joie en me voyant. Hein? Des mois qu'on s'est pas parlé! Oh! je t'ai bien aperçue, de loin, comme ça, au Château. Mais tu m'as snobbé. On sait bien, la femme du grand Ovide Plouffe!

Un instant sur la défensive, elle sourit, puis se détendit. N'était-elle pas à l'abri de tout danger ici?

— Trouves-tu que j'ai de la belle marchandise? fit-elle, observant Stan furetant ici et là, soupesant les montres, consultant le prix de chacune.

Il se planta devant elle.

— Maudit que t'es belle, de plus en plus belle! Un vrai péché ambulant.

Au mur, un orifice se créa entre deux réveille-matin, et l'oeil de faucon de Pacifique y brilla. Il nota que Rita se tenait sur ses gardes, mais que le compliment du visiteur la ravissait. Que faisait ici ce Stan Labrie, l'entremetteur connu des milieux interlopes, qu'il avait rencontré un jour dans un bouge où l'on jouait clandestinement au poker pour de fortes sommes?

— Ovide est pas là? fit Stan, sur un ton détaché.

— Il est parti à Sept-Iles, mais tu le connais. Il peut revenir d'une minute à l'autre.

— Je le comprends d'être jaloux! En tous cas, depuis l'automne, on peut pas dire que je t'ai achalée. Et le commerce, ça va?

Rita, loquace, lui parla du succès de l'affaire, des voyages d'Ovide, et de son ennui fréquent, à elle. Elle lui jura s'être conduite comme une sainte depuis des mois et s'impatienta devant son sourire sceptique.

— On dirait que tu me crois jamais!

— Ben oui, je te crois toujours, excepté pour des petits bouts de rien du tout. Rita, rassure-toi, je suis venu pour t'encourager. J'ai besoin d'une montre-chronomètre.

Soulagée, elle lui en dénicha une. Il paya sans demander d'escompte.

— Ce qu'y fait beau, hein? fit-il en empochant sa monnaie. Déjà midi. As-tu pris ton lunch?

— Non, je pense que je vais sauter un repas. Ma ligne.

Il se dirigeait lentement vers la porte.

— Alors...salut. Si t'étais pas devenue si sainte nitouche, je t'inviterais à venir prendre un petit déjeuner sur l'herbe au bord de la rivière Montmorency? Y fait si beau. C'est bon respirer un peu d'air de la campagne.

— Cherche pas à m'embarquer dans des affaires, toi, là!

— L'oeil de Pacifique brûlait comme un tison. Stan haussait les épaules et soupirait tristement:

— Dommage que les petites joies de la vie t'intéressent plus. Ce serait gentil, deux amis de longue date, assis comme des étudiants dans l'herbe, une nappe carreautée entre nous, des coca-cola et des sandwiches, les oiseaux qui chantent, la rivière à nos pieds, le grondement de la chute au loin.

— C'est vrai qu'y fait bien beau! fit-elle, tentée, indécise.

Les yeux de Rita prirent un aspect trouble. Après tout, elle n'aurait rien à craindre de Stan. Elle pensa soudain à Pacifique, qu'elle avait complètement oublié.

— Tu viendrais? fit Stan.

— Pas si fort! siffla-t-elle en appuyant son index sur ses lèvres et en lorgnant du côté de la boutique de réparation. Elle hésita puis, à voix basse, n'y tenant plus:

— O.K. Pourvu que je sois de retour pour trois heures. Attends-moi devant le parking du magasin PAQUET. Je serai là dans dix minutes. Je peux pas partir d'ici avec toi. Tout le monde me surveille. Trois heures! Tu promets?

— Je promets sur la tête de ma mère! fit-il, enchanté.

Il la salua respectueusement et partit. Elle regretta aussitôt d'avoir accepté. N'avait-il pas dans l'oeil cette lueur perverse et familière? Elle entrouvit la porte de l'arrière-boutique.

— Monsieur Berthet, je ferme le magasin de midi à trois heures. Y faut que je fasse des achats au magasin Paquet.

Il ne répondait pas, la vrillant de son regard gris, impitoyable. Elle éleva le ton:

— Je ne suis tout de même pas l'esclave de votre commerce de montres?

— Mais je n'ai rien dit! tempéra-t-il avec un sourire en coin. Et vous n'avez aucun compte à me rendre!

Elle tourna les talons, se rendit accrocher l'affiche "fermé jusqu'à trois heures" sur la porte et sauta dans sa décapotable. Elle la gara au terrain de stationnement du grand magasin, monta dans la voiture de Stan et hop! en route pour la rivière Montmorency! Elle était heureuse comme à vingt ans, fredonnait *Le petit chemin,* une chanson de Mireille si bien interprétée par Jean Sablon.

En approchant du village de Boischatel, tout près de la Montmorency, situé à une douzaine de kilomètres de Québec, Stan, en chemise sport éclatante, bariolée, rapportée d'un voyage à Hawaï l'hiver dernier, toussota.

— As-tu revu Bob?

— Non.

— Tu sais qu'il s'est trouvé tout un bébé? Une des plus belles femmes du Canada.

— Plus belle que moi? fut-elle tentée de dire.

— Mais telle que je te vois aujourd'hui, moi je pense que t'es encore mieux. Bob en est fou. Il dit que c'est la femme la plus désirable qu'il ait jamais rencontrée. Mais y a pas de mémoire, hein?

Rita, elle, en avait. Aiguillonnée, elle se rappela que Bob, lors de son escapade, lui avait affirmé qu'elle était la fille la plus extraordinaire qu'il eût connue. Rita aimerait bien la voir, cette prétendue merveille! Il laissa tomber, nonchalant:

— Sais-tu, ça me surprendrait pas du tout qu'on les rencontre pique-niquant au bord de la Montmorency?

Elle tourna la tête avec une colère soudaine:

— Et tu me le disais pas! Avoir su, je serais pas venue! Je le sentais, aussi! C'est un piège!

Stan battait en retraite:

— Je te dis ça comme ça. Peut-être que non. S'ils sont là, au moins tu verras la fille, tu pourras juger toi-même?

De regret, le coeur de Rita battait la chamade. Son instinct lui criait d'ordonner à Stan de la ramener en ville. Mais peut-être le couple ne serait-il pas là? Elle se tut, écoutant la radio de la voiture. Certaines automobiles vous mènent irrémédiablement à votre destin.

***

Le destin voulut d'abord qu'en arrivant à la rivière Montmorency, Stan et Rita trouvèrent Bob l'architecte et sa compagne Maryse, lesquels, en retrait vingt mètres plus loin, étendaient leur nappe dans l'herbe.

— Quelle surprise! s'écria Stan pendant que Rita, crispée d'inquiétude, détaillait du regard cette superbe brune, au type latin, qui serrait Bob par la taille. Evidemment il était stupide que deux couples de si bons amis pique-niquent séparément. On forma donc un quatuor. Très vite on devint familier, d'une familiarité marquée au coin d'un début de libertinage auquel le décor champêtre se prêtait si bien. On fit sauter le bouchon d'une première bouteille de champagne. On trinqua. Alors s'installa entre Rita et Maryse une rivalité inévitable quand deux femmes se trouvent en compagnie d'un seul homme, Stan ne comptant pas. Le champagne aidant, on commença même à chercher un coin d'ombre, à l'abri des regards.

Comme il arrive très souvent en mai au Québec, une vague de chaleur qu'on ne retrouvait pas en été déferlait, abasourdissant les gens et les choses. Trois semaines plus tôt, il était tombé une tempête de neige grasse et lourde. Début juin, il fallait se préparer à endurer les méfaits des grandes marées qui apportent des pluies et un vent nordet à vous geler les os, un vent nourri du froid des glaciers se détachant du Pôle Nord pour flotter doucement vers Terre-Neuve. Après de longs mois d'hiver sibérien, ce mardi-là semblait un cadeau des dieux, un bienheureux répit accordé à une population qui ne bénéficiait chaque année que de quelques jours de printemps.

Le joyeux pique-nique organisé par Stan se déroulait d'une façon qu'il n'avait osé espérer. Assis sur des couvertures de laine rouge étendues dans l'herbe neuve, le groupe devisait avec entrain. De temps à autre ces dames poussaient de légers cris; des rires fusaient, déclenchés par les deux bouteilles de champagne déjà vides, entre deux bouchées de délicieux petits toasts au caviar. Stan avait déniché ce site discret, au bord du lit vide de la Rivière Séchée (1) qui débouche dans la Montmorency, d'où on ne pouvait apercevoir les deux couples, pas plus que du pont au-dessus de la célèbre chute, dont les Québécois s'enorgueillissent qu'elle soit plus haute que celles de Niagara. Ce coin de paradis offrait une intimité absolue dans un décor de carte postale. Tout près se découpait la silhouette du Manoir Montmorency, érigé jadis par le duc de Kent pour y loger sa maîtresse, une dame Saint-Laurent; tout à côté, à l'est, le club de golf Royal Québec accueillait les bourgeois. Au nord, les plus vieilles montagnes au monde, les Laurentides, déroulaient leurs anneaux usés par le temps, laissant surgir la somptueuse rivière toute grouillante de truites aventureuses ayant quitté leur lac d'origine.

Coup de pétard: un autre bouchon sautait! Encore du champagne? Bob, en chemise blanche ouverte sur sa poitrine velue, remplissait les verres d'une main experte, sans produire trop de mousse. Il éclaboussa de quelques gouttes la cuisse de Maryse, accroupie

---

(1) Rivière Ferrée

de telle façon que sa jupe s'en voyait relevée fort au-dessus des genoux. Bob se mit très doucement à essuyer de l'index les gouttelettes et Maryse, superbe cavale dans la trentaine, yeux mi-clos, disait de sa voix veloutée, qualifiée par Bob de "vaginale":

— Oh! Bob, continue, je souhaiterais que ça sèche jamais!

C'est Rita qui avait la gorge sèche, commençant à être très troublée. Par deux fois déjà, elle avait entendu un vrombissement d'avion, mais ce n'était pas le DC3 qui ramènerait Ovide de Sept-Iles. Elle pensa au film pornographique que lui avait décrit Cécile et qui, la nuit dernière, lui avait inspiré des cauchemars inavouables, l'abbé Marquis en faisant partie. Rita se rafraîchit d'une nouvelle lampée de champagne. Elle devenait nerveuse. Ce qu'elle pouvait être agaçante cette Maryse avec ses gestes provocants! Alors Rita s'en voulut de porter des bas de soie. Elle aurait dû faire comme cette Maryse et venir ici jambes nues. Il faisait si chaud! Stan, commençant à devenir fébrile, lut en elle comme dans un livre et suggéra:

— Détache tes jarretelles, chère, roule tes bas jusqu'aux chevilles, fais prendre l'air à ta belle peau de pêche.

Elle vida son verre, les défia tous les trois d'un regard pétillant comme le champagne:

— Et pourquoi pas? Je me mets nu-pieds!

En un tourne-main, elle avait décroché ses attaches, enlevé souliers et bas. Elle s'assit de guingois, avec pudeur cependant, les genoux collés, laissant habilement paraître autant de cuisse nue que Maryse. Stan y versa un peu de champagne. Elle eut un petit cri:

— Aïe! C'est froid! Tu me fais frissonner!

Elle ne pouvait plus arrêter cette langueur voluptueuse qui se propageait en elle, allumée par l'alcool et les caresses de Bob pour Maryse, alors que chez Stan ce spectacle demeurait un jeu de l'esprit. Bob avança sa main, mais Rita la repoussa mollement. Il recommença le manège avec beaucoup de douceur et celle-ci, haletante, vaincue, le laissa caresser sa peau humide de champagne, à l'endroit où la cuisse s'épanouissait en des rondeurs étourdissantes. Le désir monta en elle et obscurcit son regard. Il n'y avait plus de place dans sa pensée pour la boutique de montres, ni pour Ovide, ni pour la vertu. Son corps entier brûlait.

— En toute justice, dit Bob de sa voix profonde, j'en ai asséché une, je dois bien sécher l'autre.

— Mais pas plus longtemps pour elle que pour moi! protesta Maryse. Dix secondes, pas plus.

Les rires se faisaient moins francs, comme brouillés d'une hantise sourde. Bob, l'architecte de trente-cinq ans, grand et mince, les cheveux châtains légèrement ondulés, jouissait à Québec d'une réputation méritée de coureur raffiné. Sportif, prospère (il obtenait d'importants contrats du gouvernement Duplessis), il avait eu recours quelques fois aux "hôtesses" de Stan pour procurer du plaisir à certains fonctionnaires influents; correct au fond, il se serait bien gardé de leur refiler ses propres conquêtes. Il rit de toutes ses dents à l'avertissement de Maryse et continua de caresser le genou de Rita, gagnant quelques millimètres vers le haut. Rita, bouleversée, eut peine à retenir son envie de lui sauter au cou. Il la devina, et déposa un baiser délicat et brûlant sur la peau qu'il venait de caresser. Rita attendait, aveuglée, tendue, ardente. Mais Maryse bondit, saisit la tête de Bob et lui colla le visage sur sa cuisse à elle, maintenant complètement dénudée.

— Ma peau est-elle moins douce que la sienne, chéri?

Stan Labrie, les yeux brillant d'une lueur étrange, marcha dans le lit de la Rivière Séchée, pour vérifier si quelque groupe d'étudiants en géologie ne se pointait pas à l'horizon. Rassuré il revint vers le trio où, dans un crescendo fouetté par le champagne, les deux jeunes femmes se disputaient les caresses du vrai mâle. Vibrantes de passion, elles manifestaient déjà des signes de colère et de jalousie l'une envers l'autre.

— J'ai une idée fameuse, mes enfants! fit Stan, qui voyait enfin le moment venu de frapper un grand coup.

— On n'a pas le goût aux idées! éclata Maryse. Pas du tout!

— Tut! Tut! Mon idée, vous allez la trouver chouette. Une minute de repos, là, mes filles, et écoutez attentivement le professeur Stanislas Labrie. Vous lèverez le doigt quand j'aurai fini!

Commissaire-ordonnateur de cette cérémonie planifiée le matin même avec Bob, il parlait avec un calme pieux, empreint de langueur, le regard levé vers le ciel:

— On est tout seul au monde! Les habitants sont aux champs, les enfants à l'école, les golfeurs sur les verts, les femmes à leur vaisselle, les curés dans leur confessionnal. On est comme des petits oiseaux, libres, et nos corps chantent l'amour. Ceci dit, je lis ces temps-ci un livre extraordinaire sur l'ancienne civilisation hindoue. Leur dieu, un dénommé Shiva, je pense, a appris aux Hindous des secrets pour faire l'amour d'une façon qu'on connaît pas ici. On n'est pas assez développé.

Il s'assura que les deux femmes étaient suspendues à ses lèvres, puis laissa tomber:

— Connaissez-vous l'amour-papillon?

Devant leur ignorance, il haussa les épaules.

— Il faut deux femmes et un homme capable, puis un arbitre qui contrôle le match. Parce que c'est un match! L'homme, comme un papillon, va d'une femme à l'autre. Il fait l'amour à chacune pendant vingt secondes. C'est très oriental. Finalement, puisque toutes les grandes joies arrivent à leur apothéose, le bouchon saute. Celle qui reçoit l'élixir est proclamée grande championne et la plus féminine des deux.

— Bob, tu commences par moi! ordonna Maryse, un peu ivre.

— Oui, oui, fit Rita qui s'était un peu calmée pendant l'exposé de Stan et se promettait vaguement de refuser quand son tour viendrait.

— Non, on tire à pile ou face! coupa Stan. Justice pour tous!

Maryse applaudit:

— Je choisis la face du Roi d'Angleterre. C'est mon côté chanceux.

D'un coup de main d'habitué, Stan fit sauter une pièce de dix sous. C'est le profil de Georges VI qui apparut.

— J'en étais sûre! Et puis je veux pas que tu nous regardes faire, toi Stan, fit Maryse.

— Je respecte votre pudeur, ma chère. Je vais aller l'autre bord de la Rivière Séchée et je compterai les secondes en arbitre juste, incorruptible.

Il sortit de sa poche le chronomètre acheté chez Rita.

— Attendez mon signal!

Il traversa en courant le lit de la rivière et s'appuya contre un bouleau, montre en main.

— Go! cria-t-il.

Les ébats des participants se reflétaient dans ses verres fumés. Ce spectacle eût fait mourir Pacifique Berthet d'embolie. Le couple s'unissait avec fureur et Rita, qui avait d'abord essayé de détourner les yeux, mais en vain, devint à nouveau folle de désir. Haletante devant ce spectacle elle arracha d'un seul trait sa culotte rose et la lança au loin. Le charmant dessous, emporté par le vent, tomba dans la rivière Montmorency, puis dans la chute.

— Stop! Au tour de Rita! criait Stan.

Bob et Rita se ruèrent l'un sur l'autre, tandis que Maryse, les yeux fous de frustration, s'agrippait aux hanches du mâle. Celui-ci semblait s'amuser des petits cris rauques de sa nouvelle partenaire. Bob se montrait meilleur amant qu'Ovide (cet homme qu'elle avait dû connaître quelque part), si prompt à l'attaque mais trop rapide d'exécution. L'architecte résista aux vingt secondes consacrées à Rita. Les stop! de Stan claquaient l'air comme des coups de fouet. Rita retenait un sanglot comme chaque fois qu'elle approchait de l'orgasme. Bob retourna à Maryse. Rita haletait, puis Bob lui revint, invaincu. Au bout de dix secondes intenses, elle poussa un grand cri de plaisir absolu. Terrassé il s'allongea, n'osant regarder Maryse, rageuse. Rita, relevée, mit son pied nu sur le torse velu de Bob étendu. En amazone triomphante, elle lança au soleil:

— Hip, hip, hourra! J'ai gagné! Je suis la championne!

Elle reçut une forte gifle de sa rivale.

Stan tint parole. Rita put revenir à trois heures au magasin, le chapeau planté tout de travers, la gorge sèche, le coeur dans les talons. En s'envolant, les vapeurs de l'ivresse la laissaient dans un état de désespoir extrême.

Sa vie ne serait plus la même, jamais.

CHAPITRE VINGTIEME

L'oeil de Pacifique dans l'orifice du mur, observa Rita qui vérifiait son visage défait devant le miroir. D'une main fébrile elle se refit du mieux qu'elle put une beauté qui lui parut fanée. Faire l'amour quand la conscience s'en trouve bouleversée enlaidit, constatait la femme d'Ovide. Rita marchait comme une automate d'un comptoir à une étagère, puis de nouveau au comptoir. Stan, tenant son sac à main, entrait en coup de vent.

— Tiens, tu l'avais oublié dans ma voiture!

Les larmes au bord des yeux, elle prit son sac et, les dents serrées grondait:

— Que je t'en veux, Stan, que je t'en veux! Je te le pardonnerai jamais. J'ai honte, j'ai honte!

— Voyons donc! fit-il en haussant les épaules. C'est une expérience que tu vas te rappeler toute ta vie. T'auras été une des rares femmes à Québec à faire l'amour-papillon. C'est quelque chose! Si t'avais vu tes belles pattes qui fendaient l'air comme des ciseaux! Et quand t'as mis le pied, comme Tarzan, sur la poitrine de Bob et que t'as crié: "Hip, hip, hourra! J'ai gagné, je suis championne!" ça m'a fait penser que si j'organisais un tournoi d'amour-papillon, tu gagnerais le championnat du Canada!

— Pas si fort! Tais-toi! fit-elle, jetant un regard épouvanté vers l'arrière-boutique. Et va-t'en au plus vite! Je t'en veux trop!

S'apercevant enfin de la sincérité du remords de Rita, il garda un silence penaud et partit. Rita marcha vers l'arrière-boutique, entrouvrit la porte et, adoptant un ton de voix presque indifférent:

— Pas trop de clients se sont cognés le nez sur la porte, Monsieur Berthet?

— Entrez, chère petite Madame. Je ne vous mangerai pas. Vous semblez de meilleure humeur que ce midi.

Pacifique parlait d'une voix pâteuse et ses yeux luisaient d'un éclat inquiétant.

— Clients! Clients! Et puis après, c'est bien plus important de faire l'amour, hein, Rita?

Elle devint livide, oubliant de respirer. L'infirme était ivre! Elle avait pourtant averti Stan de se méfier et de parler plus bas! Jusqu'à quel point Pacifique savait-il? S'il réussissait à tout connaître de ses actes et de ses pensées, puis de cette aventure qu'elle venait de vivre, la ville entière pourrait l'apprendre bientôt ou le savait déjà? Etouffant de panique, elle sentit ses jambes mollir et des papillons voler dans son ventre. L'abus du champagne, dont les vapeurs achevaient de la quitter, la laissait dans un état de vulnérabilité maladive. Tendant une main tremblotante vers elle, Pacifique, l'air bestial, suppliait:

— Approche ici un peu. Sois gentille, viens, viens!

Il la tutoyait! Donc la croyait à sa merci? Mais qu'il la suppliât ainsi avec douceur la soulagea. Elle glissa d'un pas hésitant vers la chaise longue. Il souriait béatement. Après le départ de Rita, ce midi, il avait bu, torturé de passion, un litre de De Kuyper. C'était la première fois, depuis l'ouverture du commerce, qu'il commettait cette erreur.

— Plus près, plus près, je ne te ferai pas mal?

— Vous avez bu, Monsieur Berthet! souffla-t-elle.

Petit oiseau effrayé, toutes plumes raidies, elle se tenait debout devant lui, subjuguée par son regard de faucon bouleversé.

— Vous avez eu un agréable déjeuner sur l'herbe? Au bord de la belle Montmorency, ce doit être plaisant de faire l'amour-papillon?

Elle chancela sous le coup. Il devenait évident qu'il avait entendu toute leur conversation, à elle et à Stan. Ou peut-être les avait-il fait suivre?

Les yeux écarquillés elle réussit à murmurer:

— Qu'est-ce que vous inventez là? Vous prenez trop d'alcool!

— Approche...approche, moi aussi je suis un homme. Faut

comprendre. Tu me mets dans tous mes états! Je te désire!

Elle n'apercevait pas son geste obscène. La voix altérée, monocorde, elle répétait sa question:

— C'est quoi cette invention d'amour-papillon?

Il souriait béatement, jouant le sphynx.

— J'ai des yeux et des oreilles partout en ville. Tous les chauffeurs de taxi de Québec sont mes amis. Allons, fais pas l'innocente, ma petite. Le proxénète Stan Labrie, je le connais et je sais qu'il t'a fréquentée avant ton mariage avec Ovide. C'est lui qui a monté tout un réseau de prostituées pour le beau monde des congrès et de la politique. C'est un gars dangereux, tiens-toi loin de lui. Tout à l'heure, j'ai reconnu sa voix et j'ai entendu ce qu'il a dit. Il parle fort et j'ai l'oreille fine, oui, j'entends tousser les mouches. Mais je ne suis pas bavard, rassure-toi. Tout ça, ça sera notre secret à tous les deux.

Avec des élans de son corps, il faisait avancer la chaise longue vers elle qui reculait. Allait-elle défaillir? Elle, une femme facile, quand elle aimait tant Ovide et faisait des sacrifices inouïs afin de se bien conduire? Bien sûr, l'année précédente, par légèreté, pour rire, se distraire, elle avait commis quelques erreurs fort regrettées, mais restées sans lendemain. Quant à aujourd'hui, c'était un accident contre lequel sa volonté n'avait rien pu faire. On l'avait piégée, enivrée. Une féroce envie de courir à l'église, de se prosterner devant la statue de la Sainte Vierge pour lui demander pardon la saisit. Ensuite elle se confesserait dans une autre paroisse. Tendu vers elle, ravagé, Berthet tremblait maintenant, comme s'il avait eu froid. La voir ainsi désespérée, sans défense, exacerbait son désir.

— Je ne dirai rien à personne, je te le jure. Je t'aime trop pour ça. Je ne veux pas que tu sois malheureuse, Rita chérie.

— Que c'est fin de votre part! murmura-t-elle dans une bouffée de totale reconnaissance.

Il lui saisit la main.

— Moi aussi, je t'aime! cria-t-il presque. Comme tous les hommes, plus que tous les hommes. Tu ne t'en es pas aperçue?

Ses doigts glacés ne pouvaient se détacher de la poigne brûlante de Pacifique qui les serrait de plus en plus fort. Il parlait vite:

— Je me meurs d'amour pour toi depuis que je t'ai vue à l'hôpital. C'est pour ça que j'ai voulu m'associer à ton mari. Imagines-tu ma terrible torture quand je te sens au comptoir, devant, à longueur de journée, flirter avec d'autres? Je me tords de jalousie dans mon coin. Et tu ne me regardes jamais, comme si j'étais du fumier.

Rita était estomaquée. Par quelle punition de Dieu arrivait-elle, sans le vouloir, à déclencher de tels sentiments chez la plupart des hommes? Il s'accrocha à son bras:

— Rita, embrasse-moi! fit-il, presque pleurant.

Elle se dégagea, fit un bond en arrière, blanche comme cire. Comment pouvait-il oser lui demander cela? Elle eut un haut-le-coeur devant ce Berthet qui avait une plaie au côté et puait l'alcool. De plus, c'était un maître-chanteur, un voyou qui, un beau matin, renseignerait Ovide, briserait leur ménage et sa réputation. Non, jamais elle ne se donnerait à lui pour le faire taire. Elle en serait prisonnière pour toujours. Dans quel coin du monde se sauverait-elle, comme une pauvresse galeuse? Il s'était levé et, à cloche-pied, fonçait.

— Je t'en supplie, embrasse-moi!

Elle reculait vers la porte, transie de honte et d'horreur et ne put retenir le cri qui fusa du plus profond d'elle-même:

— Jamais! Sale infirme!

Qu'avait-elle dit là? Elle le vit devenir gris, chanceler, comme frappé par une volée de balles. Elle était perdue! Il parlerait à Ovide! Elle s'enfuit vers le comptoir en criant:

— Excusez-moi! C'est pas ce que je voulais dire!

Il s'écroula de tout son long sur le sol, rampa vers sa chaise longue en geignant tel un fauve grièvement blessé. La tête enfouie dans ses bras, il pleurait sourdement en un crescendo né dans le désespoir et abouti dans un accès de rage. Elle revint dans l'embrasure de la porte qu'elle avait négligé de fermer.

— Encore une fois, excusez-moi, Monsieur Berthet, fit-elle faiblement.

Voyant pleurer cet homme malade qu'elle apercevait de dos et dont les épaules sautaient, secouées par des sanglots rauques la déchirant, elle se demanda si elle n'était pas la femme la plus cruelle de l'univers. Elle ferma la porte comme on quitte la cellule d'un comdamné à mort et, les yeux fixes, comme une automate, marcha au tiroir-caisse, l'ouvrit et prit dans ses mains fébriles le revolver allemand rapporté de la guerre par Guillaume, et donné à Ovide, car tout bijoutier doit garder une arme en magasin. Elle le tourna sur toutes ses faces, le soupesant. Non, elle n'était pas suicidaire. Elle le remit dans le tiroir.

Le coeur gros, la tête dans les mains, les coudes sur le comptoir, elle se demanda comment finirait ce mauvais rêve. A qui se confier? Appeler Stan? Il voudrait faire un mauvais parti à Berthet, et inéluctablement on déboucherait sur une situation encore plus tragique. Non seulement elle perdrait Ovide, mais elle le ruinerait. Ah! pourquoi avait-elle tant insisté pour qu'il fasse plus d'argent, pour qu'il se lance en affaires? Elle avait hâte à cinq heures pour courir à l'église où elle serait presque seule (des vieilles femmes la verraient peut-être et raconteraient la chose à Joséphine), à l'église où elle parlerait à la Sainte Vierge comme à sa mère, en la suppliant de la prendre dans ses bras éthérés, de la consoler, de la protéger, de lui indiquer la voie à prendre. Marie-Madeleine n'avait-elle pas été pardonnée par le Christ? Il lui restait une demi-heure à souffrir cette présence de plomb de Pacifique Berthet, dont le regard de fauve traversait les murs et lui brûlait la nuque.

Pacifique, dégrisé, avait réintégré sa chaise longue. En quelques minutes il était devenu tout autre. Son teint avait passé au gris et ses yeux lançaient des éclairs glacés. Rita, par son insulte inouïe, avait tué en lui d'un seul coup la flamme de l'espérance, toujours prête à s'éteindre, qu'il essayait d'entretenir depuis des années, ravivée par le succès de la bijouterie et par sa passion dévorante pour cette femme. Maintenant tout était fini. Que lui importaient les profits dont il ne pouvait jouir, générés par son talent et presque tous raflés en folles dépenses par celui qui l'exploitait chaque jour, Ovide Plouffe? A quoi bon vivre, ainsi rebuté et méprisé par sa Rita tant aimée, qui venait de cracher sur lui? Sale infirme! Pourtant il n'avait demandé que l'aumône d'un baiser!

Son microscope monoculaire vissé à l'oeil, il consulta un contrat d'assurance dont les caractères étaient presque illisibles, reprit la lecture d'un paragraphe dont les lignes sautaient. Il s'y glissait, en lettres de feu, les mots lancinants "Jamais, sale infirme!" Pacifique ne serait plus qu'un cadavre quittant son tombeau dans la nuit pour se nourrir du sang de ceux qui l'avaient achevé dans l'humiliation.

Impossible de lire! Il replia le contrat d'assurance, le glissa dans la commode qui lui servait de secrétaire. Qu'il avait été prévoyant d'obliger Ovide et Rita à contracter avec lui cette assurance-accident, dont le ou les bénéficiaires recevraient cent ou cinquante mille dollars! Ovide voyageait tellement par air, par terre et par mer! Quant à Rita, elle conduisait sa voiture avec une telle insouciance, la tête souvent tournée vers quelque passant qui la sifflait. On ne sait jamais. S'il leur arrivait malheur? Il serait riche, Pacifique. Il se rappela qu'Ovide avait hésité avant de signer ce document: "Je n'aime pas qu'on fasse de la mort l'objet d'une transaction."

A cinq heures Rita quitta son comptoir et se rendit à l'église, où le vicaire Marquis fut bien surpris de la voir prier si fort devant la statue de la Sainte Vierge, en lorgnant de temps à autre le purgatoire électrique. Il ignorait qu'elle s'identifiait à l'âme la plus affolée. Pacifique sortit quelques instants plus tard et attendit le chauffeur de taxi.

***

Quand Ovide arriva à l'aéroport de l'Ancienne-Lorette à bord du DC3 de la Canadian Pacific Airlines, il fut assailli par une Rita qui lui sauta au cou en le gardant longuement embrassé comme s'il revenait d'une absence de deux ans. Elle le bécotait partout sur le visage au point que, submergé et surpris, il tenta gentiment, en souriant, de se dégager de ces effusions.

— Que je me suis ennuyée, mon Ovide, que je me suis ennuyée! Je veux plus que tu partes longtemps comme ça.

— L'avion a été retenu au sol par la brume pendant deux jours, imagine. Quel métier! soupira-t-il.

— La prochaine fois, tu m'emmènes! Tu promets?

— Je te le promets.

— Et comme t'as l'air fatigué, pauvre chou!

Surpris et charmé d'abord de voir Rita l'accueillir pour la première fois en sept mois à sa descente d'avion, il se ressaisit, essayant de percer le motif de cette exaltation subite. Du petit doigt elle lui caressait les poches bleuâtres sous les yeux.

— Tu travailles trop, mon amour. Faudrait pas que tu tombes malade, hein?

Il haussait les épaules, résigné.

— Gagner sa vie, ça n'est jamais facile, ni reposant. Je t'avoue que cette vie dans les chambres d'hôtel de campagne, avec l'oeil sur une valise pleine de bijoux, commence à me peser.

Il se mit à examiner Rita avec plus d'attention.

— Toi aussi, tu as les traits tirés. On dirait que tu n'es pas comme d'habitude. La petite n'est pas malade? La bijouterie?

Non, tout allait bien. Sous la dénégation muette de la tête, la chevelure de Rita valsait de tous côtés. Il fallait donc conclure que, sans Ovide, sa vie n'avait plus de sens.

— Qu'est-ce que c'est que ce paquet?

Il sourit:

— J'ai acheté pour toi quelques bibelots en bois sculptés par les Indiens et une petite jupe de cuir à frange pour Arlette.

Elle avala sa salive, ferma les yeux et appuya sa tête contre son épaule. Pendant qu'elle le trompait étourdiment, il pensait à elle, lui achetait des présents. Comment pourrait-elle jamais se pardonner son crime? Ils marchaient vers la décapotable blanche.

— Je suis vraiment inquiet, Rita. Tu ne me dis pas tout. Je te sens bouleversée, profondément même.

Une envie folle la prit de tout lui avouer. On était aujourd'hui vendredi. Depuis deux jours, elle se rendait au magasin comme à la potence. Pourtant Pacifique se conduisait comme si de rien n'était. Elle se retint. On ne sait jamais. Peut-être la Sainte Vierge, qu'elle avait si ardemment suppliée, ferait en sorte que tous oublieraient ce mauvais rêve et qu'elle se rachèterait en mettant au monde un autre enfant, en devenant une femme parfaite pour Ovide?

— Vraiment je te trouve très soucieuse, insistait Ovide. Toi d'habitude si délurée, si enjouée, si primesautière?

— La vérité, c'est que je veux plus travailler au magasin.

Il eut peur un instant qu'elle lui parle à nouveau de ses envies de devenir serveuse. Mais non! Ils n'avaient plus besoin d'argent.

Elle soupira, hésita, puis, ouvrant la porte de son automobile:
— C'est trop captivant, le magasin, et t'es trop souvent parti. Je veux que notre vie, on la vive ensemble.

Un doux baume enveloppa le coeur d'Ovide. Il décida de prendre le volant, lui qui ne conduisait à peu près jamais et fit démarrer la voiture comme un champion.

— Qu'à cela ne tienne. Nous trouverons quelqu'un pour te remplacer. En fait, j'en suis heureux. T'as pas eu de problème avec Pacifique Berthet, par hasard? fit-il en fronçant les sourcils.

Le regard perdu, elle disait un faible "non".

— Tu comprends, ça crée une drôle d'atmosphère pour une femme de mon âge de sentir, dans son dos, cet homme malade étendu dans une chaise longue; qui travaille douze heures par jour, mais a l'air de nous épier tout le temps avec les yeux comme des rayons X.

Il rit:

— J'avoue que ça n'est pas folichon comme climat. Au moins toi, les clients te distraient, tandis que lui, il est à plaindre. Mais qu'est-ce qu'on peut y faire? Je t'avoue qu'à moi aussi la situation commence à peser. Patientons encore un peu. Mettons plus d'argent de côté. Je vendrai alors le commerce et nous partirons en année sabbatique à Paris. Ensuite nous verrons. La vie est belle, elle a plus d'imagination que mille Balzac réunis. Allons, ris! Remonte-toi!

Rita poussa un long soupir tout empreint de confiance. Elle revenait à la surface grâce à Ovide, celui-là même qu'elle avait trompé.

— T'es donc fin, fit-elle, amoureusement songeuse.

— Et puis parlons d'autre chose! As-tu écouté mon billet, mardi, à la radio?

Non, elle avait complètement oublié. Elle se rappela que ce jour-là elle avait papillonné dans l'herbe, que Berthet l'avait attaquée, qu'elle l'avait traité de "sale infirme" et qu'elle s'était précipitée à l'église. Et toute la soirée, après avoir mis Arlette au lit, elle s'était rongé les ongles en pleurant de désespoir. Ovide était déçu. Il fit la moue.

Elle le sentit, s'empressa d'ajouter:

— Mais Monseigneur Folbèche est venu m'en parler! Il s'en frottait les mains de plaisir. Plus ça va plus il te trouve formidable. Ah!

j'oubliais! Il t'invite spécialement au presbytère à un vin d'honneur pour Jean Marchand et le père Lévesque après la grand'messe dimanche.

— Et tu le disais pas! s'exclama Ovide joyeux qui, par nervosité, freina brusquement, projetant Rita en avant.

— Oh! excuse-moi. Alors la grande cérémonie s'annonce plutôt bien?

Délivrée, tirée de sa hantise, elle parla d'abondance:

— Tu devrais voir ça! Les autos avec haut-parleurs parcourent les rues de la ville. On en parle à la radio. Il paraît même que Monseigneur Folbèche est devenu la bête noire de Duplessis. Des délégations d'étudiants, de professeurs, de journalistes, de mineurs grévistes, toute sorte de monde se prépare à venir. C'est comme pour la grande procession de 1940 contre la conscription: Monseigneur est un vrai général à la tête de ses troupes.

Ovide souriait, l'oeil perdu vers le destin du Québec. Au cours de ses voyages dans les petites villes et les villages, il constatait que la société traditionnelle éclatait. Et c'est à l'église de sa paroisse que se produirait un événement majeur, cérémonie-symbole des transformations profondes qui secouaient le milieu. Cette grand' messe organisée par Monseigneur Folbèche, où Jean Marchand monterait en chaire et prendrait la parole, devant l'autel, lui apparaissait comme un tremblement de terre précurseur de formidables secousses sociologiques. Il pensa aux trois lettres ouvertes, de style vitriolique, rédigées dans des chambres d'hôtel de la Côte Nord et qu'il avait fait parvenir au journal LE DEVOIR. Il y fustigeait la dictature de Duplessis, la mollesse et l'aveuglement des foules devant les pouvoirs établis.

— Fais-toi belle, dit-il. Nous serons présents à cette messe historique, dans le banc des Plouffe. Quand je pense que Monseigneur Folbèche m'invite à rencontrer ces champions de notre avenir! Il est chic! Te rends-tu compte? Je vais serrer la main de Maurice Lamontagne, André Laurendeau, Marchand, Pelletier, Pierre Elliott Trudeau peut-être?

Le samedi soir, à la grande surprise de son mari, Rita ne voulut pas aller danser au Château. Elle préférait se reposer, rester avec lui à la maison. Elle se disait fatiguée, incapable de se débarrasser d'un profond vague à l'âme qui commençait d'inquiéter Ovide. N'avait-elle pas prétexté une forte migraine pour lui refuser les joies de l'amour qu'il avait espérées toute la semaine? Non, elle préférait l'écouter parler, blottie comme une fillette malheureuse contre son épaule.

CHAPITRE VINGT ET UNIEME

Ce dimanche-là, Monseigneur Folbèche allait vivre les moments les plus exaltants de sa vie sacerdotale. Dans son esprit, cette messe-assemblée politique soulignait une forme de résurrection de la paroisse et de l'Eglise du Québec, boudées depuis quelque temps. Le soleil, filtrant des vitraux du temple, faisait briller tous les ors de l'autel et le tabernacle en semblait embrasé. Le sanctuaire était bondé d'invités de paroisses voisines, monseigneurs, chanoines, curés et vicaires. Il montait de l'église pleine à craquer un murmure inhabituel, comme si l'on pressentait que cette grand'messe prendrait une tournure imprévue.

Les zouaves paroissiaux, sous le commandement d'Ephrem Bélanger en uniforme d'apparat, assuraient le service d'ordre. Ephrem, dominant son champ de bataille d'un regard de pontife, avait l'oeil à tout. Jamais il n'avait marché aussi vite, le fourreau argenté cliquetant sur les dalles. Chaque fois qu'il passait devant l'autel, il s'immobilisait, tirait l'épée, la dressait, l'embrassait en esquissant une légère génuflexion devant le tabernacle.

Monseigneur Folbèche trottait ici et là dans les allées, le front en sueurs. Inquiétant présage, son système d'air climatisé ne fonctionnait pas. L'oeil vif, le pied agile malgré son âge, il veillait à ce que les invités de marque, les jeunes intellectuels, les journalistes de Montréal et de Québec, les Dominicains, les universitaires fussent placés à leur satisfaction. C'est ainsi qu'il crut poli de faire s'asseoir le chef syndicaliste Jean Marchand et ses amis, le journaliste Gérard Pelletier, l'intellectuel Pierre Elliott Trudeau, et l'élève préféré du père Lévesque, Maurice Lamontagne (protégé de Louis Saint-Laurent qui lui promettait un brillant avenir politique), dans le banc le plus recherché de l'église, en avant: celui des Plouffe.

Monseigneur Folbèche se frappa le front. Il avait oublié d'en avertir madame Plouffe. Heureusement elle ne se montrait pas encore avec sa famille. Il en était d'ailleurs surpris. Mais Joséphine comprendrait et céderait sa place. Il constata avec satisfaction qu'un grand nombre de regards examinaient son purgatoire électrique rougeoyant sur son socle et où les âmes affolées exécutaient un ballet particulièrement brillant aujourd'hui.

Monseigneur Folbèche sortit sur le parvis et ses poumons se gonflèrent d'une fierté généreuse pendant que son regard survolait, puis enveloppait la foule nombreuse, trépignante, qui attendait les discours que Monseigneur et Jean Marchand prononceraient à l'intérieur de l'église, après la messe. Alors, on l'avait annoncé, Monseigneur Folbèche retirerait les saintes espèces afin de ne point gêner Notre-Seigneur, pour ne point le compromettre dans cette violente chicane intestine entre ses enfants, car le clergé lui-même était divisé sur le véritable sens de cette cérémonie organisée par le pétulant pasteur.

Le vieux prêtre se sentait l'âme d'un héros. Cette action d'éclat, dont il devinait qu'elle pouvait nuire à sa fin de carrière, ne l'accomplissait-il pas pour cinq mille mineurs en grève depuis trois mois, ces travailleurs exploités par l'étranger, fort de l'appui de Duplessis? Comment certains membres du haut clergé pouvaient-ils lui reprocher de faire servir son église à la cause des ouvriers canadiens-français, en prétextant une quête pour les grévistes? Mais l'Archevêque de Québec n'avait-il pas autorisé, puis recommandé cette collecte dans toutes les paroisses? Ce prélat si bon, si sage, qui avait vécu toute la guerre comme aumônier militaire, n'avait-il pas fait téléphoner hier à Monseigneur pour lui suggérer de ne pas exagérer, d'être prudent, car lui-même s'affairait, à titre de négociateur extraordinaire, à rapprocher les antagonistes? Ça n'était pas le moment de mettre le feu aux poudres, ni de jouer au pêcheur en eaux troubles, par vanité, pendant qu'une discussion favorable aux demandes ouvrières paraissait sur le point d'aboutir.

Le vieux prêtre sentait qu'il allait outrepasser les directives de l'Archevêque. Il s'inquiéta. Mais il était poussé par le destin.

Les cloches sonnèrent à toute volée, pendant que les techniciens vérifiaient le système des haut-parleurs. Ici et là dans la foule on apercevait des policiers provinciaux et quelques représentants en civil de la Gendarmerie Royale du Canada. Monseigneur Folbèche sourit. Pourquoi des policiers, quand cette foule venait manifester ici sa générosité, sa solidarité envers des travailleurs se battant pour un traitement plus humain? Il jeta un regard satisfait sur le contingent de jeunes filles, de femmes et d'hommes rangés le long du grand escalier, sébille en main, prêts, lorsque le signal serait donné, à commencer la grande quête.

Soudain il fronça les sourcils. La délégation des Plouffe, Joséphine en tête, entrait par la porte centrale. La mère était flanquée de Cécile, vêtue avec une coquetterie qu'on ne lui avait jamais connue; suivaient Napoléon et Jeanne, puis Ovide et Rita. Ils étaient en retard, car au moment du départ de chez Joséphine, Rita s'était sentie étourdie. On lui rafraîchit le visage. Ovide, aussi inquiet que très ennuyé par ce contretemps, lui avait suggéré d'une voix molle de retourner à la maison avec lui. Tant pis, il ferait son deuil de cette cérémonie à laquelle il tenait tant. Mais elle avait insisté, décidant d'aller quand même à la messe. Ovide l'avait embrassée. C'est pour lui faire plaisir que, même incommodée, elle l'accompagnait! Chère Rita!

Monseigneur Folbèche trotta derrière eux, mais le groupe avait déjà atteint le devant de l'église. Plantée comme un gendarme devant les intrus occupant déjà sa propriété, ce banc pour lequel elle payait vingt dollars par année depuis longtemps, Joséphine, silencieuse et déterminée, attendait que ces "squatters", ces intrus, si distingués fussent-ils, le libèrent.

— Mais c'est Jean Marchand, c'est Gérard Pelletier, c'est Monsieur Trudeau, c'est Maurice Lamontagne, c'est Gérard Picard, c'est l'abbé Pichette! lui chuchotait Ovide, embarrassé, la tirant par la manche.

— Madame Plouffe! Madame Plouffe! fit Monseigneur qui les rejoignait et soufflait à l'oreille de Joséphine que ces occupants étaient des invités prestigieux. Les regards des voisins observaient le groupe en conciliabule. Ceux qui connaissaient Joséphine s'amusaient de la situation et en attendaient le dénouement.

— Notre banc, c'est notre banc, faisait Joséphine, intraitable. Si on le paye, depuis trente ans, c'est pour profiter, j'espère, des événements spéciaux. Je regrette, mais qu'ils aillent s'asseoir ailleurs.

— Je vous en supplie, Madame Plouffe, ne me faites pas ça aujourd'hui. Tenez, je vous offre de vous placer dans le choeur, avec les chanoines et les évêques, implora tout bas Monseigneur Folbèche.

— C'est oui! décida Ovide. Allons, maman, mettons fin à cette situation ridicule!

— Allons-y maman, approuva Cécile, c'est rare qu'on laisse asseoir les femmes dans le choeur. C'est tout un honneur!

Joséphine hésita quelques secondes puis, en soupirant:

— Heureusement que c'est pour vous, Monsieur le Curé.

Soulagé, Monseigneur Folbèche les escorta jusque dans le choeur où il fallut faire déplacer quelques vicaires. Joséphine promenait sur la foule un regard hautain. C'était la première fois qu'elle observait l'église à partir du sanctuaire.

Alors la grand'messe solennelle se déroula, accompagnée des plus beaux cantiques de la chorale des hommes, qui avaient été répétés depuis une semaine en vue de la cérémonie. Cécile chuchota à l'oreille de sa mère qu'elle trouvait Rita bien pâlotte, qu'il faudrait y voir. Napoléon se disait, plaisantant, que pour une telle messe révolutionnaire, on aurait pu admettre un solo de trompette! Ovide oubliait Rita, examinait avidement tous ces intellectuels qu'il admirait tant. Qu'il avait hâte à la réception au presbytère tout à l'heure, pour leur serrer la main! Peut-être avaient-ils entendu parler de lui et de ses billets à la radio?

Quand la messe fut terminée et que les saintes espèces furent retirées, la foule put respirer plus librement, comme si la présence du bon Dieu avait jusque-là tout paralysé. Puis Monseigneur Folbèche monta en chaire et empoigna le micro. Il toussa. Le trac lui refroidissait le ventre. Chose étrange, le ton ordinaire de ses prêches lui échappait. Il se retrouvait passionné comme un orateur politique, tel qu'il l'avait été lors de la célèbre procession du

Sacré-Coeur en 1940, quand il avait harangué des milliers de marcheurs. Il donna par le microphone, l'ordre de commencer la quête à l'extérieur. Elle avait été faite déjà, à l'intérieur. On la disait abondante en billets d'un dollar. Puis il souhaita la bienvenue à tous ces gens venus de partout pour ce ralliement nationaliste, pro-syndicaliste, dont son église s'enorgueillissait au suprême degré, et qui s'inscrirait en lettres d'or dans l'histoire de la paroisse.

Le commandant Ephrem Bélanger, ayant à se rendre vers ses zouaves rangés au garde-à-vous le long du mur, eut à passer à nouveau dans le champ du tabernacle. Oubliant que les saintes espèces avaient été enlevées, il embrassa quand même son épée, fit sa génuflexion et son regard croisa celui de Joséphine qui lui adressa un amical clin d'oeil. Il rougit d'émotion, puis devint écarlate quand il s'aperçut de sa bévue, qui faisait sourire tous les dignitaires dans le choeur. Il alla se fondre dans les rangs de ses soldats à culottes bouffantes. Ovide avait eu peine à ne pas pouffer de rire. Mais, le menton dans la main, il revint vite à l'homélie de Monseigneur Folbèche, dont le ton montait. L'orateur s'interrompit soudain, le regard posé sur un individu qui, fébrilement, notait tout ce qu'il disait sur un calepin. Une bouffée de colère empourpra son visage:

— Je sais que des espions se sont faufilés dans cette belle assemblée. Vous êtes chez vous! Ne vous gênez pas, écrivez, prenez des notes, la vérité n'a pas peur de vous. Il est temps que le peuple canadien-français affirme son courage, et que l'énergie qu'il dépense à défendre sa culture, sa religion, ne soit pas minée par ceux qui, pour garder tranquillement leur pouvoir et leurs privilèges, favorisent l'exploitation de l'homme par l'homme, par des gens qui contrôlent nos richesses naturelles et nous traitent comme du bétail, comme des inférieurs parce que nous sommes une minorité française sans défense. Eh bien! nous allons contre-attaquer par notre syndicalisme catholique et français! Car c'est à l'intérieur de notre patriotisme et de notre religion, nos deux grandes forces, que nos ouvriers peuvent se défendre!

Sa voix prenait plus d'ampleur et vibrait d'indignation. D'anciennes frustrations, trop longtemps retenues, éclataient.

— Oh! je sais que certains évêques ne pensent pas comme moi. Eh bien! ces évêques-là, ce n'est pas dans le doigt qu'ils devraient porter l'anneau épiscopal, mais dans le nez! Oui, dans le nez!

Un murmure étonné monta de l'auditoire. Quelle audace! quel courage! Dans le choeur, et à l'avant de l'église on était perplexe, quoique souriant avec embarras. Quel curé imprudent, mais admirable! Du fond de l'église, plusieurs applaudissements éclatèrent et déchaînèrent l'orateur.

— Curé de ma belle paroisse d'ouvriers courageux, je comprends le drame de ces sacrifiés des mines d'amiante qui souffrent depuis trois mois, traités en ennemis de l'ordre, de la nation et de notre économie par l'Honorable Maurice Duplessis. Je l'avoue, j'ai recommandé à mes paroissiens de voter pour lui il y a quatre ans; ne se battait-il pas alors pour l'autonomie du Québec, n'avait-il pas rallié tous nos nationalistes? Ne combattait-il pas la corruption? Nous l'avons élu pour qu'il batte les rouges lécheurs de bottes de la Couronne britannique. L'enfer est rouge, le ciel est bleu, disais-je alors. Mais aujourd'hui, quand je vois le Premier Ministre lancer ses troupes de la police provinciale sur nos mineurs canadiens-français affamés et sans défense, je clame bien haut un holà! retentissant qui rejoint celui de la Société Saint-Jean-Baptiste, de la Faculté des Sciences Sociales et des Syndicats Catholiques. Le Premier Ministre est un homme dangereux, pervers, qui a trompé notre confiance en utilisant le nationalisme comme tremplin pour se faire élire!

Un tonnerre d'applaudissements ébranla l'église. Napoléon devenait soucieux. Duplessis perdrait-il le pouvoir? Et ses contrats de plomberie? Joséphine dit à Ovide qu'il était préférable que l'oncle Gédéon ne fût pas là, lui, l'ami intime de Duplessis. Ovide continuait d'applaudir, jetait un coup d'oeil fier vers le banc familial où Jean Marchand, comparé à Jaurès, et Pierre Elliott Trudeau, l'intellectuel au masque oriental, fils d'une riche famille de Montréal, étaient assis, visages crispés d'une certaine désapprobation. Ovide s'étonna de cette attitude mécontente. Pourquoi cette réserve? Le curé Folbèche s'écria:

— Et vous, zélateurs et zélatrices à l'extérieur de l'église, parcourez la foule, quêtez avec passion! Que le tintement des vingt-cinq sous par dizaines de milliers sonne un généreux carillon pour nos frères les mineurs! Que ceux qui le peuvent donnent même une journée de leur salaire! Je compte sur vous tous!

Et, se tournant vers l'assemblée:

— Ah! je sais que de fortes influences joueront contre moi après ce discours. Qu'importe! Si je dis la vérité et qu'il s'ensuive l'union de tout notre clergé en un front commun pour défendre les droits de l'ouvrier canadien-français et catholique, eh bien! je mourrai content!

Le curé Folbèche suait à grosses gouttes et essayait de maintenir vibrant le registre épuisant de sa rhétorique. Dans le choeur, on l'applaudit à peine. Le père Lévesque hochait la tête, soucieux. Monseigneur Folbèche fut piqué par le doute. Qu'avait-il dit de répréhensible? Etait-il allé trop loin? Alors le vieux prêtre, perplexe, invita Jean Marchand, secrétaire général des Syndicats Catholiques, à prendre la parole. Celui-ci, crinière en bataille, courut plus qu'il ne marcha vers la chaire.

Le discours de Monseigneur avait agité en lui toutes sortes de sentiments contradictoires et une passion de l'éloquence qu'il ne pouvait contenir. D'abord mal à l'aise dans cette chaire, il ne fut pas long à l'oublier et fit entendre sa voix forte, convaincante:

"Mes chers amis! (1)

"Votre participation massive à cette assemblée démontre, de façon impressionnante, l'intérêt que vous portez à la cause des mineurs de l'amiante des Cantons de l'Est qui, aujourd'hui, sont à la fine pointe du combat social qui se livre au Québec.

"Merci aux organisateurs, merci à Monseigneur Folbèche d'avoir mis exceptionnellement à notre disposition cette enceinte sacrée, lieu par excellence de réflexion et de méditation. Même si les saintes espèces ont été retirées, chacun comprendra que l'invitation de nous grouper ici porte en soi un message de la plus haute importance!

"Nous ne sommes pas, chers amis, en présence d'un conflit ordinaire où les partenaires industriels se disputent les fruits d'un effort commun! Il s'agit d'un combat qui met en cause nos plus grandes institutions et qui se livre au nom de la liberté et de la justice! La grève de l'amiante ébranle nos vieilles structures sociales et force

---

(1) Reproduction intégrale du discours de Jean Marchand.

notre société à repenser ses valeurs traditionnelles. D'un côté, les dépositaires légitimes de ces valeurs prennent conscience de la profondeur du problème; de l'autre, les manipulateurs de ces mêmes valeurs sont affolés et craignent de voir disparaître les privilèges exorbitants dont ils ont été les bénéficiaires.

"Il est banal de dire et d'écrire que nous sommes à un tournant de notre histoire, mais la banalité de l'expression ne diminue en rien la gravité de la situation vécue actuellement au Québec. Si pendant des siècles, nous nous sommes cantonnés dans le prolétariat industriel et agricole afin, croyions-nous, de mieux sauvegarder notre langue et notre religion et ce, sous l'aile protectrice de l'Eglise, les Canadiens français ont décidé d'entrer de plain-pied dans le 20ième siècle! Fini l'isolement, finie la confusion entre le spirituel et le temporel; finie la collusion des pouvoirs qui a permis l'exploitation éhontée des travailleurs et des pauvres! Finie la période d'obscurantisme où l'instruction était la chasse gardée d'une poignée de bourgeois! (Ovide Plouffe se retint pour ne pas crier bravo!)

"Nous voulons être reconnus et respectés! Nous voulons que l'égalité devant la Loi et devant l'Etat, de même que l'égalité des chances deviennent des données et des exigences fondamentales de notre société! Nous voulons promouvoir un système de sécurité sociale qui assure un minimum décent de revenus et de services essentiels aux déshérités de la vie!"

Joséphine approuva d'un solide coup de menton. Certaines phrases dépassaient un peu son entendement, mais l'idée de "minimum décent aux déshérités de la vie" lui convenait tout à fait. "Y a beaucoup de bon sens, ce garçon-là" souffla-t-elle à l'oreille de Cécile. Ovide jubilait; il chercha l'approbation de Rita qui, à deux reprises, s'était accrochée à son bras. Très pâle, elle avait le regard fixe. Elle n'avait sans doute pas écouté l'orateur. "C'est normal, songea-t-il, elle ne s'est jamais intéressée à la politique." Cécile murmura à sa mère, après avoir maintes fois jeté un coup d'oeil à Rita: "Je vous dis, maman, qu'elle est enceinte!" Marchand continuait avec une ardeur accrue:

"Nos Seigneurs les Evêques, en majorité, ont compris l'ampleur des transformations qui s'opèrent dans l'esprit et le coeur de nos gens. Ils ont institué une Commission sacerdotale d'études sociales, qui a pour mission de les aviser sur des réclamations populaires qui se font de plus en plus pressantes. D'éminents membres du clergé composent cet organisme qui joue un rôle considérable. On y retrouve les noms de Monseigneur Leclaire, du père Jacques Cousineau, de l'abbé Gérard Dion, du chanoine Pichette, de l'abbé Bolté. Il y a donc de l'espoir si nous savons persévérer et si nous ne refusons pas le combat, lorsque nécessaire.

"Le gouvernement Duplessis, qui a fait du nationalisme canadien-français son arme de prédilection, s'est empressé, dans la grève de l'amiante, d'appuyer la compagnie américaine Johns-Manville. Voyez-vous l'ampleur de la contradiction? Lui, Monsieur Duplessis, qui se vantait de faire manger les Evêques dans sa main! Lorsque je vous parlais, il y a quelques instants, de la confusion des valeurs, vous en avez là un exemple frappant!"

Napoléon, la mâchoire durcie, souffla à Jeanne:

— Qu'est-ce qui leur prend contre Duplessis à matin? Presque des communistes, ces gars-là?

Ovide le fit taire d'un chut! impérieux, car Jean Marchand continuait:

"Tôt ou tard, nos syndicats ne porteront plus le vocable de "catholique" et ne se référeront plus à la doctrine sociale de l'Eglise! Non par opposition idéologique, mais par respect pour ceux qui ne partagent pas nos croyances, étant donné notre régime syndical. Laissons le mouton à la Société Saint-Jean-Baptiste et la doctrine de l'Eglise aux mouvements d'action catholique! Ainsi, nous serons mieux placés pour dire au gouvernement de cesser d'exploiter ces valeurs à des fins électorales!

"Me reportant à ce qui fut affirmé devant vous, tout à l'heure, je dois préciser ici que le concept de sécurité sociale n'est pas l'apanage des Canadiens français, de leur culture, de leur religion, ou de leur langue. C'est un concept universellement reconnu et accepté par à peu près toutes les nations. Plusieurs pays, comme la Suède, la Norvège, la Belgique, la France et l'Angleterre possèdent des systèmes de sécurité sociale depuis fort longtemps et nous devancent de loin dans ce domaine. Cessons de rêver et voyons la réalité en face!

"Revenons à la grève de l'amiante, raison première de cette émouvante réunion. Les mineurs appellent au secours! Ils luttent pour la reconnaissance de leur syndicat et pour l'obtention de conditions de travail décentes. Leur vie professionnelle est parsemée d'embûches et de dangers; éboulis, explosions, maladies pulmonaires, etc. Ils méritent votre appui! Je dirais même que si nous ne sortons pas victorieux de cette bataille, il est douteux que nous puissions entreprendre les autres que j'évoquais, il y a un instant, et qui conduiront notre peuple à se libérer des servitudes qui l'ont maintenu, jusqu'à maintenant, dans un état d'infériorité.

"Je sais que mes propos ne concordent pas entièrement avec ceux que nous avons entendus tout à l'heure, mais je vous devais la vérité, même si elle peut blesser quelqu'un qui, aujourd'hui particulièrement, a fait preuve d'une grande générosité à notre endroit.

"Je suis convaincu que lorsque vous donnez ou donnerez de l'argent aux grévistes, ce ne sera ni par charité, ni par pitié, ni même pour vous donner bonne conscience, mais pour assurer votre participation, d'une façon tangible, à la lutte que nous livrons.

"A l'unisson, crions: Vive les mineurs de l'amiante! Vive la Liberté! Unis nous vaincrons! Divisés nous crèverons! et, d'avance, merci à tous pour votre compréhension et votre appui!"

L'orateur descendit rapidement l'escalier de la chaire sous l'ovation déclenchée par le père Lévesque, debout dans le choeur. Presque tous les regards convergeaient vers Monseigneur Folbèche, rouge d'humiliation. Jean Marchand l'avait contredit publiquement, devant ses propres paroissiens! Le tribun avait parlé avec modération, tandis que lui, le monseigneur, il avait frôlé la démagogie et s'était emporté exagérément. Il serait blâmé en haut lieu, très certainement. Cependant, Marchand avait osé promettre que les syndicats qu'il dirigeait perdraient leur vocable "catholique." Donc, Monseigneur, que son instinct trompait rarement, voyait clair! Enlever le vocable "catholique" à des Canadiens français? Allons donc! Ils ne pourraient jamais vivre sans clergé et sans religion! Et il y aurait le résultat de la quête, qui jouerait en sa faveur! Le bedeau lui avait glissé à l'oreille qu'on l'estimait à près de cinq mille dollars! Une somme pareille serait d'un poids supérieur à n'importe quel discours et, de plus, le montant d'argent recueilli serait publié dans tous les journaux! Le vieux prêtre retrouvait lentement son assurance. Il se leva, serra plusieurs mains et donna rendez-vous à ses invités au presbytère. Pendant qu'Ovide, au septième ciel devant Jean Marchand, se présentait et se confondait en félicitations, Joséphine, sur le parvis, se laissait congratuler d'avoir été admise avec sa famille dans le sanctuaire. En même temps, elle essayait de rassembler son clan pour le déjeuner dominical aux cretons et à la "graisse de rôti". Quelle animation dans cette foule qui désertait lentement mais bruyamment les lieux! Les discours avaient déclenché des discussions enflammées. Les partisans de Duplessis étaient furieux. Napoléon, qui furetait, ici et là, évaluant la popularité du Premier Ministre, marcha presque rassuré vers sa mère, qu'Ovide, Cécile, Jeanne et Rita avaient déjà rejointe.

— Bon, venez-vous-en! fit Joséphine.

Napoléon, le front soucieux, dit timidement:

— On n'ira pas chez vous aujourd'hui, maman. J'emmène les enfants en pique-nique à la rivière Montmorency. Je vas pêcher un peu et les enfants vont jouer dans la Rivière Séchée, tout à côté. Y a pas de danger de se noyer, y'a pas d'eau dedans. Venez avec nous autres, maman?

Joséphine fit un "non" sec de la tête. Elle n'irait pas servir de surveillante à ces mioches tout l'après-midi. Napoléon se tourna vers Rita et Ovide:

— J'emmène ta petite Arlette, Rita. Viens donc! Prendre un peu d'air, ça va te donner des couleurs?

Rita, à la mention de la Rivière Séchée, avait avalé sa salive.

— Non, merci, je vais aller me coucher, essayer de dormir un peu. Ma digestion, ça va pas.

Cécile, plus affectueuse désormais envers sa belle-soeur, offrit de lui tenir compagnie. Ovide fit de même, honteux d'aller festoyer au presbytère avec des intellectuels pendant que sa petite femme était en proie à un malaise. Rita refusa. Non, elle voulait être seule, boire une eau minérale et faire la sieste. Ce qu'elle ne dit pas, c'est que, affolée, elle avait décidé d'appeler Stan Labrie au téléphone, pour lui dire son épouvante croissante, sa peur de Berthet et sa crainte qu'il informe Ovide de son aventure d'amour-papillon au bord de la Rivière Séchée.

La mauvaise humeur s'emparait de Joséphine:

— Comme ça, je reste toute seule avec Cécile? Vous autres, les Napoléon, partez en pique-nique, Ovide est reçu au presbytère, moi, je fournis mon banc, mais je suis pas invitée! Et Rita s'en va se coucher. Elle fait bien. Mais n'empêche que les traditions de la famille s'en vont au diable! Viens, Cécile, on mangera comme deux orphelines! Comme deux pauvres vieilles abandonnées. C'est dur!

On protesta. Joséphine avait toujours su les culpabiliser. Furieuse elle les quitta, s'apprêtant à regagner sa maison, puis aperçut le commandant Bélanger qui venait d'autoriser sa troupe à se disperser.

— Bonjour, Ephrem! On peut pas dire qu'on vous voit souvent? dit-elle, l'appelant de la main.

— Ben oui, commandant, fit Cécile, on commence à s'ennuyer de vous?

Il bredouilla, rouge de timidité émue:

— C'est que...après ce qui est arrivé?

Joséphine haussa les épaules et trancha:

— Oubliez cette histoire de galon et suivez-nous à la maison. On mangera entre vieux, comme avant.

— C'est fin pour moi, ça? grimaça Cécile.

Joséphine lui décocha un clin d'oeil moqueur:

— J'ai surtout hâte de fumer une SWEET CAPORAL!

CHAPITRE VINGT-DEUXIEME

Ce dimanche-là, Pacifique Berthet, juché sur ses béquilles, peinturait comme chaque printemps sa chaloupe couchée sur des tréteaux, à côté de son chalet du lac Saint-Augustin. Tous près, la plage publique et les camps environnants s'animaient des cris des enfants, mi-jambes dans l'eau glacée, de l'agitation joyeuse des estivants occupés à préparer leur demeure pour l'été.

Ramer doucement sur le lac à la brunante, pêcher quelques perchaudes, c'étaient là les seules distractions de ce curieux Pacifique Berthet, constamment songeur et si mystérieux. Un aigle solitaire! Les voisins ne l'invitaient jamais à une partie de cartes, ni à un match de pétanque, ni à un pique-nique à la marina. Propriétaire de ce chalet depuis plusieurs années, il demeurait un étranger, un Français, un infirme qui ne riait jamais et qui, quelques fois, recevait la visite de femmes trop fardées, amenées par des chauffeurs de taxi.

Il sursauta. On lui frappait l'épaule. Se retournant il pâlit. C'était Stan Labrie lui-même, que Rita en panique avait appelé en revenant de la grand' messe. Stan, les dents serrées, l'oeil méchant, persifla:

— Allô, Pacifique!

Sur ses gardes, devinant le but de la présence de Stan, l'infirme attendit.

— De la grand'visite! fit-il, déposant le pinceau.

— Ouais. Et tu sais pourquoi. T'as tout entendu, mardi, quand je suis venu chercher Rita pour un déjeuner sur l'herbe. A son retour, tu l'as attaquée. Vrai ou faux?

Pacifique, depuis, dormait mal. Il s'éveillait la nuit, les tempes et le coeur martelés par le cri de Rita: "Jamais, sale infirme!" Effarouché, Berthet promena un regard furtif tout autour. Stan, une main dans sa poche, pourrait le poignarder en cet instant et personne n'en serait témoin. Il bredouilla:

— T'es bien mal placé pour me faire la morale. En effet, oui, mais j'avais pris un De Kuyper de trop. Tu peux comprendre ça? Quant à toi, tu parlais pas mal fort. T'es pas très discret au sujet des femmes que tu compromets.

Ainsi souffleté, Stan éclata:

— C'est toi-même, mon sale chien, qui seras discret! Si jamais tu touches un cheveu de sa tête et que t'essayes de la faire chanter en la menaçant de tout raconter à Ovide, c'est ton autre jambe qui va y passer! Compris?

Le regard de Stan était meurtrier, ses narines pincées, presque blanches.

Berthet respira. Stan ne le poignarderait pas, au moins. Il ne badinait pas cependant. Son curieux métier de proxénète en faisait un ami des fiers-à-bras professionnels, spécialistes en ce genre d'ouvrage.

— Tu peux compter sur moi, fit-il après un moment. Je n'ai pas intérêt à perdre mon associé et je ne veux aucun mal à Rita, au contraire. C'est mort et enterré. Prends ma parole. Je la tiendrai.

— C'est ce qu'on verra. En attendant, je t'ai à l'oeil. Compris?

Stan marcha en sifflant vers son automobile, garée sur la route de terre. Il était aussi inquiet que Rita et Pacifique. De plus il avait le coeur lourd. Elle lui avait crié au téléphone, tout en larmes et en sanglots: "Je te hais pour toujours!" Il regretta amèrement de l'avoir entraînée dans cette aventure. Mais ce qui était fait était fait.

Berthet vit démarrer l'auto de Stan. Il reprit son pinceau mais changea de posture. Une douleur névralgique s'installait dans sa hanche saine, comme si elle fût déjà brisée.

***

Rita se frappait encore le front de reproches contre elle-même. Pourquoi au plus profond de sa panique avait-elle appelé Stan? Il lui avait promis qu'il ferait son affaire à Berthet, si jamais il parlait. Il était même allé le voir à son chalet. Il n'avait qu'à bien se tenir, sinon... Elle eût dû patienter, prendre le risque de voir les choses se tasser puis sombrer dans l'oubli. Maintenant Stan, qu'elle ne voulait plus jamais revoir, remontait en scène pour en ressortir quand et comment?

Ovide entra en chantonnant: "Rachel, quand du Seigneur, la grâce tutélaire". C'est l'extrait d'opéra qui lui venait aux lèvres chaque fois qu'il était très heureux et exalté par un grand projet.

— Ma petite Rita, ne m'en veux pas d'être en retard. La réception au presbytère vient seulement de prendre fin. Deux heures! Ce que le temps passe vite quand on cause avec des gens passionnants! J'ai trouvé Jean Marchand très sympathique, très généreux, très sensible. Il a déjà entendu mes billets à la radio et m'encourage fortement à continuer. Il dit que je suis un éditorialiste-né. Lui-même est un enfant du peuple. Et le père Lévesque! Un prince! Gérard Pelletier m'a paru plus distant, et s'exprime dans un français recherché. Quant à Pierre Elliott Trudeau, un vrai sphynx aux yeux en amande; il sourit souvent, parle peu. On dirait qu'il vous contemple du haut d'une montagne du Thibet. Il a traîné sa besace à travers le monde. Je ne peux pas dire que je sais exactement ce qu'il pense. Une chose que je peux t'affirmer: je suis accepté dans le groupe, presqu'au même niveau. C'est ça ma vie, c'est ça mon monde, l'univers des idées.

Et, s'interrompant, songeur, l'index au centre du menton:

— Imagine-toi que Monseigneur Folbèche, qui n'avait pas l'air très heureux, et je le comprends après ce que Jean Marchand lui a fait comme leçon en chaire, m'a amené dans un coin et m'a fait une demande étonnante. Tu devineras jamais!

Les paroles d'Ovide lui arrivaient comme l'écho des rapides d'une rivière, au loin. Elle l'envia d'être si heureux, si décontracté.

— Comment veux-tu que je le sache?

— Tu connais l'Ordre de Jacques Cartier?

— C'est comme les Chevaliers de Colomb?

— C'est un Ordre secret, dont font partie des hommes éminents du Québec. Des personnalités politiques, des évêques, de grands intellectuels. Son but: protéger notre culture, notre religion. Un Ordre qui détient une énorme influence, dans tous les milieux. Eh bien! tu sauras que Monseigneur Folbèche veut me parrainer et désire que j'en fasse partie! Que penses-tu du destin de ton mari que tu as connu simple tailleur de cuir? Hein? Un vrai Julien Sorel!

— Si je t'ai marié, c'est que je savais que t'étais un homme extraordinaire, fit-elle d'une voix pâle, se demandant qui était Julien Sorel. As-tu accepté?

— J'ai demandé à réfléchir. Mais j'ai l'impression que je suis plus porté vers les idées pluralistes, que l'Ordre condamne. J'attends, j'attends, je me laisse désirer. Entre deux mon coeur vole! fit-il avec un grand rire.

— Pourquoi pas déménager à Montréal, fit-elle, et recommencer une nouvelle vie? On fermerait boutique, tu pourrais faire ce que t'aimes, du journalisme et de la radio? Je commence à m'ennuyer à Québec. Pas d'amis. Et mes parents sont rendus à Toronto. Changeons donc d'air, Ovide.

Il l'examina avec attention.

— Le temps venu, on verra. Mais dis, chérie, tu n'es vraiment pas dans ton assiette? Et ça, depuis quelques jours! Et cet étourdissement, ce matin?

Il lui chatouilla le menton:

— Serais-tu enceinte, par hasard?

Elle gardait sa moue triste et faisait signe que non.

— Nous irons voir le médecin, demain. Toi d'habitude si gaie, si légère. J'espère que tu n'as pas attrapé mes "spasmes psychologiques!"

Elle eut les yeux mouillés:

— J'ai le goût à rien.

Ovide se reprocha d'être un mauvais mari. Il ne parlait que de ses problèmes, que de ses projets. Il ne s'informait jamais de ce qui se passait en elle. Il lui prit la main, plongea son regard dans le sien. Confie-toi, je suis ton mari et je t'aime?

Elle trouva vite une réponse:

— Je suis inquiète pour la petite au bord de la rivière. Les garçons de Napoléon vont la négliger, elle peut tomber à l'eau, se noyer?

Une inquiétude lui pinça le coeur, mais il rit pour la rassurer.

— Ils sont au bord de la Rivière Séchée. Elle est vide. C'est un endroit magnifique. J'y ai déjà fait un pique-nique avec les Pères, quand j'étais au monastère.

Ces coïncidences à propos de la Rivière Séchée, dont elle n'avait jamais entendu parler avant son équipée, angoissaient Rita comme de mauvais présages. Ovide la souleva du divan:

— Hop! Debout, nous allons prendre l'air! Tiens, rendons-nous rejoindre Napoléon. Tu vas découvrir un coin de rêve. Et nous ramènerons la petite.

Elle accepta la promenade en décapotable. Mais elle préférait cependant ne pas s'arrêter à la Rivière Séchée. On filerait plutôt vers Sainte-Anne de Beaupré, on visiterait la Basilique, lieu de pèlerinage célèbre. Elle réclamerait une faveur à sainte Anne. Ovide se dit que Rita évoluait beaucoup et pour le mieux. En cours de route, on parla longtemps de recommencer sa vie dans la grande ville de Montréal.

***

C'est le lendemain, lundi, que les événements devaient se précipiter. Retenus le dimanche, ils allaient maintenant se débrider. D'abord Monseigneur Folbèche reçut un coup de téléphone d'une extrême gravité. On le convoquait d'urgence à l'Archevêché. Il comprit tout de suite ce qui l'attendait et pendant une heure pria désespérément comme un vieillard-enfant devant la statue de la Sainte Vierge. De temps en temps il jetait un coup d'oeil brouillé vers son purgatoire électrique. Les âmes qui s'y débattaient enduraient un martyre qui ne pouvait se comparer à l'ampleur de la souffrance qui se préparait à le frapper, car il était, lui, un être de chair et d'os. Son regard s'arrêta sur la quatorzième station de son Chemin de croix moderne. C'était pourtant vrai! Pourquoi le peintre avait-il affublé le Christ de pieds si longs? Lui, Monseigneur Folbèche, sentait les siens bien petits dans ses souliers! Il demanda à la Sainte Vierge de le prendre par la main et de le guider jusqu'à l'Archevêché, en marchant, en prenant l'autobus, car sa vue s'embrouillait aussitôt qu'il regardait fixement un objet; alors ses yeux s'embuaient, ne voyaient plus que des ombres floues.

Il s'était entêté, avait voulu nier l'évidence. Ça n'était que trop vrai, la société éclatait et plus il y réfléchissait, plus les paroles de Jean Marchand avaient raison contre lui. Pourtant, à la radio et dans les journaux, on faisait de grands compte-rendus élogieux de sa mémorable grand'messe, en insistant sur les cinq mille dollars recueillis pour les mineurs. On y soulignait la divergence des discours, peu leur virulence. Mais il était en danger, il le sentait. Fini, même. Il était allé trop loin. Il se dit que les hommes comme lui, trop entiers, finissent toujours dans un dernier rayon de gloire, comme tant d'apôtres, comme tant de grands hommes à qui on ne pardonne pas leurs éclats.

Puis il se secouait, redevenait tout humble. Il n'était qu'un campagnard parvenu à sa cure par le jeu des circonstances. On ne lui aurait jamais confié une paroisse bourgeoise. "Petit prêtre paysan, tu dois te contenter de diriger une paroisse d'ouvriers." Mais c'est à force de vivre avec les pauvres qu'il était devenu un nationaliste révolté. En réclamant les droits des individus à l'égalité des chances, oui Marchand avait raison!

Il savait qu'il était trop tard, qu'il perdrait son royaume. A travers la Sainte Vierge, il murmura le nom de sa mère, décédée depuis longtemps. "Ah! maman, aide ton enfant!"

C'est un vieil homme qui marcha vers l'autobus en se retournant plusieurs fois pour admirer le clocher de sa magnifique église, ce clocher dont l'horloge marquait dix heures.

***

Toutes les montres et réveille-matin marquaient aussi dix heures à la bijouterie d'Ovide Plouffe, car c'était une manie chez Berthet, dont l'intelligence fonctionnait avec une implacable régularité, de mettre tous les mouvements au même pas: l'heure exacte.

Ovide, au comptoir, rédigeait péniblement son billet radiophonique pour mardi. Les formules publicitaires ne lui venaient pas. Seules les grandes lignes décrivant la cérémonie d'hier arrivaient à sa plume. De plus, le comportement de Rita l'inquiétait. Elle avait très mal dormi à nouveau la nuit dernière, en geignant et en tremblant. Elle avait crié: "Le faucon va me percer les yeux!" Il l'avait tout doucement caressée, la rassurant et lui promettant de l'emmener, à son prochain voyage à Baie-Comeau, ou peut-être à l'Ile d'Anticosti, sur la Jupiter, où l'on reverrait Guillaume et Tit-Mé dans une nature grandiose, et où l'on pêcherait le saumon. Il avait suggéré prudemment qu'elle se confiât à lui, mais si elle préférait se taire, c'était son privilège (une idée pluraliste) de garder pour elle ses secrets. Une femme, sur ces choses-là, n'a de compte à rendre à personne, se disait-il, magnanime. Ovide déposa sa plume, songeant à Berthet qui, ce matin, affichait une attitude curieuse, presque effrayée, comme si l'infirme s'était attendu à une semonce, à des reproches. Il entra dans l'atelier de Pacifique. Tendu, celui-ci enleva son monocle. Ovide parlait sèchement:

— Je dois vous annoncer que ma femme ne servira plus au comptoir.

Pacifique put se contenir. Rita aurait-elle parlé?

— Ah? Bon...

— Il faut la rayer de la liste de paye. Nous devrons nous chercher un commis masculin, cette fois.

— C'est dommage. C'était gai, Madame chantait presque tout le temps, dit Pacifique, auscultant de l'oreille et du regard, la moindre intonation, la moindre mimique d'Ovide. Rita s'était sûrement plainte de lui.

— Vous critiquiez le montant de son salaire, mais vous vous rendrez sans doute compte qu'elle attirait la clientèle et que maintenant nos ventes au comptoir vont en souffrir.

Pacifique se rassura. Si Rita avait parlé, Ovide aurait agi autrement.

— J'ai mes torts, Monsieur Plouffe. Votre femme méritait son salaire. Et vous-même, je comprends que vous ayez à faire toutes ces dépenses de "public relations". Seulement, je suis humain et j'ai mes mauvais jours, comme tout le monde.

Ovide fronça les sourcils. Ces propos ne ressemblaient pas à ceux que, depuis l'ouverture de leur commerce, Pacifique lui avait tenus.

— Auriez-vous été désagréable avec ma femme?

— Moi? fit-il, interloqué, je ne la vois pratiquement jamais. Je l'ai toujours traitée avec respect. Demandez-lui vous-même.

— Ma femme ne parle jamais contre personne, coupa Ovide.

— Serait-elle malade? demandait timidement Pacifique.

— Elle traverse une période difficile. Elle frôle la dépression. De plus je veux qu'elle s'occupe davantage de la petite.

Berthet retrouvait son assurance. Il ne perdrait pas son associé et Stan Labrie n'exercerait pas de représailles. Il devenait très objectif:

— Je la comprends d'en avoir assez. Elle se morfondait d'ennui derrière le comptoir. D'autant plus que des fois, elle se faisait achaler par des clients.

— Comment ça, que voulez vous dire? Ennuyée par des clients? Qui? fit Ovide, les yeux ronds.

Pacifique reculait prudemment, choisissait ses mots comme les vis minuscules qu'il introduisait dans les mécanismes d'horlogerie.

— Elle est si jolie, c'est compréhensible. Mais n'allez rien imaginer. Je devinais ça, de loin, quand ma porte était entrouverte. C'est une si brave jeune femme. C'est peut-être une des raisons qui la poussent à sortir d'ici.

Ovide tendait sa bonne tête de naïf.

— Vous me cachez quelque chose!

— Mais non! Avec vous, on suggère une petite idée, et ça prend les proportions d'une montagne. Je pensais au petit abbé Marquis par exemple.

— L'abbé Marquis? Le nouveau vicaire?

Amusé, l'infirme distillait ses paroles avec circonspection:

— Il vient plutôt souvent. Le presbytère est si près. Je crois même qu'il éprouve du sentiment pour votre charmante épouse. Mais elle se conduit comme une sainte et ne lui donne aucune espérance. C'est ce genre d'incidents qui, à longue, font peut-être qu'elle en a assez du comptoir:

Ovide eut envie de s'esclaffer. Ce qu'il fallait entendre! L'abbé Marquis, qu'il avait surpris dansant le boogie woogie avec Rita et Cécile déguisée en Miss Sweet Caporal? Non, vraiment, ça n'était pas sérieux. Quelle gentille petite femme il avait en Rita! Elle préférait souffrir en silence plutôt que de compromettre un ecclésiastique qu'on changerait peut-être de paroisse si ses sentiments pour elle devenaient connus. Et Rita se rendait malade pour ça?

Ça n'était vraiment pas un motif suffisant pour la plonger dans un tel état. Sait-on jamais, connaît-on le coeur des femmes? Cette pauvre petite sans expérience avait peut-être tout dramatisé? Il monterait tout à l'heure, jouerait au mari jaloux d'un vicaire, et ensuite on rirait aux éclats. Elle serait soulagée. Devant le long silence d'Ovide, Pacifique regretta d'avoir peut-être trop parlé.

— N'allez surtout pas lui dire que c'est moi qui vous ai informé. Elle m'en voudrait et je perdrais son amitié.

Ovide commença à songer au moyen d'amener le sujet sur le tapis avec Rita, et répondit distraitement:

— Rassurez-vous, je lui dirai que c'est l'immense rumeur publique qui est montée jusqu'à moi.

"Quel imbécile!" se dit Berthet.

***

Les heures passent vite quand le destin les fait danser dans sa main. Il était presque midi et Monseigneur Folbèche, hagard, détruit après son entrevue à l'Archevêché, put revenir tant bien que mal à son presbytère. Mais il n'eut pas la force d'y entrer. Où irait-il donc? Il prit naturellement la rue menant à la demeure de la reine de ses paroissiennes, Joséphine Plouffe.

Celle-ci, seule avec Cécile arrivée de la manufacture, déposait dans la poêle deux tranches de bifteck mince, attendri au marteau, qu'elle faisait cuire en semelle de botte. Cécile s'essuya les mains.

— Mais vous fumez tout le temps! M'man! La cendre va tomber dans la casserole!

Joséphine se rendit secouer sa cigarette dans le cendrier.

— Penses-tu que le commandant Bélanger était heureux hier? Il passait son temps à te regarder marcher. Je serais pas surprise, qu'un beau dimanche, la demande en mariage éclate.

— Peuh! fit Cécile en haussant les épaules. Un p'tit vieux, j'ai pas cent ans. J'ai encore le corps jeune et, pas mal présentable!

Joséphine sourit.

— Voyez-vous ça? Depuis que tu vas aux films dans des maisons privées, tu t'intéresses aux p'tits jeunes tout à coup? C'est un "pensez-y bien!" ma fille. Dans les vieux pots, les bons onguents.

— En parlant de cinéma, fit Cécile, je veux inviter Rita, ce soir. On va sortir en filles. Je la trouve triste ces temps-ci.

— Son sang change, c'est le printemps, fit Joséphine qui, au cours de sa vie, avait connu des périodes de langueur au mois de mai.

Un vieux prêtre frappait à la porte de gaze. Joséphine, l'apercevant, écrasa furtivement son mégot comme une gamine prise au piège. Elle s'essuya les mains sur son tablier.

— Si c'est pas Monseigneur! Entrez donc! Venez vous asseoir à table. On va parler de votre beau sermon d'hier!

Il restait debout, figé comme un mendiant, près de la porte. Les deux femmes comprirent tout de suite qu'une grande épreuve s'était abattue sur leur curé. Il put enfin prononcer ses premiers mots d'une voix presque éteinte et chevrotante:

— Je vous ai souvent confessée, Joséphine. Depuis trente ans, je pense. C'est à mon tour de me confesser à vous, aujourd'hui.

— Voyons donc, Monsieur le Curé. Etes-vous malade?

Il laissa tomber le couperet:

— Je ne suis plus votre curé!

— Quoi?

Elles furent comme changées en statues de sel. Après trente ans, il n'était plus leur curé? Monseigneur Folbèche lâchait ses mots, un à un, comme des roches qu'on lance dans le gouffre au pied de la chute Montmorency.

— Emporté par la vanité, hier, à l'église, j'ai été trop loin, je me suis conduit comme un irresponsable. J'ai fait un tort considérable à l'Eglise du Québec et à notre Archevêque qui, actuellement, sous le manteau, essaie de concilier les deux parties dans le conflit. Notre Eglise ne peut se mettre à dos le Gouvernement, parce que les deux gouvernent encore ensemble. Mais j'ai peur qu'il soit à veille de finir, ce beau temps-là.

— Mon Dieu que c'est compliqué! fit Joséphine.

Cécile, bouleversée, songeait à sa réaction si son contremaître la congédiait. Monseigneur Folbèche restait debout, toujours figé.

— Alors on me punit pour un an. On m'envoie assumer une cure dans une paroisse de colonisation, près de Baie-Comeau. Je dois partir après-demain matin.

Joséphine marchait de long en large, secouée, livide.

— Y auraient pu vous envoyer moins loin, et pas dans un pays de maringouins! C'est pas croyable qu'on vous verra plus! Eh bien! je vas vous promettre quelque chose. Tant que vous serez pas revenu, votre remplaçant me verra pas la face. J'irai à la messe dans une autre paroisse!

Cette phrase fut un souffle d'air frais sur la douleur du prêtre. Il réussit à retrouver brièvement un certain équilibre.

— J'apprécie ce mouvement du coeur, Joséphine. Mais ne faites pas ça. Je vous supplie de continuer à fréquenter notre église. Plus que sans moi, sans vous elle ne serait plus comme avant. Je vous demande de la protéger par votre soumission et votre présence. N'essayez pas de venger l'erreur très grave que j'ai commise. J'accepte mon châtiment. Je vous en supplie à nouveau, Joséphine. Demeurez fidèle à la paroisse.

Le ton sur lequel il avait prononcé ces mots vibrait d'une telle gravité désespérée, que Joséphine, machinalement, le prit par le bras et l'amena devant la photographie de Théophile, qui voisinait celle de Monseigneur.

— C'était votre plus grand ami, c'est votre plus grand ami, je devrais dire, car pour moi mon Théophile sera jamais mort. Bien, Théophile et moi, Monseigneur, on est avec vous jusqu'au plus profond du coeur!

— Moi aussi, intervint Cécile, dont les yeux étaient mouillés.

Le curé parlait à la photo du défunt:

— Le nationalisme nous aura tués, mon pauvre ami.

Tout à coup Monseigneur se mit à sangloter d'une façon étrange, sourde, retenue, bouleversante. Les deux femmes en furent chavirées. Joséphine fit signe à Cécile de quitter la pièce, par déférence pour Monseigneur qui pleurait. Madame Plouffe n'avait jamais vu ça, un prêtre qui sanglote. Elle l'aida à s'asseoir, comme un malade, dans la chaise berçante.

— Laissez-vous aller, braillez, ça fait tellement de bien. Vous voyez, la vie lâche pas. On pense que parce qu'on est vieux, elle va nous respecter. C'est pas vrai.

Il s'agrippait désespérément au bras dodu de Joséphine.

— Au bout de quelques mois, vous allez revenir! On va faire signer des pétitions par les Dames de la Sainte Famille, les Enfants de Marie et nos zouaves paroissiaux. Ovide va vous supporter à la radio. On va charger de monde les camions de Napoléon et on ira vous voir.

Aïe! La vie finit pas là! On va se battre!

L'émotion du prêtre se calmait. Un pâle sourire émerveillé, mais triste, détendait ses lèvres minces.

— Quelle femme extraordinaire vous faites, Joséphine! J'ai bien fait de venir ici d'abord. A travers vous, c'est un chant d'amour de tous mes paroissiens qui s'exprime.

Joséphine durcit sa mâchoire. Elle ne voulait pas lui montrer son désarroi et sa peine. Monseigneur étant devenu comme son enfant, elle redevenait une mère.

— Détachez votre col romain pour mieux respirer, fit-elle, l'aidant. Je vous fais un bon café. Tu peux revenir, Cécile, le pire est passé! cria-t-elle.

Il retrouvait un peu de courage et se levait. Il essaya d'adopter un ton plus ferme:

— Merci, Joséphine. Mais je dois rentrer au presbytère. Vous m'avez maintenant donné la force d'y retourner.

Joséphine ne tenta pas de le faire changer d'avis. Devant l'épreuve, elle avait souventes fois affiché la même attitude de combat, et c'est ce qui lui avait permis de continuer à vivre.

— En ce cas-là, je vous raccompagne. Dans l'état où vous êtes, vous voyez quasiment plus clair, vous pourriez vous faire écraser par les jeunes fous en automobile. Occupe-toi de ton steak, Cécile.

CHAPITRE VINGT-TROISIEME

Quel spectacle émouvant offrait Joséphine, courte, replète, au bras de ce long ecclésiastique au pas mal assuré, qu'elle dirigeait comme un mari vers le presbytère! Le vieux prêtre s'attardait ici et là pour causer avec ses paroissiennes étonnées de le voir ainsi accroché à Joséphine. On fit des détours, le presbytère prenant figure d'abattoir pour Monseigneur. Le prêtre prétexta qu'il désirait revoir ses rues familières avant de les quitter. Il y avait organisé tellement de processions religieuses, de parades, il les avait arpentées tellement souvent! Chaque façade lui rappelait une mort, un mariage, une naissance. C'est ainsi que, poussés par une intuition subite de Monseigneur, ils se dirigèrent vers la boutique d'Ovide.

Celui-ci, sourire amusé aux lèvres, serrait la main du client qui venait d'entrer, l'abbé Marquis, qui disait:
— Votre épouse n'est pas là aujourd'hui?
— Vous voulez lui parler personnellement?
— Non...pas spécialement. Mais je suis tellement habitué de la voir ici, toujours au poste; je la salue chaque fois que je passe. Je constatais son absence, comme ça, c'est tout.

Ovide n'en voulait pas au petit abbé d'éprouver un faible pour Rita. Il en était flatté, au contraire. N'avait-il pas enduré les mêmes tentations lors de son séjour au monastère? Doucement amusé, il lui dit:
— Non, ma femme ne travaillera plus au magasin. Elle trouve que

trop de clients essaient de lui faire de l'oeil. Mais que ça ne vous empêche pas de venir chez nous et d'exécuter quelques pas de danse, comme l'autre jour, mais quand je serai là, de préférence. Hum!

Le vicaire rougissait, ne savait quelle excuse trouver.

— C'est que, Madame m'a vendu une montre pour mon père et elle a oublié de me donner le coupon de garantie.

Ovide évoqua l'attitude du supérieur au monastère des Pères Blancs d'Afrique quand celui-ci lui avait conseillé de quitter la vie religieuse. Il prit un ton légèrement taquin:

— Moi, si j'étais prêtre et que la hantise des femmes m'empêchait de dormir ou encore me faisait perdre mon latin, je pense que je rangerais ma soutane aux boules à mites et foncerais comme un lion dans la fosse aux plaisirs de la chair.

L'abbé Marquis, interloqué puis confus, reculait, parlant de la température, vers la porte, où il se buta contre Monseigneur Folbèche. Il déguerpit comme un gamin sous le regard moqueur d'Ovide, qui ne s'aperçut pas d'abord de l'air de gravité qui empesait ses deux visiteurs.

— Maman? Avec Monseigneur?

Il sourit. Le vieux curé amenait une alliée pour le convaincre d'entrer dans l'Ordre de Jacques Cartier!

— Monseigneur, laissez-moi vous le répéter: vous avez été extraordinaire, hier.

— Hélas! soupira le vieux prêtre.

— Extraordinaire, peut-être, mais ça coûte cher, fit tristement Joséphine.

Monseigneur n'avait pas le courage de s'humilier devant le fils Plouffe. D'ailleurs, obéissant à un ordre intérieur qui lui venait sans doute du ciel, il dit à un Ovide intrigué:

— Ça n'est pas gai. Votre mère vous expliquera tout, fit-il. Pendant ce temps, je désire parler à Monsieur Berthet.

Se demandant quel événement extraordinaire était survenu, il conduisit Monseigneur à l'infirme. Celui-ci sursauta, fronçant ses épais sourcils en broussailles. Ovide les laissa seuls, fermant la porte derrière lui. Une seule fois auparavant, Monseigneur était venu voir Berthet afin de connaître le degré de sa foi religieuse. Il l'avait quitté, épouvanté: un vrai païen! Le prêtre se tenait debout, très humble.

L'autre, sur la défensive, attendait avec une curiosité cynique.

— Je viens vous demander un service, fit le prêtre.

— Si je peux, oui, mais ne me demandez pas d'aller réparer l'horloge de votre clocher, ça je ne peux pas.

Ce genre de sarcasme ne pouvait pas atteindre Monseigneur aujourd'hui. Jamais il n'avait vécu un désarroi de cette ampleur. Pourquoi venait-il à Berthet, cet athée qui, il en était sûr, incarnait le pire ennemi de sa paroisse? Il quémandait:

— Ca n'est plus mon clocher, ni mon horloge. Il m'arrive une dure épreuve. J'ai perdu ma cure. Pour des raisons de discipline, je quitte mon presbytère après-demain pour devenir curé dans une paroisse de colonisation près de Baie-Comeau.

Berthet fronça les sourcils.

— Ah! c'est ennuyeux pour vous, ça? Vous avez toute ma sympathie. Mais...que voulez-vous que j'y fasse?

Monseigneur Folbèche plongea son regard éploré mais dévorant dans celui, gris acier, de l'infirme.

— Moquez-vous de moi si vous voulez, et je sens bien que ma démarche vous paraîtra curieuse, mais...je voudrais qu'une seule fois, vous priiez pour moi.

L'infirme n'eut pas envie de ricaner. Intelligent, ayant beaucoup souffert, il comprenait la douleur qui déchirait le vieux curé. Dans les pires moments, n'est-ce pas notre plus grand ennemi qui arrive à nous aider?

Pacifique se tut pendant des secondes qui parurent interminables à l'ecclésiastique.

— Ouais, conclut-il enfin. Ça veut dire que vous êtes dans une vraie mouise pour me demander ça. Moi, Pacifique Berthet, prier pour vous? C'est le monde à l'envers. Vous savez que je n'ai pas la foi et que je détesterais Dieu, s'il existait, pour tout ce qu'il m'a laissé endurer! Pourquoi moi plus qu'un autre?

Il avait dit ces derniers mots en rugissant presque. Monseigneur Folbèche chancela, se voyant accusé, par le biais de Dieu, des malheurs de Berthet, et se sentit coupable. L'infirme vomissait son amertume:

— Pour me guérir, rageait Pacifique, on m'a fait faire des pèlerinages à Sainte-Anne de Beaupré, des neuvaines, on a déposé des médailles, des scapulaires sur ma plaie. Des niaiseries. Je m'en fous, de votre religion! Vous souffrez un drame profond, dites-vous, mais vous marchez sur vos deux jambes, vous, et vous ne vous rendez même pas compte de votre chance! Comprenez-vous l'importance de marcher sur vos jambes, Monseigneur?

Devant l'intensité de ce regard foudroyant, le curé recula d'un pas. Ce cri de désespoir le lacérait, le brûlait comme un coup de fouet. C'est vrai! Qu'elle était minable son épreuve de prêtre qu'on éloigne de sa paroisse, comparée à cette souffrance de l'infirme, précise et irrémédiable. Il se redressa, émerveillé des mystères de la grâce.

— Merci, merci, Monsieur Berthet! Vous venez de prier pour moi.

— Drôle de prière! Vous n'êtes pas difficile?

Monseigneur Folbèche retrouvait son onction naturelle parce qu'il commençait de se sentir sauvé.

— Les voies du Seigneur sont impénétrables. Moi, dans mon exil, je prierai pour vous, même si ça ne vous intéresse pas.

— Ça vous regarde. En tous cas, laissez-moi votre nouvelle adresse. On ne sait jamais.

L'infirme lui signifiait poliment son congé, désireux d'être seul pour continuer de penser à son véritable souci: Rita, Stan et Ovide. Quand Monseigneur rejoignit Joséphine et son fils au comptoir, il trouva celui-ci tout agité d'une sainte révolte.

— Au cours de mon émission de radio, je parlerai de ce scandale!

Epouvanté le curé le supplia de n'en rien faire, car sa situation s'en trouverait empirée et il ne reviendrait plus jamais dans sa paroisse.

— Il y a tout de même une limite! L'injustice est l'injustice! Si on ne la dénonce pas, elle continuera toujours!

— Toi, Ovide, assez! trancha Joséphine. Si on veut retrouver notre Monseigneur avant un an, taisons-nous et endurons. Pour le moment, il est comme un enfant en pénitence, à genoux pour dix minutes. S'il se relève avant, il va faire pire ensuite.

Ovide hochait la tête. Quelle société! Avant de partir, Monseigneur Folbèche, avec un sourire triste, lui dit:

— Pour l'Ordre de Jacques Cartier, j'ai peur que ça retarde, hein?

— Ne vous en faites pas. Voyons d'abord si l'Ordre saura vous défendre...ce dont je doute!

***

Durant la courte distance qui les séparait du presbytère, Monseigneur Folbèche perdit la belle assurance contre le désespoir que l'infirme lui avait momentanément fournie. Il claquait presque des dents en montant l'escalier menant à la porte du presbytère. Il agita la sonnette, comme un visiteur. Joséphine l'auscultait du regard, jaugeait la panique du prêtre par son bras qu'elle tenait fortement.

— Allons, Monseigneur, prenez-vous en main, pour l'amour de Dieu! Je vas entrer avec vous, ce sera plus facile.

La religieuse qui servait de gouvernante à Monseigneur Folbèche vint ouvrir et jeta un regard surpris sur ce couple, puis son oeil devint de glace. Quelle audace avait cette grosse femme! Entrer au bras de son curé! Pourquoi? La religieuse allait bientôt l'apprendre et pleurer amèrement. Que d'amours profondes règnent parfois dans les presbytères entre les bonnes soeurs et les prêtres! Silencieuses, inavouées, transposées en dévouement aveugle, ces passions atteignent des dimensions rarement trouvées dans le vaste monde laïque.

***

Rita n'osait marcher sur le plancher de la cuisine, comme si elle avait eu peur de déclencher l'explosion se préparant contre elle à l'étage inférieur, entre Ovide et Berthet. Une demi-heure avant, Stan l'avait à nouveau appelée, afin de la rassurer. Il avait vu Pacifique hier, et l'avait menacé. Epouvanté l'infirme avait juré de se taire. Sinon, il perdrait la jambe qui lui restait. Ce téléphone produisit l'effet contraire. Au lieu de s'éteindre comme elle l'espérait, l'affaire prenait des proportions dramatiques. Elle lui cria de ne plus s'occuper d'elle, de ne plus jamais rappeler, de ne jamais essayer de la revoir. Puis sa panique atteignit un degré frôlant la folie. Son regard tomba sur la bouteille de gin dans le petit bar qu'elle avait offert en cadeau à Ovide, à Noël. Elle la saisit et, à même le goulot, en but deux larges lampées. Peut-être retrouverait-elle, sous le fouet de l'alcool, sa légèreté de conscience et de caractère? Elle n'était pas faite pour le drame, et il lui apparaissait maintenant impossible de l'éviter. Pendant quelques minutes elle se berça, les yeux clos, souriant presque béatement dans ce court moment d'ivresse salvatrice. Ce sourire et cette ivresse la plongèrent dans l'évocation de sa faute au bord de la Rivière Séchée avec Bob l'architecte, après de nombreux verres de champagne. Puis, l'effet de l'alcool se dissipant, elle retomba encore plus profondément dans son désespoir. Ovide ne pourrait pas ne pas l'apprendre bientôt. Elle devint toute froide en l'entendant monter rapidement l'escalier. Et lui qui était si bon pour elle depuis quelque temps!

***

Le curé parti, Ovide réussit à retrouver son calme. Il se força à des pensées plus gaies, évoquant Rita, puis l'abbé Marquis. C'est ça, il lui fallait dérider sa femme, lui jouer la comédie de la jalousie envers un jeune vicaire. Il feindrait l'indignation, pour ensuite éclater de rire. Regaillardi, gravissant les marches, deux par deux, il adoptait déjà un masque soucieux, sévère. Debout près de la cuisinière, elle l'attendait, terrorisée. Elle eut presque un hoquet de terreur en apercevant sa mine abattue, crispée. Il lui annonça d'abord le drame du curé, mais elle ne fit pas de commentaire.

— C'est tout ce que ça te fait? Notre curé est injustement chassé et tu ne dis rien? Sans-coeur!

— C'est bien triste pour lui, bien sûr, murmura-t-elle, ébranlée.

Pauvre petite! Comme elle lui apparaissait misérable et triste, avec des cernes sous les yeux! Il devenait urgent de la faire rire au plus vite, de la secouer, de la distraire et de partir au plus vite comme deux jeunes mariés en vacances pour une semaine à Montréal, où il reniflerait les possibilités de carrière journalistique. Il toussa gravement:

— Maintenant, abordons l'essentiel. L'attitude de Berthet m'a paru fort curieuse, ce matin, quand il a appris que tu ne viendrais plus au comptoir.

Elle oubliait de respirer, attendait la guillotine. L'air d'Ovide s'imprégnait de férocité. Il soignait sa mise en scène, simulait le courroux. Il éclata, écumant, comme incapable de se contrôler:

— J'en apprends de belles!

Les genoux de Rita plièrent. Berthet avait parlé! Ovide, aveugle devant l'effroi de sa femme, pensait à sa mise en scène, à l'abbé Marquis, à la pinte de bon sang que Rita et lui se paieraient quand il lui aurait raconté sa suggestion faite au jeune vicaire de jeter la soutane aux boules à mites. Il eut peine à garder son sérieux:

— Oui, Rita, j'en apprends de belles! répétait-il, théâtral. Il va falloir prendre une décision. Ça n'est plus tolérable! Tu es démasquée! Femme ingrate!

Rita bascula dans une terreur absolue.

— Ovide! Je vas te dire toute la vérité! cria-t-elle.

C'est avec stupéfaction qu'il la vit courir vers lui et tomber à genoux, ravagée, tremblante de terreur. Quelle comédienne! Elle s'agrippait à sa veste comme une noyée. Elle collaborait, elle participait à la grande scène! Quoi? Qu'est-ce qu'elle disait là?

— Oui, c'est vrai! Je t'ai trompé, Ovide, quatre fois, mais pas plus!

Ebahi, croyant d'abord assister à un mauvais guignol dont il eût été l'acteur par accident, il écoutait le récit fantastique coupé de sanglots, de sa femme éplorée et gémissante. Entraînée par Stan Labrie, elle l'avait trompé trois fois d'abord l'été dernier, par vengeance, parce qu'Ovide lui avait fait perdre son poste de Miss Sweet Caporal, puis par besoin d'argent et par étourderie. Quant à la quatrième fois, elle en était à peine responsable. C'était mardi dernier, à la Rivière Séchée, où Stan lui avait fait boire trop de champagne. Ovide caressait machinalement les cheveux de cette Marie-Madeleine. Puis il retira sa main, comme traversé par un choc électrique. Elle continuait, s'agrippait:

— Et pourtant je t'aime! je t'admire! jurait-elle entre deux sanglots. C'est plus vivable pour moi, j'ai des remords épouvantables! J'étouffe! Chasse-moi, je le mérite! Je t'en voudrai pas, t'auras raison! Ovide!

Assommé, il ne l'aida pas à se relever et se rendit à l'évier dont il contempla, l'oeil morne, la porcelaine. L'aveu avait été massif, total. Ce n'était pas un cauchemar! C'était une catastrophe réelle qui lui arrivait à lui, Ovide Plouffe. Il voyait la douleur naître de ses entrailles, monter en champignon dans toutes ses veines, son coeur, sa tête. Il revivait la scène d'opéra qu'il avait déjà jouée et chantée, où Paillasse poignarde Colombine. Il n'aurait jamais cru que cette atroce expérience d'être trompé par une femme aimée, à qui on a été fidèle, qui occupe le centre de nos pensées, lui arriverait, à lui! Il n'éprouvait aucune impulsion de l'étrangler, de la poignarder. Au contraire, au-delà des débris de son coeur, il se rappelait son séjour au monastère, les lectures des saints évangiles où le Christ prenait la défense de la femme adultère.

Rita s'était recroquevillée dans le coin du divan. A travers ses larmes, elle admirait et aimait davantage cet Ovide pâle qu'elle avait perdu, ce mari trompé qui ne montrait aucune violence, aucune colère, mais une épouvantable tristesse. Qu'il parle donc! Ce silence était insoutenable!

— Mais dis quelque chose, Ovide! Je t'en supplie! Bats-moi!

Il se taisait toujours, esquissait des gestes machinaux, comme ouvrir le robinet et le refermer, ajuster sa cravate pour qu'elle fût bien droite. Un voile s'était déchiré et il était mis en face d'une réalité longtemps repoussée. L'homme d'affaires qui dépose son bilan le sait depuis des mois, qu'il le déposera. Depuis toujours il SAVAIT que Rita le tromperait, le trompait. N'était-ce pas à cause de cette certitude que, justement, il avait tenu à en faire sa femme, parce que son destin à lui était voué à la défaite sur tous les plans, ou peut-être avait-il agi par masochisme, pour se punir de ses instincts sexuels? Il s'était forgé un cilice terrible à travers cette femme maintenant brisée à ses genoux. C'était lui, le coupable, qui avait utilisé Rita, l'avait épousée par égoïsme, l'enchaînant subtilement à ses propres fantasmes.

— Fais quelque chose! geignit-elle. J'en peux plus! Bats-moi donc!

Il grimaça de douleur. La brûlure de la jalousie charnelle incendiait tout son être. C'était donc inéluctablement vrai, elle l'affirmait, Rita, sa femme, la mère de leur enfant, avait fait l'amour avec d'autres hommes! Qui tuer? Elle, ses amants, ou lui-même? Ovide eut peur de cette flamme qui le consumait, qui le mènerait, si elle persistait, à commettre un acte irréparable.

— Qu'est-ce qu'on va devenir, Ovide?

Il éclata enfin d'un grand rire déchirant, agitant ses longs bras.

— Prends-toi un amant régulier. Un beau soir où j'aurai bu, nous le tromperons ensemble. Ce serait charmant!

Elle était livide. Devenait-il fou?

— Parle pas comme ça, tu me fais peur! Maintenant que je t'ai perdu, l'amour c'est fini pour moi.

Entendre cela de Rita! Il grinça des dents. Il s'imaginait trompant l'amant que Rita choisirait. Un désir subit, sauvage de la posséder, de bondir sur elle et de lui faire l'amour comme un fauve enragé sur le linoléum l'envahit. Mais non, entre eux, tout était rompu pour toujours. Il passa sa main sur son front moite, mesura l'ampleur de la rupture et eut envie de sangloter comme un enfant. C'était donc vrai! Ils étaient perdus l'un pour l'autre! Ses pleurs lui rappelaient les râles passionnés de Rita dans l'orgasme, les étreintes où elle exultait, les yeux révulsés, "ah! ah! je t'aime, mon amour, mon amour, ah!" Et elle avait crié la même chose dans les bras d'autres hommes! Son haut-le-coeur fut absolu. Il vomit dans l'évier. Honteux, épuisé, il nettoya l'amère substance avec un chiffon qu'il eut ensuite le courage de tordre à l'eau du robinet. Il se rafraîchit la figure, la bouche, consulta sa montre, puis se dirigea vers la porte sans même se retourner vers elle, anéantie.

— Il est quatre heures. Arlette est à veille d'arriver. Occupe-t'en, au moins.

— Va pas faire le fou, Ovide! J'ai peur!

Il lui parla comme à une étrangère:

— Et pas un mot à la famille ni à Berthet de cette affreuse histoire! Que ça reste entre nous. Même pas au prêtre! cria-t-il. Ta confession est faite! Et tu n'as pas mon absolution!

Il ferma bruyamment la porte derrière lui. Rita se dressait, traversée par une idée soudaine, plus intolérable que toutes les autres: BERTHET N'AVAIT PAS PARLE! Elle se blottit à nouveau dans le coin du divan et se mordit les jointures comme un animal prisonnier à vie de sa cage. De quelque côté qu'elle se tournât, l'évasion était impossible. Puisque Berthet n'avait rien dit, elle avait été stupide de céder à la panique! Et puis non: sa culpabilité lui était devenue de plus en plus intolérable. Il valait mieux en finir. Elle se releva péniblement puis, devant le miroir, se trouva vieille. Alors une autre vague de terreur l'envahit.

Ovide, cet être entier, allait-il, à son tour, commettre une folie irrémédiable? A force de vivre ensemble, on arrive à se ressembler, à devenir comme deux vases communicants, pour le meilleur et pour le pire.

CHAPITRE VINGT-QUATRIEME

Cette extraordinaire journée de mai, par ses drames et par son soleil, faisait du petit parc des Braves qui surplombait la côte de la Pente Douce un refuge tout indiqué pour la douleur d'Ovide. Ce grand bosquet de chênes, d'érables, de tilleuls, de peupliers, d'aubépines, ponctué dans les coins d'ombre de bancs pour les vieux, les enfants, les amoureux et les poètes, avait été jadis l'oasis d'Ovide adolescent rêveur. Napoléon, tenant le mioche Guillaume par la main, l'y avait entraîné souvent pour jouer à Tarzan; ils essayaient de sauter de branche en branche comme des chimpanzés. Ovide, n'ayant pas la vocation, était quelquefois tombé. Pendant que ses frères disparaissaient dans les buissons pour épier les agissements des amoureux (parfois, comme des barbares, ils surgissaient derrière les couples enlacés en criant "police!"), Ovide, seul sur un banc où il écoutait les trilles des rossignols, vivait les plus merveilleux moments de sa jeunesse en se récitant des poèmes de Verlaine, de Musset, de Gérard de Nerval. Quelquefois, des rimailleurs autodidactes, fonctionnaires à la retraite, intellectuels romanesques qui venaient au parc pour poursuivre leur convalescence de phtisiques, se joignaient à lui et lisaient leurs sonnets, lui indiquaient les lectures à faire, lui ouvraient des horizons de beauté dont il n'était pas question dans le milieu où il vivait.

Il retrouva le banc de ses anciens bonheurs, s'y affala en retenant ses sanglots. Il constata la mort de son âme, se rappela les jeunes poètes, entendit avec netteté leurs voix fiévreuses récitant leurs vers.

Et soudain il se souvint du sonnet de Sully Prud'homme *Le vase brisé*. Le vase brisé, c'était lui, Ovide Plouffe, mari trompé par Rita Toulouse. La douleur, violente, le frappa à nouveau au ventre. Ah! que n'était-il mort lors de son adolescence heureuse! Il n'aurait pas vécu les années pénibles qui avaient suivi et dont il connaissait aujourd'hui l'affreux dénouement!

Un ennui aigu de son foyer l'envahit, de sa petite Arlette, de Rita elle-même. Il se félicita d'avoir été correct avec elle, de ne l'avoir pas accablée. Il pensa à Othello, à Paillasse, et le grand air des *Sanglots* monta à sa gorge. Ces gens-là abattaient les femmes qui les trompaient. Tout à coup il songea qu'au théâtre, à l'opéra, il n'était jamais question des femmes trompées qui tuaient leur conjoint. Deux amoureux passèrent devant lui, main dans la main. Cuisantes, intolérables, les images de sa femme nue, caressée, pénétrée par d'autres hommes, l'évocation de sa Rita criant son extase dans l'escalade vers l'orgasme, déchaînèrent en lui une colère meurtrière contre ces rivaux qu'il devrait tuer, en commençant par Stan Labrie le grand responsable. Mais comment faire? Il pensa au revolver 38, couché dans le tiroir, à la bijouterie. Soudain il sursauta en criant:

— Qu'est-ce que c'est que ça?

— Comme t'as l'air à t'ennuyer, chéri?

Un homme dans la quarantaine, braguette ouverte, avait surgi du bosquet et l'avait embrassé dans le cou. C'était un homosexuel comme il en traîne dans tous les parcs du monde pour y chasser, les après-midi de printemps. Il avait cru qu'Ovide, avec sa tête tragique et rêveuse, attendait lui aussi une telle rencontre. Mais Ovide avait bondi, les bras en avant comme un lutteur prêt à charger l'adversaire:

— Arrière, maudit, ou je vous étrangle!

— Ça va, ça va, t'énerve pas, bozo. J'ai fait erreur. Mais tu sais pas ce que tu manques! Bonjour et bonne chance, chéri!

Le maraudeur disparaissait dans les broussailles. Ovide eut à nouveau envie de vomir. Le destin exagérait. Au moment où il atteignait le fond de l'abîme du mari qui se découvre trompé par sa femme aimée, il était attaqué par un homosexuel! C'était comme si Rita continuait de bafouer sa virilité par l'intermédiaire d'une tapette de grand chemin. Pourquoi attirait-il ce genre d'hommes?

Il se rassit avec dégoût et pleura à chaudes larmes. Jamais il n'avouerait à quiconque ce drame affreux. Surtout pas à la famille! Epuisé, assommé, il somnola, puis fit le tour du parc, titubant quelquefois. Il n'avait pas faim et ne savait plus où se réfugier. Il alla s'agenouiller dans l'église des Saints Martyrs et demanda à Dieu de l'aider. Une envie folle le saisit de courir chez lui, de serrer sa petite dans ses bras et de crier à Rita "je te pardonne!" Il eut encore mal au coeur. Mais non. Impossible! C'était fini entre elle et lui.

Quand l'obscurité fut venue, aux alentours de dix heures, il retourna dans la paroisse, rôda par les rues connues, observa la lumière dans le logis de sa mère, puis dans la maison de Napoléon, puis chez lui. Il affichait le même comportement qu'avait eu Monseigneur Folbèche dans l'après-midi. Il entra dans la bijouterie, tourna le commutateur.

Il contempla avec dégoût toute cette bimbeloterie qui constituait son gagne-pain. A quoi bon continuer? Pour qui? Ça ne valait plus la peine de vivre. Même sa passion pour la politique lui paraissait minable. Il ouvrit le tiroir-caisse, aperçut le revolver dont le noir brillait, tragique, puis le fourra machinalement dans sa poche. Pour s'en servir où? C'était vague, mais le masque de Stan Labrie ricanait dans l'eau trouble de son chagrin. Intensément, Ovide prêta l'oreille à ce qui se passait au-dessus, dans son appartement. Rien, le silence. Rita devait être couchée avec Arlette, s'accrochant à elle et pleurant?

Il sortit furtivement de sa propre boutique, tel un voleur. Et ses pas le dirigèrent comme un automate vers le restaurant CHEZ GERARD, où il trouverait peut-être Stan Labrie. Mais une autre silhouette flottait au-delà de sa fureur meurtrière: celle de la serveuse Marie.

***

En semaine, CHEZ GERARD, la clientèle était fort différente de celle du week-end. Des congressistes américains, des buveurs bruyants peuplaient ce lieu. Cependant, la vedette de la radio québécoise, Claude Saint-Amant, de qui Ovide achetait ses cinq minutes d'antenne, occupait la meilleure table, où il était accompagné d'une chanteuse et de deux commanditaires éventuels. Ce soir on pourrait causer davantage: le spectacle était donné par l'accordéoniste Frédo Gardoni, Français d'origine italienne qui triomphait sur les ondes de Radio-Canada. Gérard Thibault, le propriétaire, se promenait parmi les groupes, saluait, s'informait de tous et chacun. Le lundi, il perdait de l'argent mais prenait le temps d'être aimable et d'investir par le sourire. Quand Ovide entra, Claude Saint-Amant l'aperçut tout de suite. Celui-ci se leva, vint à sa rencontre:

— Venez vous asseoir avec nous, Monsieur Plouffe, fit-il en le prenant par le bras.

Et s'adressant aux clients éventuels:

— Monsieur Plouffe vous le dira lui, à quel point mon émission est populaire, comment elle lui a fait tripler son chiffre d'affaires! N'est-ce pas, cher ami?

Celui-ci affichait un sourire mécanique et approuvait de la tête.

— Vous m'excuserez, j'ai à réfléchir à un problème important; je préférerais être seul. Vous ne m'en voudrez pas, j'espère?

Ovide alla s'installer à une petite table de coin et commanda un whisky. Avec un regard de tueur à gages, il tenta d'apercevoir Stan Labrie, ne le trouva pas et en fut soulagé; mais c'est aussi Marie qu'il cherchait. Il la repéra, mais elle ne le vit pas d'abord. Depuis que Rita lui avait fait une scène de jalousie au sujet de la serveuse, Ovide s'était abstenu de revenir CHEZ GERARD, mais sa femme, pendant ce temps, le trompait! A quoi sert d'être loyal envers des gens tout prêts à vous trahir? Ovide dévorait Marie du regard, la suivait dans tous ses mouvements; il s'accrochait à sa présence comme à une bouée de sauvetage. Elle était toujours aussi belle, élégante, éminemment désirable. La mélodie *Les Chemins de l'amour* flotta un moment au-dessus de sa douleur. Puis il fronça les sourcils, choqué; à la table voisine, cinq individus éméchés racontaient des histoires grossières en riant très fort et en blasphémant. Comme tout était laid partout dans ce monde! Seule Marie, très haut, planait au-dessus du vulgaire. Il soupira et chercha de l'oeil une autre place, dans un coin plus obscur, où il pourrait s'adonner à son chagrin, absolument. Aucune n'était libre. Il commença lentement à boire son whisky puis brusquement l'avala d'un trait. A la table de Claude Saint-Amant, celui-ci expliquait, les yeux tournés de temps à autre vers Ovide:

— Monsieur Plouffe est un être extraordinaire, exceptionnel, incompréhensible. Ancien tailleur de cuir, amateur d'opéra, il connaît tous les airs par coeur; et intellectuellement, hein, vous seriez surpris de la hauteur de sa pensée! De plus il écrit drôlement bien. Il est propriétaire d'un commerce de bijouterie qui s'étend dans tout l'est de la Province. Dans son cinq minutes, au cours de mon émission, il parle très peu de sa marchandise; il en prend au moins trois pour commenter l'actualité; parfois, il fait tourner un disque de son choix. C'est un garçon très original. Et mon auditoire l'aime beaucoup.

La chanteuse fit remarquer:

— Attention! C'est peut-être un cheval de Troie. S'il t'achetait du temps d'antenne pour s'y faire connaître et pour ensuite te supplanter?

Claude Saint-Amant riait, sûr de lui:

— D'autres se sont essayés avant. Mais Ovide Plouffe, non. Si on l'accusait d'une chose pareille, il ne voudrait plus parler du tout à l'émission. Il est d'une probité à faire peur. C'est un gars tout d'une pièce qui, en colère, pourrait être dangereux. Curieux type, mais plutôt attachant. Apprenez qu'en six mois, il a atteint le "troisième degré" dans l'Ordre des Chevaliers de Colomb! Regardez-le, la tête dans les mains. C'est pas pour la pose. Il réfléchit vraiment, et très profondément. Je parie même qu'il pense à la grève de l'amiante.

Frédo Gardoni s'exécutait. Le folklore napolitain, les javas, les mélodies sud-américaines se succédaient, son immense instrument reposant sur son ventre, accroché au cou par une large courroie de cuir. Ses doigts boudinés parcourant, agiles, le clavier, devaient avoir des yeux et des oreilles pour se promener ainsi avec une telle rapidité, sans erreur sur les touches blanches et noires à droite, et sur ces nombreux boutons anonymes à gauche. Lui, Ovide Plouffe, adorait la musique, mais ne savait jouer d'aucun instrument. Napoléon, ignorant le solfège, était quand même devenu assez bon trompettiste. Peut-être ne faut-il pas être rationnel pour acquérir une virtuosité qui dépend plus de l'instinct que de la raison? Ovide se dit que l'esprit critique peut nuire, tuer dans l'oeuf tout élan vers la création. Peut-être était-ce cette froideur de l'intelligence, cette lucidité impitoyable dont il souffrait, qui avaient gelé Rita et l'avaient lancée dans les bras d'autres hommes, plus stupides, mais plus rassurants et plus agréables à vivre? Le coeur lui fit mal à nouveau. Mais à chaque lancinement, il avalait une lampée de whisky. A nouveau il inventoria la foule des clients. Stan Labrie n'y était pas et il en fut soulagé. L'accordéoniste commença de jouer *La Vie en Rose* et les truands de la table voisine se mirent à chanter très fort, gueulant des fausses notes qui plongèrent Ovide dans un état de colère indescriptible. Sur qui allait s'abattre cette fureur énorme mais contenue qui le dévorait depuis la scène de l'aveu? Cet endroit était vraiment affreux. Pauvre Marie! Si elle n'eût pas été là, il aurait quitté cet endroit depuis de longues minutes. Marie l'aperçut enfin et marcha rapidement vers sa table avec un sourire heureux. Il se leva.

— Monsieur Plouffe! Vous?

Elle lui faisait des reproches avec une douce familiarité, comme si elle l'avait toujours connu.

— Je vous en veux. Vous n'êtes pas venu une seule fois depuis le soir où je vous ai fait dédier notre chanson de Poulenc. J'ai vu vos frères. Le grand blond, Guillaume, je pense, ce qu'il peut être beau! Enfin vous êtes là.

— J'ai vécu un hiver tellement occupé. Toujours en voyage, s'excusa-t-il.

Elle souriait tendrement. Ses yeux verts se pailletaient d'éclairs de sympathie.

— Oh! je sais tout sur vous. Vos frères m'ont raconté beaucoup de choses. Propriétaire d'un florissant commerce de bijouterie (elle fit le salut militaire). Donc, adieu les disques? Je vous salue, patron. Et plus que ça, je vous écoute à la radio. Vous êtes un commentateur très original, avec une belle voix grave, aux harmoniques remarquables.

Enfin, une femme l'appréciait à sa juste valeur, lui disait les mots qu'il espérait entendre. Rita n'avait jamais remarqué ce genre de qualités chez lui. Ses yeux s'embuèrent.

— Vos paroles me font du bien, soupira-t-il.

Elle remarqua l'émotion d'Ovide et l'examina avec une curiosité accrue. Elle le fit asseoir, car autrement on eût pu croire qu'Ovide était pour elle plus qu'un client. D'ailleurs, à la table où s'agitaient les fêtards, on commençait à chuchoter des commentaires égrillards au sujet de Marie.

— Quelque chose ne va pas, Monsieur Plouffe? fit-elle.

— Oh! un léger contretemps. Mais, en vous voyant, en vous parlant, je l'oublie. Je me souviens toujours de ce que vous avez fait pour moi, au magasin de musique, quand je me suis évanoui.

Hésitante, ses yeux magnifiques s'animant, elle osa:

— A votre dernière visite ici, votre femme semblait furieuse contre moi. Est-ce pour cela que vous n'êtes jamais revenu? Je me le suis demandé.

Il choisit prudemment ses mots:

— Bien sûr, ma femme est un peu jalouse de toutes les jolies filles que je rencontre. Et vous êtes si belle, Marie. Si belle!

Il la dévorait d'un regard intense, ému.

— Avec votre intuition, vous avez tout deviné.

Pensant à Rita, il ajouta:

— Mais je suis à veille de ne plus m'occuper de ses humeurs. Vous êtes si différente, Marie. J'aurais dû venir vous voir pendant tous ces longs mois d'hiver. Vous êtes-vous trouvé un ami? Je suis sûr que oui.

Coquette, elle faisait de la tête une dénégation charmante.

— Non. Toujours seule. Alors je ne fais de peine à personne.

Ovide fut surpris de l'audace qui l'envahissait. Il osa suggérer:

— Le dimanche matin, je fais de longues promenades à pied. Je pourrais passer chez vous, un de ces jours, et écouter vos disques? D'accord?

Elle eut un éclair coquin dans l'oeil. Ah! ces Françaises, se dit Ovide, elles sont vraiment faites pour les jeux de l'amour et du hasard! Il était sûr qu'elle dirait oui. Mais elle devenait prudente.

— Prenez mon numéro de téléphone. Peut-être. On verra.

Il l'inscrivit rapidement. Reprenant son attitude de serveuse très occupée, elle dit:

— Oh! je vous quitte. On commence à nous observer. Vous reviendrez, Monsieur Plouffe.

Elle le laissa. Ovide retomba dans sa solitude torturée où une étincelle d'espoir essayait de s'installer. Comme Marie passait près de la table voisine où les truands trinquaient toujours, le plus gros d'entre eux la saisit brutalement par la taille et essaya de l'embrasser. Elle se dégagea violemment, indignée. C'est ce qui fit éclater l'énorme colère d'Ovide. Comme le jour où il avait assommé d'un coup de poing le frère Léopold au monastère des Pères Blancs d'Afrique, il bondit sur le vaurien et lui asséna un puissant crochet au menton. L'homme s'écroula. Ovide, qui n'avait pourtant pas la musculature de ses frères, possédait dans ses nerfs et ses os, une force herculéenne qui se déclenchait lors d'un violent accès de colère. Mais les copains de l'assommé sautaient sur Ovide. On essayait de le tenir par derrière, de l'immobiliser pour mieux le frapper. C'était la première bagarre du genre au restaurant CHEZ GERARD. Tous les clients s'étaient levés. Marie, livide, se tordant les mains, observait le spectacle, haletante. Quelqu'un criait: "appelez la police!" Quelle mauvaise publicité cette échauffourée ferait à l'établissement! Ovide, les cheveux en bataille, et déjà frappé par ses assaillants, put s'échapper du cercle des quatre compagnons de la victime, se mit le dos au mur et, à la stupéfaction des spectateurs, tira de sa poche le revolver 38, le brandissant à la manière d'un d'Artagnan ayant troqué son épée contre un pistolet. Quelqu'un cria dans l'assistance: "Il va y avoir un meurtre! C'est un tueur! Attention! Au secours!"

Les ivrognes avaient reculé en levant les mains et en bredouillant:

— Fais pas le fou! On faisait ça pour rire!

Tous les clients étaient figés d'épouvante. Ovide offrait l'image d'un fou dangereux, au visage ensanglanté. Il se sentait aussi atterré que les autres et le revolver tremblait au bout de ses deux mains tendues. Il sembla se calmer un peu. Claude Saint-Amant, prudent, s'approchait. Reporter radiophonique, il était connu pour son courage, lors d'une prise d'otages où il était intervenu avec succès. Il parla avec douceur:

— Voyons, Monsieur Plouffe, qu'est-ce qui vous arrive? Donnez-moi votre arme.

— Ces voyous qui insultent une femme! haletait Ovide, C'est ignoble!

Claude Saint-Amant lui prit simplement le revolver des mains, en vérifia le barillet. Il le montra en souriant à la ronde:

— Voyez, il n'est même pas chargé. N'appelez pas la police, Monsieur Thibault.

L'incident est clos. Je me porte garant de monsieur Plouffe. C'est un homme respectable et fort connu. Allons, asseyez-vous tout le monde, et que le spectacle continue! C'est pas sorcier, comme bijoutier, notre concitoyen a le droit de porter une arme. Et si certains clients n'agissaient pas de la sorte avec les serveuses, ils ne s'attireraient pas les foudres d'un homme chevaleresque comme monsieur Plouffe. Allons, je vous reconduis chez vous, cher ami. Frédo, joue-nous une java...

L'alerte était passée. Les fêtards, dessaoulés, se rasseyaient, tout penauds. Le regard hébété d'Ovide croisa celui, bouleversé, de Marie. Priant ses amis d'attendre son retour, Claude Saint-Amant se dirigea vers la porte avec son protégé. Le speaker était très sensible au danger que courait la réputation de son émission populaire, si jamais l'incident recevait de la publicité. Il démarra en trombe.

— Ouf! Mais qu'est-ce qui vous a pris, mon pauvre ami? Je m'attends souvent à des choses surprenantes de votre part, mais pas à vous voir déclencher une bagarre ni de brandir un revolver! C'est incroyable!

Les yeux fixes, encore essoufflé, le coeur battant toujours la chamade, Ovide enfouissait au plus profond de son être le regard fiévreux de reconnaissance dont Marie l'avait enveloppé jusquà sa sortie du restaurant.

— Allons, Ovide, qu'est-ce qui vous a pris?

Dégoûté de lui-même, celui-ci essaya de répondre:

— Je ne m'y attendais pas plus que vous. Mais ces voyous! C'est intolérable! Ils étaient en train de me démolir!

Il essuyait avec son mouchoir le filet de sang qui coulait de sa joue fendue. Claude Saint-Amant conduisait par saccades.

— Heureusement, aucun journaliste n'était là, sauf moi. Imaginez le tort que ça causerait à votre commerce si un tel incident était rapporté dans les journaux! A votre réputation aussi, et à la mienne, moi qui vous comptais comme mon client modèle. Ouf! j'ai eu chaud! Et mes deux commanditaires éventuels! Merde!

— Je vous demande pardon, murmura Ovide. On ne devrait jamais porter de revolver sur soi, même pas chargé.

— Est-ce que quelqu'un en veut à votre vie? Dites-le moi, je suis un de vos amis?

Ovide faisait non de la tête. Saint-Amant continuait:

— Vous étiez loin de paraître dans votre assiette, ce soir. Vous avez des tracas?

— Oh! comme tout le monde. Des petits contretemps familiaux. Mais ça reviendra. De plus, je suis troublé par les transformations qui bouleversent le Québec, par les agissements de Duplessis, ce dictateur.

Claude Saint-Amant l'interrompit:

— Rechantez-moi pas ce refrain-là! Déjà j'ai une sacrée peur de votre topo demain soir. Duplessis a le bras long et nous reconnaît comme Libéraux.

— Je ne le sais que trop, fit Ovide, dans un soupir. Avec tous ces compromis consentis à tous les niveaux, comment vivre honnêtement, être fier de soi, si on ne peut défendre la vérité, si on doit se soumettre aux censures de toutes sortes?

Ovide avait le visage tordu de dégoût, un visage dont il continuait d'éponger la blessure d'une main fébrile. Claude Saint-Amant le déposa à sa porte, brusquement, comme pour s'en débarrasser. Le speaker commençait à craindre la fréquentation de ce client au comportement imprévisible, capable de frasques redoutables comme celle de ce soir. Cet Ovide Plouffe était peut-être un fou?

Ovide entra dans son magasin, remit le revolver au fond du tiroir et se dit que demain il devrait trouver un commis masculin pour remplacer Rita, car il repartirait bientôt en tournée sur la Côte Nord. Il poussa un long soupir. Il aurait maintenant à partager le logis d'une femme qui n'était plus bibliquement la sienne.

Une heure du matin. Entrant sur le bout des pieds, il vit briller, au-dessus du divan-lit ouvert, une petite lampe. Deux oreillers immaculés, accueillants à sa tête brûlante, des couvertures relevées en biseau pour que son corps fatigué pût s'y glisser facilement, l'attendaient. C'est vrai, il lui fallait bien dormir quelque part, s'il ne couchait plus avec Rita? Il ne fut pas ému, éteignit la lampe comme pour sa première nuit d'une existence nouvelle.

Il ne s'aperçut pas que, par le léger entrebâillement de la porte, Rita l'avait épié avec angoisse, ses beaux yeux pleins de larmes.

CHAPITRE VINGT-CINQUIEME

Des mois et des mois peuvent s'écouler sans qu'apparemment il se passe quoi que ce soit. Et soudain, comme la rivière aux eaux calmes, les jours débouchent sur un torrent tumultueux.

C'est l'odeur du café qui éveilla Ovide le lendemain matin. Rita, le visage tiré par l'insomnie, préparait la table pour le petit déjeuner, sa main fébrile ne parvenant pas à placer dans l'ordre: couteaux, cuillers, fourchettes et assiettes. Le fouillis de ses sentiments déséquilibrant ses gestes, elle essayait de ne pas sombrer dans l'absolue panique, accrochait son regard de noyée à son mari, cet Ovide au visage maculé de sang qui, sur le divan, ouvrait un oeil morne. D'une voix plaintive, elle murmura:

— Tu t'es blessé?

Il s'était couché tout habillé. Il se leva d'un bond, sans répondre, se précipita dans la salle de bain où il resta une demi-heure, dont dix minutes totalement consacrées à décider de l'attitude à prendre avec Rita. Rasé de frais, sa blessure presque cautérisée à la lotion alcoolisée, il s'assit à table sans mot dire.

— Que comptes-tu faire? dit-il enfin, sans la regarder.

Elle claquait des dents, et au fond de sa voix, comme chez les vieilles, un léger chevrotement couvait.

— Je sais pas...je sais plus. J'ai pas dormi de la nuit.

Il parlait sèchement:

— L'essentiel, pour le moment, c'est que cette histoire demeure entre nous. Le seul service que je te demande, c'est bouche cousue, surtout avec ma famille; même avec Cécile. Promets-le moi!

— Promis.

Elle versait le café, en répandait dans la soucoupe.

— En une nuit, j'ai vieilli de dix ans, Ovide. Je l'ai mérité. Je veux expier. Finies les envies de devenir "waitress" ou mannequin. Je veux retrourner à la manufacture de chaussures, à mon ancien travail. Ils me reprendraient tout de suite.

Du regard et de la voix, elle le suppliait. Un afflux d'amertume fit mal au coeur d'Ovide. Pour plaire à Rita il s'était lancé dans l'ascension sociale. Son mariage s'était brisé quand même. Et maintenant elle voulait trouver refuge à sa peine, à son remords, dans cette manufacture qu'il avait fuie comme un symbole de défaite. Il réussit à cacher son émotion.

— Trop de gens se poseraient des questions. Je pense que notre petite Arlette, plus que la manufacture ou moi-même, a besoin de toi. Cette enfant a plus vécu avec des gardiennes qu'avec ses parents. Apprends à devenir une vraie maman, si...

C'est elle qui acheva dans un soupir:

— Si j'ai pas été capable d'être une bonne épouse.

Il lui jeta un regard froid.

— N'en parlons plus! Donc, dans les semaines qui viendront, les mois peut-être, qu'il en soit ainsi. Le temps nous inventera des solutions. L'important pour le moment, c'est de limiter les dégâts, de se taire, de se tapir.

— Comme tu voudras, murmura-t-elle.

Il toucha à peine ses rôties et but son café en essayant de lire LE DEVOIR. On n'avait pas publié sa lettre! Il se leva, très las, ennuyé à la pensée de rencontrer le jeune homme qui remplacerait Rita au comptoir. Du coin de l'oeil, il observa qu'elle marchait comme une malade, le dos un peu courbé. Elle n'avait pas dormi de la nuit? Et Marie, elle, après cette bagarre d'hier soir, avait-elle bien dormi?

***

A huit heures et demie, Cécile, avant de partir pour son

travail, s'étonnait de la profonde lassitude de Rita au téléphone.

— Comme t'as le caquet bas à matin! Attends que je te parle et tu vas changer d'humeur. En revenant ce midi, j'arrête chez vous. Je te prépare une surprise.

Elle raccrocha, se frotta les mains. Joséphine la regarda de travers.

— Qu'est-ce que tu fricotes avec elle, veux-tu bien me le dire?

Cécile, l'oeil ailleurs, ne semblait pas portée à la confidence.

— Vous l'avez vue, à la messe, dimanche? Notre Rita continue à filer un bien mauvais coton. Je veux la distraire. Elle s'ennuie. Pas surprenant, Ovide est toujours parti.

Joséphine, les sourcils froncés, tira une longue bouffée agacée de sa cigarette.

— Plus ça va, plus on m'écarte! J'ai à te dire quelque chose, Cécile. Quand y a un problème de bru dans la famille, on met pas de côté celle qui peut le plus aider, la belle-mère.

Cécile haussait les épaules.

— La v'là qui recommence! Ce que vous pouvez être jalouse de tout, de vos garçons, de votre fille, même de votre curé!

— La jalousie, c'est un signe d'amour. Et quand je dis que j'existe, j'existe! coupa-t-elle.

Cécile sourit, après un silence affectueux dans lequel elle enveloppait sa mère.

— Eh bien! puisque vous voulez tout savoir. On a ce soir un petit bal costumé, tous les employés de la manufacture. J'aimerais ça emmener Rita. Ça lui changerait les idées.

— Un bal? Un bal costumé, par-dessus le marché? Si Ovide veut! De ça non plus, tu m'avais pas parlé! J'en ai assez de tes cachettes!

Et soudainement dressée, elle ajouta:

— J'espère que tu penses pas à l'habiller en Miss Sweet Caporal?

Cécile se renfrognait. Par crainte de sa mère, que de choses elle lui avait tues depuis sa tendre enfance! Elle secoua la tête:

— Non, elle porterait la robe de noces que je m'étais faite comme ça, dans le temps où je pensais me marier avec Onésime.

Joséphine pâlit et Cécile regretta d'avoir blessé sa mère, qu'elle avait plusieurs fois accusée de lui avoir fait rater ce mariage.

— Maman, croyez-le ou non, c'est moi qui m'habillerai en Miss Sweet Caporal.

Les yeux de Joséphine s'arrondirent.

— T'es folle, ma foi, à ton âge, avec ce costume tout écourtiché! Tu me fais marcher. Je te crois pas.

— Non, je vous fais pas marcher. Ce costume me va comme un gant. Et il paraît que j'ai des belles cuisses droites. Rita était toute surprise quand je l'ai essayé l'autre jour. Et Ovide m'a félicité. Je suis pas si vieille que ça! Le monde change. A près de soixante-dix ans, vous avez bien commencé à fumer, vous?

Boudeuse, Joséphine ne répondit pas, mais haussa les épaules. Cécile, l'oeil absent, presque langoureux, se voyait à ce bal, en Miss Sweet Caporal, attirant les regards de tous les hommes, surtout de cet assistant-contremaître, fraîchement arrivé de Montréal, beau grand brun aux épaules larges, dont les yeux brillaient comme des tisons quand il parlait aux filles. Peut-être, la voyant ainsi costumée, la désirerait-il? Elle se défendrait un peu s'il voulait lui faire des avances, mais pas trop. Elle connaîtrait "ça" au moins une fois dans sa vie et, quand elle prendrait son bain, elle ne regarderait plus son corps de la même façon.

Joséphine sourit, mystérieuse.

— Il faut dire que moi aussi, je suis pas jaseuse. Pour te prouver que je te cache rien, j'ai reçu un coup de téléphone du commandant. Il veut nous voir toutes les deux à midi.

Cécile lâcha la poignée de la porte, remit les pieds dans la cuisine. Son visage s'éclairait.

— Il avait son ton solennel?

— Oui.

— Ça y est, conclut Cécile, plus amusée qu'excitée. Il veut faire la grande demande. Ça veut dire que je suis encore dans le marché du mariage. C'est encourageant.

Joséphine tranchait ses phrases très minces, comme du jambon:

— Si c'est ça, faudra que je m'habitue à vivre toute seule. Ça fera pas grand changement. Maintenant que t'es devenue presque comme une étrangère avec moi.

Les épaules de Cécile tombaient de lassitude.

— Qui vous dit que je vas accepter? J'aimerais ça avoir un homme, un vrai. Pas une momie décorée de galons et de médailles?

— Faut penser à la sécurité, aussi, Cécile, fit Joséphine, réfléchissant profondément. C'est un homme qui mourrait avant toi, normalement.

Déchirée entre son goût pour le bel assistant-contremaître et son faible pour l'argent, elle hésita, embarrassée, puis décida, agacée:

— En tous cas, si jamais je dis oui au commandant, vous resterez avec nous autres! On n'aura pas besoin d'intimité.

— Des ménages à trois, j'en veux pas! trancha Joséphine.

— Comment, un ménage à trois? s'exclamait Cécile. Ma foi, maman, devenez-vous folle? On dirait que vous passez votre temps au cinéma? Si c'est pas ridicule en monde!

Le ton montait:

— C'est ça, je suis devenue une vieille, j'ai plus aucun charme! T'apprendras, ma fille, que je suis bien en vie, et j'ai plus de tumeur. Et puis je connais les hommes! Pas de ménage à trois, j'ai dit!

— Pauvre maman, soupirait Cécile.

— Va, va travailler, tu vas être en retard. Y vont te couper une heure de salaire. Moi, faut que je continue à tricoter un chandail de laine pour Monseigneur, qui part demain en exil pour le Nord. C'est si froid, le Nord, la terre dégèle jamais. Et c'est plein de maringouins. Le haut clergé, c'est bien cruel. L'exiler à son âge pour un an, dans un pays pareil! Un an, c'est trop long, je vas faire intervenir ton oncle Gédéon.

— Mon oncle Gédéon connaît pas l'Archevêque de Québec, fit Cécile.

— Tu serais surprise, ma Cécile, va travailler.

Depuis la mort d'Onésime, Cécile ne prenait jamais l'autobus. Elle marchait rapidement. Si elle épousait le zouave, le petit Nicolas pourrait compter sur un protecteur de plus. Elle frissonna à l'idée d'une relation sexuelle avec le commandant. Non, il devrait se contenter d'être la réincarnation d'Onésime et d'apporter sa présence d'homme au foyer, les longues soirées d'hiver. On lui ferait même faire la vaisselle. Cécile pensa à ce beau grand brun assistant-contremaître. Elle pourrait peut-être tromper un peu le vieux zouave sans qu'il y ait de mal à cela? La vie lui devait tant, à elle, Cécile. Et qu'avait sa mère à se montrer si irritable? La voix de Rita, au téléphone, tout à l'heure, basse et angoissée, tinta à l'oreille de Cécile. Elle fut inquiète. Avec une humeur pareille, Rita ne voudrait peut-être pas venir au bal ce soir?

***

Quand Ovide vint saluer Pacifique Berthet, ce matin-là, celui-ci posa sur lui un regard angoissé.

— Vous allez bien, Ovide?

Ovide se demanda si Berthet savait quelque chose. Sur quel ton il avait posé sa question! Etait-il au courant de son esclandre CHEZ GERARD, ou encore des infidélités de Rita et de leur scène de rupture?

— Pourquoi me demandez-vous ça?

L'inquiétude de Berthet s'évanouit. Ovide ne savait rien. Rita n'avait pas parlé.

— C'est que...vous avez l'air contrarié?

— Ah! fit Ovide avec lassitude. Il me faut définir les tâches de ce nouveau commis. Il m'attend au comptoir. Ça me déprime.

Ovide, les yeux cernés (Berthet l'avait remarqué), expliqua par gestes et par phrases saccadées, comme pour s'en débarrasser, les tâches dont serait responsable le jeune remplaçant de Rita. L'inventaire, les ventes, la caisse, le baratin du vendeur, la politesse, le respect envers le client, les rapports du secteur ventes en regard du département des réparations, comment agir avec Berthet, etc. La porte s'ouvrit et Napoléon entra en coup de vent, comme si sa maison eût été en feu.

— Ovide, faut que je te parle, et tout de suite!

"Dieu du ciel, il sait tout!" se dit Ovide, l'estomac recroquevillé. Jetant un coup d'oeil au commis, il dit à Napoléon:

— En ce cas, allons nous asseoir dans l'escalier de l'église. On sera plus tranquille. Ah! tiens, c'est vrai. Je te présente notre jeune employé.

Napoléon n'avait pas le coeur à rencontrer un nouvel employé. Ils sortirent. Le plombier ne voulait pas attaquer le motif de sa visite inopinée et urgente avant d'être bien assis au pied de l'église, car le sujet était grave.

— Rita vient plus travailler? Je t'approuve. Dimanche, Jeanne et moi, on l'a trouvée bien pâle. Ou elle est malade, ou elle est enceinte? Ça te ferait seulement deux enfants. Un petit frère à Arlette, ça serait pas mal, même ce serait bon.

— Non, pas enceinte, fit Ovide en grimaçant sous cette brûlure au coeur qui le frappait maintenant chaque fois que le nom de Rita était évoqué. Moi aussi, je la sens déprimée depuis quelque temps.

Alors elle a choisi de prendre une sorte d'année sabbatique, pour réfléchir.

Napoléon haussa les épaules.

— Pourtant, être enceinte, c'est pas difficile? Regarde Jeanne, je force comme quatre pour pas lui en faire un autre. Une année sabbatique. Le sabbat. Vous allez vous priver, tous les deux?

— En quelque sorte, oui, c'est ça.

Napoléon ne poursuivit pas. Depuis toujours il s'était habitué aux réponses laconiques d'Ovide, qui venaient d'ailleurs, d'un monde qu'il ne comprenait pas. Mais au diable Rita et sa pâleur! Le problème que Napoléon apportait à Ovide était beaucoup plus crucial. Ils étaient maintenant assis côte à côte. Regardant au loin, parlant du coin des lèvres, Napoléon demanda:

— Ovide, qu'est-ce que c'est que ça, cette bataille et cette histoire de revolver CHEZ GERARD, hier soir? Je le croyais pas. Un de mes employés était là.

Ovide ne le croyait pas lui-même, mais c'était vrai. Il prit un long temps à répondre.

— Par distraction, j'avais mis le revolver dans ma poche. Je reçois des menaces, tu sais, à cause de mes éditoriaux à la radio. Puis je me suis rendu CHEZ GERARD, seul, comme ça, par désoeuvrement, pour réfléchir à mon article, dans un coin du bar. Et par distraction aussi, j'ai bu deux scotch de trop.

Napoléon s'animait, s'énervait, s'angoissait. Il saisit le bras de son frère:

— Ecoute, Ovide, pense à moi, faut que tu m'arrêtes ça, ces attaques contre Duplessis et les Bleus (Conservateurs). C'est avec eux autres que je fais marcher mon commerce, moi. Les contrats des Bleus, oui, c'est la base de NAPOLEON ET FILS. Me vois-tu, à cause de toi, perdre mon gagne-pain?

— On t'a menacé? s'inquiéta Ovide.

— On m'en parle à mots couverts, oui. Protège-moi, Ovide, je suis calé jusqu'au menton avec la banque, j'ai cinq enfants, dix employés. Fais-moi pas ça, Ovide, j'ai peur. Ça a pas de sens.

Ovide réfléchissait tristement. Napoléon réagissait comme Claude Saint-Amant, comme tant d'autres, il avait peur. Lui, Ovide, ne pouvait défendre ses idées, sa vérité à lui, sans compromettre sa famille, pénalisée parce qu'il était franc. Napoléon craignait le refus d'Ovide. Il haussa le ton:

— Tu vois ce qu'ils ont fait à Monseigneur Folbèche? Parti. Toi, ils peuvent peut-être pas te chasser, tu parles à la radio et tu vends des montres partout dans la Province. T'es indépendant. Et encore, on sait pas ce qu'ils peuvent te faire? Tandis que moi, j'ai pas d'instruction, j'ai une grosse boutique à faire rouler et c'est eux autres qui me font vivre!

Ovide regardait fixement les marches. A quoi bon être courageux, chevaleresque, si nos actions d'éclat ont des retombées redoutables pour ceux qui nous entourent et nous aiment? Napoléon avait raison: à cause de son frère Ovide, il était menacé. Celui-ci soupira:

— D'accord. Dors tranquille. Pendant trois semaines, je ne ferai jouer que de la musique à mon émission. Mes auteurs préférés, surtout du Poulenc. Je ferai quelques commentaires d'ordre musical. Le tout sera enregistré d'avance.

Napoléon retrouvait sa quiétude, puisqu'Ovide avait promis.

— C'est trop classique, fit-il d'un air connaisseur. Mets donc un peu de trompette de temps en temps. Les gens aiment ça, la trompette, tu sais.

Mais Napoléon avait eu envie de s'écrier:

— Tu me soulages!

Ovide, songeur, espérant que son frère oublierait l'incident de CHEZ GERARD, tira une lettre de sa poche de veston.

— Tu pourras vivre en paix les semaines qui suivront, car je pars en grande tournée dans tous mes territoires. Et même j'irai à l'Ile d'Anticosti. Lis ça, Guillaume m'a écrit.

— Maudit chanceux, soupira l'aîné, après avoir parcouru la lettre.

Ovide reprit la missive et dit:

— Oui, nos deux fous m'invitent. En attendant les pêcheurs, qui n'arrivent que vers le 20 juin, ils sont en train de construire leur fameuse cabane en billots, cachée dans le bois, au bord de la mer, pour leurs vieux jours, en cas d'une guerre atomique, ou de n'importe quel désastre. Et comme c'est sur mon chemin, je m'y rendrai. Enfin, je vais voir la Jupiter!

Pour la première fois, Napoléon éprouvait de l'amertume de se voir ainsi captif d'un commerce, d'une famille aimée. Plus sa Jeanne, plus ses enfants l'aimaient, moins il se sentait libre, plus il se voyait prisonnier de l'homme responsable qu'il était devenu. Ah! quel rêve de pouvoir pêcher le saumon avec Guillaume, de sauter les rapides en canot, d'abattre des arbres, de faire rouler des grosses roches, de se coucher saoul de sommeil, de s'éveiller à cinq heures du matin en s'étirant, puis de saluer le soleil levant d'un grand coup de trompette! Mais non, impossible, il n'était plus libre. A ce moment, il s'ennuya profondément de la présence de Guillaume, se rappelant leur jeunesse où ils étaient comme les doigts de la main, excellant dans tous les sports et remportant toujours la victoire. Il poussa un long soupir:

— Je te trouve chanceux.

— Dis pas ça, on sait pas tout ce qui se passe dans le jardin du voisin. Tu sais, je ne me réjouis pas trop à l'idée de marcher à mi-jambes dans l'eau glacée de la Jupiter.

Mais Napoléon n'avait pas atteint le bout de son rouleau. C'est avec un embarras qui le faisait un peu bégayer qu'il informa Ovide de son plus violent souci:

— Tu sais, cette chicane, hier soir, CHEZ GERARD...euh!...Heureusement, c'est pas publié dans les journaux, mais beaucoup de monde l'a su. Y paraît que c'était effrayant de te voir. J'aurais jamais pensé que tu serais capable d'une affaire pareille. Si j'avais été là, t'aurais pas eu besoin d'un revolver.

Très agacé, Ovide se leva:

— Ah! oublions ça. Une folie! C'est tout. Mais ces vauriens avaient insulté Marie, pauvre petite, et j'ai pris sa défense. T'aurais fait la même chose à ma place, non? gémit-il, se rasseyant.

Napoléon jura ses grands dieux qu'il en eût fait autant, sinon plus. Il n'insista pas car il devinait qu'Ovide souffrait d'autres soucis. Mais quand même, il devait informer son frère d'une grande injustice, commise à cause de lui.

— C'est bien triste pareil. Entre nous, notre petite Marie est trop belle. Plus ça va, plus ça cause des histoires à Gérard Thibault. Gérard, ça y a fait de la peine, mais Marie aimait mieux démissionner. Elle est en chômage. Pour dire le vrai, elle a été renvoyée.

Blême, Ovide s'était vivement levé à nouveau.

— Quoi, Marie congédiée? Oh! Non? Et par ma faute!

Il était atterré. Le plombier continuait:

— Pauvre petite, elle est punie parce qu'elle est belle et honnête. Tu vois, ça prouve ce que je te disais. Tu veux être généreux, franc, et tu nuis à ceux que tu veux défendre.

Ovide passait sa main sur son front moite.

— Ah! Seigneur, qu'est-ce que j'ai fait là?

Mais Napoléon était habitué aux exagérations de son frère.

— Prends pas tous les péchés du monde sur ton dos, non plus. Ça serait arrivé quand même un beau matin. C'était pus tenable pour elle, ni pour Gérard. Trop belle, je te dis.

Ovide insista pour se trouver seul coupable de ce malheur, afin de se justifier de courir chez elle sur-le-champ pour s'excuser, et à genoux se faire pardonner.

— C'est entièrement de ma faute! J'ai fait déborder le vase. Te rends-tu compte dans quelle situation je l'ai placée? Si elle était canadienne, ce serait moins grave. Mais elle est française, orpheline, sans protection, sauf du consulat je suppose. Et tu connais la xénophobie de certains de nos compatriotes contre les Français, contre leur accent? Elle sera peut-être forcée de quitter Québec, et ça, je ne veux pas que ce soit à cause de moi. Ah! diable, non, il ne faut pas que ça arrive! Je vais trouver quelque chose. C'est urgent.

Napoléon marchait en silence à côté d'Ovide; réfléchir lui était pénible:

— Oui, si tu pouvais faire quelque chose. Moi, de mon côté, dans le Parti, peut-être?

— Ça, jamais! coupa Ovide. Livrer Marie pieds et poings liés à la canaille politique? Marie, je l'ai lésée, je vais réparer.

Il avait transcrit dans son carnet de cuir noir, le numéro de téléphone qu'elle lui avait donné. Il irait l'appeler tout de suite, lui demander rendez-vous. Le plombier suivait les méandres de sa nostalgie:

— Est-ce qu'on était bien, un peu Ovide, dans le temps où y se passait pas grand'chose dans nos vies! Le sport, le baseball, la maladie, la guerre, même le chômage...

Ovide ne répondit pas, rassura Napoléon en lui promettant que toute injustice causée par lui serait réparée. Bien sûr, quand il fut seul, il courut plus qu'il ne marcha vers le téléphone. Une Marie émue et troublée accepta de le recevoir.

CHAPITRE VINGT-SIXIEME

Marie Jourdan habitait un coquet meublé deux pièces loué trente dollars par mois, près de la rivière Saint-Charles. Seuls quelques effets personnels lui appartenaient, lingerie, bibelots et photos. Cette formule de location était récente et annonçait la révolution du concept de logement dans l'avenir des cités.

Encore sous le choc de son entrevue avec Gérard Thibault, Marie arpentait son logis, allant, désemparée, de la cuisine au living, et du living à un mur où elle redressait une photo, ou s'immobilisait pour essuyer une larme. Elle se sentait aussi seule que le jour de la mort de sa mère, aussi seule que le canari dans sa cage abandonnée par son maître dans un entrepôt. Qu'allait-elle devenir? De courtes révoltes la secouaient. On la pénalisait parce qu'elle était trop jolie, parce qu'elle soignait ses manières, parce qu'elle avait une certaine éducation, parce que son accent était parisien et qu'elle ne se permettait pas de vulgarité. Pourtant on lui avait tellement dit qu'au Québec elle trouverait le paradis? Quelle société était-ce, où l'on s'acharnait contre les défenseurs d'une certaine façon de vivre, comme si on voulait les faire entrer dans le rang, vers le bas? On sonna et elle ouvrit à un Ovide surexcité, fébrile mais grave. Ses yeux dévorants semblaient vouloir aspirer le beau visage de la jeune fille, tiré par le chagrin.

— Ah! Marie! C'est affreux!

Il y eut un long silence. Puis, comme si cela eût été inévitable, écrit depuis toujours, il leva les mains, puis les bras, et elle se jeta sur sa poitrine en sanglotant. Il lui caressait les cheveux, lui serrait les épaules. Hier soir encore, au cabaret, il avait espéré que leur première rencontre à l'appartement de Marie se déroulerait sous le signe du romanesque, et voilà qu'elle se débattait dans une douloureuse panique où, comme deux enfants éperdus, ils se blottissaient l'un contre l'autre, s'accrochaient l'un à l'autre. Les paroles de la *Berceuse de Jocelyn* montaient aux lèvres d'Ovide. "Cachés dans cet asile où Dieu nous a conduits, unis par le malheur durant de longues nuits." Il essaya de se promettre d'agir toujours en grand frère, de toujours la protéger. Il entrait dans le sacerdoce d'une amitié inouïe, une passion qu'il n'avait jamais connue et qui intensifiait son exaltation. Il devenait enfin riche d'un sentiment profond et extraordinaire. Tout contre cet homme qu'elle connaissait à peine, Marie devinait qu'il était en ce moment le seul être au monde sur qui elle pût compter, un peu comme sur un père qu'elle n'avait d'ailleurs jamais connu. Marie n'osait retirer sa tête de cette poitrine maigre et dure, qui abritait pourtant tellement de musique et un coeur aux battements précipités. Il disait des mots au hasard:

— Calmons-nous, parlons, je trouverai bien un moyen de nous en sortir.

Ils s'assirent sur le petit divan. Les mains croisées, elle tendait vers lui un visage moins crispé, presque marqué d'un soupçon d'espérance. Il sourit.

— Bon, je vois que ça va mieux, dit-il. C'est cet incident stupide d'hier soir qui est responsable de la perte de votre situation, n'est-ce pas?

— Mais non...mais non. Ce serait arrivé quand même. A plusieurs occasions, des clients se sont mal conduits avec moi. Cétait devenu intolérable pour monsieur Thibault et pour moi aussi.

Ovide n'acceptait pas que sa responsabilité fût diminuée. Il se voulait entièrement coupable du malheur de Marie.

— Non, c'est cette histoire de revolver, dit-il en se frappant le front de petits coups de poing coléreux. A quoi ai-je pensé! Imbécile! Triple imbécile! Oublions ça, c'est le passé. Nous sommes jeunes, vous êtes jeune, devrais-je dire. Voyez mes cheveux, plusieurs sont blancs, hélas! Allons, faisons un froid inventaire de la situation, fit-il, protecteur, lui prenant les mains.

Vos parents sont en France, à Paris? Allons! Parlez-moi d'eux, voulez-vous?

Elle baissa les yeux en répondant faiblement, comme honteuse:

— Une tante seulement. Je n'ai pas connu mon père et maman a été assassinée par les résistants à la fin de la guerre.

Ovide retint la question qui lui montait aux lèvres: "elle avait collaboré?" C'est alors que, les yeux toujours baissés, elle lui raconta le drame qui l'avait amenée à Québec. Sa mère, comédienne de théâtre de boulevard, était d'une grande beauté. Marie, qui n'apprit jamais le nom de son père, fut élevée comme une enfant mal venue dans un luxueux appartement de Neuilly, à Paris, où l'actrice offrait de joyeuses soirées animées surtout par le monde du théâtre parisien. Otto Abetz, l'espion nazi créateur de la cinquième colonne en France, y sensibilisant plusieurs intellectuels aux doctrines d'Hitler, peu avant 1940, avait fréquenté sa mère et son groupe d'amis. Une fois, Sacha Guitry et Yvonne Printemps y étaient venus. La célèbre comédienne avait chanté *Les Chemins de l'amour.* Le souvenir de cette fête avait marqué l'adolescente de treize ans qui, derrière une draperie, avait admiré et épié la grande Yvonne. Puis, la guerre venue, la fillette vécut une période étrange où l'actrice avait continué à vivre joyeusement dans ce même appartement et où les anciens amis étaient remplacés par des hauts gradés allemands. Les dix-sept ans de la jeune fille devenant gênants, elle fut confiée à une tante en banlieue. Puis la tragédie arriva: à cause de ses amitiés germaniques, sa mère fut tondue et exécutée par le maquis en 1944.

Elle revint à Paris pour tenter d'y continuer ses études. Mais, identifiée, montrée du doigt parce qu'elle rappelait l'ex-collaboratrice, Marie Jourdan se vit la cible d'un harcèlement intolérable; on continuait, à travers elle, si jolie, à salir la mémoire de sa mère. La vie devint un cauchemar. C'est alors que l'orpheline s'installa à Québec, où des amis de Pétain lui assurèrent qu'elle trouverait bon accueil.

— Et voilà, dit-elle, épuisée, près des larmes. Ça n'est pas tellement reluisant? En arrivant ici, on m'a fait rencontrer quelques personnes influentes, très gentilles. Mais...je n'ai jamais fait de travail de bureau. Vous comprenez, j'ai été élevée dans un monde facile. Je ne sais pas faire grand'chose de pratique. Comme j'ai besoin de gagner ma vie, j'ai trouvé cet emploi CHEZ GERARD, en attendant mieux. Maintenant je ne sais plus.

— Nous le saurons, fit Ovide, essayant d'émerger de son trouble.

Pendant le récit de la jeune fille, il s'était vu transporté en plein Paris d'avant 1940. Devant sa tragique destinée, il avait honte des petits malheurs de sa propre vie. A cause des guerres, de tant de morts, les Européens affichaient une maturité devant la souffrance que lui, Ovide Plouffe, Canadien français gâté, avait peine à mesurer. Il marcha au mur, y examina la panoplie des photos d'acteurs célèbres, d'écrivains, celle de la comédienne, beauté remarquable comme sa fille. Ovide se demanda comment celle-ci avait-elle pu conserver cette pureté, ce quelque chose d'immaculé qui émanait d'elle. Dans un tel milieu, comment avait-elle réussi à préserver sa richesse intérieure? Inquiète du silence d'Ovide, elle regretta de s'être ainsi racontée.

— Mon passé vous déçoit, n'est-ce pas, Monsieur Plouffe?

Apaisé, il se retourna:

— Au contraire. Je suis très ému. C'est vraiment terrible! Mais j'essaie d'être positif, fit-il avec un sourire doux en revenant s'asseoir et lui reprenant les mains.

— J'ai besoin d'une secrétaire, annonça-t-il, et ce sera vous!

Elle haussa les épaules et murmura, très lasse:

— Je vous l'ai dit. Je ne sais ni taper à la machine, ni écrire en sténo.

Il chassa de la main ces vétilles:

— Vous m'accompagneriez dans mes voyages, vous établiriez l'agenda de mes rencontres un peu partout dans la Province. Vous assisteriez à mes déjeuners d'affaires; vous m'aideriez à mettre de l'ordre dans mes papiers. Je suis très éparpillé. Ça ne sera pas une sinécure. J'ai vraiment besoin de quelqu'un. Et puis je vous ferais voir des endroits extraordinaires au Québec.

Il parlait vite, trébuchait sur les mots. La voyant très surprise, presque incrédule, il insistait, comme pour se convaincre lui-même:

— Ici, en ville, vous accompliriez votre travail à domicile. Ça ne se saura pas. J'ai vraiment très très besoin de vous. Essayez un mois, deux mois. Alors vous verrez si ça vous plaît?

Elle souriait tristement en hochant la tête.

— Vous faites ça pour me dépanner, murmura-t-elle, car cette proposition, de prime abord, lui paraissait fantaisiste, presque naïve.

Il commençait à s'enthousiasmer pour son idée même, élaborait déjà tout un programme.

— En voyage il est entendu que, dans les hôtels, vous occuperez votre propre chambre. Vous pouvez être certaine que ma conduite envers vous sera irréprochable.

— Ah! là-dessus je vous crois. Mais...je pense à votre femme. Votre plan n'est pas raisonnable.

Il eut honte soudain. Elle valait mieux que lui. Et il osait lui offrir une situation aussi minable, aussi injustifiée! Noble, elle pensait à Rita, pendant que lui était en train d'exploiter le désarroi de la plus jolie fille du monde pour s'en faire une compagne de voyage. Des chambres séparées, allons donc! Au fond de son coeur, il se moqua d'Ovide Plouffe. Mais il ne pouvait plus reculer. C'est par sa faute que Marie avait perdu sa situation.

— Quant au salaire, il sera un peu plus élevé que celui que vous receviez CHEZ GERARD, ajouta-t-il.

Marie restait songeuse. Il sourit timidement.

— Je ne vais tout de même pas vous offrir des pourboires?

Elle marcha à la fenêtre, ajusta distraitement les rideaux.

— Vous ne m'avez pas répondu à propos de la réaction de votre femme; elle m'a paru très jalouse! Je vous l'ai déjà dit.

Il se tordait les mains, n'osait crier: "Parce que je n'ai plus de compte à lui rendre! Parce que vous êtes mon salut!" Il continua d'une voix brisée:

— Venez vous asseoir. Je vous en prie.

Elle avança en hésitant vers le divan comme vers un danger grave, inconnu. Quand elle fut assise, il hésita, puis, n'en pouvant plus, avoua:

— Marie, il m'arrive une chose terrible! Mon mariage est brisé!

C'est elle cette fois, devant l'aveu déchirant, qui lui prit la main. Il l'attira contre lui et, les larmes aux yeux, raconta son malheur et sa rupture avec Rita.

— Ne nous laissons pas, Marie, aidons-nous l'un l'autre, voulez-vous? fit-il en l'étreignant comme un noyé.

Elle leva vers lui un regard brouillé et murmura:

— Je ne vous laisserai pas, Ovide.

Le lien qui commençait de se tisser entre eux faisait régner dans la pièce une lourdeur tragique; le destin voudrait-il nouer de façon irrémédiable les vies d'Ovide Plouffe et de Marie Jourdan?

CHAPITRE VINGT-SEPTIEME

Il était midi moins le quart, ce même jour. Cécile marchait vers la maison, l'uniforme de Miss Sweet Caporal roulé sous le bras. Elle venait de quitter Rita qu'elle ne comprenait plus, ne reconnaissait plus. Les cheveux en bandeaux et noués en torsade sur la nuque, sa belle-soeur portait une robe noire de couventine et des souliers plats. Devant Cécile ébahie, elle lui expliqua sa décision de changer sa vie; elle refusait désormais le monde et ses plaisirs pour vouer toute son existence à la petite Arlette, à son intérieur et à son Ovide. Ce matin, à neuf heures, elle avait revendu sa décapotable au garage. Bien sûr, il ne pouvait être question d'accompagner Cécile à ce bal qu'elle avait tant désiré. Que la vie était bête! Au moment où Cécile recevait la trouble piqûre du démon de midi, Rita, toute jeune encore et déjà riche d'expériences charmantes, choisissait l'austérité, le sacrifice comme si, soudain, elle eût décidé d'entrer au couvent. Quelle femme différente de celle qui, quelques jours auparavant, avait déguisé Cécile en Miss Sweet Caporal, dansait le boogie woogie avec le jeune abbé et Ovide! Cécile était déçue et amère. Sans cette magnifique alliée, sans Rita l'étincelante, elle n'oserait jamais se rendre seule à ce bal, en uniforme de Miss Sweet Caporal, où le jeune assistant-contremaître eût pu admirer ses belles jambes et peut-être même la désirer? Elle serra les dents, son front se plissa. Quel grave incident était donc survenu qui avait ainsi transformé Rita au point de lui donner l'air d'une morte? Un ordre formel d'Ovide qui, peut-être, avait commandé à sa femme d'agir ainsi? Mais Rita, têtue, avait nié. Cette décision avait jailli du fond d'elle-même. Une espèce d'illumination, de miracle, comme pour saint Paul sur le Chemin de Damas!

Ah! les maudits hommes! De colère, Cécile marchait plus vite. Il y avait de l'Ovide là-dessous, elle l'aurait juré, car Rita avait laissé tomber "je fais ça d'abord pour le bonheur de mon mari." Ah! combien de femmes, dans le malheur, se découvrent des forces salvatrices extraordinaires, tandis que les hommes, vidés de leur énergie et ayant perdu tous leurs rêves, s'écrasent comme des nuages en pluies de larmes et de lamentations! Cécile pensait à d'anciennes compagnes de travail, mariées, qui sombraient dans l'esclavage de la cuisine. Que de courage et d'endurance il leur fallait pour résister à la solitude dans un foyer plein d'enfants égoïstes, alors que les maris restés gamins continuaient leurs frasques d'irresponsables? C'était ça: l'homme sacrifiait sa femme et l'éprouvait, la blindait, afin de pouvoir compter sur elle quand le temps des vrais défis serait venu.

Ah! ce n'est pas le commandant Bélanger qui aliènerait les droits et les libertés de Cécile Plouffe! Droits et libertés! Voyons, elle n'allait pas arriver à la maison avec cet air furieux!

***

Le commandant Ephrem, en costume d'apparat, épée au côté, constellé de décorations, était entré avec tant de pompe et de solennité que Joséphine, pour le faire se détendre, l'avait fait s'asseoir dans sa chaise berçante en glissant sous ses pieds le tabouret dont elle se servait elle-même pour reposer ses jambes noires de varices. Il se fit servir une tasse de thé qu'il dégustait à petites lampées. Joséphine s'amusait de sa timidité et transformait son coeur en pelote d'épingles pour en décocher quelques-unes de temps à autre à ce traître qui lui enlèverait sa fille; auparavant on était si bien, à trois, sans mariage. La vie alors coulait toute douce, en bons dîners, en parties de cartes, en petites histoires drôlatiques, en parades des zouaves dont Cécile et Joséphine se faisaient les spectatrices fidèles, admiratives, toujours prêtes à applaudir. Et voilà que le commandant voulait épouser sa fille!

— Elle arrive à quelle heure? fit-il en toussotant.

— Dans une dizaine de minutes, comme d'habitude. Vous avez tant hâte que ça de la voir?

Préférant ce répit, il protesta faiblement. Joséphine s'amusait.

— Allons. Dites ce que vous avez à dire, je suis toujours votre amie. Vous voulez la marier?

— Bien, euh!

— Vous avez pas à me demander la permission, vous savez. Elle est majeure depuis une bonne secousse.

— Je me demande si ça serait une bonne chose? J'ai près de soixante-dix ans. Elle, même pas cinquante.

Joséphine ne put s'empêcher d'être coupante:

— Vous ferez un couple parfait. Je vous la souhaite! Elle pourra pas dire que je l'ai bloquée.

Le commandant repoussa le tabouret et se mit à se bercer rapidement.

— Je me demande, Madame Plouffe, si ça serait pas une erreur. C'est une grande décision à prendre. Vous comprenez, jusqu'à un certain point...Pensez-vous que, je serais son premier homme?

Joséphine s'indigna. Quelle question insultante!

— Oui, ma Cécile est vierge. Dans ma famille on s'est toujours marié en blanc!

Il soupira, encore plus inquiet.

— Elle serait très vigoureuse, en ce cas-là. C'est à prévoir que ça demanderait beaucoup d'énergie, de santé, d'efforts. Je suis plus le mâle que j'étais à trente ans.

Joséphine retrouvait bien là l'homme velléitaire incarné dans ce commandant bardé de décorations.

— Ça vaut bien la peine de commander trois mille hommes, de donner des ordres à coeur de jour et de "farfiner" devant une petite décision comme ça.

Juste à ce moment, Cécile entra, toute minaudante et s'exclama:

— Ce qu'il est beau notre général, aujourd'hui! Tiens, je lui donne un petit bec sur la joue pour le féliciter.

Il rougit, se cala prudemment dans la berçante.

— Bon, décida Joséphine, mon repas sera prêt dans cinq minutes; allez-y Ephrem, avant que mes patates prennent au fond. Allons, vous gênez pas, faites-la, votre grande demande, on dira oui et ensuite on fêtera ça. Pourquoi traîner, y nous reste pas grand temps à vivre?

— Ben oui, Ephrem, c'est pas si difficile, ajouta Cécile, toute tendue. Après tout, vous avez toujours su parler aux femmes?

Il se leva et, presque au garde-à-vous, prit une longue respiration et dit d'une seule traite:

— Euh! Ben! Cécile, auriez-vous objection si je demandais votre mère en mariage?

Le tonnerre fût tombé sur la maison que la stupéfaction n'eût pas davantage paralysé les deux femmes. Puis Joséphine réprima un léger sourire de triomphe. Cécile accusa le coup, pendant que le regard du commandant alternait de l'une à l'autre comme s'il avait suivi une partie de ping-pong.

— Tu vois, Cécile, je te l'avais dit, j'existe encore!

— Félicitations, maman, vous ferez un beau couple de vieux! fit la fille, encore interloquée.

Joséphine souriait, les yeux plissés de malice.

— On n'est pas si vieux que ça quand on est demandé en mariage, ma fille.

Cette situation cocasse dépassait de si loin l'entendement de Cécile, qu'elle se mit à arpenter la cuisine en essayant d'imaginer sa mère au lit avec Ephrem. Alors une puissante envie de s'esclaffer commença de gargouiller dans ses poumons, comme une hémorragie d'hilarité. En passant devant la photo de son père, elle lui décocha une oeillade, se retourna et éclata d'un rire fabuleux qui déferla dans toute la cuisine.

— Va falloir que je parte, hoqueta Cécile. Des ménages à trois, merci pour moi!

C'était dit à travers un rire qui renversait tout sur son passage, sauf la palissade que représentait Joséphine, agacée et menaçante.

— Je suis-t'y si grosse, si laide, si vieille, que je te fais tordre à ce point-là? Pas nécessaire que tu te fendes la bouche jusqu'aux oreilles?

Cécile se défoulait, pliée en deux, larmes aux yeux. Etrangement, elle pensa à Rita.

— Vous avez toujours été si belle, si tentante, avec vos belles formes rondes, que je comprends pas qu'un autre homme ait pas déjà essayé de vous enlever?

Joséphine, choquée, pensait à sa jeunesse quand elle était un si beau brin de fille, à son mariage en blanc, au bras d'un Théophile magnifique, aux fêtes familiales qui avaient suivi, où elle avait chanté, accompagnée par Gédéon, la chanson alsacienne: *Les trois rubans.* "A dix-huit ans, je sortais d'une église, de mon hymen, c'était le premier jour."

C'est le commandant qui la fit revenir à la réalité.

— Parmi les femmes de votre âge, vous êtes la plus belle de la paroisse, Joséphine.

Cécile continuait de rire à gorge déployée:

— Ça c'est vrai! put-elle glisser.

— Alors, c'est oui, Joséphine? fit le commandant, très mal à l'aise.

Avant de dire oui à qui ou à quoi que ce soit, Joséphine se devait de retrouver ses esprits et de se concentrer. Alors elle fit à son tour une oeillade à la photo de Théophile, se laissa traverser par la contagion et se joignit finalement à sa fille dans l'hilarité. Le regard du commandant alternait, désemparé, d'une femme à l'autre. Alors il éclata lui aussi, devenant le troisième membre de ce choeur à trois rires. Quand la crise fut terminée, ils s'essuyèrent les yeux et Joséphine, essoufflée, parla doucement au commandant.

— C'est très flatteur, la demande que vous m'avez faite là, Ephrem. Je vous en remercie. Mais...parler mariage en été, vous comprenez? Il fait si chaud. Remettons donc ça à l'automne, en novembre, par exemple, quand les froids prennent. D'ici ce temps-là, on continuera comme avant, hein?

Le commandant retraitait prudemment.

— Oh! c'est pas une question de mois, on a le temps. Faisons ça, attendons.

Cécile admira et aima sa mère. Comme elle savait dénouer n'importe quelle situation par la forte simplicité de sa personne! Un instant songeuse, elle attaqua:

— A table, si vous avez faim! futur beau-père!

Ephrem, cordial, de bonne humeur, soulagé au fond, se dit qu'il avait été honnête d'en avoir au moins demandé une. Il pouvait maintenant continuer à les voir toutes les deux en ami sans avoir à s'exécuter dans le lit d'aucune d'elles. Cécile avait ouvert une brèche, Joséphine l'élargit:

— Comme vous le savez, Ephrem, notre curé prend l'avion pour le Nord demain matin. Plusieurs paroissiens vont se rendre le saluer au départ. Ça serait bien que vous veniez avec vos zouaves, pour lui rendre le *Salut aux Armes*.

Le commandant se frappa le front.

— Et moi qui y avais pas pensé!

— Cécile! fit Joséphine. Tu vas pas à la manufacture demain matin, faut qu'on soit présente à l'avion. L'auto et les camions de Napoléon seront là, remplis d'amis. Ça veut dire que, rentrez pas trop tard de votre bal, toi et Rita.

— On va pas au bal, fit Cécile, frappée soudain par une tristesse infinie. Embarrassée, elle se réfugia dans sa chambre, où elle rangea l'uniforme de Miss Sweet Caporal dans le fond d'un tiroir.

***

Le mercredi une foule nombreuse de paroissiens chagrinés se rendit à l'aéroport de l'Ancienne-Lorette dire adieu au cher Monseigneur Folbèche, exilé pour un an. Sur la piste, les hélices tournaient, les passagers s'impatientaient. Elle s'éternisait cette cérémonie se déroulant dans l'aire des départs juste en face de l'aérogare.

Le nez collé contre la baie vitrée donnant sur la piste, Pacifique Berthet, endimanché, appuyé sur ses béquilles, écoutait les moteurs tourner, étudiait la forme de l'avion. Il jeta un dernier regard au comptoir des billets et à l'entrée des bagages, puis sortit, car la fanfare des zouaves, commandée par Ephrem Bélanger, attaquait le *Salut aux Armes*.

Immobiles sous le soleil, plusieurs s'essuyaient les yeux. Joséphine, Cécile, Rita, Napoléon et toute sa famille formaient bloc. Monseigneur Folbèche, droit comme un piquet de ces clôtures qu'il allait trouver dans sa paroisse pauvre du Nord, écoutait, blême et chaviré. N'était-il pas chassé de cette paroisse qu'il chérissait depuis trente ans, de ces enfants, de ces amis fidèles, dont plusieurs sacrifiaient une demi-journée de salaire pour venir lui dire leur amour et leur peine? Dans son regard embué se profila la silhouette de Pacifique sur ses béquilles. Une étrange sensation se mêla à son chagrin. Berthet l'athée était venu! Dieu n'était-il pas en train de lui faire payer la conversion de l'infirme? Il fut surpris de la remarque lui venant à l'esprit: "Convertir un Français, ça coûte cher!" La fanfare se tut et un grand cri monta de la foule:

— Un discours, Monsieur le Curé, un discours!

La religieuse qui lui servait de gouvernante s'approcha de lui, tremblante, livide, et enveloppa dans ses mains grasses, potelées, les doigts glacés du prêtre. Il lança:

— Je vous aime tous tellement! Merci! Merci!

Il s'enfuit courant à l'intérieur de l'aérogare, en agitant à bout de bras sa petite valise, bourrée de ses pilules, de son bréviaire et de son argent.

Tous reniflaient d'émotion et restaient immobiles. Ils devenaient orphelins, tout à coup. Joséphine murmura à Rita, à sa droite:

— Ça me fait de la peine qu'Ovide soit pas venu. Pourtant, y est en ville. Regarde! Même Berthet, un étranger, est là!

— C'est parce qu'il est débordé. Il travaille nuit et jour, notre Ovide, vous savez, Madame Plouffe.

"Notre Ovide". Une bouffée d'amour inattendue monta du coeur de Joséphine, une bouffée d'amour pour Rita, sa belle-fille.

CHAPITRE VINGT-HUITIEME

Joséphine avait tort d'en vouloir à Ovide de son absence. Muré dans sa solitude, il n'avait pas dit à sa mère qu'à neuf heures, le matin même, il avait visité Monseigneur Folbèche pour lui faire ses adieux et lui promettre qu'au prochain voyage à la Côte Nord il lui rendrait visite dans sa nouvelle paroisse. Il avait fait plus encore pour le vieux prêtre. Sans trop de difficulté il avait, à sa grande surprise, convaincu Pacifique Berthet de se rendre à la cérémonie de départ à l'aéroport; cela ferait plaisir à l'exilé, car Monseigneur nourrissait un intérêt particulier pour l'infirme. Non seulement celui-ci y répondait par la réciproque, mais allait encore plus loin: il lui ferait un magnifique cadeau.

C'est ce cadeau précisément qu'Ovide, marchant rapidement vers sa bijouterie, portait à présent dans ses bras, un colis encombrant qui ressemblait à un cercueil d'enfant. Une statue de saint Christophe, achetée au magasin PAQUET, et que Pacifique enverrait à Monseigneur Folbèche pour le 14 juillet, fête des Français. Ovide se mit à penser à Berthet avec une sympathie qu'il n'avait jamais éprouvée jusque-là. Ils sont délicats, ces Français, quand ils s'y mettent.

Ovide le constatait depuis quelque temps: Pacifique était devenu tout doucereux, tout charitable, plein de prévenance. Cet homme intelligent avait sans doute deviné, sans l'identifier, la grande douleur qui rongeait Ovide? Ah! cette boîte devenait lourde à la longue!

Une statue de saint Christophe pour protéger Monseigneur Folbèche des accidents. Curieuse pensée de Berthet. Ovide évoqua la phrase de l'Ecclésiaste: "L'homme est soumis aux circonstances et aux accidents, l'homme ne connaît pas son heure."

Ovide marcha plus vite, car l'image de Marie se réinstallait en lui. Quelle profondeur avait ce sentiment qu'il nourrissait pour elle! Elle avait accepté sa proposition de l'accompagner dans sa tournée jusqu'à l'Ile d'Anticosti. Guillaume et Tit-Mé sauraient se taire. Ovide sourit, ne sentant pas la fatigue de ses bras. Il anticipait, imaginait ces trois semaines de rêve: Marie et lui marchant le long des grèves, ou dans les champs; il lui cueillerait des marguerites, lui en ferait des diadèmes, des colliers. Le soir, avant de se diriger chacun vers sa chambre, il lui baiserait la main. Il la retrouverait le matin au petit déjeuner, chaque jour plus heureuse, plus belle et plus épanouie. Il essayait maintenant de penser froidement à Rita, comme à une sorte de mère empruntée pour encore quelques années, en vue de s'occuper d'Arlette. Il n'y réussissait que sporadiquement, retombant vite dans sa douleur lancinante. Etrangement, il n'en voulait plus à Rita, comme si c'eût été lui, Ovide, le responsable de tout ce drame. Ovide songea à la façon de s'y prendre pour annoncer à Berthet l'emploi d'une secrétaire temporaire.

***

Pacifique Berthet, revenu de l'aéroport, sifflait, presque assis près de son établi. Sa plaie distillait à peine et, depuis quelques jours, il n'éprouvait plus de douleur à la hanche. Ses journées se passaient à fouiller les mécanismes défectueux des montres de toutes sortes. Il s'arrêtait quelquefois et tendait l'oreille, écoutant les pas de Rita traversant la cuisine, là-haut. Des bouffées de désir le bouleversaient, car alors, le plancher n'existant plus, il dévorait d'un regard avide, fiévreux, cette femme adorée qui marchait dans le ciel. Son désir faisait bientôt place à une frustration aiguë, puis à une haine féroce, car l'insulte qu'elle lui avait lancée, "sale infirme", s'était installée en lui à une telle profondeur, qu'elle était devenue l'écho des battements de son coeur. Il se calmerait peut-être s'il la voyait de temps à autre, dans la boutique. Ah! juste dix secondes, cinq secondes! L'autre jour, en descendant d'un taxi, il était arrivé face à face avec elle qui sortait de la maison. Elle avait vivement refermé la porte. Il n'avait pu réparer correctement une seule montre, ce matin-là, ne songeant qu'à tout noyer dans le gin.

Puis il avait trouvé, afin d'échapper à son martyre, une distraction pour occuper les pauses qu'il se permettait entre chaque réparation. Lui qui ne marchait pas s'était mis à s'intéresser aux champions de course à pied, aux coureurs automobile, aux avions, bref, à tout ce qui bouge, court ou vole.

Son oeil gris scrutait avec acuité un plan de carlingue déroulé au bout de ses bras. Un plan de DC3, comme celui qui avait emporté Monseigneur Folbèche. Si jamais il guérissait, il deviendrait aviateur. Et il apprendrait vite! Il fit calmement un rouleau de la feuille arrachée d'une revue, car Ovide entrait, déposait son encombrant colis sur l'établi.

— Voilà, fit-il, j'ai trouvé votre statue au magasin PAQUET. C'est embarrassant à porter: et il paraît que, d'habitude, ils ne vendent de statues qu'aux bonnes soeurs, aux vieilles filles et aux curés.

L'infirme esquissa un sourire narquois.

— Peut-être avons-nous des âmes d'apôtres, et nous ne le savons pas?

Ovide évita son regard et songea au monastère, dont, au fond, il n'aurait jamais dû sortir.

— Elle a coûté trente-cinq dollars; voici vos quinze dollars de monnaie, et la quittance.

Berthet déchira le papier sans le consulter et le jeta au panier.

— Ça s'est bien passé, cette cérémonie de départ? fit Ovide.

— Très émouvant. Beaucoup de gens pleuraient. Monseigneur Folbèche faisait pitié. Mais après tout, il ne quitte que pour un an.

Ovide essayait de comprendre son étrange associé.

— Je vous remercie d'y être allé de si bon coeur. Moi qui croyais que vous n'aimiez pas les curés. Et voilà que vous lui préparez en plus cette charmante surprise, un cadeau dont il sera très touché dans son bled de la Côte Nord.

Berthet paraissait vouloir parler d'autre chose.

— Bah! Il est venu me demander personnellement de penser à lui et de prier pour son salut. J'avais promis. Penser à lui, oui, mais prier, non. Quand même! La statue remplace la prière. Je suis un homme de parole et j'ai de la suite dans les idées. Vous le savez.

Ovide songea qu'il y avait sans doute des réserves inouïes de bonté et de grandeur d'âme dans cet infirme au regard si dur. Puisque Berthet semblait bien disposé, Ovide lui parla comme d'un fait anodin de sa secrétaire temporaire. Pacifique fronçait les sourcils. Son associé s'était-il trouvé une maîtresse? Sûrement Ovide avait appris beaucoup de choses sur sa femme.

— N'allez pas imaginer le pire, prévint Ovide. C'est moi qui la paierai personnellement. J'ai besoin d'aide pour mes grandes tournées de l'été. Je suis débordé. Elle s'occupera des contacts, mettra de l'ordre dans mes factures. Et sait-on jamais; notre commerce grandit, elle pourrait me remplacer souvent dans l'avenir, si nous la gardons.

— Alors pourquoi la payer vous-même, si elle vous est indispensable? Je suis prêt à accepter la dépense?

Ovide mentait mal. Il bredouillait:

— Non, non, pour le moment, c'est presque un caprice, un essai de ma part car, en fait, je pourrais m'en passer. J'insiste! Je la paierai moi-même, je me sentirai plus à l'aise.

— Jolie? fit Berthet, une pointe de cynisme dans la voix.

— Oui, fit Ovide, évasif. Mais je vous répète que ce n'est qu'une relation d'affaires, strictement. Et...j'apprécierais que ça reste entre nous. Il y a tant de mauvaises langues.

Ovide se retint à temps. Il n'allait pas confier à Berthet que Marie était française, comme lui, qu'elle était surveillée par les ennemis de Pétain qui, à sa façon, avait fait son possible pour protéger les Français. D'ailleurs elle ne viendrait jamais au magasin, il la paierait comptant. Berthet réfléchissait, ses lourds sourcils écrasés sur les paupières.

— Mais pourquoi ne pas emmener votre femme? Ça ne vous coûterait rien?

Ovide fut catégorique:

— Ah! ça, non, jamais. C'est très mauvais, en affaires, de fonctionner avec les parents. Non, elle et moi avons décidé qu'elle tiendrait maison à plein temps.

Berthet laissa nonchalamment tomber:

— Madame doit trouver cela bien pénible? Elle qui aime tellement la compagnie des gens. J'ai même appris qu'elle avait vendu sa voiture. Etes-vous sûr que c'est bon pour Madame? Je l'entends faire les cent pas à coeur de jour. Comme si elle avait l'âme en peine.

— Elle s'adapte, elle s'adapte, fit rapidement Ovide, cherchant un autre sujet. Alors, c'est entendu. Pour la secrétaire, c'est motus?

L'infirme dit, solennel:

— Le secret professionnel, pour moi, c'est sacré.

Profitant de la vulnérabilité d'Ovide, il lui suggéra timidement:

— Invitez donc votre femme à venir faire une visite à la boutique de temps en temps. On jaserait. Je peux parler de beaucoup de choses, savez-vous. Hélas, je suis tellement seul. Personne ne m'adresse la parole et je n'ai pas d'ami. J'étais habitué à la présence de votre petite madame.

Ovide mesura l'isolement de cet homme. Bien sûr, il glisserait la suggestion à Rita; elle paraissait d'ailleurs, un peu sur le tard, traverser une crise aiguë de nobles sentiments. Pacifique, lui, prévoyait que Rita ne viendrait pas. Mais il avait à formuler une demande importante à Ovide, une requête qu'il ruminait depuis quelques jours.

— Ce que vous êtes veinard, soupira-t-il. Vous partez en voyage pour trois semaines, avec une jolie secrétaire. Quelquefois je suis jaloux de vous. Mais ça n'est pas votre faute, ni celle de personne. Et vous serez surpris de m'entendre vous avouer que je m'ennuie de votre compagnie quand vous êtes absent plusieurs jours; c'est intéressant de causer avec vous, de sentir votre présence compréhensive et amicale.

Ovide était touché. Comme il était gentil, aujourd'hui, Pacifique!

— Cet automne, on fermera la boutique de réparations et vous m'accompagnerez partout dans notre territoire de vente.

Berthet se laissa un instant porter par le mirage. Mais il réagit. Il ne serait plus pour personne l'infirme qu'on traîne par pitié.

— Ah! je suis assez grand pour endurer mon mal tout seul, fit-il, les yeux baissés. Heureusement j'ai mon chalet au lac Saint-Augustin. C'est là que je trouve une certaine paix. J'ai des projets pour l'été. Je voudrais bien y faire un peu de jardinage, planter des arbustes, mais le terrain est couvert de souches et de roches grosses comme des autos. Ça prendrait des tracteurs, des chevaux, des ouvriers pour les déplacer.

Ovide craignit que Berthet lui demande son apport pour faire ce travail, avec Napoléon et ses employés, lui qui détestait les travaux manuels.

— Vous faites maintenant de l'argent? Vendez le chalet, rachetez-en un autre où toutes les souches sont enlevées et les plantations déjà faites?

Pacifique regardait au loin.

— J'y ai pensé un moment. Non. Je suis attaché à ce petit coin de terre que j'ai payé à force de peines et de misères. Non. Mais je pourrais réussir à nettoyer mon terrain si j'avais de la dynamite.

— Evidemment, fit Ovide, conciliant et fraternel. Mais faites attention, c'est dangereux, la dynamite. Il arrive tellement d'accidents.

Pacifique se roulait une cigarette, humectait la bande de colle avec une profonde concentration. Il alluma:

— J'aurais encore un petit service à vous demander.

— Ne vous gênez pas. Allez-y. C'est mon jour de bonté.

— Vous partez lundi pour une tournée de trois semaines. Mais demain, en revenant de la radio, si vous arrêtiez chez le quincaillier SAMSON ET FILION, vous pourriez m'acheter une cinquantaine de bâtons de dynamite et quelques détonateurs? Je vous en serais reconnaissant. A la fin du mois, j'aurais fait sauter toutes mes souches?

Ovide ouvrait de grands yeux. Il n'avait jamais acheté de dynamite.

— Faut-il un permis pour ça?

Pacifique haussait les épaules, comme s'il se fût agi d'une question anodine.

— Mais non. Seulement, ça ne se vend pas à n'importe qui. Moi, personne ne me connaît. Mais vous, Ovide Plouffe, la radio, les montres, les Chevaliers de Colomb!

Ovide trouva cela bien logique. C'est vrai, il était un homme connu!

— Vous n'avez qu'à dire que c'est pour un chalet, pour faire sauter des souches, des pierres, suggéra l'infirme.

Ovide consulta sa montre. Il avait tellement hâte de partir avec Marie pour cette tournée, qu'il expédiait les petites actions routinières, comme acheter cinquante bâtons de dynamite, avec une superbe désinvolture.

— J'ai plusieurs menus détails à régler avant mon départ; je vais donc le faire tout de suite. Profitez-en, si vous avez d'autres commissions à me confier? Je ferai tout d'une même traite.

— Non, c'est tout. J'apprécie beaucoup, dit Pacifique.

Ovide partit d'un pas alerte, satisfait d'obliger ainsi son associé. L'infirme ralluma sa cigarette éteinte, puis consulta le dépliant publicitaire montrant, superbe, une Chevrolet 1949, à transmission automatique. Le vendeur l'avait assuré qu'un mécanicien expert pourrait transférer, du plancher au volant, les opérations du champignon d'accélération et celles du frein. Il l'achèterait peut-être, cette voiture. Tiens! Pourquoi pas celle que Rita avait revendue au garage? Comment n'y avait-il pas pensé!

***

Ovide revenait de chez SAMSON ET FILION, portant dans un sac d'épais papier brun, les cinquante bâtons de dynamite et, dans la poche droite de son veston, une enveloppe contenant les détonateurs. Homme prudent, Ovide gardait loin l'un de l'autre ces deux complices d'explosion. Il marchait d'un pas lent et mesuré, comme s'il eût eu sur lui un viatique. Il n'allait tout de même pas, à la veille d'un si beau voyage, prendre le risque d'exploser en mille morceaux sanglants?

Les gens le saluaient au passage. C'est vrai, il le constatait de plus en plus; il était devenu un personnage. Il sourit de satisfaction. Le commis de la quincaillerie n'avait fait aucune difficulté. D'ailleurs c'était un Libéral qui approuvait ses éditoriaux à la radio et partageait ses goûts musicaux. Ovide avait palabré avec abondance à propos du prix d'Alfred Nobel, qui avait récompensé tant de savants et d'écrivains grâce à son invention. Ovide n'eut même pas à mentionner Pacifique Berthet. Ces explosifs serviraient à faire sauter des souches à un chalet dans les montagnes. Le vendeur avait surtout insisté sur l'élémentaire prudence à observer, avait soigneusement indiqué, décrit la façon de placer les bâtons, les détonateurs.

— Vous êtes précieux pour Québec, Monsieur Plouffe. On veut pas vous perdre!

— Oui, oui, protesta Ovide, ne vous en faites pas.

On lui fit signer un récépissé et la marchandise lui fut remise comme s'il se fût agi d'une égoïne ou d'un marteau.

Ovide, ayant déposé le sac et l'enveloppe sur l'établi de Pacifique, se frotta les mains, heureux d'avoir accompli une dure tâche.

— Aïe! Ça n'a pas été long! fit Berthet, émerveillé. On ne vous a fait aucune difficulté?

— Comme une lettre à la poste. J'ai dit que c'était pour un chalet.

— Vous leur avez dit que c'était pour moi? fit l'infirme, presque indifférent.

— Même pas. Je leur ai dit que c'était pour UN CHALET, donc je n'ai pas menti. Je vous souligne qu'il vous faut être très prudent.

— Je m'y connais, et je tiens à ma vie. Dormez tranquille.

— Si vous aviez vu les grands yeux étonnés du commis pendant que je lui parlais du Prix Nobel. Malheureusement, à l'époque de Stendhal ce prix n'existait pas. Il l'aurait mérité. J'étais pressé. On m'a fait signer un papier et hop! je suis parti avec le butin. Maintenant, je vous laisse, avant que vous ne me demandiez d'aller vous acheter une bombe nucléaire.

Ils rirent tous les deux de cette idée farfelue. Ovide monta à son logis, avec appréhension, comme un coupable. Depuis les aveux de sa femme, il ne la regardait que de biais et s'il lui parlait, c'était du coin de la bouche. Il remarqua que Rita portait une robe noire de couventine, des souliers de cuir verni à talons bas et qu'elle jetait toutes sortes de légumes pêle-mêle dans un bain-marie. Elle tourna la tête, lui adressant un pâle sourire.

— Ça m'a virée à l'envers, la cérémonie du départ de Monseigneur, dit-elle. C'était triste! Et ta mère était désappointée que tu sois pas là.

— Je sais. Mais je lui expliquerai pourquoi, ce soir.

Comme elle souffrait de ces échanges secs, impitoyables!

— Je suis en train de te préparer un mets chinois, toi qui les aimes tant.

Il ne répondit pas. Mais elle n'y comptait pas puisqu'elle avait décidé de tout endurer en châtiment.

— T'as vu, c'est ma robe noire d'étudiante? Je veux recommencer ma vie à neuf, comme si je sortais du couvent. Mon auto est vendue, je la regrette pas. Cécile voulait que je l'accompagne au bal hier soir; j'ai refusé. Tu savais, hein, que le commandant

Bélanger a demandé ta mère en mariage? C'est-y assez fou, cette affaire-là? Ça a choqué Cécile.

— Oui, je sais, coupa Ovide qui réussit à ne pas sourire.

— Je te trouve dur, Ovide, se plaignit-elle.

Le ton de cette voix lui mit le coeur en charpie et il se sauva dans sa chambre pour ne pas montrer son émoi. Il ouvrit la garde-robe où Rita détenait ses vêtements en otage, car il dormait toujours sur le divan. Il choisit du regard le complet d'été qu'il emporterait en voyage. De peur de l'oublier, il plaça sa caméra dans la valise. Que de photos il prendrait de Marie! Si elle partait, il aurait au moins ces souvenirs! Quant à un costume pour la vie en forêt, Guillaume lui avait écrit qu'on le vêtirait de pied en cap à la Jupiter. Il réussit à reprendre contenance, revint à la cuisine où il surprit Rita en train de s'essuyer les yeux. Avec une certaine bienveillance, il dit:

— Berthet s'est plaint de ne plus te voir à la bijouterie. C'est un homme qui s'ennuie beaucoup. Ce serait un bel acte de charité de ta part, si tu y allais, de temps en temps. Vous n'êtes pas en froid? Après tout, ce n'est pas parce que tu portes ta robe de couventine que tu dois te cloîtrer? Hein? Tu as servi au comptoir pendant huit mois, et soudain, tu n'y remets plus les pieds. Mon associé, qui est un être que je commence à apprécier, se pose des questions.

Le visage tiré de Rita se crispa de tristesse et de regret. Qu'elle avait été stupide d'avouer ses fautes à Ovide, inutilement, brisant ainsi leur mariage! Berthet n'avait jamais parlé, ce en quoi il était plus correct qu'elle ne l'avait cru. Elle dit d'une voix faible, soumise:

— Je sais pas pourquoi, Ovide, mais cet homme-là me fait peur.

— Tu as tort, coupa-t-il. A ta place, je craindrais surtout les beaux hommes au regard velouté; d'ailleurs je m'en fiche! hurla-t-il.

Il y eut un silence. Ovide regretta ses paroles et son cri. Il n'était pas fait pour la cruauté. Livide, elle retenait un sanglot:

— Je ne te blâme pas de me lancer toutes les pointes que tu voudras. Si ça peut te faire plaisir, j'irai jaser un peu avec Berthet.

Il faisait chaud dans la pièce. Ovide, regardant dehors, se rendit compte qu'il avait oublié d'enlever les fenêtres d'hiver. Ce maudit drame lui faisait perdre l'équilibre. Rita osait dire, dans son dos:

— J'ai parlé à Cécile. Ils me reprendraient, à la manufacture.

Je mettrais de l'argent de côté, pour Arlette. Jeanne garderait la petite avec plaisir.

Ovide fut sur le point de protester, mais se retint à temps. Après tout, elle était libre. Comme la vie offrait de drôles de revirements! Rita retournerait à la manufacture dont elle n'aurait jamais dû sortir! Il eut soudain le sentiment aigu qu'on parlait beaucoup d'eux dans la famille.

— J'espère que tu n'as rien dit à chez-nous de ce qui nous arrive?

— Je te jure que non. Mais ils s'aperçoivent bien que quelque chose est changé?

Il devint aussi triste et troublé qu'elle.

— Ne prenons aucune décision avant trois semaines. Réfléchissons chacun de notre côté, pendant mon absence. Quand je reviendrai, nous verrons.

— Ah! tu peux être sûr que je vais prier le bon Dieu pour que tu commences à me pardonner.

— Ce qui est mort est mort, marmotta-t-il.

Elle s'assit dans la berçante et de sa main couvrit ses yeux mouillés de larmes.

— Comme t'es dur!

Un cri monta du coeur d'Ovide. "Je te pardonne, je t'ai déjà pardonnée!" Mais il l'étouffa, ce cri. Car l'eût-il lancé, qu'il ne serait pas parti en voyage avec Marie. Il eut honte soudain et dit:

— Le temps arrangera peut-être les choses. Prends courage. Fais comme moi.

Rita retourna au poêle, où elle continua d'apprêter les légumes dans le bain-marie. Plus les jours s'écoulaient, plus elle mesurait l'ampleur du désastre. Elle, faite pour la vie facile et les plaisirs légers, voyait son horizon s'assombrir de plus en plus.

CHAPITRE VINGT-NEUVIEME

Guillaume et Tit-Mé, à l'Ile d'Anticosti, vivaient une existence plus sereine. Début juin, les touristes n'étaient pas encore arrivés. Déjà quelques saumons avaient commencé de monter la Jupiter vers les eaux douces de leur fraie. Les premiers jours de leur apparition prématurée sur l'Ile, la paire de cousins Plouffe s'était jointe aux maîtres-guides, réparant les canots, les camions, nettoyant les chemins forestiers, remplaçant les ponceaux emportés par les crues du printemps. Ce fut vite fait. Ces employés de camps de pêche vivaient leurs plus beaux moments en attendant les clients. On jouait aux cartes, on fabriquait: pantoufles, sacs à mains, fourreaux de poignard, portefeuilles, tout ça en peau de chevreuil, et on les portait cent kilomètres plus loin, à l'ouest, au magasin général de Port-Menier, lieu d'arrivée des sportifs. Ceux-ci, transportés en camion, par un chemin de terre étroit et raboteux contournant lacs, marécages et raspoutitsas, (1) arrivaient fourbus au camp numéro douze planté au bord de la Jupiter. A chaque voyage, dans les courbes, le camion heurtait à mort deux ou trois chevreuils affolés qui, pris de panique, traversaient la route. On ne les apportait même pas au cuisinier. On se contentait de rejeter les corps à la forêt où ils étaient vite dévorés.

Guillaume et Tit-Mé n'avaient pas perdu leur temps à fabriquer des brimborions d'artisanat ou à jouer aux cartes. Ils disparaissaient

---

(1) Mot russe: chemin rompu en période de dégel avec formation de boue gluante. Francisé en 1925.

pendant plusieurs jours, sac de couchage au dos, prétextant vouloir identifier de bons territoires de chasse pour l'automne, ou découvrir d'autres rivières, à truites celles-là, où ils pourraient emmener les touristes pique-niquer et taquiner la mouchetée. Ça les reposerait des saumons de huit à dix kilos dont la résistance est si farouche qu'elle vous laisse courbaturé toute la journée. On les laissait aller sans trop poser de questions. Absents pendant quatre ou cinq jours, ils revenaient chaque fois avec une cinquantaine de homards, dont quelques-uns pesaient deux kilos. Pressés de révéler le coin de la mer où ils les dénichaient, ils répondaient mystérieusement: "Mangez-les, c'est tout ce qu'on peut vous dire."

En vérité ils avaient consacré le temps de ces absences à la construction de leur cabane, en billots d'épinette écorcés à la hâte, sise à un kilomètre de la Jupiter et à deux cents mètres de la mer. Barbotant dans les flaques de giboulache (1) d'une neige lente à fondre, ils s'activaient depuis trois semaines. Debout dès l'aube, maculés de résine, ils s'accroupissaient autour d'un feu de bois, prenaient un énorme petit déjeuner d'oeufs, de fèves au lard et de bacon, humaient voluptueusement l'odeur du café, authentique, absolue, dans cet air si pur de l'Ile. Ils admiraient ce monument au bonheur qu'ils érigeaient, leur cabane de huit mètres sur six, en écoutant la musique du matin où s'orchestraient le cillement des insectes, le chant des oiseaux et le grondement sourd de la mer toute proche. Alors ils élaboraient leur plan de travail, par monosyllabes, se dressaient en s'étirant comme des géants repus, puis allaient soulever la toile de camion sous laquelle ils avaient caché haches, godendards, divers outils, étoupe, mastic, clous et marchandises de toutes sortes. Un ami capitaine de goélette leur apportait le matériau par barque après avoir ancré son navire en eau profonde. Cette arrivée par la mer n'était pratiquée que par les initiés. Port-Menier, on le laissait aux profanes. En retour, le marin avait droit à des chevreuils et à des saumons. Ce sont souvent les braconniers qui profitent le mieux des joies recelées par la forêt.

Ce jour-là, Guillaume et Tit-Mé, poings sur les hanches, admiraient leur chef-d'oeuvre.

— C'est pas croyable! C'est notre cabane! Et c'est nous qui

---

(1) Liberté d'auteur, qui préfère ce terme à: "sloche" ou "bouette". Il rend onomatopéique le mot français giboulée.

l'avons faite, murmura Guillaume. C'est la plus belle que j'aie vue.

Tit-Mé voulut exprimer quelque chose de grand:

— Sais-tu, Guillaume, c'est comme si c'était mon enfant, cette cabane-là.

Ils souriaient béatement, émerveillés: un paradis entouré d'arbres, d'eau douce ou salée, de poisson, de gibier et, comble de luxe, selon leur caprice, ils n'avaient qu'à marcher dans la mer, tout près, où ils avaient découvert une fabuleuse crique à homards. L'eau aux genoux, ils s'amusaient à débusquer le crustacé tapi sous les roches et à l'emprisonner dans un filet. Plus heureux que des millionnaires, ils jouissaient d'avoir trouvé là une sécurité absolue. Depuis les navires, nul ne pouvait apercevoir leur cher repaire, érigé au milieu d'une futaie épaisse, assis en contrebas et entouré de fougères, d'épinettes et de bouleaux. Le gîte serait ainsi protégé des terribles bourrasques d'hiver, venues des quatre points cardinaux.

— Ça chiale aujourd'hui! fit Tit-Mé, qui tendait l'oreille.

Au-dessus du mugissement sourd des flots du Golfe, on entendait des plaintes étranges, les jappements d'un troupeau de cinq mille phoques, rassemblés en bordure de l'Ile, trois kilomètres au Nord. Mais les oreilles de nos deux compères s'étaient habituées à cette cacophonie. C'est un autre son qu'ils avaient perçu: le ululement d'un avertisseur de bateau.

— Notre goélette est arrivée! s'exclama Guillaume. Nos meubles, Tit-Mé!

Ils coururent vers l'intérieur vide de leur cabane. Guillaume se montrait le plus volubile:

— Oublie pas, Tit-Mé, le poêle sera là, l'évier dans le coin, la table ici, les lits superposés là-bas, les chaises berçantes, les chaises droites au milieu, le bois de poêle cordé jusqu'au plafond, les lampes à l'huile, la cave pleine de poisson et de viande séchée, de patates, de farine, de beurre, de caribou, de noix, de glands; un baril de lard salé, des fèves au lard! Youppi!

— On essaie-t-y de passer l'hiver dedans, cousin?

— On trouverait peut-être ça long, tu penses pas, Tit-Mé?

— Ouais. Ce qui nous manquerait ici, c'est les femmes.

Guillaume lui parla sévèrement:

— Chasse l'idée des femmes. L'été commence à peine, et

on est pris ici pour trois mois. Pour le moment faut courir à la grève.

Ils atteignirent la berge et firent de grands signes de bienvenue à la barque qui s'approchait, remplie de marchandises. Le capitaine leur répondait par les mêmes signes. Guillaume jubilait:

— Comme j'ai hâte qu'Ovide voie notre cabane, Tit-Mé! Que j'ai hâte!

— Ça va lui faire du bien, fit celui-ci en riant. Il est vert comme de la salade. Mais j'espère surtout le moment où il apercevra notre invité-mystère. On va-t'y s'amuser, hein? Guillaume?

C'est le même capitaine et la même goélette qui, quelques jours plus tard, amèneraient Ovide et Marie.

***

Ovide avait entrepris sa tournée accompagné de sa superbe secrétaire. Marie, d'abord sur le qui-vive, retrouva bientôt sa quiétude et son naturel enjoué, grâce à la déférence et à l'amicale tendresse de son compagnon. Ce voyage ponctué d'impromptus, de détours, d'arrêts dans les campagnes du Nord québécois, apparaissait à la jeune fille comme le plus beau que l'on puisse faire au monde. Enfin, ce Canada, dont on lui avait tellement vanté les grandeurs et les merveilles, elle le devinait enfin. Depuis des mois elle avait vécu comme une taupe dans un cabaret jusqu'aux petites heures, au service de clients souvent éméchés. Ensuite elle dormait jusqu'à midi. Elle avait beaucoup erré dans la ville, arpenté les Plaines d'Abraham et s'était aventurée un dimanche à prendre le traversier qui relie Québec à Lévis. Et voici qu'elle découvrait la fabuleuse Baie Saint-Paul, Les Eboulements, Petite Rivière Saint-François, Saint-Irénée, La Malbaie, le Saguenay; elle se sentait à la fois toute petite et exaltée par ce rude pays de montagnes, de lacs, de rivières et de mer, de pêche, de chasse, ce pays fait pour des géants mais habité par une population chaleureuse, groupée autour de ses églises, vivant de ses scieries, de ses forêts, de ses barques et de ses filets de pêche. Une population issue du 17e siècle français et qui avait su s'intégrer dans cette immense nature, dans cette presqu'île, la Province de Québec, tête de l'Amérique du Nord tournée vers le Golfe, Terre-Neuve, l'océan Atlantique, l'Europe.

Sur le pont de la goélette qui les menait vers l'embouchure de la Jupiter, où Guillaume et Tit-Mé viendraient les chercher en chaloupe, le couple, bras dessus bras dessous à l'avant du bateau, offrait le visage aux embruns et se laissait bronzer par le soleil de juin. Marie souriait d'un bonheur sans nuage. Les expériences diverses qu'elle venait de vivre se déroulaient devant ses yeux comme dans un film.

Qu'ils avaient été amusants ces déjeuners avec chaque représentant en bijoux où, la jaugeant, l'invité esquissait des moues admiratives en faisant un clin d'oeil à Ovide, lui signifiant: "comme petite amie, c'est réussi, patron!" Mais Ovide ramenait vite l'indiscret sur terre avec une franchise brutale qui dissipait toute équivoque. Marie se réjouissait que sa présence semblât faire augmenter les ventes des montres, car ces messieurs, réclamant de plus fortes consignations de marchandises, voulaient se faire bien voir à ses yeux. Quel métier passionnant et quelle population attachante! Tous ces gens, hommes et femmes, lui rappelaient les habitants des campagnes de France, avec leur rouerie, leur langage rocailleux et chantant.

Elle souriait sous la bruine, se rappelant la délicatesse avec laquelle Ovide, dans chaque auberge, la reconduisait à la porte de sa chambre; il la quittait rapidement, sans jamais lui laisser sentir son espérance d'être invité à entrer.

Elle se remémorait cette sauterie à l'Ile-aux-Coudres, où ils avaient dansé avec les villageois au rythme des rigodons joués par des violoneux endiablés. Elle revivait ces longues promenades sur la grève des Escoumains, où Ovide avait trouvé des agates. Il lui avait promis de lui en faire faire des boucles d'oreilles et une bague. Un jour elle repartirait pour la France avec ces talismans qui lui rappelleraient cet Ovide canadien, redevenu seul et triste.

Elle n'oublierait jamais cette excursion champêtre improvisée près de Hauterive. On avait installé une nappe à carreaux sur l'herbe et, d'un panier d'osier, Ovide avait tiré, avec la grandiloquence d'un magicien, vin rouge, fromage, charcuterie et pain de ménage encore tout chaud. Ils avaient ri, s'étaient fait photographier, se tenant par le cou, par un gamin qui passait, armé d'une canne à pêche. Ovide avait dû, ici et là, la faire poser cent fois! Excités par le vin rouge, ils avaient couru dans les champs, cueilli des fleurs; il lui avait tressé un diadème de marguerites plantées dans les mailles d'une chaîne dorée et l'avait couronnée. Elle ressemblait à une princesse indienne avec, au milieu du front, une minuscule médaille d'or. Ils s'étaient ensuite rendus au ruisseau pétillant de truites, y avaient marché pieds nus. Revenant à leur nappe à carreaux, ils débouchèrent une autre bouteille de vin rouge et il lui chantonna la première strophe de *L'Invitation au Voyage* "Mon enfant, ma soeur, songe à la douceur d'aller là-bas vivre ensemble." Marie se rappela que, de ses doigts caressants, elle avait replacé les cheveux rebelles d'Ovide. Il avait retenu sa main, la couvrant de baisers brûlants. Puis ils s'étaient endormis au soleil, restant chastes comme Paul et Virginie. Ils eurent la sensation, ce jour-là, de traverser les heures les plus douces de leur vie.

Ovide continuait de vivre une aventure éthérée, idyllique, que ne troublait pas encore le souvenir de Rita. Ce nirvâna romanesque commençait quand même à s'affadir. Debout sur le pont gluant, le front plissé, il vit l'Ile d'Anticosti se profiler au loin. Il serra les poings, grimaça. Il avait oublié d'aller saluer Monseigneur Folbèche dans sa nouvelle paroisse! Il l'avait pourtant promis à sa mère! Il n'osait s'avouer que sa fugue était sur le point de se terminer. Le bonheur qu'il venait de vivre s'évanouissait lentement, refusant de reposer plus longtemps sur une situation impossible. Marie n'avait peut-être été si gentille que pour lui servir de garde-malade, que pour adoucir son malheur conjugal? Et Guillaume, comment réagirait-il en voyant Marie? Ovide chassa ces considérations désagréables et essaya de retenir ses illusions qui voulaient plier bagages.

— Ça ne va pas? fit-elle en lui serrant doucement le bras.

— Au contraire, Marie, on dirait que tout tourne selon mes désirs; même cette grève de l'amiante est sur le point de se régler. C'est une victoire syndicale, selon les idées que j'ai prônées. Il ne faut jamais trahir ses convictions profondes, ni ceux qu'on aime.

Il ne put repousser l'image de Rita, les yeux mouillés, lors de son départ.

— Moi, en tous cas, je sais que vous ne me trahirez jamais, murmura Marie, le regard perdu très loin, vers l'Europe, en pensant à sa mère, à la chère France, aux platanes, aux marronniers en fleurs.

La crainte le crispa. Elle ne le disait pas, mais elle songeait à retourner dans son pays, bientôt. Ce Québec, ce Canada n'étaient pas faits pour elle; elle ne saurait jamais s'adapter. Défiant cette conjecture intolérable, il se remit à fabuler:

— Puisque nous avons réussi ce voyage dans les mers et les brousses du Québec, nous pourrions tenter la même chose en France?

Elle leva vers lui un regard ébloui. Ce magicien d'Ovide semblait pouvoir entreprendre n'importe quoi?

— Et pourquoi pas? Il serait justifiable de se rendre aux sources de l'horlogerie: la Suisse, la France? Il est indispensable que je sois au courant des derniers progrès de cette industrie, pour pouvoir planifier l'avenir en conséquence. Sans votre présence, Marie, je me sentirais démuni.

Il était contagieux. Elle rêvait tout haut:

— Oh! que j'aimerais vous guider dans ce Paris que j'aime...malgré tout ce que j'y ai souffert...Ah! et puis non, peut-être ne voudriez-vous plus revenir chez vous.

— Alors, tant pis, nous resterions là-bas! Nous remonterions les Champs-Elysées, main dans la main. Je verrais enfin l'Opéra de Paris. A Notre-Dame nous écouterions les grandes orgues durant la messe du dimanche. Ensuite nous marcherions jusqu'au Boulevard Saint-Germain. On s'arrêterait à la Brasserie Lipp, en face du Café de Flore, où Jean-Paul Sartre et Simone de Beauvoir tenaient leurs quartiers généraux, tout près de l'église Saint-Germain-des-Prés, dont le petit parc s'embellit du buste de Guillaume Apollinaire par Picasso!

— On dirait que vous y êtes déjà allé, ma foi? s'exclama-t-elle, émerveillée.

Son exaltation continuait de monter:

— Toute ma vie, j'ai lu, j'ai vécu dans la hantise de la Ville lumière. J'en connais l'histoire, la topographie et tous les principaux monuments. Sur le bout de mes doigts!

Ils parlèrent longtemps de Paris, symbole du paradis pour ceux qui rêvent d'évasion, de poésie, de culture et de beauté. Mais ils durent s'interrompre, la mer devenant mauvaise. Ils s'agrippèrent au bastingage. On était en plein Golfe. Comment Guillaume et

Tit-Mé pourraient-ils ramer, diriger leur embarcation dans ces vagues dures se bousculant avec colère? Un petit hélicoptère passa au-dessus d'eux en direction de l'Ile. Ovide pensa que ce moyen de transport eût été plus agréable. On commençait à longer Anticosti. Les goélands tournoyaient autour de la goélette et Marie dévorait du regard le spectacle des rudes côtes de l'Ile rongées par la mer, côtes d'où partaient jadis les écumeurs féroces à l'affût des naufrages. Que de navires s'étaient perdus au large d'Anticosti!

Une heure plus tard, le capitaine toucha l'épaule d'Ovide.

— Préparez vos bagages, on arrive à l'embouchure de la Jupiter! Au cas où Guillaume resterait sur la grève, vous lui direz que je vous reprendrai dans trois jours, à quatre heures de l'après-midi; j'apporterai alors ses quatre lampes à gaz propane et le petit réservoir. Oh! même pas besoin! Ils viennent! Regardez! Je leur parlerai moi-même.

Ovide ne voyait pas encore deux longues silhouettes agitant leurs bras sur la grève, puis sautant dans une embarcation dirigée vigoureusement entre les vagues.

Quel fidèle complice, quel allié les cousins Plouffe avaient en ce loup de mer quinquagénaire! Il partageait leur secret au sujet de la cabane clandestine; en retour il braconnait avec eux quand son bateau libre lui permettait de faire escale. Il avait cueilli le couple à Sept-Iles, fatigué des voyages en autobus dans les coins les plus reculés. Il se posait des questions, ce capitaine à barbe blanche, aux yeux bleus, qui n'enlevait sa casquette que pour dormir. Il portait un nom étrange: Louis-Quinze Ferguson. Il descendait d'un soldat écossais venu lors de la conquête par les Britanniques, lequel prit femme et racine au Québec, et avait coiffé son premier fils du prénom Louis-Quinze. Les Ferguson soulignaient ainsi leur entrée par la grande porte dans ce Québec français. Le capitaine Louis-Quinze, dixième de la dynastie des Ferguson, habitué à la solitude, à la discrétion, ne demanda même pas à Ovide par quel hasard le frère de Guillaume Plouffe le trappeur se faisait accompagner d'une si jolie secrétaire parisienne. A l'embarquement, les deux passagers avaient déposé leurs affaires dans la cabine du pilote et rêvassé pendant des heures à l'avant de la goélette. Guillaume n'avait pas dit que son frère serait accompagné?

Ovide et Marie, valises à leurs pieds, observaient avec inquiétude les deux cousins ramant à moins de cent mètres. Le capitaine avait ancré la goélette et installait une échelle de cordage.

— Comment ça va Louis-Quinze? As-tu apporté nos lampes? Salut Ovide! cria Guillaume.

— Non, en revenant, criait le capitaine, les mains en porte-voix, pendant qu'Ovide disait à Marie, fièrement:

— C'est mon frère Guillaume et mon cousin Aimé. Tout un drille, vous verrez. Quant à Guillaume, vous l'avez rencontré, cet hiver, CHEZ GERARD, m'avez-vous dit? Oh! nous allons passer ici trois jours merveilleux, royaux, puisque c'est Louis-Quinze lui-même qui nous amène!

De la chaloupe qui valsait avec la vague, Guillaume, apercevant cette présence féminine fit, étonné:

— Ma foi, dis-moi pas qu'Ovide a emmené Rita?

— Non, fit Tit-Mé, qui possédait une vue télescopique. C'est pas Rita. Rita est blonde et celle-là est brune. Elle est plus grande, aussi. Guillaume, prépare tes meilleures mouches, c'est tout un pétard. C'est probablement, si mes yeux sont bons, la plus belle créature qu'on n'aura jamais vue ici. Un p'tit écureux super-luxe!

— J'y comprends rien, marmonna Guillaume, qui reconnaissait enfin Marie. Le sapré Ovide! Avec lui, faut s'attendre à tout.

— Tu la connais? fit Tit-Mé.

— Oui. Un dernier coup de coeur, Tit-Mé. Ramons à mort. Ensuite, on verra bien.

Ils ramèrent comme deux forcenés, avec des han! de géants, puis réussirent à se coller au flanc de la goélette. Marie avait l'air si gauche en descendant l'échelle que Guillaume la saisit dans ses bras et la déposa doucement sur le banc du centre.

— Bonjour, Marie.

Ovide sauta à son tour dans l'embarcation, où les valises avaient été jetées et s'écria:

— Marins! Mettez le cap sur l'Ile aux Plouffe!

Les deux compères lancèrent trois saumons fumés au capitaine, hissèrent une boîte cartonnée pleine de homards, puis une liste des objets qui leur manquaient pour la cabane. Louis-Quinze leur donna une bouteille de rhum et cria, mains en porte-voix:

— Salut! Faites pas trop chauffer le poêle, on peut voir la

fumée! Vous boirez ce bon rhum Barbancourt à ma santé. Amusez-vous bien! Je reviens dans trois jours. Vers quatre ou cinq heures! Soyez prêts!

L'ancre levée, la goélette s'éloignait. Tit-Mé et Guillaume attaquèrent aussitôt la mer de leurs rames fortes et lourdes.

— Présente-nous la parenté, fit Tit-Mé à Ovide, en dévorant Marie d'un regard si perçant qu'il semblait essayer de la découvrir jusqu'aux os.

Ah! quels genoux, quelles jambes, quelle poitrine, quels cheveux, quels yeux, quelles lèvres, quel charmant petit écureuil! Mais c'est surtout Guillaume que Marie contemplait. Qu'il était beau! Encore plus que lors des soirées CHEZ GERARD, invité de Napoléon et Jeanne. Guillaume, médusé, happé, ramait comme un automate. La furie menaçait tous ses sens. Il était si jeune, si fort, mais privé de femmes depuis si longtemps!

— Marie, dit-il, câlin comme seul Guillaume Plouffe savait l'être, t'es plus belle que jamais.

— Toi aussi, t'es beau, rougit-elle.

Ils se tutoyaient? Ovide se demanda si ces deux-là ne se connaissaient pas davantage qu'ils le prétendaient. Naturellement, Marie était si extraordinaire! Une vraie Européenne, à la beauté unique, miracle des vieilles civilisations. Guillaume oubliait la chaloupe, la mer, la cabane. Ovide grognait:

— J'ai hâte qu'on mette les pieds à terre!

Des paquets d'eau salée claquaient de temps à autre contre la barque. Leurs visages en étaient arrosés et leurs vêtements trempés, ce qui faisait rire Tit-Mé, très occupé à ce quelque chose en train de lier Marie à Guillaume. Ovide était pâle, raide, les deux mains crispées à la planche du banc. Il eut un haut-le-coeur. Allait-il à présent souffrir du mal de mer, quand il en avait été épargné sur la goélette?

Tit-Mé fouilla dans sa poche, en sortit une poignée de feuilles, les tendit à Marie:

— Mâche de l'oseille. C'est bon contre la peur et le mal de mer.

— Oh! avec vous deux, je n'ai pas peur! coupa-t-elle gaiement.

Elle avait si souvent navigué, fillette, emmenée par sa mère dont les riches amants possédaient parfois un yatch dans le port de Cannes.

— Marie, cria Tit-Mé, je m'appelle Tit-Mé Plouffe! Pis toi?

Elle cria sur le même ton, au-dessus du bruit des vagues:

— Je m'appelle Marie Jourdan! Je te trouve sympa!

Ovide sursauta une seconde fois devant ce tutoiement. Tit-Mé aussi?

Ravi, celui-ci rama avec encore plus de vigueur. Les deux trappeurs, en dépit du vacarme de la mer, se mirent à échanger avec Marie des exclamations fraternelles sentant bon l'amitié et la camaraderie, mais à travers lesquelles s'établissait aussi une complicité romanesque. Une virgule de jalousie pinça le coeur d'Ovide. Entre Marie et lui, il s'était créé une relation éthérée, où l'on se disait vous, où l'on flottait dans une sorte d'éden inaccessible aux gens ordinaires. Il la voyait soudain déserter et descendre avec un soulagement ravi vers la simplicité chaude et fruste qui émanait des deux hommes des bois. Il se dit, lassé, qu'il ne pourrait jamais atteindre le la de cette communication directe, contagieuse, que maniaient Guillaume et Tit-Mé. D'ailleurs il comprenait, à son corps défendant, que Marie pût être attirée par ce mâle magnifique, son frère. Il s'en voyait à la fois fier et dépité. Puis il chassa ces idées saugrenues. On arrivait à terre. Il tint Marie par la main pour l'aider à sauter sur la berge couverte de varech et de déchets de bois. Les deux guides halèrent la chaloupe hors de l'eau, puis la traînèrent sur les galets pour ensuite l'attacher au tronc d'un arbre. Les deux hommes, portant les valises, se tenaient maintenant timides devant eux, comme si la terre ferme les eût rendus différents.

— Mademoiselle Marie Jourdan est ma secrétaire, et strictement ma secrétaire, fit Ovide avec gravité. Je t'expliquerai plus tard, mon petit frère. Mais ça n'est pas compliqué du tout. Marie, je vous présente mon cousin Tit-Mé, le plus grand chasseur de tout le Québec.

Aimé enleva son chapeau et s'inclina:

— En personne, à ton service. Et je peux te dire une chose, ma belle Marie. Si mon père, le vieux Gédéon, te voyait, les yeux lui crochiraient!

Il ouvrit les bras, s'apprêtant à la soulever:

— Je t'emporte jusqu'à la cabane. Faudrait pas blesser tes beaux petits pieds sur les roches et les fardoches.

— Tranquille, Tit-Mé, coupa Guillaume, qui avait intercepté le coup d'oeil mécontent d'Ovide. Allons! en marche!

Au bout de trois minutes, ils débouchèrent devant un taillis d'énormes fougères que Guillaume entrouvrit de ses longs bras. La précieuse tanière des deux hommes se dressait, un peu plus bas, ses billots vernis luisant sous le soleil.

— La v'là, notre cabane! firent les deux trappeurs, quêtant un cri d'admiration.

— Superbe! murmurait Ovide en chantonnant "c'est là que je voudrais vivre."

Marie applaudissait.

— Ma cabane au Canada! Vous êtes tous les deux formidables! Félicitations!

— Venez, fit Guillaume, qui battait la marche. Oh! c'est pas un hôtel de luxe! C'est pas grand, mais c'est propre.

Tit-Mé prit les devants, ouvrit la porte, se courba cérémonieusement, tenant son chapeau de feutre sur son ventre. Une odeur de rôti, aromatisée de résine, emplissait la pièce. Un cuissot de chevreuil "bavassait" dans sa sauce dans le four du poêle de fonte. La table était mise, où se dressait une bouteille de vin rouge. "Ce qu'on doit être heureux ici!" murmura Marie, émue et troublée. Ovide songeait au même instant qu'il ferait bon vivre là pour toujours, loin de tous, avec elle. Son front se rembrunissait. Mais, il y avait Rita, Arlette et les liens qui l'enchaînaient à la société et à la famille.

— Tu sais, Ovide, disait gravement Guillaume, cette cabane-là, c'est pour l'avenir, au cas, on sait jamais. On est certain qu'on sera protégé, ici. Bombe atomique? La cabane. Chômage? La cabane. Peine d'amour? La cabane. L'armée qui te court après? La cabane.

— Et la police qui te cherche! fit Tit-Mé en levant sentencieusement le doigt, la cabane! La cave est bourrée de provisions. On peut tenir pendant des mois. Et on peut être plus que deux! fit-il, esquissant une moue entendue et tournant la tête vers la droite comme s'il eût attendu quelque chose, ou quelqu'un. Il pointait de son index noir de résine les quatre couchettes superposées.

— Nous dormons ici? demanda Ovide.

— Certainement! fit Guillaume gentiment moqueur. Vous serez bien, tous les deux, dans l'intimité, non? Nous autres, après souper, on remonte au camp. On laisse nos invités tranquilles.

— On n'est pas des casseux de veillée, ajouta Tit-Mé.

Ovide se retournait, embarrassé, vers sa compagne.

— Vous êtes d'accord, Marie?

— Quel mal peut-il y avoir à cela? fit-elle, gaiement. Allons, Ovide, j'ai confiance en vous.

Soudain, un hallali éclata, strident; une trappe s'ouvrait dans le plancher, et Napoléon surgit, trompette au bec. Il en essuya l'embouchure, observant la mine éberluée de Marie et d'Ovide.

— Salut! mes petits enfants! jubilait le survenant.

— Ah! ça! faisait Ovide, le souffle coupé.

— Ben oui, on l'a fait venir, en hélicoptère, pour te faire une surprise, pour que les trois frères Plouffe se retrouvent ensemble à l'Anticosti, dans notre cabane! exultait Guillaume.

— Je ne rêve pas? murmurait Marie, estomaquée.

— Bonjour, ma belle Marie! J'en revenais pas d'entendre ta voix, de ma cachette, en bas. Comme surprise! C'en est une vraie!

Ovide toussa:

— Après souper, entre frères, on s'expliquera, Napoléon. Marie est ma secrétaire pour un mois.

Marie s'excusait comme en se plaignant:

— Oh! c'est dommage! J'ai l'impression de déranger une belle réunion de famille?

Elle était gênée par ce regard de Napoléon qui alternait d'Ovide à elle et qui semblait dire: "Est-ce que Rita est au courant de ce voyage?" Mais Napoléon, simple et bon, comprit qu'il ne fallait pas parler de cela devant la jeune fille. Il sourit de toutes ses dents:

— Marie avec nous autres, les trois frères et le cousin! C'est encore mieux! Ah! que la vie est belle!

Ovide se dit qu'il avait beau tenter de fuir, il retrouvait toujours la famille au bout du voyage.

— Une dépense de fou, que j'ai faite là! fit Napoléon. J'ai pris l'avion jusqu'à Sept-Iles et l'hélicoptère jusqu'ici. Vive la vie! Les voyages qu'on a faits, la banque peut pas nous les reprendre.

Guillaume n'aimait pas les mises en scène, ni les explications interminables. Homme des bois, habitué aux décisions rapides, il fit installer tout le monde à table. Marie s'offrit pour surveiller le rôti, mais Guillaume protesta qu'elle était l'invitée. Il commandait en chef. Tit-Mé s'affairait près du poêle, le bourrant de bûches, pendant que Guillaume versait la soupe aux pois. Ovide s'occupait à servir le vin et Napoléon distribuait les assiettes à la ronde. Une gaieté enfantine se mit à monter en même temps que le fumet du rôti. Napoléon et Guillaume observaient souvent Marie à la dérobée, puis Ovide, se demandant à quel point le mariage de leur frère et de Rita était menacé. Pour Marie, ce pique-nique extraordinaire représentait les plus belles heures de sa vie. Manifestement la famille n'était pas au courant du drame d'Ovide. Ça la gênait par moments, mais l'atmosphère chaleureuse, sa jeunesse chassaient vite sa perplexité. Elle riait d'un rien, trouvait Tit-Mé tordant et, couventine émerveillée, innocente, ne semblait pas se rendre compte du désir allumé dans le regard de ces mâles. C'est Guillaume qui retenait surtout son attention charmée. Ovide mangeait du bout des lèvres, incapable de rejoindre le groupe dans son cordial et ordinaire bonheur. Il constatait que son idylle exceptionnelle avec Marie prenait fin avec ce repas où, en quelque sorte, on était en train de célébrer la victoire de Rita. C'est Guillaume qui, au dessert, prit la parole et dressa le plan de leurs vacances de trois jours:

— Ce soir, dodo à neuf heures! Tout le monde debout à cinq heures demain matin! Pêche au saumon dans les meilleures fosses! On sera les premiers à les "faire". Puis on déjeunera, pour parler français, fit-il à Marie avec un sourire tendre, d'un castillon au bord de la Jupiter, à midi tapant. A deux heures de l'après-midi on se rend à la crique à homards, on en attrape une vingtaine. Au souper, banquet de rois! Demain, c'est grand congé pour les guides d'Anticosti. Aucun touriste. Tous les employés se préparent à recevoir le Gouverneur Général et ses invités de Londres. Ils arrivent après-demain par la mer, en corvette du gouvernement, puis on les hale par la rivière en grand tombereau, qu'on appelle Cléopâtre, tiré par six chevaux, jusqu'au camp numéro douze, comme dans le temps d'Henri Menier. C'est quelque chose à voir. Pis toi, Ovide, pas question de rencontrer les guides pour leur vendre des montres. T'es en vacances, d'abord, et puis y faut pas qu'on découvre notre petit château. On braconne, on vole du bonheur à l'Anticosti et à la vie. On est libre! fit Guillaume.

— On braconne et on est libre! crièrent encore plus fort Napoléon et Tit-Mé, survoltés par le vin rouge.

— Toi, Tit-Mé, pars-toi pas au vin. Et pas de rhum! On a des vêtements et des agrès de pêche pour tout le monde. Tit-Mé va guider Ovide et Napoléon, et moi, je m'occupe de Marie, fit-il en lui souriant. Ma beauté, Guillaume Plouffe va te faire prendre ton premier saumon canadien!

Après le café, Napoléon se leva soudain, fit une oeillade à Tit-Mé puis dit à Marie:

— T'es acceptée dans le groupe, ma fille. Donc, tu laves la vaisselle avec Tit-Mé. Nous autres, les trois frères, on a des problèmes de famille à discuter. On va aller au bord de la mer, faire un petit feu sur la grève. On s'asseoiera autour comme des Indiens.

Tit-Mé se mit la bouche en O majuscule et, prenant les mains de Marie:

— Tes mains sont trop belles, mon petit écureux français. Moi je lave la vaisselle, toi tu l'essuies. Je te ferai pas de misère. Je pourrai-t'y t'embrasser pendant qu'y seront partis?

Elle lui donna une bourrade amicale. Elle l'adoptait comme un grand frère qu'elle n'avait jamais eu. Avec Ovide, c'était différent. Quant à Guillaume, c'était bien autre chose. Ovide suivit ses deux frères à reculons, mécontent. Il se préparait à leur résister, à ne pas dévoiler son secret, à protéger l'honneur de son ménage et la réputation de Rita. Ils atteignirent la grève où Guillaume et Napoléon préparèrent le feu. Entre eux le silence régna aussi longtemps que les premiers crépitements. Puis la flamme monta. Les nuits d'Anticosti sont froides. Ovide, frissonnant, mordillait nerveusement une herbe salée.

— J'en reviens pas dit Napoléon, le premier, qu'une famille unie comme la nôtre, que trois frères qui ont été élevés ensemble et qui se sont tenus comme les doigts de la main, se parlent pas plus que ça de leurs problèmes.

— Ouais, dit Guillaume. Moi, je pense, Ovide, que ton histoire avec Marie, ça sent rien de bon.

Les phoques, au loin, continuaient leur tintamarre. Ovide se mordit la lèvre:

— Marie a perdu sa situation CHEZ GERARD par ma faute. Tu le sais, Napoléon. Elle était désespérée, toute seule, sans argent, ou presque. Alors tout simplement, je l'ai prise comme secrétaire pour quelques semaines. Cet argent lui permettra de voir venir.

— Mais elle doit avoir des parents, en France? objecta Guillaume.

Ovide s'attendrissait.

— Elle a été pratiquement chassée de son pays. Sa mère, une actrice, a été tondue et exécutée par le maquis à la Libération.

— Ah? fit Guillaume.

Cette évocation le troublait, lui qui essayait d'oublier toutes les visions de guerre. Il avait été témoin en 1944, de scènes révoltantes où on traînait par les cheveux de jolies filles qui s'étaient compromises avec les Allemands. On les tondait devant la foule amusée ou vociférante et l'exécuteur levait au bout de son bras la chevelure coupée, comme un scalp.

— Une collabo, alors? fit Guillaume, les sourcils froncés.

— Pas Marie, sa mère, corrigea Napoléon. C'est pas sa faute à cette enfant-là, si sa mère était comme ça.

Guillaume semblait rendu très loin, en pensée. Et soudain:

— Napoléon m'a raconté l'incident de la bagarre au restaurant, et l'affaire du revolver. C'est-y le 38 que je t'ai donné quand t'as ouvert ta bijouterie?

Ovide acquiesçait en silence. Une étrange impression envahit Guillaume. C'est avec ce revolver qu'il avait tué l'Allemande, la prostituée qui ressemblait à Rita. Le destin voudrait-il que cette arme serve encore, et contre qui? Quelle idée folle! Il se secoua:

— Et Rita sait pas que Marie fait cette tournée avec toi?

Ovide faisait non de la tête et Napoléon, sentant son désarroi, voulut l'aider.

— C'est mieux comme ça, dit-il. Rita est tellement jalouse. Jeanne et Cécile la trouvent pâle, depuis quelque temps. Elle refuse de sortir, s'habille quasiment en bonne soeur. Pas dans son assiette, ta femme.

Entre eux, le silence s'installa à nouveau, comme réclamé par le vacarme des cinq mille phoques qui dominait tous les bruits de la nuit. Guillaume serra le bras d'Ovide d'une poigne de fer.

— Oui ou non, Marie, es-tu amoureux d'elle?

Ovide s'impatientait.

— Dites donc! Vous prenez-vous pour des détectives? Non! je ne le suis pas! amoureux!

Napoléon s'esquintait en grimaces qui se voulaient des signes à Guillaume: "Insiste pas!" Mais Guillaume était lancé. Il secouait Ovide comme un fétu.

— Parle donc! On est tes frères, on te connaît, on t'aime et on veut pas te laisser tomber. Parle, ça va te soulager! Parle, je te dis!

Ovide fut un instant tout près de leur raconter son drame de mari trompé, ses souffrances, et de pleurer sur leur épaule. Mais la révolte le prit à la pensée que ses frères, profitant de son désarroi, essaieraient de percer la cuirasse dont il protégeait son monde intérieur contre tout, contre sa famille elle-même.

— Allez-vous me laisser tranquille! A la fin! Mêlez-vous de vos affaires!

Il partit d'un pas rapide vers le camp, un sanglot au bord de la gorge. Guillaume se leva doucement.

— Faut faire quelque chose, Napoléon. Marie l'aime pas, et lui aime pas Marie. Qu'y dit! En tous cas, je suis inquiet. C'est une histoire pas catholique, qui dit rien de bon. Faut les protéger tous les deux.

— Et dire qu'on est venu ici en pique-nique, pêcher le saumon!

Guillaume eut un sourire imperceptible.

— On va le pêcher, crains pas! Pour l'instant, c'est tout de suite qu'il faut s'occuper d'Ovide. J'aime pas l'histoire du revolver, ni de la robe noire de Rita qui veut plus sortir de la maison. Notre frère, Napoléon, je le reconnais pas. Même qu'y me fait peur.

Napoléon, se tourmentant à son tour, ajouta:

— Moi non plus, je le reconnais pas. Et ma Jeanne se pose bien des questions.

Guillaume lui tapa sur l'épaule:

— T'inquiète pas. Va te coucher. Tit-Mé et moi on a douze milles à avironner.

Ils pissèrent longuement sur le feu, qui s'éteignit, puis marchèrent vers le camp. Guillaume réfléchissait tout haut:

— Les Plouffe, c'est comme une chaîne. Chaque maillon est important. Si un se brise, toute la chaîne s'en va au diable. Finie cette belle famille, notre famille, les Plouffe!

Napoléon s'émouvait facilement.

— Y a pas à dire, Guillaume, t'es devenu tout un homme, un vrai. On sait ben, la guerre, ça fait vieillir.

— Ovide, y faut l'opérer, fit Guillaume, avec un sourire laconique.

CHAPITRE TRENTIEME

Quand Ovide revint à la cabane, Tit-Mé rangeait les derniers plats, pendant que Marie, après avoir endossé sa robe de chambre (elle avait fait jurer à Tit-Mé qu'il ne se retournerait pas), préparait son lit. Il n'était que neuf heures, mais l'air pur, le voyage en goélette, le repas copieux lui assénaient tout à coup un absolu besoin de dormir. Elle se glissait sous les couvertures.

— Bonsoir les hommes!

— Pas trop de bruit avec tes casseroles, Tit-Mé, dit Ovide. Moi je vais en faire autant.

Il disparut au dehors puis revint vêtu d'un pyjama. Frissonnant, il constata que Marie s'était déjà endormie et que Tit-Mé, au pied de la couchette, la contemplait avec une admiration attendrie.

— Ça fait du bien de voir une belle fille comme ça dans notre cabane. Si elle voulait accepter de travailler au grand camp, pour la saison, elle se ferait de gros pourboires. Je la protégerais, on la traiterait comme une reine.

Ovide fit la moue. Il détestait les pourboires. Rita l'avait trompée pour des gratifications de cinquante dollars. Et voilà qu'au sujet de Marie, cet "ange pur et radieux," Tit-Mé osait parler de pourboires! Il se glissa à son tour sous les couvertures, dans le lit installé à un mètre de celui de Marie.

— Ne lui en parle surtout pas, Tit-Mé. Elle est faite pour une autre destinée. Baisse la flamme du fanal, ça me brûle les yeux.

Napoléon et Guillaume entrèrent, jetèrent un regard à la ronde.
— C'est ça, dormez tout le monde. On sera ici à cinq heures moins le quart demain matin. Sautons dans le canot, Tit-Mé.

Guillaume, l'oeil trouble posé sur la forme de Marie endormie, eut à nouveau son sourire imperceptible, laconique. Tit-Mé déposa un baiser dans sa main, le souffla vers la jeune fille. Guillaume poussa Tit-Mé dehors et ils disparurent. Napoléon bourra le poêle de bois sec, car cette nuit on atteindrait le point de congélation. Puis il regarda en haut, vers la couchette superposée à celle d'Ovide. Il se déshabilla, lentement, songeur. Se sachant profond dormeur, il imagina que pendant la nuit, certaines choses pourraient se passer. Une femme à moitié éveillée se défend si mal! Et Ovide était un impulsif. Il secoua son frère.
— Prends le lit du haut. Moi, il faut que je me lève plusieurs fois pour chauffer le poêle. Autrement Marie va geler.

Ovide savait exactement ce que Napoléon pensait et en fut choqué. Mais à quoi bon! Il se leva en maugréant et grimpa vers la couchette. Napoléon s'endormit aussitôt, ses ronflements sonores emplissant le camp. Ovide, tout plein de la conversation qu'il avait eue avec ses deux frères, prit longtemps à fermer l'oeil. Puis il succomba à la chaleur de la cabane et s'endormit, au moment où Marie, suffoquant sous ses lourdes couvertures de laine, les rejetait machinalement, laissant voir ses cuisses longues et pleines, mais finement dessinées. Napoléon, étranglé par un long ronflement trop puissant, se réveilla en sursaut et les vit. Une féroce envie de les toucher, juste du bout des doigts, le saisit. Il prit une longue respiration, pensant à Jeanne qu'il caressait le jour surtout, car le soir elle était épuisée, puis les mâchoires crispées, il se retourna sur le côté, dos à Marie, tout recroquevillé, les poings serrés comme un boxeur. Deux heures plus tard, le feu éteint, il s'éveilla en grelottant, recouvrit et borda Marie comme une enfant, avec un tendre respect, et ralluma le poêle. Epiant la montée de la flamme, il repensa au curieux sourire de Guillaume quand il avait dit qu'aujourd'hui, il opérerait dans le vif cet abcès Ovide-Marie.

***

Le soleil du matin jeune commençait à réchauffer le vent léger qui ourlait en milliers de crêtes fines et argentées la surface de l'eau cristalline de la Jupiter. Tit-Mé, sur la berge, les poings sur les hanches et le chapeau en pente sur les yeux, guidait Ovide et Napoléon tout tremblants à l'idée d'attraper leur premier "salmo salar". Les lancers étaient bien gauches, surtout ceux d'Ovide, mais ils obtiendraient un saumon, car à dix mètres, juste en face, Tit-Mé en avait repéré un groupe d'une dizaine. Il pointait du doigt l'endroit exact.

Ovide faisait des manières, essayait de projeter sa mouche avec élégance, mais ne réussissait qu'à lui faire parcourir deux ou trois mètres, quand l'hameçon ne restait pas accroché à son chapeau ou à son blouson de laine rouge. Les pêcheurs, chaussés de hautes bottes de caoutchouc, s'avançaient dans l'eau glacée jusqu'à mi-cuisse pour mieux atteindre la fosse, sise au pied d'un pan calcaire de trente mètres de hauteur. La Jupiter est renommée comme l'une des plus faciles rivières à saumon au monde, car si on peut la parcourir en canot, ou en camion, ou à cheval, on peut aussi la longer à pied sur les galets et exécuter de longs lancers sans avoir à craindre les obstacles par l'arrière. Cent mètres en amont, Guillaume, flanqué de Marie s'acharnait, en guidant son poignet, à lui faire réussir la première prise de groupe.

— Y en a une trentaine, par là, à gauche! dit-il.

Elle était toute tendue, déjà passionnée par ce sport extraordinaire. Au loin, Napoléon cria:

— Ça mord!

On eût dit que les égratignures des petites mouches sèches artificielles réveillaient la rivière. Un saumon de six kilos avait fait claquer sa queue sur la ligne de Napoléon et avait déguerpi. Un autre sauta près de celle d'Ovide, comme pour se moquer. Des dos argentés striaient tout à coup la Jupiter.

— On va en prendre plusieurs aujourd'hui! exultait Tit-Mé.

Guillaume enlaça Marie de son bras, effleura son cou d'un baiser furtif, lui saisit à nouveau le poignet et guida son lancer. Un "salmo salar" de huit kilos fit un bond hors de l'eau et plongea en piqué sur la mouche que Guillaume avait choisie.

— Ah! Mon Dieu! Je l'ai! cria-t-elle.

— Oui, ma beauté, tu l'as! Donne un bon coup sec, comme ça!

Avec une grimace triste d'enfant contrariée, elle s'exclama:
— Oh! non, je l'ai perdu!
— Mais non, il fait l'hypocrite! La lutte commence. Vite tourne le moulinet comme ceci, tiens, tu vois? Et garde ta ligne raide en le ramenant doucement. Quand il va sauter, relâche-la. Autrement il va tout arracher.

En effet la magnifique bête bondissait quelque trois mètres hors de l'eau en se tordant la tête, le corps, la queue, avec une rage telle qu'on eût cru l'entendre gronder. Guillaume écoutait avec ravissement le petit rire de bonheur qui roucoulait dans la gorge de Marie et se dit qu'elle devait être une amante dépareillée. Les deux autres pêcheurs, fébriles, lançaient nerveusement, essayant de réussir le même exploit. Leurs regards alternaient du saumon piqué par Marie, lequel exécutait des bonds fabuleux, à leur mouche artificielle flottant dans le courant au pied du rocher. Ce fut Ovide qui se vit d'abord récompensé, et immédiatement après, Napoléon. Les trois saumons sautaient en un ballet mirobolant, les lignes se tendaient, se relâchaient, se raidissaient à nouveau, les cannes à pêche pliaient à se rompre sous les yeux de Tit-Mé et Guillaume qui, épuisette en main, attendaient que les "salmo salar" vaincus après vingt minutes de lutte épique, tirés vers la rive, tombent dans leur filet. Alors on "tuait" le saumon à l'aide d'une roche dont on lui assénait un coup sur la tête. Pour le groupe, ces moments furent tellement intenses, qu'on ne pensait plus à l'amour, ni au destin, car l'homme est né d'abord pêcheur et chasseur.

A onze heures du matin, on comptait quinze prises. Les invités se découvraient épuisés, les bras amortis de fatigue d'avoir tant lutté, les muscles du ventre endoloris par la pression du manche de la canne à pêche. Le pique-nique au bord de la rivière fut rapidement organisé autour d'un four improvisé en pierres rondes superposées. Ovide versait en chantonnant du Pouilly-Fuissé (cadeau de la blonde Américaine à Guillaume) dans le ventre du castillon de deux kilos qu'on allait faire griller, enveloppé d'une feuille métallique. Marie l'arrosait de gouttes du citron qu'elle pressait, Tit-Mé y allait de quelques langues de bacon et Napoléon de hachures d'oignons. Dans une casserole d'aluminium aux flancs noircis, l'eau bouillait, en vue de faire le thé et, pendant que le poisson rôtissait, les heureux convives, accroupis à l'indienne, buvaient leur soupe à même la boîte de conserve. Ovide, débordant de gaieté, débouchait une autre bouteille. "Bénissez-nous, ô mon Dieu, ainsi que la nourriture que nous allons prendre". Les verres remplis furent brandis et Ovide déclara en levant le sien très haut:

— A la Jupiter, au Canada, à la France!

— Et à Marie! firent en choeur les trois autres.

Alors on attaqua les généreuses portions de ce castillon qui, une heure auparavant, vivait dans la Jupiter, maintenant grillé, assaisonné par des connaisseurs, répandant un arôme extraordinaire. On décréta que personne au monde ne méritait les pures délices qu'il offrait au palais. On fut d'accord pour rêver de ne jamais quitter l'Anticosti et Marie, adoptée, désirée par les quatre hommes déclara, émoussée par les rasades de vin:

— Avec des beaux hommes comme vous, je finirais volontiers mes jours ici, mais à condition qu'il n'y ait pas d'autre femme!

— On n'en veut pas d'autre, non plus! s'écrièrent-ils.

— Laissez-moi vous donner un baiser à chacun!

Et, mignonne, chaleureuse, leur tenant la tête elle les embrassa un par un sur les deux joues. Ovide, à sa grande surprise, ne se sentit pas jaloux. Pourquoi une si belle femme n'aurait-elle pas un harem d'hommes? Cette tranquillité joyeuse qui l'envahissait était bien plus reposante que les tiraillements de la jalousie! Egrillard, il leva son verre:

— Buvons au harem d'hommes de Marie! C'est moi qui choisirai ses meilleurs jours!

— Moi, un harem d'hommes? faisait-elle en riant de toutes ses dents. Ovide, je ne vous savais pas si libéral?

Tit-Mé déclara avec une gravité comique:

— Moi, je me contenterai des plus mauvais jours. Et je me chargerai d'en faire les plus beaux.

— Moi, fit Napoléon, songeur, ma Jeanne accepterait pas ça.

Guillaume ne dit rien et jeta un bref regard à l'aîné. Marie les avait conquis. Elle était leur soeur, leur amie, leur maîtresse possible. Napoléon voulut aller chercher son cornet à pistons afin de saluer la divine Jupiter, qui leur avait procuré ce grand jour de bonheur. On l'en dissuada. Quelque guide en maraude, des kilomètres plus haut dans la rivière, aurait pu l'entendre, eût peut-être cru que le Gouverneur Général arrivait deux jours avant son temps!

Brisés de fatigue, amortis par l'air pur, ils s'étendirent sur les galets tièdes où ils s'endormirent au murmure égal de la Jupiter, que les saumons remontaient en juin depuis des millénaires.

— Marie, murmura Ovide. Rappelez-vous notre chanson *Les Chemins de l'amour.*

***

La sieste étant faite, on revint à la cabane et il fut décidé que l'excursion à la crique aux homards serait remise au lendemain. Ovide, mal préparé pour de tels efforts, paraissait fourbu. Il demanda qu'on s'occupe de la jeune fille, s'excusa auprès d'elle et monta à sa couchette où il s'endormit aussitôt. Les trois hommes échangèrent des regards furtifs, lourds de signification. On offrit à Marie de jouer une partie de cartes. Non, elle préférait marcher dans les environs de la cabane, pour y cueillir des fleurs sauvages.

— Cette fois-là, c'est moi qui te guide! éclata Tit-Mé. Je vais t'en montrer des fleurs et des animaux que t'as jamais vus, mon petit écureux de France.

Elle battit des mains.

— C'est d'accord!

Les doigts liés comme des collégiens romanesques, ils sortirent, mais Guillaume eut le temps de croiser lourdement le regard de son cousin et d'ordonner:

— Prends le sentier numéro trois, jusqu'à la rivière, c'est là que se trouvent toutes sortes de fleurs, en grande quantité.

Napoléon affichait un air sévère, comme si Marie eût été sa propre fille.

***

Tit-Mé n'oublierait jamais cette promenade avec Marie dans le sentier menant à la rivière. Il parlait, parlait, plus qu'il ne l'avait fait de toute sa vie. Elle s'exclamait de surprise, puis s'attristait devant l'histoire de la solitude de Tit-Mé, qui avait si peur de son père. Elle mordillait une herbe, se penchait en même temps que lui, découvrait des champignons inconnus d'elle. Un renard, un cerf, des lièvres déguerpirent devant eux.

— T'es pas une fille comme les autres, fit-il, lors d'un arrêt proposé sous prétexte de la laisser se reposer, la contemplant comme un objet d'art, l'enveloppant d'un long regard tendre. Toutes les filles que j'ai connues sont plutôt grosses. Ma mère, mes soeurs, mes cousines, mes tantes. Mais toi, t'as le genre actrice des petites vues. Pour moi, c'est un grand honneur de marcher à côté de toi. Merci, Marie, merci.

Taquine, elle lui rabattit son feutre mou sur le front. Elle l'aimait bien, Tit-Mé, mais sentait que la moindre complaisance rendrait cet être simple et bon profondément amoureux d'elle.

— Je n'ai jamais eu de grand frère. Mais si j'en avais eu un, c'est un gars comme toi, grand, sensible, fort, qui m'aurait protégée, que j'aurais rêvé avoir.

Il sembla embarrassé, piteux.

— Guillaume aussi, hein?

Elle rit, l'oeil sur la Jupiter qui apparaissait devant eux.

— Oh! Guillaume, je l'imagine mal comme un frère.

Il baissa la tête, la tristesse s'installant sur son visage, mais elle ne l'aperçut pas, son regard étant déjà hypnotisé par la rivière. Il tendit l'oreille. Le chant du huard lui était parvenu. Presque de mauvaise humeur, soucieux, il dit:

— Attends-moi debout sur cette pierre. J'ai entendu un drôle de bruit. Je vas aller voir.

— Pas un ours, quand même? fit-elle, inquiète.

Il était disparu dans la forêt depuis à peine deux minutes, quand une corde en forme de cercle, un lasso, plana dans l'air et descendit comme une auréole au-dessus de la tête de Marie, puis l'enserra à la hauteur des coudes.

Elle poussa un cri d'effroi en criant "Tit-Mé!" Un grand rire lui répondit.

— C'est moi, le cow-boy solitaire!

— Guillaume!

Il enroulait sa corde, la libérait, en profitant pour l'effleurer d'un baiser brûlant, court. Elle rougit.

— Guillaume, voyons. Où est Tit-Mé?

— Je l'ai renvoyé au camp. Je veux te parler seul à seule. Etendons-nous sur la grand'roche plate. Elle est encore chaude de soleil.

Elle obéissait avec confiance. Il y avait tant de gravité soudaine dans la voix de Guillaume! Il n'y alla pas par quatre chemins.

— Y s'est rien passé entre toi et Ovide?

— Mais non? Il a été parfait avec moi?

— L'aimes-tu?

— Dans le sens où tu le demandes, non. Mais j'ai beaucoup d'admiration et d'estime pour lui.

— Mon frère Ovide, lui, y t'aime?

Guillaume constatait qu'elle se posait franchement la question, puis elle secoua la tête.

— Non, c'est une sorte de tendre amitié. Il aime sa femme, n'est-ce pas? C'est un homme loyal.

C'est ce que la conscience de Guillaume désirait: la voie libre. Marie lui parlerait-elle du drame Ovide-Rita? En savait-elle plus long que la famille? Elle restait silencieuse. Il se glissa plus près d'elle, lui dit à voix basse, comme s'il eût fait nuit:

— Tu sais bien, Marie, qu'en t'apercevant pour la première fois, je t'ai désirée?

— Oui, je sais, murmura-t-elle.

Il jouait avec les doigts de la jeune fille.

— Je sais pas ce que j'ai. Les Européennes m'ont marqué. Alors, quand je t'ai vue! Je me sens bien avec toi.

Elle jouait avec les boucles d'or de Guillaume, en enroulait une autour de son index.

— Moi aussi, Guillaume, je me sens bien avec toi.

A quoi bon parler des belles Allemandes que Guillaume avait possédées, qu'importait que la mère de Marie fût une collaboratrice? Il était un jeune dieu et elle une déesse, égarés tous les deux sur Anticosti, au bord de la Jupiter, étendus l'un près de l'autre. Alors ils firent l'amour à un niveau de passion jamais atteint sur l'Ile.

Pendant ce temps, Ovide, réveillé, vit Tit-Mé entrer tête basse dans la cabane, la mâchoire crispée. Mais l'attitude de Tit-Mé intéressait peu Ovide.

— Où est Marie?

Tit-Mé lui tournait le dos. Il avait épié à travers les branches les étreintes du couple. Quel martyre il avait enduré! Il bredouilla:

— Sont à jaser au bord de la Jupiter.

— Mais...Faut pas les laisser tout seuls! Tu connais Guillaume! Et j'ai charge d'âme sur Marie! J'ai promis de la protéger. Je suis responsable!

— Bah! laisse-les donc tranquilles! Y sont jeunes, fit Napoléon, qui avait hâte maintenant de revoir Jeanne.

Ovide sortit rapidement et courut à la rivière, où il arriva trop tard. Guillaume et Marie lançaient des galets à la surface de l'eau, comptaient les bonds. Il ne saurait jamais que son frère Guillaume lui avait fait avec Marie le même coup qu'avec Rita jadis, avant son mariage. Mais cette fois-ci, c'était pour le bon motif. Guillaume essayait de se convaincre qu'il protégeait aujourd'hui le ménage Ovide-Rita, qu'il avait autrefois failli empêcher. En apercevant son frère il cria:

— Viens, mon oncle, lancer des pierres avec nous!

Il y avait de la pitié dans son cri. Marie, après l'amour, lui avait raconté le drame d'Ovide et de Rita. Elle lui fit promettre d'en garder le secret. Non, Guillaume n'en parlerait jamais.

CHAPITRE TRENTE ET UNIEME

Alors que les hommes Plouffe jouissaient de ce merveilleux voyage, Rita apprit, au téléphone, par Stan Labrie, qu'Ovide y était accompagné d'une secrétaire, Marie Jourdan. Ça se racontait CHEZ GERARD. Après tout, disait Stan, pourquoi se tuerait-elle de remords pour un mari qui profitait de son erreur afin de courir le guilledou avec une serveuse? Rita joua la froideur et abrégea la conversation. Mille brûlures parcouraient son coeur, de chagrin, de jalousie, de rage. Mais peut-être Ovide se vengeait-il de cette façon? Avec Marie, précisément. Sa rivale! Et encore, il ne lui avait sans doute touché que les mains et que fredonné des chansons classiques? Une fois sa rancune assouvie, c'est lui qui aurait du remords et c'est alors qu'il reviendrait lentement à elle. Elle retrouverait sa beauté, un peu fanée par la tristesse, et ses jolis ongles, qu'elle rongeait à coeur de journée. Le clan féminin Plouffe ne l'abandonnait pas. Presque chaque soir, Jeanne, Cécile et Joséphine venaient jouer au whist avec elle. On n'essayait pas de forcer ses confidences, on se contentait de l'entourer d'affection. Ovide était-il devenu amoureux d'une autre femme, où Rita avait-elle été infidèle? Chez les autres femmes Plouffe, on soupesait l'alternative et Joséphine opta pour une faute grave de la part de Rita, car autrement son fils, Ovide, ne ferait jamais une chose pareille. Cécile haussait les épaules, sceptique. Jeanne défendait Rita. Quant à celle-ci, forte de cette solidarité des femmes de la famille, elle sentit sourdre au fond d'elle-même le goût de la lutte. Puisque c'était la guerre, elle irait au front, mais à sa manière à elle!

Avant son départ, Ovide lui avait conseillé de rendre visite à Pacifique Berthet. Elle le ferait, dès ce midi, malgré l'effroi que lui inspirait toujours cet homme inquiétant. Celui-ci mangeait distraitement un sandwich aux oeufs, relisait attentivement le contrat d'assurance de cent mille dollars qui les protégeait, Rita, Ovide et lui. Un des trois mourait d'un accident, les deux autres recevaient cinquante mille chacun. Deux des trois décédaient, le survivant empochait le gros lot. Pacifique esquissa un sourire cynique. Il se rappelait la surprise d'Ovide, puis son hésitation à signer le document, dont la prime lui paraissait élevée. Mais puisque Pacifique y tenait! L'infirme avait peut-être raison. On ne sait jamais? Rita toussa dans l'embrasure de la porte. En l'apercevant, il laissa échapper le parchemin sur l'établi. Son petit tailleur bleu azur la moulait gentiment. Elle examina l'infirme de son nouveau regard, où perçait l'éveil de la coquetterie ancienne.

— Bonjour! fit-elle, souriante, quoique la seule vue de Pacifique la fît encore frémir d'angoisse.

Il sentit cela, resta sur ses gardes et la fit s'asseoir.

— Eh bien! quelle surprise! Si je m'attendais à vous voir! On a décidé de faire cesser la crise de bouderie?

Elle devina l'agressivité naissante de Pacifique, voulut la dissiper. Elle avait besoin de cet allié si fort, si intelligent.

— Oui, soupira-t-elle, j'ai passé un mauvais moment. J'ai eu besoin de me retrouver, toute seule, loin d'ici.

Il serra les dents. Bien sûr, elle ne voulait pas réveiller le souvenir de la scène où elle l'avait traité de "sale infirme". Elle continuait son manège:

— Je vous suis reconnaissante d'avoir jamais parlé à mon mari de cet après-midi si terrible pour nous deux. Je vous en remercie.

Un éclair dur brilla dans les yeux de Pacifique. Autant il l'avait désirée, aimée, autant maintenant il la haïssait. "Petite salope, se dit-il, elle m'insulte!" Il haussa les épaules:

— J'ai bien des défauts, mais je ne suis pas un délateur. Je respecte les secrets des autres et je garde les miens bien cachés.

— Etes-vous au courant, fit-elle à brûle-pourpoint, qu'Ovide voyage avec une secrétaire?

Il rit franchement de tant de naïveté.

— Puisque vous le savez, donc je le sais. Mais c'est seulement pour cet été, à temps partiel. Il en avait vraiment besoin. Les ventes sont excellentes. Il m'a justement appelé de Sept-Iles. Il paraît qu'ils ont fait un voyage du tonnerre à Anticosti. Des homards, des saumons, du canotage. Rita pâlit; elle imaginait Ovide et Marie s'adonnant, au bord de la Jupiter, au genre d'ébats qu'elle avait partagés avec Bob l'architecte à la Montmorency. Seulement Ovide, lui, n'avouerait rien. Pacifique, la voyant souffrir, s'en réjouit, car son mépris pour elle croissait de plus en plus. L'infirme pensa qu'avec deux jambes intactes, on peut sans remords s'adonner aux aventures qu'Ovide venait sans doute de vivre. Il détesta soudain son associé, comme si celui-ci l'eût volé. Quel malheur! Eût-il été normal, que cette Rita se fût peut-être jetée dans ses bras pour se venger de son mari ou pour se consoler peut-être? Tout à coup l'oeil de Pacifique s'alluma d'une brève lueur. Que n'y avait-il pensé? Il devint jovial, soudainement.

— Ecoutez, ma petite madame, cette chicane entre vous et Ovide a déjà trop duré. C'est mauvais pour vous, pour lui, pour moi, pour nos affaires. Mettez-y fin, et devenez sa seule secrétaire en voyage. Vous vous retrouverez et vous oublierez le passé.

— Oh! ce que je serais contente! applaudissait-elle. Là je lui en ferais vendre des montres! Pensez-vous qu'il accepterait?

Elle n'y croyait déjà presque pas. Ovide s'était montré si intransigeant.

— Je pourrais lui mettre lentement l'idée dans la tête, fit-il l'esprit ailleurs. Ça coûterait moins cher et vous auriez du plaisir.

— Réussissez-moi ça et je vous donne deux gros becs! s'enthousiasmait-elle à nouveau. Ah! si on pouvait recommencer à vivre comme avant!

Tout à ses spéculations, il ne lui dit pas la phrase qui lui montait à la gorge: "savez-vous au moins ce que c'est, le vrai amour?" Il calculait les jours:

— Nous sommes le 21 juin aujourd'hui? Le 14 juillet, ce sera la fête des Français, ma fête. Ce jour-là, Ovide doit se rendre à Baie-Comeau, porter un stock de bijoux à notre gérant de région. Vous pourriez l'accompagner?

— Je dirais oui tout de suite! Je vais en parler à Madame Plouffe, à Cécile, à Jeanne, pour qu'elles m'aident!

Il tempérait:

— Attendez d'abord que je suggère la chose à votre mari. Vous le connaissez, faut pas le brusquer. Faut savoir s'y prendre.

Elle soupira:

— Pourtant, je l'ai déjà su. Mais là, je sens que ça me revient!

Il souriait avec une imperceptible cruauté.

— Vous pourriez profiter de ce voyage pour rendre visite à Monseigneur Folbèche? Il paraît qu'il s'ennuie là-bas à en faire une dépression. Vous lui feriez tellement plaisir. On ne sait jamais. Vous pourriez vous confesser, Ovide et vous, recevoir l'absolution, puis sa bénédiction de Monseigneur et repartir à zéro, comme des amoureux?

Elle l'écoutait avec ravissement:

— Oh! j'aurais dû vous parler plus souvent, Monsieur Berthet. Vous voyez, on connaît mal les autres, des fois?

— Vous me trouviez antipathique?

— Aïe, là, dites pas ça! Ah! il vous en passe, des choses par la tête!

Il sourit légèrement sous le compliment.

— Oui, pas mal. Dites-moi, fit-il, la regardant fixement, si Ovide ne vous avait pas demandé de me rendre cette courte visite, seriez-vous venue quand même?

— Ben...Ovide m'a dit que vous vous êtes plaint de pas me voir?

Quelle imbécile! Il ragea à cause de cette intolérable pitié dont le monde entier l'accablait depuis son accident. Elle partit, le coeur content et pleine d'espérance, lui promettant de revenir et le laissa seul avec son immense amertume. Cette voiture décapotable, il devrait peut-être l'acheter?

***

Ovide revint de voyage et, dans le taxi qui les ramenait vers la paroisse, Napoléon remarqua que son frère avait l'air plus soucieux qu'à son arrivée sur l'Ile d'Anticosti. On déposa Marie à son appartement. L'air pressée d'en finir, elle les quitta en leur serrant la main, comme une étrangère. Napoléon n'en fut pas offusqué, car c'était là le signe que l'opération Guillaume avait réussi. Ovide céda tous ses poissons à son frère, ne rapportant à la maison que sa valise et son porte-documents.

Ovide, recroquevillé dans le coin de la banquette arrière, essayait de s'expliquer le lent, mais sûr revirement qui s'était opéré dans l'attitude de Marie à son endroit depuis le moment où, au bord de la Jupiter, il avait surpris Guillaume et Marie lançant des galets au fil de l'eau, comme deux amoureux en vacances. Par la suite, Marie lui avait paru distante, comme happée par l'intérêt que lui portaient Napoléon et Tit-Mé et comme hypnotisée par ce géant blond, Guillaume son frère. Exactement comme Rita l'avait été, jadis. Dans l'avion, ne lui avait-elle pas laissé entendre, prudemment, qu'elle chercherait à devenir mannequin aussitôt que possible? Il aurait dû tirer cette affaire au clair. Il demanda au chauffeur de faire demi-tour et de retourner à l'appartement de Marie. Celle-ci avait oublié quelque chose. Il fit attendre le taxi et grimpa l'escalier rapidement. Le coeur serré, il sonna, une fois, deux fois, trois fois. Aucune réponse. Il redescendit lentement les marches, avalant sa salive amère. Marie était là, bien sûr, mais refusait de lui ouvrir. Pourquoi?

Elle avait ses raisons, sans doute. Leur idylle n'avait aucun sens. Ses frères étaient intervenus. C'était clair! Tout était bien fini. Le chasseur de bonheur rentrait chez lui la gibecière vide.

Jeanne venait d'appeler Rita. Son Napoléon était revenu! Et si heureux! On congèlerait le saumon, le homard, il y en aurait pour toute l'année. Ovide avait cédé toutes ses prises à Napoléon; Rita n'aurait qu'à venir se servir. Quoi? Ovide n'était pas encore là? Justement, Rita entendait son pas dans l'escalier. Il lui fallait raccrocher. Le coeur battant, elle courut lui ouvrir la porte, car elle s'était faite toute belle.

— Allô!

Les yeux égarés, il émergeait de son abîme.

— Allô! La petite est couchée?

— Sûr! Il approche dix heures, Ovide!

Il se réveillait, reconnaissait son logis. Elle avait préparé le divan où il dormirait. S'était-il passé quelque incident pendant son absence? Il laissa tomber ses affaires par terre, et examina sa femme.

Il remarqua avec surprise que Rita avait retrouvé sa gaieté, son naturel expansif et qu'elle parlait d'abondance. Les autres se redressaient donc après l'épreuve? Elle raconta les parties de cartes avec les femmes de la famille, les belles après-midi passées avec Arlette dans le petit parc des Braves et sa visite à Berthet. Il avait été bien gentil, Pacifique. Elle l'avait méconnu. Ovide ne repartirait-il pas pour Baie-Comeau le 14 juillet?

A cette question, il devina qu'elle savait que Marie l'avait accompagné dans sa tournée.

— As-tu su que Marie Jourdan m'a servi de secrétaire durant mon voyage?

Elle souriait.

— Bien sûr! Et puis après?

— C'est Berthet qui te l'a appris?

Elle haussait les épaules.

— Les nouvelles courent vite. Tout le monde le sait, CHEZ GERARD. Québec, c'est petit. T'as bien fait. T'es tellement débordé. J'ai confiance en toi. Veux-tu manger un peu?

Il défaisait sa valise machinalement. Les pensées les plus folles se bousculaient dans sa tête. Son coeur battait au ralenti, comme amorti par des émotions contradictoires. Il était épié par des milliers d'yeux braqués qui suivaient ses moindres mouvements, tous incohérents, sur cette Place de la solitude qu'il voulait fuir en vain. Mais il ne trouvait aucune issue. Il s'arrangea pour que Rita ne vît pas les bobines de films où Marie apparaissait si souvent. Qu'il avait hâte de voir les photos! Il les rangea dans son porte-documents. Non, merci, il n'avait pas faim. Il lui parlait presque tendrement. Elle pouvait aller dormir. Lui-même était las. Il se rendit au lit de la petite, la contempla et ses yeux s'embuèrent. Quand il revint à la cuisine, la porte de leur chambre s'ouvrit et Rita en sortit, toute rayonnante.

Les yeux d'Ovide s'écarquillèrent. Rita ne portait que ses souliers rouges à talons hauts, ses bas noirs retenus par une jarretelle dentelée, une culotte rose et un léger soutien-gorge noir.

— Ça te fait-y toujours quelque chose?

Il réussit à ne pas crier oui! mais ne poussa qu'un long soupir et se retourna pour ne pas la voir. Il se coucha et eut peine à s'endormir. Mais Rita, elle, ferma les yeux et, le sourire aux lèvres, sombra dans un sommeil tranquille. Elle recommençait à être heureuse.

***

Le jour suivant Ovide fut très occupé à mettre de l'ordre dans ses comptes, que Pacifique vérifiait et approuvait de sa griffe. Trois fois, Ovide se leva, composa un numéro de téléphone. On ne répondait pas. C'était donc définitif, Marie ne voulait plus lui parler! Pacifique Berthet l'observait, devinant que l'idylle Ovide-Marie ne tournait pas rond. Compréhensif il lui dit, repoussant les factures:

— Votre femme Rita est venue me voir avant-hier. Elle a été charmante. Je ne sais si j'ai commis une indiscrétion, mais je lui ai dit que, le 14 juillet, vous vous rendiez à Baie-Comeau et que vous me feriez plaisir si vous l'emmeniez.

— Vous avez fait ça? interrogea Ovide, mécontent.

L'infirme haussait les épaules.

— Elle est votre femme, après tout? Je sens bien que quelque chose de sérieux vous a divisés. Tâchez de faire cesser cela, c'est mauvais pour notre compagnie. Votre famille s'inquiète. Tous savent que la serveuse française vous a accompagné à Anticosti. Même en ville, des gens sont au courant. Vous ne m'aviez pas dit tout ça quand vous m'avez parlé d'une secrétaire? Alors si vous emmeniez Rita, les mauvaises langues se tairaient?

— J'y penserai, coupa moins sèchement Ovide, ébranlé.

Vous en profiteriez pour apporter mon cadeau à Monseigneur Folbèche, la statue de saint Christophe?

Sur les entrefaites, Napoléon surgit.

— Dis donc Ovide, j'arrive de chez maman. Elle se plaint que tu vas jamais la voir. Ça lui fait de la peine.

Là-dessus il se sentit coupable. Il n'était pas allé chez Joséphine depuis son drame avec Rita parce qu'il en avait peur, parce qu'il pressentait que, telle une sage-femme, sa mère saurait lui faire enfanter la vérité.

— J'irai, j'irai, après souper.

— Bon, tant mieux. J'ai apporté un saumon fumé à Marie, tout à l'heure. Ce qu'elle était contente! fit Napoléon en vérifiant la réaction d'Ovide, qui ne broncha pas.

Après un silence déçu, Napoléon se retourna soudain vers Berthet.

— Monsieur Berthet, vous êtes un ami de la famille. J'ai pensé de vous faire cadeau d'un beau morceau de saumon frais.

— Vous êtes bien gentil. Déposez-le sur l'établi, fit l'infirme, surpris de la soudaine amabilité du plombier qui, d'habitude, l'ignorait absolument.

Napoléon avait ses raisons. Toute la famille était déjà au courant du projet mis en branle par l'infirme: réunir Ovide et Rita. Donc il fallait bien traiter cet allié. Il s'exclama:

— Vous m'en donnerez des nouvelles! Si vous l'aimez, quand y en aura plus, y en aura d'autre.

Et soudain Napoléon fit un geste inattendu. Il saisit une béquille, la soupesa de l'index, puis ensuite en mesura la longueur, consciencieusement, avec une règle tirée de sa salopette. L'infirme grimaça, blessé, car ces béquilles faisaient partie de son moi intime.

Napoléon s'en aperçut et lui fit un clin d'oeil:

— Je fais ça pour votre bien! Tantôt, vous serez bien content. Vous verrez. Ceux qui sont bons avec ma famille, je les récompense. Et maintenant, Ovide, je vas aller donner un petit bec à ta femme et lui laisser son morceau. Jeanne l'aime sans bon sens, ta Rita. Je vas lui raconter notre voyage, parce que toi, t'as pas dû dire grand' chose, hein?

Aussitôt Napoléon parti, Ovide prétexta une course à l'épicerie pour se rendre à un téléphone public. Que se passait-il? Napoléon pouvait rejoindre Marie facilement, quand lui, Ovide...Blessé et indigné tout à la fois, il composa le numéro. Il sursauta en entendant la voix de la jeune fille.

— Oh! enfin! s'exclama-t-il, soulagé. C'est moi! J'ai essayé plusieur fois de vous atteindre. Je croyais votre téléphone en mauvais ordre!

A mesure qu'elle parlait, ses traits se tiraient. Il comprenait que tout était fini, mais ne voulait pas y croire. Oui, elle avait refusé de lui ouvrir hier soir. Non, le téléphone n'était pas en mauvais état. Connaissant maintenant l'unité soudant la famille, elle avait compris, à Anticosti, que l'affection qu'elle portait à Ovide et que celui-ci lui rendait pourrait déboucher sur un drame sérieux. Elle était trop jeune, il était marié, il devait renouer avec sa femme et lui pardonner.

— Ah! y a pas à dire, Napoléon et Guillaume ont fait du beau travail! dit-il, la voix altérée. Je me rends à Baie-Comeau le

14 juillet. Je vous en prie, accompagnez-moi une dernière fois. Dites oui, Marie!

— Je vous répète que tout est terminé, Ovide, c'est trop dangereux. D'ailleurs le 14 juillet, je suis invitée à une fête au consulat de France.

Il insistait, s'agrippait comme un noyé:

— Permettez-moi quand même d'aller vous porter les photos quand elles seront prêtes?

— Non, Ovide, faites-les moi parvenir par la poste.

Il était maintenant livide, perdait tous ses moyens.

— Alors, une dernière fois, venez marcher avec moi sur les Plaines d'Abraham? Nous nous expliquerons de façon définitive, c'est si terrible au téléphone; je vous dirai adieu, vous ne me reverrez jamais. Car, Marie...je crois que je vous aime! Hélas!

Il y eut un silence.

— C'est justement à cause de cela, Ovide, et parce que moi j'éprouve pour vous une grande tendresse. Adieu!

— Marie! cria-t-il.

Elle avait raccroché. Il était assommé. Bien sûr, elle avait raison. Mais il souffrait tellement. Il vécut ensuite des heures misérables. Il prit le repas du soir du bout des dents, sentant presque victorieux ce regard que Rita faisait peser sur lui; il repoussait même avec impatience les embrassades de la petite Arlette qui le tenait par le cou. A huit heures, il décida de se rendre chez sa mère et Rita l'y encouragea.

Rendu sur le trottoir, Ovide en vint à la conclusion qu'il était victime d'une conspiration collective, qu'on le manipulait comme un pion. Il se rebiffa et marcha vers le parc des Champs de Bataille. Et là, sur un banc, seul, dans la nuit tombante, il imaginerait la présence de Marie à ses côtés et lui ferait les plus graves confidences sur sa vie en guise de scène d'adieu.

Ce soir de juillet, alors que les étoiles souriaient dans la nuit, que l'atmosphère si voluptueusement tiède baignait nature, hommes et choses, on vit Ovide longer le Cap où aboutit le célèbre parc, au bord du Saint-Laurent. C'est ici que la France perdit le Canada aux mains des Anglais en 1759. C'est un autre vaincu, Ovide, qui s'écrasa, prostré sur le banc où il s'était déjà assis plusieurs soirées avec Rita, avant leur mariage. Derrière lui s'étendait le vaste champ où s'était déroulé l'affrontement entre les armées, et où les deux généraux, Montcalm et Wolfe s'étaient embrochés. Devant lui se dressaient le Musée de Québec et la prison. Il entendit des pas et sursauta, craignant la répétition de l'assaut qu'il avait subi au parc des Braves. Non, c'étaient deux amoureux qui avaient cru le banc libre. Des cyclistes roulaient sans arrêt vers la Terrasse Gray, sur des vélos supernickelées, ornés de petits drapeaux, de sonnettes, de klaxons sophistiqués. "De vraies chapelles ardentes" pensa Ovide. Il aperçut quelques têtes de prisonniers qui, derrière les barreaux, sifflaient les filles. Qu'ils devaient être malheureux ces hommes enfermés par une si belle nuit! Napoléon lui racontait souvent leurs drames, lui qui était si fier de son contrat d'entretien des gouttières, du toit, de la tuyauterie de ce donjon morbide. Ovide se sentit aussi prisonnier que ces pauvres hères, mais lui, au moins, pouvait aller où il voulait! Il s'imagina sciant tous les barreaux, faisant évader les captifs et s'enfuyant avec eux dans le Champ d'Abraham. (1) Peut-être que leur course éperdue vers la liberté le débarrasserait du même coup de toutes ses peines?

Il essaya de recréer la présence de Marie à ses côtés. Il mettait dans cet effort d'évocation une intensité implacable. Mais comme il allait y réussir, c'est Rita qui apparaissait en talons hauts et en bas noirs. Alors, il marmotta, comme s'il eût égrené un chapelet, tous les aveux qu'il avait projeté de faire à Marie; la déchirante scène d'adieu qu'il avait prévue s'évapora comme un irréel Ainsi soit-il. Il fut effrayé de ne pouvoir ressusciter l'image de Marie aussi précisément que celle de Rita, mais il se dit que, en voyant les photos, prêtes demain, il retrouverait la magie.

Fatigué, dégoûté de lui-même, il marcha vers son logis d'un pas lent, comme si c'eût été un pensum de s'y rendre. Il était dix heures et demie. Quand il mit la main sur la poignée de la porte, il ne vit pas Joséphine faisant les cent pas. La voix coupante de sa mère le sortit de son rêve.

— Ovide!

Apeuré, il disait:

— Maman!...Vous, à cette heure-ci?

---

(1) Propriétaire du terrain en 1759.

A l'étage au-dessus, derrière la persienne, Rita, entourée de Napoléon, Jeanne et Cécile, épiait l'affrontement. La famille avait tenu grand conseil ce soir. D'un Ovide aussi bouleversé, on craignait le pire.

Les poings sur les hanches, la grande patronne dominait son fils.

— Oui, moi, à cette heure-ci. Moi, ta mère! Depuis un mois, t'es même pas venu me voir. Ce soir, on m'avait promis que tu serais chez nous à sept heures. Pas d'Ovide! Tu nous fais crever d'inquiétude, mon garçon. Appelle, appelle, Monsieur est toujours parti, comme si j'étais morte depuis longtemps. Viens à la maison, dans ma cuisine, j'ai à te parler, ça presse!

Il marchait silencieusement à côté d'elle, comme à l'époque où, tard le soir, elle venait le chercher, gamin rêvassant seul au parc des Braves. Mais il se durcissait déjà. Elle le fit s'asseoir à la table et s'accouda devant lui.

— J'existe plus! Hein?

— Maman, bredouillait-il, j'ai trente-six ans, j'ai ma vie et tant de choses à faire!

— Comment va Monseigneur Folbèche? Es-tu allé le voir, comme je te l'avais demandé?

Il se fermait comme une huître. Ça y était! Napoléon avait parlé, ou quelqu'un d'autre? La sévérité inattendue du regard de Joséphine indiquait qu'elle était au courant de son aventure avec Marie. Une impatience rageuse monta du fond de son ventre. Pourquoi ne pas tout quitter en claquant la porte et partir seul, donner des cours de français aux guides de l'Anticosti! Joséphine sentit le danger. Elle parla tendrement, hochant la tête et lui touchant la main:

— Je le savais que t'avais oublié Monseigneur. Il paraît qu'en arrivant à Anticosti, tu sentais le bon parfum français?

— Tiens, me semblait! Napoléon a commméré!

— Choque-toi pas pour rien. Beaucoup de gens connaissent ton histoire avec la petite Française. C'est très dangereux, Ovide, l'amour-passion. Rita a ses défauts, mais elle s'est améliorée. Maintenant on l'apprécie, on l'aime. Reviens-lui donc à cent pour cent, en bon mari, comme avant.

La désolation s'emparait d'Ovide, le plongeait dans une panique incontrôlable. Cette maîtresse-femme, Joséphine, était en train de le faire mettre à genoux. Et l'aveu suprême fusa, malgré lui, dans un grand cri:

— Je vous imagine, vous, maman, si vous aviez été trompée!

Comme s'il eût frappé cette grosse femme d'un coup de poing dans la gorge, elle resta bouche ouverte pendant un long moment. Elle s'assit à côté de lui, le prit par le cou, cet Ovide, son enfant, qui respirait très fort, laissa tomber, très grave, mais comme soulagée:

— C'était donc ça! Ah! Je m'en doutais! Autrement, t'aurais jamais fait une chose pareille! Tout s'éclaire! Là, je comprends!

Trop tard. Il ne pourrait plus s'esquiver. Elle avait pénétré derrière son mur. Mou de défaite, il laissait tomber sa tête sur l'épaule de Joséphine. Elle parlait d'un ton monocorde:

— Je sais comment tu souffres. J'ai connu ça. Ton père m'a trompée lui aussi avec une dénommée Ramona.

Elle le sentit sursauter contre elle.

— Oui, mon petit, mais j'ai pas dit un mot. J'ai pleuré toute seule dans mon coin, longtemps. J'ai enduré et ton père a jamais deviné que je savais tout. Ça aurait donné quoi? Tout casser? La famille serait plus là. Quant à toi, Ovide, rappelle-toi la parole de Notre-Seigneur: "Que celui qui a pas péché lui lance la première pierre".

Les émotions se bousculaient dans tout l'être d'Ovide. Son père avait trompé Joséphine! Puis il se mit à chercher tous les péchés qu'il avait commis et qui l'empêcheraient de lancer la pierre à Rita. Il sursauta d'épouvante:

— Que ce secret reste entre vous et moi pour l'éternité, maman, jurez-le moi!

— Je te le jure! Ovide.

Puis elle continua, la main dans les cheveux de son fils:

— Les hommes imaginent pas ça. Mais ça fait autant mal à une femme d'être trompée, tu sais. Quand j'y pense, le coeur me cuit encore, mais j'ai pardonné. L'homme, lui, c'est jamais grave s'y saute la clôture. Mais une femme! C'est la fin du monde.

Il admira profondément Joséphine. Mais lui, plus faible, moins équilibré, trouverait-il la force de suivre son conseil? Il s'imaginait mal entrant chez lui et réveillant Rita pour lui déclarer solennellement: "Je te pardonne, tournons la page." Il hochait la tête faiblement. Mais sa mère continuait de lire dans ses pensées:

— Oh! ça s'accomplit pas en criant lapin, ces choses-là. Mais ça vient tranquillement. En attendant, si ton coeur est bon, et je pense qu'il l'est, commence donc à essayer. Une goutte de pardon par jour. Plus tard, quand le verre sera plein de toutes ces gouttes, vous retrouverez le plaisir de vivre et vous vous aimerez encore plus, parce que la souffrance aura passé sur vous deux.

Ovide avait frissonné. Il n'avait jamais soupçonné que Joséphine pût exprimer des sentiments si délicats, si profonds. Il se plaignit comme le petit garçon qu'il était toujours resté.

— C'est dur, maman, c'est bien dur!

Elle ébaucha le geste de le serrer contre elle.

— Je sais, mon petit, je sais. Tiens, j'ai l'idée comment tu pourrais commencer. Ce voyage à Baie-Comeau, le 14 juillet. Paraît qu'y t'ont suggéré d'emmener Rita?

Il soupira:

— Vous aussi vous êtes dans le complot?

— C'est pas un complot. Toute la famille veut vous sauver, Rita et toi. C'est même venu de ton associé, qui est un homme bien sage.

Il se leva. Il avait hâte de dormir. Jamais il ne s'était senti autant fatigué.

— Eh bien! je l'emmènerai, puisque ça vous fait tant plaisir!

Joséphine s'écria, heureuse:

— Enfin! Je te retrouve! Que t'es fin!

Ovide revint chez lui et tomba sur Cécile, Napoléon, Jeanne et Rita jouant au whist. Ils cessèrent d'abattre leurs cartes pour diriger vers lui le même regard oblique et anxieux.

— Vous avez gagné. J'emmène Rita avec moi à Baie-Comeau le 14. Si elle veut.

Ils se levèrent tous quatre. Les yeux de Rita s'embuèrent, et elle courut à sa chambre, pendant que Cécile et Jeanne souriaient, émues. Napoléon murmura intensément:

— Ça c'est chic, Ovide!

Rita revenait, portant un carton d'invitation.

— Je sais pas si ça peut déranger notre voyage. On a reçu une invitation pour un "party" au consulat français, le 14, le même jour.

Il prit le carton, le mit dans sa poche.

— Je leur répondrai. Nous n'irons pas. Nous partons pour Baie-Comeau. C'est décidé.

Les visiteurs bâillaient. Ils levèrent séance, imaginant dans leur naïveté que des retrouvailles extraordinaires se dérouleraient peu après dans le lit conjugal. Mais il n'en fut rien. Rita connaissait son Ovide. Elle prépara le divan avec plus de soin que d'habitude.

— Bonsoir, dors bien, fit-elle, heureuse, dans l'obscurité.

CHAPITRE TRENTE-DEUXIEME

Dans les jours qui suivirent, Ovide fut de plus en plus agacé par l'importance que son voyage à Baie-Comeau prenait aux yeux de la famille. Les femmes discutaient des toilettes que Rita porterait, Jeanne garderait la petite avec joie et Joséphine préparait une liste de conseils et de nouvelles encourageantes pour Monseigneur Folbèche. "Ma foi, se disait Ovide, ils imaginent que c'est mon voyage de noces!" Perplexe, il constatait que le plus heureux de tous était son associé Pacifique Berthet, tout fier de cette initiative qui en faisait désormais le plus grand ami de la famille. Il avait même autorisé Ovide à dépenser en repas fins une somme étonnante.

On connaissait mal Ovide; il n'admettait pas que son destin pût dépendre d'une concertation familiale. C'était bien assez que les siens lui eussent déjà bouché la seule issue qui lui restait vers le rêve, ce rêve dont il avait besoin pour garder son équilibre. Depuis la promesse faite à sa mère, il avait réfléchi, en était arrivé à un compromis honorable. Quand il arriva à son appartement, vers dix heures, il trouva Rita toute pimpante, heureuse, qui essayait le costume bleu azur qu'elle porterait pour son premier voyage en avion. Il se mordit la lèvre. Comme elle était belle, plus belle encore que le jour de leur mariage! Il dit doucement:

— Viens t'asseoir, j'ai quelque chose à te demander.

Sans savoir pourquoi, elle eut un léger frisson d'effroi. Jamais elle ne l'avait vu si calme ni si grave.

— L'aimes-tu, mon costume?

— Bien sûr, tu es toute belle et tout aimable. Tu es très populaire dans la famille maintenant.

— Ils ont été si bons pour moi.

Il toussota, le poing sur la bouche.

— Rita, es-tu capable de te conduire comme une très grande fille?

— Tu trouves pas que je te l'ai assez prouvé, depuis quelque temps?

Inquiète, elle se prépara au pire.

— Ce voyage avec toi, disait-il d'une voix monocorde, il m'a été imposé par toute la famille et même par mon associé. Je veux te dire que je ne suis pas du tout intérieurement mûr pour le faire. Tu comprends ça?

Elle pâlit:

— On part pas? fit-elle d'une voix blanche. Je suis allé conduire Arlette chez Napoléon. Tout le monde est si content. Ma valise est prête. Je me prépare depuis une semaine.

Il avait honte.

— Tu feras le voyage, mais seule. Personne ne le saura. J'irai te reconduire à l'aéroport. Puis je disparaîtrai pendant trois jours, le temps de ton absence. J'irai t'accueillir à l'avion au retour. Tu es débrouillarde, tu remettras les bijoux à notre représentant de Baie-Comeau, tu verras Monseigneur Folbèche, que je ne suis pas encore prêt à rencontrer en même temps que toi.

Il disait cela en regardant le plancher, sachant qu'elle avait les yeux mouillés. Elle qui avait tellement espéré le reconquérir lors de ce voyage! Ah! qu'elle payait cher sa faute! Elle ne se révoltait pas, pleurait doucement.

— Tu le sais bien, Rita, que ce qui nous est arrivé est bien plus affreux que les autres peuvent le croire. Maman voudrait que j'oublie tout, car je l'ai mise au courant; elle s'imagine pouvoir retourner ma blessure comme une crêpe afin de nourrir toute la famille des joies de nos retrouvailles. Cette histoire ne concerne que nous deux. Je comprends ta déception, mais je ne suis pas prêt, Rita, ça me fait encore trop mal. Tu partiras seule, tu veux bien?

Il lui toucha la main, comme pour la consoler. Elle en fut bouleversée. Qu'Ovide lui parlât avec cette franchise lui donna du courage, mit du baume sur sa déception.

— Je me conduirai comme une grande fille, j'irai toute seule, fit-elle, le coeur gros.

Il l'admira, eut à son endroit un pâle sourire.

— Je te remercie, je m'attendais à cela de toi.

Il y eut un long silence, puis elle osa, humble:

— Est-ce que ça veut dire que pendant trois jours...Marie?

Il coupa sèchement:

— Il n'y aura pas de Marie, il n'y a plus de Marie. Là où je vais, je serai totalement seul avec moi-même. Je m'en vais me réfugier au monastère des Pères Blancs d'Afrique, dans mon ancienne cellule. Au bout de ces trois jours, j'espère que la lumière sera faite en moi-même.

Rita eût dansé, crié de joie. Plus jamais de Marie! Chez les Pères Blancs, Dieu conseillerait à Ovide de lui pardonner. Durant ce voyage qu'elle ferait toute seule, elle reprendrait son mari. Regardant le divan elle sembla lui murmurer: "Dis adieu à Ovide. Il reviendra bientôt dans mon lit."

Elle dit, avec de courts sanglots d'allégresse:

— Ah! que tu me fais du bien! Je ferai tout ce que tu voudras. De mon côté, je prierai si fort avec Monseigneur Folbèche, pour toi et moi, que je suis sûre de retrouver ton pardon et ton amour.

Trop émus pour continuer, ils se quittèrent chacun pour leur lit, persuadés que cet épisode de leur vie était sur le point de se terminer.

***

Berthet arriva à sept heures du matin, le 14 juillet, au volant de l'ancienne voiture de Rita. Il gara la décapotable blanche aux bancs de cuir rouge à la porte de la bijouterie. S'assurant que nul ne l'observait, il réussit tant bien que mal à extirper un long colis du coffre à bagages et à le transporter jusque dans son atelier. Quelques minutes plus tard, il exécuta le même manège, mais à l'inverse. Refermant la valise de l'automobile, il poussa un long soupir satisfait. Personne ne l'avait vu faire. Puis il s'assit au bord de sa chaise, presque droit, comme si son aptitude à conduire une automobile l'eût rendu désormais moins impotent. Il déroula sa carte géographique et, de l'index, suivit le parcours de l'avion que prendrait Ovide et Rita. L'appareil passerait à Saint-Joachim à dix heures et vingt, puis volerait au-dessus du Fleuve dix minutes plus tard. Parfaitement. Les avions de la Canadian Pacific Airlines étaient renommés pour le respect de l'horaire.

A neuf heures moins dix, le couple descendit, sacs de voyage à la main et aperçut la voiture.

— Mais c'est mon auto! s'exclama Rita.

— Tu m'avais dit que tu l'avais vendue? fit Ovide, fronçant les sourcils.

— Mais oui, je l'ai vendue!

— Et moi, je l'ai achetée, souriait Berthet, appuyé sur ses béquilles dans l'embrasure de la porte. Il jouissait de leur surprise, affichait une bonne humeur inhabituelle par ce magnifique matin d'été.

— Je la conduis moi-même, vous savez?

Il leur disait cela triomphalement, sur le ton qu'il aurait eu pour annoncer: "Je marche maintenant!" Oui, c'est un cadeau qu'il s'était offert pour le 14 juillet, qu'il célébrait en même temps que ce beau voyage d'Ovide et Rita.

— Ce que vous êtes belle aujourd'hui! Une vraie jeune mariée! fit-il.

Ovide approuvait d'un coup de menton.

— L'important, c'est que cette auto vous rende de bonne humeur et heureux. Vous avez tellement travaillé. Je vous félicite, vous avez bien fait. C'est mérité.

Berthet sautillait autour de la voiture, que Rita contemplait avec nostalgie. Il dit:

— J'ai fait poser une poignée pour remplacer le champignon. Pour le frein, ma jambe gauche est bonne, aucun problème. Je peux aller vous conduire à l'aéroport?

— Non, non merci, fit prudemment Ovide, j'ai appelé le taxi. Allons, dépêchons-nous, il me faut ramasser le stock des montres.

— N'oubliez pas! La statue, Ovide! fit Berthet. La statue de saint Christophe pour Monseigneur Folbèche! Sur l'établi!

Ovide grimaça. Sacrée statue! Il courut vers la boutique, en sortit aussitôt, portant le colis. Le taxi arriva. Le chauffeur prit la longue boîte des mains d'Ovide et s'apprêta à la lancer sur la banquette avant.

Pacifique grimaça d'effroi.

— Attention, c'est une statue en plâtre!

Ovide reprit le colis des mains du chauffeur.

— Nous le coucherons sur nos genoux. Oh! Pacifique! Nous allions l'oublier. Griffonnez-moi en toute hâte un court billet à l'intention de Monseigneur. C'est normal. Vous lui faites un si beau présent!

Contrarié, Berthet hésita, puis disparut dans la boutique, d'où il revint quelques minutes plus tard avec une enveloppe scellée, dûment adressée à Monseigneur Folbèche. Ovide la glissa dans la poche intérieure de son veston pendant que Pacifique souriait étrangement.

— Je lui ai écrit un court message de pécheur repentant. Ça fait toujours plaisir aux curés.

Le taxi démarra.

— Bon voyage les amoureux! cria Pacifique, resté sur le trottoir, les saluant d'une main presque solennelle.

L'infirme suivait avec une telle intensité du regard le taxi emportant Ovide, Rita et la statue, qu'il ne vit pas d'abord Napoléon, planté au garde-à-vous devant lui, portant sur ses épaules, comme des carabines, deux béquilles faites de tuyaux d'aluminium.

— Salut à la France et bonne fête, Pacifique!

Et devant les yeux écarquillés de celui-ci, il abaissa les béquilles sur le trottoir:

— En place, repos!

Les traits de Pacifique se durcirent. Ce stupide Napoléon continuait à le blesser, en portant trop d'attention à son infirmité. Napoléon jubilait, fier de lui:

— C'est pour ça que j'ai pris les mesures l'autre jour. Je me demandais quel cadeau vous faire pour le 14 juillet. Pesez! Pesez! C'est plus léger que le bois. Et plus beau. Couleur gris argent.

Interloqué, Pacifique soupesait les appareils, incrédule. Napoléon exultait:

— Je les ai faites par mes soirs, dans ma boutique! Et vous avez pas tout vu!

— Au-dessus des poignées, j'ai installé deux “flash-lights”. Voyez les petites vitres. C'est commode quand vous marchez à la noirceur. Aucun danger de vous accrocher. Vous appuyez sur le bouton et hop! la lumière se fait. Des béquilles aux yeux clairs!

Pacifique, confondu, acceptait de vérifier.

— Les piles électriques sont dans le tuyau! ajoutait Napoléon. c'est bien simple, j'ai envie de faire breveter mon invention. Et vous avez pas encore tout vu!

Il saisit une béquille, enleva la partie supérieure à partir des poignées:

— Comme un trombone. Au cinéma, vous les défaites. Elles prennent moins de place. Essayez-les donc!

Pacifique souriait maintenant. Il dit, moqueur:

— Je pourrais même ajouter des avirons au bout!

Napoléon se frappa le front, puis remmancha les tuyaux.

— Ça! J'y avais pas pensé. Allons, essayez-les! Faites-moi plaisir!

Pacifique les installa sous son bras, et se dirigea vers sa décapotable, paraissant très satisfait.

— Merci, Monsieur Napoléon. C'est vrai qu'elles sont légères. Je les prendrai quand j'irai en voiture le dimanche.

— Mais c'est l'auto de Rita! s'exclama le plombier.

***

Durant le trajet vers l'aéroport, Rita et Ovide parlaient par monosyllabes, la boîte contenant la statue en travers sur leurs genoux. Rita se plaignit:

— Va-t'y falloir que j'emporte cette boîte-là dans mes bras tout le temps, jusque chez Monseigneur?

Ovide s'excusait:

— Il faut bien que je me comporte de façon à ce que tout le monde croie que je t'accompagne. Et j'avais promis d'apporter le colis. Mais rassure-toi, je demanderai au préposé aux bagages de le faire livrer par camionnette. Toi, tu te rends à l'hôtel que je t'ai indiqué. Ils t'attendent et te recevront à bras ouverts. D'ailleurs, notre gérant t'accueillera à la descente d'avion. Livre-lui les montres, exige un reçu, n'oublie pas. Ce soir il te recevra à dîner avec sa femme. Hauterive, tout à côté, est une ville charmante, très vivante.

— C'aurait été si gentil si t'avais été là, soupira-t-elle. Mais je m'arrangerai.

A l'aéroport de l'Ancienne-Lorette, le DC3 qui avait transporté le curé Folbèche l'autre jour attendait les passagers. Ovide annula son billet, obtint la carte d'embarquement de Rita et se dirigea avec le colis vers le préposé aux bagages, qui le salua en empoignant la boîte.

— Notre grand voyageur Ovide Plouffe. Cette fois, est-ce une horloge grand-père?

— C'est une statue de saint Christophe, cadeau de mon associé pour Monseigneur Folbèche. Une statue en plâtre. FRAGILE! Voyez, c'est écrit en grosses lettres. Alors, attention. Qu'on la place au bon endroit dans l'avion, à l'abri des chocs.

L'employé, après avoir pesé le colis, le déposa délicatement sur le charriot.

— C'est votre femme? fit-il en désignant Rita de la tête. C'est un sacré beau pétard. A votre place, je la laisserais pas partir toute seule!

Rita, nerveuse, attendait Ovide en pensant avec effroi au décollage, tout en évitant à peu près le regard insistant d'un officier de bord. Quel joli uniforme il portait, cet aviateur! Lui se promettait de s'occuper particulièrement de cette passagère durant le trajet. Qu'allait-elle faire à Baie-Comeau? Rita projetait toujours cette aura qui la distinguait de la plupart des autres femmes. Ovide revenait, lui remettait son billet et sa carte d'embarquement.

— Tu me parais nerveuse?

— Un peu, oui. T'es sûr que j'aurai pas mal au coeur?

Il haussait les épaules, gentil:

— Mais non, chère enfant. Le DC3 est un excellent avion. Un véritable cerf-volant. Et il fait un temps des dieux.

On annonçait par le haut-parleur:

— Le décollage pour Baie-Comeau et Sept-Iles sera retardé de dix minutes. Nous attendons les dirigeants de la mine de fer. Ils viennent justement d'atterrir.

Pacifique Berthet n'eût pas aimé cette nouvelle, lui qui appréciait au plus haut point l'exactitude. Ovide déambula dans la salle d'attente, acheta un coca-cola à Rita. Trois hommes d'affaires envahirent la salle d'un pas pressé. De véritables géants, cigare au bec.

Ovide, observant ces mastodontes, marmonna:

— On dirait que le règlement de ces grandes compagnies exige qu'on y mesure au moins six pieds quatre pouces! et qu'on y pèse au moins deux cents livres!

— Ils sont trop lourds pour l'avion, hein? s'inquiéta Rita.

— Mais non, rit-il, un DC3 peut recevoir une très grosse charge. Il flotte dans l'air comme sur un coussin.

Les passagers s'engouffraient dans l'allée menant à l'appareil. Sur le point de se séparer, le couple devint tout gauche, hésitant, embarrassé. Ah! si Ovide lui avait accordé un court baiser, comme Rita eût été heureuse!

— Bon voyage, fit-il, gêné. Tu te conduis vraiment comme une grande fille.

— Cheerio, mon Ovide. Fais attention à toi, hein? Et passe trois beaux jours avec les Pères. Moi aussi, je vais prier.

Elle se joignit aux passagers, tenant d'une main le sac de cadeaux de Madame Plouffe et, de l'autre, la valise contenant les bijoux. Elle se retourna, lui sourit, lui adressa un dernier bonjour de la main. Une étrange sensation envahit Ovide. Quelle gravité dans ce départ tout simple! Il fut sur le point de la rappeler, d'annuler son voyage. Mais elle avait disparu. Il écouta le vrombissement des moteurs puis, les épaules tombantes, héla un taxi qui le conduisit au monastère.

***

Au cloître, on attendait Ovide comme un enfant prodigue. En poussant le battant de l'énorme porte, il eut l'impression de s'évader du monde méchant où il avait vécu. C'est le frère Léopold qui vint lui ouvrir. Le sourire habituellement narquois du frère convers s'illuminait d'une teinte d'angélisme et de joie véritable.

— Je suis très heureux de vous revoir, frère..de vous revoir Ovide.

Oh! vous n'avez pas été oublié! On vous suit à la radio; c'est épatant. Ce qu'on est fier de vous! Mais nous parlerons de tout cela, ce soir, au réfectoire. Le supérieur vous attend. Vous m'avez pardonné de vous avoir torturé, à l'époque?

Ovide lui tapotait l'épaule, fraternellement. Il fermait les yeux, humait l'atmosphère, écoutait le calme des corridors. Il sourit et dit, très doux:

— Moi aussi, je suis heureux. Quelle oasis! Je vous l'avoue; en remettant les pieds dans cette maison, une sérénité et une paix immenses m'envahissent. J'en ai grand besoin!

Il gardait sa main sur l'épaule du frère Léopold.

— Et dire que je vous avais battu comme un sauvage. Je suis si violent!

Ovide fut soudain frappé par une coïncidence. C'est à cause de Rita qu'il avait défroqué, c'était à cause d'elle aujourd'hui qu'il se réfugiait ici. Le frère Léopold riait de bon coeur.

— Ce coup de poing sur la gueule, je l'avais pas volé. De toute façon, Ovide, j'avoue que je me suis ennuyé de vous longtemps. Vous auriez dû revenir nous voir, de temps à autre.

Ovide ne répondit pas. Une phrase dansait dans son esprit: "moi, quand je coupe les ponts, je coupe les ponts." Mais il n'y croyait pas trop. Il venait ici pour couper, soit le pont Marie, soit le pont Rita, mais désespérait d'y parvenir jamais. Alternativement, son regard se gavait du spectacle de mille objets, statues, portraits d'ecclésiastiques, verrières, murs blanchis à la chaux, bénitiers qui, pendant des mois, avaient été les témoins de sa vocation ratée. Le frère Léopold le fit entrer chez le supérieur et l'attendit à la porte. Le religieux ouvrait les bras à Ovide:

— Ah! mon cher enfant!

Son père Théophile ressuscité, le serrant contre lui avec affection, n'eût pas procuré à Ovide une émotion plus riche, plus intense que celle qu'il éprouvait en ce moment. Il bredouillait:

— J'ai été bien audacieux, n'est-ce pas, et effronté de vous demander asile pendant trois jours? Faudrait pas que ça dérange qui que ce soit.

Le supérieur hochait la tête, son visage illuminé d'une joie qu'Ovide n'avait pas vue depuis longtemps sur les masques de ceux qui s'agitent dans le monde. Le moine s'amusait à jouer l'autorité bourrue.

— Ovide, je vous ordonne de vous taire! Quand un de nos enfants nous revient, pour vivre ici quelque temps, c'est l'allégresse dans nos coeurs. J'aurais une foule de questions à vous poser, et vous, beaucoup de confidences à me faire, je suppose, car vous êtes très tourmenté, n'est-ce pas? Mais ne dites rien maintenant. Votre ancienne cellule vous attend. Vous y prierez, vous y réfléchirez. Dans trois jours, peut-être avant, si Dieu veut que vous vous confiiez à moi, dites-vous que je suis votre père en Notre-Seigneur et que vous êtes mon fils.

L'émotion serrait la gorge d'Ovide. Le frère Léopold le conduisit à la cellule même où il avait vécu tant de nuits hantées de tentations et d'amour pour Rita. Presque nue, cette chambre était meublée seulement d'un lit (où Ovide déposa sa serviette) d'une chaise, d'une commode et d'une petite table de travail devant la fenêtre.

— Vous remarquerez, frère Ovide, taquinait le frère Léopold, qu'il n'y a plus de barreaux aux fenêtres? Tout est beaucoup plus libre ici, maintenant. C'est très changé. Quand un frère veut découcher, ça ne se sait pas trop. S'il préfère s'enfuir sans laisser d'adresse, parce que trop humilié pour avouer au supérieur l'échec de sa vocation, la fenêtre est toute grande ouverte.

Laissé seul (ah! ce qu'elle était lourde cette totale solitude!), Ovide, désoeuvré, regarda dehors. D'être au premier étage le rassura. Il redressa le crucifix, vérifia la solidité des pattes de la table et de la chaise et éprouva la sensation qu'il se mettait au rancart de la vie, sur une voie d'évitement, et qu'on l'y oublierait. Il avait espéré trouver ici une oasis propre à la méditation, où son âme retrouverait la quiétude et le recul nécessaires pour prendre les décisions dignes de l'homme intègre qu'il était. Il s'assit sur le bord du lit puis se releva et, les mains derrière le dos, arpenta la petite chambre. Un chassé-croisé de pensées diverses l'agitait; Marie, la France, Rita, la sexualité, la famille, les affaires, les éditoriaux sur la situation politique. Au lieu de se préciser, de se ranger, les problèmes, les êtres s'imbriquaient, se dénouaient, devenaient flous. Et son père, qui avait trompé Joséphine! Quelle affaire! Il s'en voulut de n'avoir toujours vu en Théophile qu'un typographe nationaliste, qu'un maniaque du cyclisme et qu'un buveur de bière.

Ovide se secoua, ouvrit sa serviette, s'installa à la table de travail. Dans un compartiment secret, il palpa la pile des photos rapportées de son voyage avec Marie. Non, il aurait le courage de ne pas les regarder pour la dixième fois. N'était-il pas ici pour guérir? La carte d'invitation à la fête chez le consul, pour les Français et leurs amis à Québec, lui apparut. Il avait oublié d'y répondre. Mais cette cérémonie se déroulerait à midi, aujourd'hui le 14 juillet? Il fallait qu'Ovide traversât une période bien bouleversée pour commettre tant d'oublis, lui d'ordinaire si ponctuel, si efficace! Il se frappa le front, fouilla dans sa poche intérieure. Seigneur! La lettre de Berthet au curé Folbèche! Il avait négligé de la remettre à Rita! Dès aujourd'hui, il faudrait la jeter à la poste, même si elle parvenait à Monseigneur après la statue. Il sortit une feuille blanche, commença de la couvrir de mots, de chiffres désordonnés, de dessins divers. Puis il traça deux colonnes, l'une coiffée du nom de Marie, et l'autre de celui de Rita, se préparant à une sorte de comptabilité morale, comme dans le commerce à propos d'argent: les débits, les crédits, le déficit, le profit, le pour, le contre. Il suçait fébrilement son crayon. Son regard tomba sur une image de sainte Anne, accrochée au mur, une image dont il se détourna vite, sainte Anne, dont la basilique s'érigeait quelques kilomètres plus loin, accueillant des pèlerins de toute l'Amérique, venus solliciter une faveur insigne ou une guérison miraculeuse. Il eut un soupir d'impatience. Que diable sainte Anne pouvait-elle faire pour lui? Il appuya fortement le crayon sur la feuille de papier. Rita et Marie, quelles deux superbes femmes! Il évoqua l'eau cristalline de la Jupiter. Guillaume avait possédé Marie, il le devinait. Pourtant non, pas elle! Et Rita, que cet officier de bord, à l'aéroport, reluquait avec insistance! Son image en souliers rouges et en bas noirs s'imposa violemment. Le souvenir de la rivière Montmorency lui revint, quoique Rita ne l'eût pas mis au courant, lors des aveux, des subtilités de l'amour-papillon (elle ne s'était pas perdue en détails). *Les Chemins de l'amour.* Le thème "rivière" se mit à se multiplier en cascades dans tout son être. Ovide s'imagina couché entre Marie et Rita, nues au bord de la Jupiter, pendant que cinq mille phoques beuglaient et que d'énormes saumons bondissaient hors de l'eau. Il se secoua, essuya son front en sueurs. Quel maléfice habitait ce monastère et particulièrement cette cellule? Dès qu'il y mettait les pieds, le Belzébuth de la sexualité l'assaillait sans pitié. Furieux contre lui-même, il marcha d'un pas rageur d'un mur à l'autre, puis s'étendit sur le lit, essayant de penser aux morts ou à une locomotive qui déferlait à toute vitesse, rugissante, vers leurs corps nus. Rien n'y fit. Il n'était pas saint Antoine! Le sang ne battait que plus fort à ses tempes. Il embrassait les seins de Rita, de Marie, rampait comme un serpent entre leurs cuisses paradisiaques. Sa respiration devint saccadée. La fenêtre! Il s'y précipita, serviette en main, sauta sur le gazon, et détala comme un voleur. Ne devait-il pas immédiatement trouver une boîte aux lettres pour y jeter la missive de Berthet à Monseigneur Folbèche?

CHAPITRE TRENTE-TROISIEME

Au moment où Ovide torturé devant la feuille blanche se préparait à fuir le monastère, la Terrasse Dufferin, surplombant le port de Québec, grouillait de monde. Une frégate française, drapeaux tricolores au vent, dressait sa fine silhouette grise le long du quai. Des centaines de badauds accoudés au garde-fou en admiraient l'élégance, pendant que les jeunes marins portant bérêt à pompon sillonnaient la célèbre promenade à la recherche des jolies québécoises. La moisson s'annonçait fastueuse. Les téléphonistes, les secrétaires se réservaient les officiers et les sous-officiers, tandis que les ouvrières, tout aussi jolies et accortes, faisaient les beaux dimanches des simples matelots. Port fluvial, Québec mettait ses filles en liesse chaque fois que les marins étrangers se montraient. Qu'ils fussent français décuplait aujourd'hui les joies de la kermesse. Hélas! quelques étourdies auraient à s'en mordre les pouces neuf mois plus tard.

Sur la pointe de la Terrasse Dufferin d'où l'on aperçoit l'Ile d'Orléans, la côte de Beaupré et le Cap Tourmente, Pacifique Berthet, appuyé sur ses béquilles neuves, casquette et lunettes fumées de chauffeur, scrutait l'horizon, tout crispé. Il consulta nerveusement sa montre. Déjà dix minutes de retard! Curieux, ça? Onze heures moins vingt? Ses prévisions ne se réalisaient pas? Pourtant, en général, il ne se trompait pas d'une minute, même d'une seconde. Par beau temps, avec ses yeux perçants, il aurait dû apercevoir un avion dans le ciel, une cinquantaine de kilomètres plus loin? Se pourrait-il que son 14 juillet soit raté? Et alors? Berthet devint désemparé. Où aller? Certainement pas à la boutique, surtout le jour de la fête nationale! Ses béquilles en aluminium couchées sur la banquette arrière, il roula au hasard dans les vieilles rues, ouvrit la radio, puis s'engagea sur la route qui mène à Sainte-Anne de Beaupré, sans se rendre compte qu'il faisait de la vitesse. De temps en temps, il essuyait sur son front les gouttelettes que le soleil de juillet, allié à une énorme angoisse, faisaient suinter de tous les pores de sa peau.

Il eût été bien surpris d'apprendre qu'à dix heures et trente, dans l'avion DC3, au-dessus de Saint-Joachim, le bel officier de bord était penché sur le siège occupé par Rita. Depuis le début du vol, il s'occupait d'elle avec une tendre sollicitude. Elle sursautait au moindre soubresaut de l'appareil.

— Il n'y a aucun danger, la rassurait le jeune homme. Laissez-vous bercer. Faites comme l'avion, flottez au caprice du vent. Voulez-vous un thé, un café?

Elle faisait non de la tête, tout à l'affût de la prochaine secousse. Non loin d'elle, les financiers américains semblaient parfaitement à l'aise et, sirotant calmement un whisky, lisaient des documents éparpillés sur leurs genoux sans se soucier des pleurs des bébés à l'arrière de l'appareil.

— Vous voyez, sourit-il, sauf les enfants qui chialent, tous les passagers sont parfaitement tranquilles.

— Je suis faite comme je suis faite, s'excusait Rita en lui jetant un coup d'oeil langoureux de brebis sans défense, mais j'ai peur quand même.

— Tenez ma main, pendant une minute. Ensuite vous ne serez plus jamais craintive en avion.

Elle enserra cette main, sans hésitation, en plantant dans les yeux de l'officier une longue oeillade de reconnaissance.

Ce fut le dernier regard de Rita Toulouse.

Une terrible explosion déchira la carlingue. La femme d'Ovide Plouffe venait de mourir avec vingt-deux autres passagers. Tout en bas, dans un champ de Saint-Joachim, un paysan entendit la détonation et vit l'appareil éventré, déchiqueté, piquer du nez et s'écraser dans un marais. L'avion n'eût-il pas décollé avec dix minutes de retard, il tombait plus loin, dans le Fleuve, tel que prévu par le destin. Mais les chemins de Rita, contrairement à ceux d'Ovide, n'allaient pas à la mer...

***

A midi et demie, Ovide longeait les jardins du consulat de France, où l'on avait dressé une vaste tente abritant les hors-d'oeuvres, le vin et le champagne; un orchestre de bal musette, dominé par l'accordéon, y jouait des airs de circonstance. Les deux cents invités, parmi lesquels se détachaient les uniformes des officiers supérieurs du navire-école amarré au port, sautillaient et dansaient en chantant: *Le petit vin blanc.* Des badauds dans la rue essayaient de voir par-dessus la haie ceinturant les lieux. Ovide Plouffe se fraya un chemin. Il hésita, puis se dirigea fermement vers l'entrée où le consul accueillait les arrivants. Ovide, craignant d'être pris pour un intrus, parla précipitamment:

— Voici ma carte d'invitation; je suis Ovide Plouffe, éditorialiste à la radio et ardent francophile.

— Bien sûr, Monsieur Plouffe, un grand ami de la France. Je vous en prie, joignez-vous à la fête et amusez-vous!

D'autres gens le suivaient. Ovide déposa sa serviette le long de la haie et scruta les couples et les groupes. Il reconnaissait quelques personnages politiques, ici et là, mais la plupart de ces invités lui étaient inconnus. Peut-être Marie se trouvait-elle quelque part dans cette cohue? Viendrait-elle? Il aperçut Claude Saint-Amant, son patron à la station de radio, et se précipita vers lui.

— Si je m'attendais à vous trouver ici! fit Saint-Amant, surpris. En y pensant bien, c'est normal. Vous dites de si jolies choses sur le Général de Gaulle! Vous le soutenez avec autant d'ardeur que vous défendez les Françaises en péril! Un jour vous recevrez la Légion d'Honneur! Justement, j'ai aperçu une jolie parisienne, bien connue de vous. Regardez, là-bas, elle danse avec un jeune officier.

Ovide rougit. Marie, espiègle et heureuse, comme il l'avait vue avec Guillaume, Napoléon et Tit-Mé à Anticosti, exécutait une java au bras d'un lieutenant de marine. Ovide, soudain honteux, songea à fuir. Qu'était-il venu faire ici? Elle lui avait demandé de ne jamais essayer de la revoir. Marie l'aperçut; stupéfaite elle venait vers lui en traînant l'officier par la main.

— Ovide, quelle surprise! Je vous croyais parti en voyage, avec...

Elle aussi savait donc? Il bredouilla:

— Oui, je pars, je pars, je ne fais que passer pour présenter mes respects au consul.

Marie fit les présentations. Elle décrivit Ovide comme un mélomane extraordinaire, un Canadien français de coeur qui lui avait rendu de grands services. L'officier, indifférent, voulait recommencer à danser. Claude Saint-Amant les retint. Un photographe se promenait, zélé, cherchant des groupes intéressants. C'est ainsi qu'Ovide, au moment précis où une équipe de sauveteurs dégageait les corps, dont celui de Rita de l'appareil DC3, se trouva photographié, souriant à pleines dents, avec Claude Saint-Amant, Marie Jourdan et l'officier de marine.

Marie recommença à danser avec un autre partenaire, comme si sa rencontre avec Ovide avait peu d'importance. Lui, malgré cela, verre de vin à la main, se sentit envahir par une douce ivresse acidulée d'amertume, une ivresse déclenchée par l'accent parisien des conversations fusant autour de lui. Au fond, il était un Français déraciné depuis trois cents ans, perdu dans ce Québec sibérien, mais qui, aux effluves de ses lointaines origines, humait avec délice sa véritable identité. Oui, un Français, et il le redisait à chacun avec une fierté qui suggérait presque le reniement de son statut de Canadien. Claude Saint-Amant, réclamé au téléphone, quitta le groupe où Ovide pérorait.

A l'appareil, Saint-Amant fronçait les sourcils. Le chef du service des informations, à la station de radio, lui apprenait une pénible nouvelle. Elle concernait Ovide Plouffe, le plus connu et le plus important de ses clients. Un DC3 de la Canadian Pacific Airlines venait de s'écraser à Saint-Joachim. Parmi les victimes, on avait pour l'instant réussi à identifier la femme du bijoutier.

Bouleversé, Claude Saint-Amant faisait craquer les jointures de ses doigts. Il revint au jardin, tira Ovide à l'écart.

— Je viens de recevoir un appel de notre station de radio.

— Ah! dit Ovide, encore sur l'élan de son enthousiasme style 14 juillet, je peux vous improviser un éditorial sur ce beau jour, en cinq secs. Et cela à dix minutes d'avis! Euh! Qu'est-ce qu'il y a?

Tout à coup il aperçut la pâleur du visage de Saint-Amant.

— De la station de radio? Ils annulent mon contrat?

Claude Saint-Amant eût voulu n'avoir pas reçu cet appel téléphonique.

— Non, Ovide, mais...Partez tout de suite! C'est urgent que vous retourniez chez vous. Dépêchez-vous. C'est tout ce que peux vous dire.

— Mais personne ne sait que je suis ici? fit Ovide d'une voix blanche.

— Qu'importe. Je vous répète que vous devez vous rendre d'urgence à la maison.

Cette dernière phrase injecta l'angoisse dans toutes ses veines, dans tout son corps, embua ses yeux au point que tout lui apparut comme dans un brouillard. La fatalité le frappait! Mais qui? Arlette? Sa mère? Rita? Un accident?

Il saisit machinalement sa serviette, bouscula des groupes d'invités et, les oreilles encore pleines de *La Margoton*, dévala les côtes, dégringola les escaliers et faillit à trois reprises se faire renverser par des automobiles. Malgré la rapidité de sa course, il lui semblait qu'il n'arriverait jamais à son logis où, certainement, un terrible malheur l'attendait.

***

Pacifique Berthet roulait toujours dans son cabriolet, radio grand ouvert. Impatient il mordait presque avec rage dans le hot-dog acheté à la station d'essence où il venait de faire le plein. On interrompit soudain la musique pour donner un bulletin spécial. Il lança dans la rue le morceau de pain dégoulinant de moutarde. Un long silence s'établit. Les cinq secondes qu'il dura lui parurent une éternité. Lugubre, la voix du speaker se fit entendre:

— Chers auditeurs! A dix heures trente ce matin, un DC3 de

la Canadian Pacific Airlines s'est écrasé à Saint-Joachim, après une forte explosion en plein vol. La tragédie a fait vingt-trois morts, dont l'équipage et trois dirigeants américains de l'Iron Ore Corporation. Parmi les autres victimes, pas encore toutes identifiées, on relève le nom de madame Ovide Plouffe, femme du bijoutier québécois, éditorialiste à la radio. Madame Plouffe, Rita Toulouse avant son mariage, avait été élue, le printemps dernier, Miss Sweet Caporal. Une équipe spéciale s'est rendue sur les lieux, dégageant, identifiant, transportant les corps, pendant que des experts de la Canadian Pacific Airlines examinent les débris de l'appareil, d'où se dégage une forte odeur de dynamite.

Comme pétrifié, Pacifique Berthet éteignit la radio. On identifierait aussi, bientôt, Ovide. Dix heures trente! L'avion avait donc décollé en retard, puisqu'il avait explosé au-dessus de la terre ferme, à Saint-Joachim! C'est dans le Fleuve, plus loin, qu'il aurait dû tomber!

Une panique infinie s'empara de l'infirme. Il agrippa la poignée de l'accélérateur comme s'il se fût accroché à une corde. L'automobile atteignit cent kilomètres à l'heure. La sirène d'un car de police stria l'air. Pacifique ralentit, s'arrêta.

— Aïe! Devenez-vous fou? fit le policier.

— Excusez-moi, je viens d'apprendre que mon associé Ovide Plouffe et sa femme sont morts dans un accident d'avion! C'est terrible! ajoutait-il d'une voix tremblotante.

— Calmez-vous! Pas nécessaire d'en tuer d'autres! fit le policier, démonté, oubliant de lui demander son permis de conduire, que Berthet n'avait d'ailleurs pas encore.

— Un accident d'avion, vous dites? comprenait enfin le policier.

— On le crie partout à la radio! Vingt-trois morts!

Laissant l'agent sous le choc, Pacifique roula ensuite très lentement, puis atteignit enfin la bijouterie, y pénétra en sautillant. Il ne remarqua pas que le commis était parti pour son lunch sans verrouiller la porte. Pacifique gagna son échoppe en quelques bonds, fébrilement fit un paquet des cartes géographiques et des revues d'aviation. Comme traqué, il renversait toutes sortes d'objets en jurant:

— Chienne de vie!

Quand Ovide parut dans l'embrasure, essoufflé, livide, Pacifique, dos tourné, fermait une valise où il avait enfoui, pêle-mêle, les documents.

— Pacifique! Qu'est-ce qui se passe?

Celui-ci virevolta comme une toupie. Dans sa surprise épouvantée, il se tenait debout, sans béquille, les yeux exorbités devant l'apparition de ce revenant.

— Vous? Vous?

— Oui...moi! moi! sifflait Ovide, excédé, fou d'angoisse.

Pacifique parlait comme dans un cauchemar.

— Vous n'avez pas pris l'avion avec Madame?

— Non! Non! Mais allez-vous enfin me dire ce qui se passe? nom d'une pipe! cria Ovide, à bout de forces.

Hébété, sa hanche le faisant soudain souffrir, Pacifique se laissa choir sur sa couchette et, la tête basse, raconta ce qui se disait à la radio.

Ovide écoutait, atterré, silencieux, comme si, dans sa course éperdue du consulat à la boutique, l'angoisse terrible qu'il avait ressentie l'eût préparé à cette catastrophe, maintenant identifiée. Il éprouva un étrange soulagement, lequel devint bientôt état de grâce où la douleur, incommensurable, pouvait à présent s'installer. Il ne pleura pas tout de suite, mais murmura des phrases désordonnées:

— Dieu n'a pas voulu que je l'accompagne! Je n'ai pas eu le temps de lui pardonner! Je ne partirai jamais pour la France! Le commerce des montres, c'est fini! Rita chérie, tu l'avais pressenti, hein? Oh! ma pauvre petite Arlette! Ma chère petite! Dieu m'a bien puni!

Il s'affala sur un tabouret et pleura. Puis, comme mû par un ressort, il bondit hors de la boutique et courut chez sa mère. Aussitôt après, Berthet lança la valise dans le cabriolet et démarra en trombe en direction de son chalet.

***

La nouvelle de l'accident déferla dans tous les foyers, causant un émoi extraordinaire. Quand un avion s'écrase près de chez soi, on réagit davantage à la tragédie, on en ressent plus profondément l'ampleur, on essaie d'imaginer les derniers moments des victimes, on est épouvanté à la pensée qu'on aurait pu être l'une d'elles.

Le malheur frappait les Plouffe de plein fouet. Cécile avait fui la manufacture en criant comme une aliénée. Napoléon et Jeanne étaient accourus chez leur mère, qui savait, maintenant, écroulée dans sa chaise berçante, refusant d'écouter ses enfants penchés sur elle, geignant:

— C'est de ma faute! C'est moi qui les ai forcés à faire ce voyage-là! Ovide voulait pas, lui!

— Mais non, maman, sanglotait Cécile, nous autres aussi on voulait! J'ai poussé, Napoléon a poussé, et vous, vous avez poussé seulement à la dernière minute.

— On l'a tous tué, notre Ovide! hurlait Joséphine. Maintenant, pour moi, ça vaut plus la peine de vivre!

Ovide se découpait dans l'embrasure de la porte. L'apercevant, ils furent instantanément figés d'ébahissement. Il dit d'une voix atone:

— Non, je n'étais pas à bord. Au dernier moment, j'ai décidé de laisser partir Rita toute seule, et me suis retiré chez les Pères Blancs, en retraite fermée.

Joséphine se dressait lentement, transfigurée:

— Le bon Dieu t'a sauvé!

— Mais Rita est morte! Maman! Morte!

A l'extérieur, des badauds s'attroupaient. Ils entendirent avec émotion les gémissements de ces braves gens, les Plouffe.

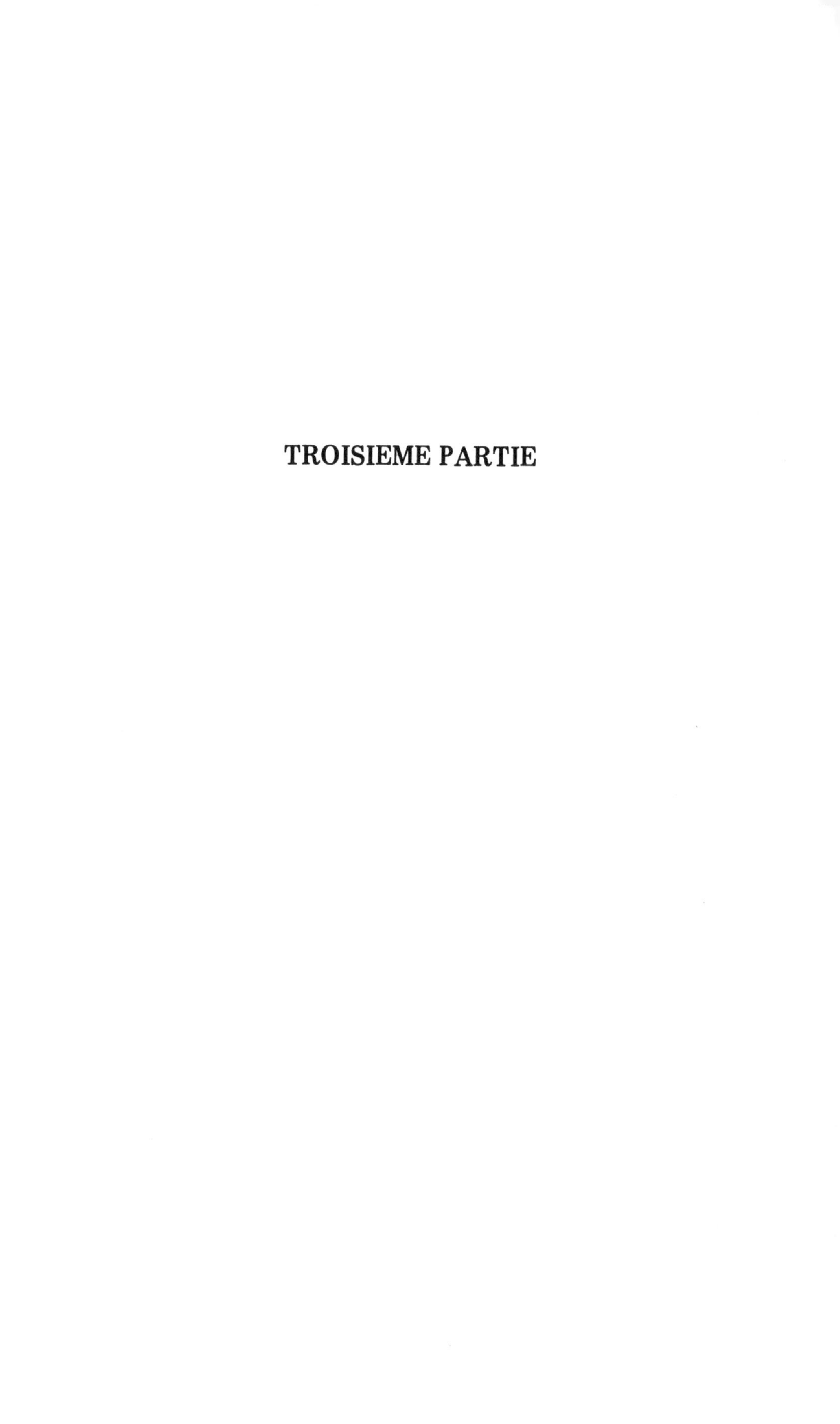

TROISIEME PARTIE

CHAPITRE TRENTE-QUATRIEME

Une étrange effervescence bouleversait la paroisse le jour des funérailles de Rita Toulouse. La femme d'Ovide Plouffe, la plus jolie fille du quartier, n'était-elle pas morte dans un accident d'avion insolite dont on commençait à parler dans tous les journaux, insistant sur l'odeur de dynamite qui se dégageait des débris? Les rumeurs allaient bon train. Sabotage par les Russes? On pensait aux trois officiers supérieurs de la compagnie américaine qui se préparait à exploiter les immenses gisements de minerai de fer de la Côte Nord. En 1949, on accusait facilement les communistes de fomenter tous les malheurs de l'Occident.

Autrement, il s'agissait peut-être d'un drame passionnel, ou encore d'un meurtre crapuleux? Cet Ovide Plouffe, par exemple, avait eu la vie sauve parce qu'au dernier instant il avait annulé son vol et laissé partir sa femme seule pour Baie-Comeau. Ce prétentieux qui parfois toisait les gens ou qui semblait les ignorer, aurait-il joué un rôle dans cette tragédie? Sa femme, Rita, était tellement jolie, tellement flirt! La jalousie? Le mystère risquait de s'épicer. Puis on repoussait le soupçon. C'eût été trop terrible. Il parlait si bien à la radio! Il n'était pas possible qu'Ovide, le fils de la bonne Joséphine Plouffe, fût mêlé à l'affaire. De plus, c'était un enfant de la paroisse, un voisin!

Devant son chagrin au salon mortuaire, toute insinuation cessait. Hagard, fébrile, les yeux rouges d'avoir trop pleuré, il incarnait le désespoir. On le quittait, bouleversé. On sortait en hochant tristement la tête devant les centaines de curieux faisant queue, contenus par un agent de police.

Les Québécois se sentaient tout chavirés, dans l'expectative de quelque rebondissement extraordinaire. Telle un oiseau de malheur, l'ombre de ce DC3 planait de plus en plus bas sur la ville. Le Premier Ministre Duplessis, bouleversé, humilié devant les barons de la haute finance américaine, auprès de qui il soignait son image et celle de sa Province de Québec, fit déclencher, au titre de Procureur Général, la plus vaste opération policière jamais entreprise par le gouvernement. Pendant trois jours elle se déroula cependant avec discrétion.

La figure qui se détachait en gros plan de cette épouvantable tragédie était celle de Rita Toulouse, dont la photo avait paru à la une de tous les journaux; on l'y voyait, assise dans son siège, parmi les débris, intacte, semblant dormir calmement, alors que les autres victimes étaient déchiquetées ou méconnaissables. Elle incarnait l'image de la beauté dans la mort. Rita obtenait enfin la publicité dont elle avait toujours rêvé: celle réservée d'habitude aux actrices de cinéma.

Ceux que le deuil frappait directement, Ovide, sa famille et celle de Rita, ne réussissaient pas à vivre vraiment leur chagrin. Happés, anesthésiés par l'envahissement de cette massive sympathie curieuse, ils occupaient le salon mortuaire comme des automates, répétant toujours les mêmes phrases, les mêmes gestes, s'agenouillant pour réciter le chapelet chaque fois qu'un prêtre entrait. Le cercueil s'allongeait tout au fond, fermé par décision d'Ovide, à la déception des visiteurs curieux qui avaient admiré la beauté de Rita dans la photo du journal. Aucune couronne ne le surmontait, sauf une rose rouge couchée sur le couvercle. Un carton y était attaché, sur lequel on pouvait lire: "De ton mari qui t'adore et qui ne t'oubliera jamais!" C'était une de ces roses rouges préférées de Rita, semblable à celle qu'elle avait piquée dans ses cheveux jadis le jour où, pour conquérir Ovide, elle avait porté une robe blanche pour la première fois.

Debout à l'entrée, Ovide serrait les mains, avait peine à reconnaître les gens, ne s'apercevait pas de la chaleur étouffante, ne voyait pas l'enfilade des tributs floraux empilés le long du mur. Tit-Mé, Cécile, Guillaume, Napoléon ne le quittaient pas de l'oeil. Ovide les percevait telles des ombres fantomatiques, conscient seulement de l'omniprésence de sa mère Joséphine, qui observait chacun de ses mouvements avec anxiété. Comme un marteau-pilon, le toc toc de la culpabilité ébranlait tout son être. Monstre! Monstre! Pourquoi avoir tant tardé à pardonner à Rita! Il découvrait qu'il l'avait toujours aimée et que, morte à présent, il l'aimait davantage!

Il était entouré de tous ces gens, mais ne se sentait pas sur la même rive. Un fleuve aux eaux profondes l'en séparait. Les visiteurs, cherchant des sujets de conversation, demandaient son avis sur la catastrophe. Croyait-il au sabotage? La forte odeur de dynamite faisait songer à cette éventualité. Une vague épouvante se mêlait alors à sa douleur et à ses regrets. Il essayait en vain de chasser un souvenir qui n'avait aucun rapport, se disait-il, pour se rassurer, avec l'accident. La scène où il avait acheté les bâtons de dynamite, les détonateurs, ses propos sur Nobel et la culture universelle, se déroulait pour la centième fois devant lui, des sueurs froides perlant alors à son front.

Il n'avait pas dormi depuis deux jours, brisé par le chagrin et de plus en plus hanté par le mot "dynamite". Il eût tremblé davantage s'il avait su ce qui se tramait. Qui étaient ces inconnus à la mine antipathique flânant dans le salon mortuaire, allant de groupe en groupe, examinant chaque visiteur, écoutant les conversations? Guillaume et Napoléon, mécontents, les observaient avec agacement. Il se passait des choses qu'Ovide ne s'expliquait pas. Marie Jourdan, Claude Saint-Amant, son ancien patron au ROYAUME DU DISQUE n'étaient pas venus, ni les Pères Blancs d'Afrique, ni les officiers de l'Ordre des Chevaliers de Colomb? Pourquoi? Pacifique n'était resté que quelques instants et n'avait pas prononcé une seule parole? Même son oncle Gédéon, la plupart du temps occupé à parler avec les parents de Rita, lui avait à peine présenté ses condoléances? Pas un de ses agents de la Côte Nord ne s'était montré? Tous ces indices troublaient Ovide; il imagina que personne ne l'aimait plus, sauf sa famille.

Guillaume, qui se rendait souvent à l'extérieur respirer un peu d'air, aperçut Stan Labrie rôdant sur le trottoir d'en face. Il courut le rejoindre et, le saisissant à la gorge, lui lança, terrible:

— J'espère qu'il te reste au moins assez de coeur pour pas entrer là?

Terrorisé, la voix tremblotante, Stan suppliait:

— J'ai une peine terrible, Guillaume. Moi aussi, Rita, c'est la femme de ma vie. Faut que tu comprennes ça!

— On sait ben! grondait le vétéran. D'une façon, c'est toi qui l'as tuée, Rita! C'est toi qui l'as entraînée! Disparais de ma vue avant que je t'étrangle! Ecoeurant!

Stan avait détalé. Le géant Plouffe lui avait dit la phrase qui martelait son cerveau depuis l'accident et contre laquelle il pouvait de moins en moins se défendre: "C'est toi qui l'as entraînée! Tu as tué Rita!" Guillaume était donc au courant? Stan pensa que sa vie, désormais, serait peut-être en danger.

Guillaume, haletant de courroux, rentra au salon mortuaire en pensant à la Jupiter, à Marie qui, après l'amour, lui avait expliqué les raisons du chagrin d'Ovide. Et il se sentit responsable lui aussi. Si Napoléon et lui n'étaient pas intervenus pour briser l'idylle Ovide-Marie, Rita serait sans doute vivante aujourd'hui? Il ne parla à personne de sa rencontre avec le proxénète. Quant au secret que Marie lui avait confié, il le garderait pour toujours enfoui au fond de sa mémoire.

***

Stan Labrie, derrière une colonne à l'arrière de l'église bondée, assistait au service solennel célébré par Monseigneur Folbèche, revenu spécialement avec permission de l'Archevêché. Comme l'avait prévu Joséphine, le visage de son ex-curé était pigmenté de dizaines de points rouges, traces de piqûres des maringouins de la Côte Nord. Il avait été fort ému, Monseigneur, d'apprendre que Rita, dans l'avion, lui apportait une belle statue de saint Christophe, cadeau de Pacifique Berthet. Il avait remercié celui-ci avec effusion: "Même si je ne la voyais jamais, votre intention serait là, mon fils!" s'était-il exclamé devant l'infirme embarrassé.

Les curieux, accourus des quatre coins de la ville, se tenaient debout dans les allées ou s'entassaient à l'arrière du temple. Parmi eux déambulaient des détectives en civil. On avait l'impression d'assister à un rallye funéraire dont les Plouffe n'étaient que les involontaires acteurs. On entendit de beaux cantiques par les Enfants de Marie, dont Rita avait fait partie avant son mariage. Le père Gédéon était là, aussi, aux côtés de son fils Aimé et, larme à l'oeil, évoquait la tarte aux oranges que Rita lui avait préparée quelques mois plus tôt.

Et quelle journée pour Monseigneur Folbèche! Il réoccupait, l'espace d'un matin, au grand agacement du curé en place, l'église et la paroisse qu'on lui avait enlevées. Jamais auparavant il n'avait célébré avec autant de pompe, d'autorité et d'amour. Il monta en chaire et commença son sermon de circonstance. Quand il clama, la voix vibrante: "Qu'il est triste, pour une si jeune et si jolie femme, de mourir en plein été!" des sanglots éclatèrent ici et là, des larmes coulèrent sur les joues, dont celles de l'abbé Marquis, diacre ce matin-là. Stan crut que sa poitrine allait éclater. Il se sauva dehors et se demanda comment il pourrait un jour se réconcilier avec lui-même.

Assis dans son automobile, verres fumés sur le nez, il regarda défiler le corbillard suivi du veuf, de sa famille et de près d'un millier de personnes. Les cloches sonnaient à toute volée en guise d'adieu à Rita. On se rendait à pied au cimetière Saint-Charles, vers le lotissement des Plouffe, où la femme d'Ovide reposerait à côté de feu Théophile. Les dents serrées, Stan observa d'un regard haineux Pacifique Berthet qui se hissait dans sa voiture blanche dont, pour l'occasion, il avait relevé la capote. L'infirme laissa passer le flot des piétons et démarra finalement pour suivre et clore le cortège funèbre. Stan attendit quelque peu, fit un détour et atteignit le cimetière où il se dissimula derrière une stèle funéraire. De cet endroit il pourrait lui aussi participer à la cérémonie, car c'est sa Rita à lui, la seule femme qu'il eût aimée, la seule qui l'eût jamais compris sans se moquer, qu'on allait enterrer.

Le cortège arriva. Puis on fit cercle autour de la fosse. Stan dévorait le spectacle des yeux, se substituait à Ovide. Celui-ci, hébété, suivait d'un regard vitreux la lente descente du cercueil, déposé sur des courroies vertes actionnées par un treuil électrique sophistiqué. Quand la mécanique s'arrêta, Joséphine s'avança, donna à son fils une poignée de terre graveleuse qu'il laissa tomber sur la tombe de noyer vernis, puis sembla écouter le grésillement des gravillons s'éparpillant sur le couvercle. Tout comme celles de Stan Labrie, les épaules d'Ovide sautaient. Alors on entoura le veuf, on le soutint. Soudain il se raidit et les écarta avec une sorte de fureur inattendue, comme s'il eût constaté que les siens avaient été autant que lui responsables de la mort de sa femme. Les laissant à leur consternation, il partit seul dans l'allée, de son pas rapide. Il fuyait les Plouffe, Rita, la douleur, il se fuyait lui-même. C'est alors que Stan, de son poste d'observation, assista à un événement plus dramatique encore, car, Ô fatalité, comme si tout était écrit depuis toujours, Ovide dans sa fuite tomba sur deux hommes très grands qui l'encadrèrent et le saisirent sous les bras, le soulevant presque de terre. Leur ton était sans réplique:

— Police! Suivez-nous et pas d'histoire!

On le traîna si rapidement vers la voiture de police que les témoins interloqués ne comprirent pas tout de suite ce qui se passait. Napoléon et Guillaume, les premiers à réagir, s'élancèrent derrière eux, mais l'automobile avait déjà démarré, emportant un Ovide estomaqué et à demi évanoui. Il allait, durant les jours suivants, s'enfoncer dans un trou plus profond encore que celui où Rita était descendue.

La famille restait figée, comme la dernière image d'un film interrompu. Pacifique Berthet, demeuré à l'écart, avait vite compris. L'angoisse qui l'étreignait depuis la catastrophe tourna à la panique. Ses béquilles d'aluminium le propulsèrent dans un grand bond en avant. Il se faufila, tel un kangourou éperdu, entre les mausolées, les stèles, les humbles croix, où la blancheur grisâtre de son visage se confondait avec celle des pierres tombales. Puis les membres de la famille émergèrent de leur stupeur horrifiée.

— Y ont enlevé mon Ovide! Mais courez! Attrapez-les! hurla Joséphine horrifiée.

Esquissant le geste spontané du pasteur qui prend la tête de son troupeau contre le vent du malheur, Monseigneur Folbèche, aidé de Gédéon, soutint Joséphine et entraîna le clan.

— Rendons-nous à la maison d'abord, tempéra-t-il, et faisons confiance au Seigneur! Sans lui, je vous le dis, nous ne sommes rien.

Seul Stan Labrie avait vu détaler l'infirme. Malgré son émoi, il suivait du regard la silhouette de Pacifique volant littéralement hors du cimetière. Ovide arrêté? Bob l'architecte avait donc dit vrai, hier, au téléphone, en affirmant qu'Ovide était l'objet d'une enquête policière élaborée? Bob l'avait incité à se tenir loin des Plouffe. Prudence! Mais la curiosité du proxénète l'emporta. Il abandonna sa stèle, courut à la fosse désertée, jeta à son tour une poignée de terre graveleuse sur la tombe, se signa en murmurant "Rita je t'aimerai toujours" et, obéissant à une intuition propre aux canailles, marcha rapidement dans la direction qu'avait prise Berthet. Stan arriva à temps le long de la route où les automobiles étaient rangées, vit l'infirme lancer ses béquilles sur le banc arrière du cabriolet, puis démarrer en trombe. Stan se dit que le comportement de Berthet, immédiatement après l'arrestation de son associé, paraissait fort louche.

Stan, convaincu que Pacifique ne pouvait que se rendre à son chalet du lac Saint-Augustin, s'installa sans hâte dans sa propre voiture et s'engagea dans cette direction. Durant les quelques kilomètres qu'il eut à parcourir, il repensa avec effroi à la scène de l'arrestation d'Ovide puis au téléphone inquiet de Bob la veille. S'il fallait qu'un jour Stan fût appelé comme témoin? Mais ces Plouffe l'attiraient comme un aimant, Berthet l'intriguait, l'obsédait. De quelle race de microbes était-il? Etrangement Stan eut l'impression qu'en suivant ainsi l'infirme, il participait à venger Rita et à lui prouver son courage. Au diable les peurs de Bob l'architecte!

Roulant lentement dans le lacet de l'étroite route de terre épousant les contours du lac Saint-Augustin, piqués de petits chalets en bois peint aux couleurs vives, Stan repéra vite l'emplacement de la bicoque de l'infirme où, un mois plus tôt, il avait menacé Berthet de représailles si jamais il soufflait mot de l'escapade de Rita à la rivière Montmorency. Stan aperçut de loin le cabriolet de Pacifique, garé dans l'entrée de son terrain clôturé de feuilles de tôle rouillée. Le proxénète rangea sa voiture à une centaine de mètres, près de la plage publique, d'où montaient les cris des enfants à la baignade. Se retournant souvent et longeant les haies, il atteignit enfin l'emplacement du chalet de l'infirme et réussit à s'installer, sans faire de bruit, entre un bosquet touffu et l'orifice laissé par une pièce de tôle à demi détachée par le vent. Il ne vit personne à l'avant de la masure, où un petit potager envahi par le chiendent laissait voir des tomates à veille de rosir et des épis de maïs prêts à être cueillis. Toutes sortes de détritus traînaient ici et là, bouts de planches, seaux rouillés, boîtes de conserves vides, des tessons de bouteilles de bière ou de gin De Kuyper. Le long de la clôture de tôle, au fond de la cour, la chaloupe à moitié peinte, renversée sur des tréteaux, indiquait que cet été Pacifique avait été pris par d'autres distractions que celle de ramer à la brunante. Stan tendit l'oreille. De l'intérieur du chalet montaient des bruits secs de tiroirs rapidement ouverts puis repoussés, de chaises déplacées, de portes d'armoire tirées puis vite refermées. De toute évidence, Pacifique, dans sa hâte fébrile, heurtait de ses béquilles chaises et meubles. Ce remue-ménage sentait l'inventaire rapide.

Berthet parut enfin sur la véranda, sur ses vieilles béquilles en bois, cette fois, verrouilla la porte puis, de son oeil perçant, scruta les alentours. Rassuré il se dirigea vers l'arrière de sa bicoque, aux limites de sa propriété et se planta, pensif, devant un carré de terre fraîchement remuée. Quelques caisses vides de bière s'empilaient tout au fond. Clopinant rapidement, Pacifique revint et, sous la véranda, saisit une pelle de terrassier. Il la soupesa, jetant tout autour des regards furtifs, puis la relança où il l'avait prise. Il revint rapidement au carré, empoigna la bêche qui y était couchée et se mit à écraser nerveusement les mottes de terre et de fumier. Il les secouait, les étendait. Il vérifia à nouveau tout autour, se remit au travail, comme pour donner à ce lopin sa véritable allure de jardin en attente. Il travaillait péniblement d'une seule main puissante, la gauche s'accrochant à sa béquille fichée dans le sol meuble. Puis, suant à grosses gouttes, il traça des sillons. A chaque bruit de moteur venant de la route, il sursautait, s'arrêtait un instant, puis continuait. Enfin le résultat parut le satisfaire. Il lança la bêche et, essoufflé, revint à la véranda où il s'assit tant bien que mal.

Stan, derrière le bosquet, se demanda comment, par un jour pareil, Berthet pouvait avoir le courage de s'adonner au jardinage. Il s'apprêtait à quitter son poste quand il vit une voiture de police entrer en trombe chez l'infirme. Deux policiers en descendirent. La conversation fut brève; puis Berthet, après être allé chercher une veste, les suivit. On l'installa à l'arrière de l'automobile qui démarra aussitôt.

Le coeur de Stan battait si vite qu'il avait peine à souffler. Ah! si la police l'avait surpris ici? Bob avait raison. Il fallait se garder loin de tout cela.

CHAPITRE TRENTE-CINQUIEME

Les événements se déroulaient comme dans un mauvais mélodrame. Ovide Plouffe, véritable loque humaine, se voyait traîné de bureau en bureau aux quartiers généraux de la police provinciale, avec une brutalité, une colère et une haine qui indiquaient la conviction des policiers: Ovide Plouffe avait fait sauter le DC3. Il répétait à tout moment sur un ton rauque:

— C'est affreux! Libérez-moi! C'est un cauchemar! Réveillez-moi! C'est une monstrueuse erreur, appelez mes parents, rassurez-les, je vous en supplie! Mais qu'est-ce que j'ai fait! Etes-vous malades?

Les policiers ricanaient férocement.

— On en a vu d'autres. Alors votre gueule! Ce qui va vous arriver, vous le saurez en temps et lieu.

On l'avait fouillé, on avait vidé ses poches et pris ses empreintes digitales. Des reporters, qu'on n'avait pu empêcher d'envahir les corridors des quartiers généraux, avaient réussi à le photographier, faciès hébété, entre deux détectives. Où l'emmenait-on? A l'interrogatoire préliminaire et tout de suite! Les ordres, impitoyables, arrivaient du bureau du Procureur Général. Et qu'on précipite les étapes! Il était urgent que l'enquête, l'accusation de meurtre, le procès se déroulent à un ryhme record, faisant fi des mille et une complications qui retardent souvent les procédures. L'avocat de la Défense en serait également avisé. A partir d'aujourd'hui, le monde entier aurait les yeux tournés vers le Québec, et on s'apercevrait de quelle main de fer on y maintenait l'ordre, avec quelle intransigeance on y faisait triompher la justice.

On fit s'asseoir Ovide en le bousculant, sur une chaise droite en face d'une table nue, dans une pièce où régnait une chaleur torride. Masquant la porte, un policier immense, la main droite sur la crosse de son revolver, s'épongeait le front. Et pourtant Ovide avait froid. Assailli de toutes parts par des émotions qu'il ne pouvait plus mesurer, il réagissait par soubresauts désordonnés ou sombrait dans une torpeur glaciale. Son cerveau fonctionnait au ralenti, comme ménageant ses ressources devant les forces de la destinée fonçant sur lui. Tout imprégné de sa douleur d'avoir perdu sa femme, il était désemparé, sans défense devant ce nouveau et terrible coup du sort. Par quel épouvantable concours de circonstances avait-il abouti ici? Pourquoi le rudoyait-on? Il vivait sûrement un cauchemar où il était mort en même temps que Rita dans le DC3? Il se trouvait sans doute au purgatoire, où le feu consistait en cette souffrance affreuse qui le consumait! Passant par toutes sortes de transes, il n'avait envie ni de pleurer, ni de crier, il éprouvait seulement un violent désir de se réveiller. Comme dans un brouillard, il vit deux policiers géants, en civil, s'installer derrière la table et y verser le contenu d'une serviette remplie de documents. Les mots, tranchants, glacés, de celui qui semblait être le supérieur, lui arrivaient comme de l'autre côté d'un mur. Ovide vivait du pur Kafka. La terrible première phrase du chef policier l'assomma:

— Ovide Plouffe, vous êtes retenu comme témoin important dans l'affaire de l'écrasement de l'avion DC3 de la Canadian Pacific Airlines. Vingt-trois personnes ont péri, dont votre femme, Rita Toulouse. Nous avons toutes les preuves qu'il s'agit là d'un meurtre.

Ovide, la voix chevrotante, le cerveau fonctionnant à peine mieux que celui d'un primate, bredouillait:

— Un meurtre? Témoin important? Mais je n'ai été témoin de rien! Vous faites erreur!...Laissez-moi retourner chez nous, je vous en supplie! C'est une monstrueuse plaisanterie!

Les deux hommes haussaient les épaules et souriaient curieusement:

— Ce qu'y faut entendre! On vous savait bon acteur, mais à ce point-là! admira le supérieur, qui coupa d'une voix d'acier: nous allons vous faire subir un petit interrogatoire. Vous avez droit à un avocat de votre choix, sinon nous pouvons vous en fournir un d'office.

— Un avocat? Mais je ne suis qu'un témoin important! Pas un meurtrier! Un avocat? se débattait Ovide, transi d'épouvante, sentant se préciser la menace qu'il identifiait pour la première fois: on se préparait à l'accuser de meurtre!

Il ouvrit ses grands bras, qui battirent comme des ailes:

— Je vous répète que je ne veux pas d'avocat! C'est stupide. Je n'ai pas à être défendu! Vous faites une incroyable erreur! Posez-moi des questions, n'importe quelle, je vais vous répondre franchement, sincèrement, du fond du coeur! Après, vous vous confondrez en excuses!

Le chef policier jeta un coup d'oeil entendu à son adjoint.

— Comme vous voudrez. Ça ira plus rondement. D'ailleurs, pour ce que ça peut changer!

Le chef inquisiteur se leva. Debout, les bras croisés, cet homme sembla prendre des proportions gigantesques aux yeux d'Ovide, qui se sentait rapetisser à la taille d'un foetus.

— Ovide Plouffe, au printemps 1940, n'avez-vous pas été chassé du monastère des Pères Blancs d'Afrique pour avoir assommé d'un coup de poing votre voisin de cellule, le frère Léopold?

Il eut envie de sourire. Soulagé, il avait enfin la preuve qu'il vivait un cauchemar.

— Oui, mais j'avais des raisons particulières. A ma place, vous l'auriez assommé deux fois.

Il essayait d'offrir des réponses brillantes, afin que, réveillé, il fût fier du comportement d'Ovide Plouffe dans ses rêves.

— On ne vous demande pas de commentaire! coupa le tortionnaire. Répondez par oui ou par non!

— Oui, fit-il, secoué et piteux.

— A l'âge de quinze ans, n'avez-vous pas sauté à la gorge d'un confrère de classe que vous avez failli étrangler, si on n'était intervenu à temps?

Ovide ouvrit de grands yeux. Ces policiers étaient de véritables devins! Il avait absolument oublié cet incident. Il se le rappela alors dans le détail.

— Il faut dire qu'il m'avait traité de "tapette". La pire insulte qu'un homme comme moi puisse recevoir.

Le policier-chef souriait cruellement:

— D'accord, vous aimez trop les femmes pour ça! Mais on peut pas dire que vous êtes un tendre et un doux. Vous avez le poing, le revolver, l'étranglement faciles. Normal que le reste suive.

Ovide se rendait compte avec épouvante qu'une enquête fouillée s'était faite à son sujet. On avait dû interroger tous ses amis? Il n'était pas étonnant que ceux-ci, gênés, ne se soient pas montrés au salon mortuaire? Gladiateur endormi, on l'avait entortillé d'un filet. Heureusement il était en plein cauchemar! Où en viendraient-ils maintenant? Un avocat! Allons donc! Jamais! Il expliquerait tout, on s'excuserait, on le laisserait aller, libre.

— Avez-vous déjà été soigné par un psychiatre?

Ovide se déchaîna. Il parlait rapidement, car les policiers touchaient là un sujet qui lui tenait à coeur.

— Un psychiatre? Ces charlatans qui exploitent trop souvent les dépressifs? Jamais de la vie! Freud? Merci pour Ovide Plouffe. Je suis peut-être différent des autres, on me l'a assez dit, mais je suis en pleine possession de mes moyens intellectuels et moraux!

Les deux hommes examinaient Ovide comme une bête curieuse. Cet étrange témoin important, quand même responsable de la mort de vingt-trois personnes, commençait à les impressionner. L'assistant-chef se fit cauteleux:

— On nous dit que vous êtes une sorte d'encyclopédie vivante, que vous connaissez tout, même l'avenir, que vous comprenez n'importe quoi, que vous apprenez en trois mois ce que d'autres apprennent en un an?

— N'exagérons rien, fit Ovide, presque embarrassé, un peu flatté, sentant quand même avec soulagement que le vent pourrait tourner en sa faveur. Après tout, ces policiers semblaient capables d'apprécier la capacité intellectuelle?

L'assistant-chef s'enhardit, prit le ton de la confidence:

— On dit que votre défunte épouse était très jolie. Est-il vrai que, par jalousie, vous l'avez forcée à abandonner son rôle de Miss Sweet Caporal?

La colère s'empara d'Ovide. Il dit sèchement:

— Ça n'était pas par jalousie, mais par principe! Après tout, ça nous regardait, elle et moi. En effet, Miss Sweet Caporal, je ne l'ai pas acceptée, et Rita m'a obéi. Vous accepteriez, vous, que votre femme?...

— Je suis célibataire. Est-il vrai que ces dernières années, elle s'est permis des flirts, de gros flirts même, qui vous ont mis dans tous vos états?

Ovide se raidit, digne, devant cette odieuse indiscrétion.

— Je ne suis pas ici pour salir la mémoire de ma femme! Je l'ai toujours aimée et respectée.

Les policiers observaient avidement ses réactions.

— Allons donc, tout le monde le sait, faites pas l'innocent!

Ovide fut à nouveau pris de panique. Ces policiers étaient-ils au courant des aventures dans lesquelles Stan avait entraîné Rita, ou pêchaient-ils au hasard? Ovide revit le visage de sa femme tel qu'il l'avait identifié à la morgue. A ce moment, il avait tout pardonné et pleuré comme un enfant. Il geignit:

— Je vous en prie, arrêtez ce calvaire! Vous savez bien qu'une femme jolie comme l'était la mienne attire forcément la convoitise. Ce sont des choses qui arrivent à tous les maris. Oui, je l'avoue, quelques fois j'ai été furieux et malheureux. Mais je passais l'éponge, sachant qu'elle ne pensait pas à mal. Les hommages à sa beauté la bouleversaient. Mais ses étourderies étaient sans conséquences.

— L'avez-vous déjà battue?

— Oh! non! jamais!

Le ton de voix des policiers, fidèle à un crescendo planifié, se durcit à nouveau:

— Le 2 décembre 1948, vous avez bien signé un contrat d'assurance, où en cas de décès accidentel d'un des partenaires, les deux autres obtenaient chacun cinquante mille dollars?

Ovide eut un haut-le-coeur. Quel soupçon innommable! Il aurait tué sa Rita pour cinquante mille dollars! Il eut envie de mourir lui aussi. Ah! que n'était-il monté à bord avec elle! Il réussit à se ressaisir, à parler, épuisé, comme s'il arrivait d'une longue course:

— L'assurance! l'assurance! C'est une chose que j'avais complètement oubliée. Peu après l'ouverture de notre commerce, l'automne dernier, c'est mon associé Pacifique Berthet qui me l'a suggérée. J'avais trouvé ça normal. L'affaire m'appelait à voyager souvent. Mais c'est affreux, Messieurs, ce soupçon que vous semblez laisser planer sur moi? C'est épouvantable!

— Révoltant, même, se moqua le policier. Tout de même curieux que lors du voyage fatal, vous n'étiez pas à bord!

— Arrêtez! Vous êtes des monstres! fit Ovide, horrifié.

Ils ne réagirent pas. Lui sanglotait de révolte. Comment Dieu pouvait-il permettre que tant d'épreuves s'abattent sur le même homme! Il continuait, brisé:

— Par-dessus le marché, vous m'avez arrêté une minute à peine après ma poignée de terre sur la tombe, devant maman, ma famille, mes amis, devant tout le monde!

Et, comme se réveillant du cauchemar, il se dressa, épouvanté:

— Mais ils doivent être désespérés! fous d'inquiétude! Appelez-les, dites-leur que ça n'est pas sérieux, que je rentrerai bientôt. Napoléon viendra me chercher! Appelez maman, surtout! Et ma petite fille, ma petite Arlette!

Médusés, un peu ébranlés, ils l'examinaient sous tous les angles. Ils parlaient plus doucement, mais leur ton demeurait cinglant:

— Faudrait peut-être que vous pensiez aux vingt-deux autres cérémonies funéraires!

Les yeux exorbités, il s'affala sur sa chaise, livide.

— Vous n'allez quand même pas prétendre que j'ai fait sauter l'avion?

Il y eut un silence intolérable.

— Ça nous paraît très possible en effet.

Ils avaient devant eux un Ovide détruit, qui répondrait maintenant d'une voix sans vie, du fond de son désespoir. C'est ce qu'ils voulaient.

— Le six juin dernier, vous étiez au restaurant CHEZ GERARD. Une bagarre a éclaté, vous avez brandi un revolver 38. Est-ce vrai?

— Oui...La serveuse ayant été insultée par des voyous, j'ai pris sa défense. Il y a des choses qu'un gentilhomme ne peut pas tolérer. J'ai été assailli par quatre brutes qui allaient me mettre en pièces. J'ai voulu les effrayer. Et puis, j'étais en état de légitime défense, non?

— Vous vous promenez toujours comme ça, avec un 38 dans vos poches?

— Comme bijoutier, j'ai un permis. Le revolver n'était pas chargé. Je ne sais comment, en passant par le magasin, distraitement, je l'ai mis dans ma poche. Je pensais peut-être aux rues mal famées, près du cabaret.

— Pour être distrait, vous êtes distrait, se moquaient-ils doucement.

Ovide n'avait plus de salive. La panique l'étreignait. Il venait de mentir un peu. Il n'avait pas dit qu'après le terrible aveu de Rita, il avait éprouvé le besoin viscéral de tuer Stan, sans le tuer. Mais il n'était pas un criminel. A preuve, il avait oublié les balles. Mais c'est pour cela qu'il s'était rendu CHEZ GERARD; c'était peut-être aussi pour revoir Marie et obtenir son numéro de téléphone?

Les policiers continuaient à dérouler le tapis de questions dont il sentait qu'elles le menaient à quelque chose de terrible.

— Cette jeune Française, Marie Jourdan, vous l'aimez bien?

Il sursauta, chercha sa salive.

— C'est une jeune fille d'une grande beauté, cultivée, sensible, seule, sans défense.

— Vous connaissez son histoire?

— Bien sûr, je la connais. Elle n'y est pour rien, pauvre petite! J'espère que vous n'êtes pas allés la troubler avec un interrogatoire à mon sujet?

— Oui, hier justement. Elle s'apprêtait même à quitter le Canada dans quelques jours. Nous la retenons ici. Elle est actuellement sous la protection du consulat français.

Ovide se débattait comme un poulet à qui l'on vient de trancher le cou. Les limites de son atterrement étaient atteintes. Marie mêlée à cette infamie!

— Vous avez fait récemment ensemble un voyage de trois semaines sur la Côte Nord et à l'Ile d'Anticosti? Exact?

Ovide grelottait. Dire qu'il avait voulu soustraire Marie à la solitude et au désarroi! Il n'avait réussi qu'à l'entraîner dans son tragique sillage.

— Je vous en supplie, laissez mademoiselle Jourdan hors de cette pénible histoire! A cause de sa beauté, de sa bonne éducation, à cause de moi qui ai causé cette bagarre CHEZ GERARD pour la protéger, elle a perdu sa situation. Comme elle était complètement démunie, j'ai cru juste de l'engager comme secrétaire temporaire au cours d'une tournée dans mes territoires de la Côte Nord. C'est simple, non?

Ils s'amusaient ferme.

— Vous avez dû vous en payer une tranche. Comme pétard, la petite Française, c'est un beau pétard! Tenez, rincez-vous l'oeil, mon ami.

Ils lui jetèrent les photos prises au cours du voyage et saisies chez Marie. On y voyait le couple pieds nus dans l'eau, cheveux au vent, marchant main dans la main sur la grève, ou pique-niquant autour d'une nappe à carreaux, dans un champ. Plusieurs fois photographiée seule, Marie ressemblait à l'actrice Viviane Romance. Ovide se rappela l'avoir désirée au moment où il ajustait la caméra. D'autres photos les montraient à la table de l'hôtel ou se baignant au pied d'une chute, ou canotant sur la Jupiter.

— Allons, soyez franc. Elle fait bien l'amour, la petite Française? Contez-nous ça.

Ils rigolaient. Ovide les trouva odieux. Plaisanter de la sorte quand lui s'agitait dans un immense cloaque de mort et de désespoir! Il eut la force d'élever la voix pour défendre l'honneur de Marie comme il l'avait fait pour Rita.

— Je vous interdis toute allusion vulgaire au sujet de cette jeune femme! C'est une personne honnête, pure et nos relations se sont déroulées sous le signe de la plus noble amitié! Nous parlions de musique, de poésie, de littérature, de la France.

— Oh yeah?!!

Les policiers étaient abasourdis. Quel numéro!

Une colère froide durcit le coeur d'Ovide. Il eût voulu brandir une mitraillette et les occire tous les deux. Peut-être en effet avait-il l'âme d'un criminel? Les policiers tortionnaires, de plus en plus sûrs d'eux, continuaient leur interrogatoire avec la sérénité du bouledogue qui tient gentiment dans sa gueule le chat au cou cassé. Ils lui offrirent un verre d'eau.

— Ovide Plouffe, le 12 juin au matin, vous avez acheté une statue de saint Christophe de deux pieds de haut, au magasin Paquet, statue que vous avez payée trente-cinq dollars.

— Oui, c'est une commission que j'ai faite pour mon associé qui désirait l'offrir en cadeau à Monseigneur Folbèche. Vous le savez, Monseigneur a été exilé dans une paroisse de colonisation en haut de Baie-Comeau, après son attaque en chaire contre une partie du clergé et contre Duplessis, pendant la grève de l'amiante. Monseigneur Folbèche adore les statues.

— Oui, oui, on sait tout ça. Et vous-même, en date du 12 juin (ils lui présentaient une coupure de journal) n'avez-vous pas traité Monsieur Duplessis de potentat, de dictateur et d'ennemi de la démocratie? Et ça, écrit sur quatre colonnes?

— La liberté d'expression, ça existe, non? Je le réaffirme bien haut! Duplessis est un dictateur!

Le torse d'Ovide se redressait. Ah! Le chat sortait du sac! Cette infâme persécution avait une origine politique! Il pensa à Garcia Lorca. Le gouvernement se servait de l'accident d'avion comme tremplin de sa vengeance contre Ovide Plouffe! Il se décida alors à considérer cet interrogatoire comme un film policier dont il serait désormais le spectateur sceptique et averti. Mais il ne s'attendait pas à la question suivante, savamment préparée et dosée:

— Vous êtes contre tout, contre le gouvernement, contre l'autorité et l'ordre établi. Vous ne pouvez tolérer aucun obstacle à vos désirs! à vos opinions! Ovide Plouffe, ce même 12 juin dernier, vous vous êtes rendu chez le quincaillier SAMSON ET FILION, et vous avez acheté cinquante bâtons de dynamite et des détonateurs. Vrai ou faux?

Ovide reçut la question comme un coup de poing dans le diaphragme. Le mot dynamite lui donnait des sueurs froides depuis trois jours. Sa voix chevrota:

— Oui, en effet. J'ai même fait l'historique du prix Nobel au vendeur. J'ai acheté ces bâtons à la demande de mon associé, Pacifique Berthet. Je vous l'ai dit, il est infirme et se déplace difficilement. Il en avait besoin pour faire sauter des souches à son chalet au lac Saint-Augustin. Demandez-le lui. Il vous le confirmera.

— Il a le dos large, votre associé? Tout a été prévu. Nous venons de l'arrêter. Il sera questionné lui aussi.

— Pacifique arrêté! s'exclama Ovide. Mais qui fera fonctionner notre bijouterie? Nous allons être ruinés! Et quelle réputation vous nous faites à tous les deux!

Les policiers ne pouvaient croire à une telle candeur chez un criminel, psychopathe au dernier degré.

— Nous avons bien peur que votre carrière de bijoutier soit terminée. Dites donc, ça peut sans doute vous intéresser: votre associé Berthet n'a fait sauter aucune souche à son chalet, car des souches, sur son terrain, y'en a pas!

Ovide serra les mâchoires pour empêcher ses dents de claquer. Le filet du gladiateur se resserrait de plus en plus, et c'est par les mailles qu'il voyait maintenant les deux policiers. Son cerveau ne contrôlait plus les milliers d'images qui s'y bousculaient. Entre autres il revoyait Pacifique Berthet, à l'hôpital, faisant démarrer sa radio à heure fixe, grâce à des fils reliés à un réveille-matin. Mais il n'allait quand même pas accabler l'infirme pour se défendre! Il murmura, d'une voix blanche:

— Messieurs, excusez-moi, mais n'avez-vous pas l'impression que vous êtes en train de vous écrire un roman policier?

— Et qui va se vendre! glapirent-ils en exhibant un réveille-matin Big Ben, marchandise des plus populaires de la bijouterie d'Ovide.

— Vous connaissez ce genre de truc?

— Oui bien sûr! C'est un Big Ben. Nous en vendons beaucoup au magasin. Un réveille-matin bon marché. Dans le milieu où nous opérons, les ouvriers sont en majorité et ils doivent se lever de bonne heure. Pour un ouvrier, le réveille-matin est presque aussi essentiel que le pain.

— Ovide Plouffe, le 14 juillet dernier, vous avez apporté à l'aéroport, dans le taxi qui vous y amenait avec votre femme, un colis d'environ deux pieds de long, sorti par vous-même de la bijouterie. Tout le long du trajet, vous avez rappelé au chauffeur d'éviter les chocs, de rouler lentement, parce que le paquet déposé sur vos genoux était très fragile.

— En effet, c'était la statue, cadeau de mon associé à Monseigneur Folbèche, et que j'avais achetée pour lui au magasin PAQUET! Je vous l'ai déjà dit!

— Et à l'aéroport, n'avez-vous pas insisté pour que le préposé aux bagages manipule votre colis avec une attention spéciale?

— Bien sûr. Une statue de plâtre, c'est fragile! Je me répète!

Ovide suffoquait. Cette boîte avait-elle été bourrée de dynamite par Pacifique? Les deux policiers, auscultant la panique qui rendait Ovide de plus en plus effaré, commençaient à frapper avec plus de cruelle précision.

— Votre famille croyait que vous faisiez ce voyage avec votre femme. Comment se fait-il qu'au dernier moment, vous l'ayez laissé partir seule, elle qui ne vous avait jamais accompagné en avion? C'était sa première envolée!

Ovide hoqueta d'hésitation épouvantée.

— Nous étions en brouille depuis quelque temps. Elle savait que je n'irais pas avec elle, et fut d'accord. Mais je ne voulais pas que mes parents, ma mère surtout, qui désiraient que nous fassions ce voyage en manière de réconciliation, sachent que je ne l'accompagnerais pas. C'était un problème personnel entre Rita et moi.

— Quel problème?

— On peut avoir des brouilles dans un couple sans que ça soit un motif de crime? Non? Nous étions en froid, un point c'est tout.

— Votre femme savait-elle que vous aviez fait un voyage de trois semaines avec Marie Jourdan comme secrétaire?

— Oui. Et ça lui a fait sûrement du chagrin. Mais je lui ai juré qu'il ne s'était rien passé.

Ils rirent.

— Et elle vous a cru?

Une fureur désespérée montait à nouveau à la gorge d'Ovide.

— Oui, elle m'a cru, car elle me connaissait, elle!

Ils demeuraient imperturbables.

— Dommage, saint Christophe, dans le colis, n'a pas pu faire grand'chose contre l'explosion. Votre femme Rita devait-elle le porter elle-même, dans ses bras, au curé Folbèche?

Dégoûté devant tant de cruauté, de cynisme, Ovide cracha la réponse:

— J'avais pris des dispositions pour qu'il soit livré par un camion de messageries à Baie-Comeau.

— L'avion a décollé en retard?

— Oui, une dizaine de minutes. Nous attendions des Américains, directeurs de l'Iron Ore.

— Nos témoins affirment que vous aviez l'air très nerveux?

Il haussait les épaules.

— Je suis toujours un peu fébrile. Surtout ce matin-là car, devant l'inquiétude de Rita, je m'apprêtais à changer d'idée. J'ai failli l'accompagner. Mais j'avais pris rendez-vous ailleurs.

Le policier-chef l'attaqua subitement:

— Si l'avion était parti à temps, il serait tombé en plein milieu du Fleuve. Comme ça, pas d'odeur de dynamite, les preuves noyées dans la mer, emportées par le courant. C'était le crime parfait, hein, Monsieur Ovide Plouffe?

Il bondit en avant, criant:

— Quoi? Cessez de faire durer le supplice! Affirmez que c'est un meurtre, dites pourquoi vous me soupçonnez!

— On vous en a pas dit encore assez? Vous comprenez pas vite! Allons, asseyez-vous, calmez-vous, cher innocent, cher grand acteur. Continuons cette charmante conversation. Votre rendez-vous était au monastère des Pères Blancs d'Afrique? C'est bien ça, hein?

Ovide, épuisé, mou comme un épouvantail décroché, la bouche tordue en un sanglot qui n'éclatait pas, bredouillait avec lassitude:

— Oui, dans la cellule que j'avais occupée pendant un an, il y a quelques années, comme frère convers. Je voulais retrouver la paix du coeur, établir un plan directeur de ma vie, lors de cette retraite de trois jours.

Les policiers souriaient à nouveau.

— La retraite a pas duré longtemps! A peine deux heures après être arrivé, vous vous êtes enfui par la fenêtre. Mais auparavant vous aviez dessiné ceci.

Ils lui exhibèrent le rudimentaire croquis qu'il avait oublié sur le petit pupitre de la cellule en s'enfuyant, un croquis esquissant Ovide coincé entre deux femmes, à poitrines opulentes, couchées nues au bord d'une rivière. Humilié, se sentant impuissant à communiquer son monde intérieur à ces brutes, il bredouillait, lui à qui la confession sous toutes ses formes répugnait:

— Comment vous expliquer? Je n'aurais pas dû retourner au monastère. Dans cette cellule, le passé m'assaillait, me rendant intolérable l'atmosphère du cloître. Je ne savais plus ce que je faisais. J'écrivais, je griffonnais comme un automate. Des voix m'accablaient, me reprochaient d'avoir laissé Rita partir seule. Belzébuth lui-même me bombardait d'images obscènes. Je me sentais comme le saint Antoine de Flaubert. Oh! Vous ne connaissez pas Flaubert? C'est un très grand romancier, l'auteur de *Madame Bovary*.

Pour les policiers, l'interrogatoire devenait hallucinant. Cet Ovide Plouffe était vraiment unique.

— Vous ne saviez pas ce que vous faisiez, mais vous avez couru quand même au consulat français pour fêter le 14 juillet?

— J'ai trouvé tout à coup l'invitation dans ma poche. Dans mon désarroi, je m'y suis accroché.

— Vous vous êtes aussi accroché au bras de Marie Jourdan! Comme par hasard, elle se trouvait là!

— C'est normal, elle est française et moi je suis le plus ardent francophile de Québec!

— C'est bien vous, sur cette photo, riant à belles dents et la tenant par la taille?

— Oui, fit-il hébété.

Pointue de colère, d'indignation et de dégoût, la voix du

policier-chef le dardait, déchirait ses oreilles, le bouleversait:

— Et pendant que vous dansiez la java, que vous riiez à belles dents avec votre maîtresse, votre femme, morte, gisait dans les débris de l'avion. Salaud!

La figure entre les mains, Ovide pleurait. Tous ses gestes seraient jetés en pâture à l'opinion publique, lui si jaloux de son intimité. Pourquoi tout cela arrivait-il à lui et pas aux autres? L'adjoint, la voix sifflante, sans pitié, profitait du désespoir d'Ovide et cherchait à provoquer ses aveux.

— Le 13 juillet, vous vous êtes rendu dans une agence de voyages et avez demandé les prix de l'avion et des frais de séjour pour six mois à Paris, pour deux personnes. Vrai, ou faux?

— J'étais à bout, très las. Je voulais prendre mes distances vis-à-vis de mon pays, mon milieu. Depuis mon enfance, je rêve de Paris, des Champs-Elysées, de Notre-Dame, de la culture française, de l'opéra.

— Votre compagne, dans ce voyage, aurait été votre femme, ou Marie Jourdan?

Il souhaita mourir pour que cesse la torture, et bégaya:

— Ma femme, je vous le jure!

Il y avait une telle sincérité dans les réponses d'Ovide, que les policiers, perplexes, se demandaient s'ils avaient affaire au plus grand comédien du monde, ou à un fou capable de résister à l'amas de preuves circonstancielles qui le désignaient comme coupable. Ils gardèrent un long silence, puis soudain:

— Où étiez-vous quand vous avez appris la mort de votre femme?

— Au consulat de France. Claude Saint-Amant, du poste de radio, après avoir reçu un coup de téléphone, m'a recommandé de me rendre chez moi tout de suite pour une affaire très grave. J'ai couru jusqu'à la bijouterie. C'est mon associé qui m'a appris la nouvelle. Il a failli perdre connaissance en me voyant. Il me croyait parti, donc mort avec ma femme.

Les policiers fronçaient les sourcils.

— Il vous croyait mort? Bien sûr. A propos, que pensez-vous de Pacifique Berthet?

— Ne me demandez pas de l'accabler. C'est un artisan consciencieux et très compétent. Il est plutôt renfermé, mais ça se comprend. C'est son infirmité qui l'a rendu comme ça.

— C'est un homme franc?

— Ah! oui, j'en suis convaincu.

La phrase du policier-chef tomba comme un pavé:

— Il prétend dur comme fer qu'il ne vous a jamais demandé d'acheter de la dynamite.

Ovide, atterré, bondit:

— Mais c'est faux! archi-faux! C'est à sa demande, pour faire sauter des souches. Je pouvais acheter ces explosifs, parce que je suis connu. Lui, pas. Qu'est-ce que j'en ferais, moi, des cinquante bâtons de dynamite!

— Faire sauter un avion, tuer vingt-trois personnes! Et vous débarrasser de votre femme!

Ovide criait:

— Pacifique ne peut pas vous avoir affirmé ça! Impossible! Vous mentez! D'ailleurs, vous me faites marcher, vous ne l'avez pas questionné!

Berthet ne pouvait pas nier, s'affolait Ovide. Ou alors Pacifique était le coupable! Les policiers approchaient de leur attaque finale. Ils sortirent d'un sac de papier brun le squelette tordu et rouillé d'un réveille-matin.

Leurs voix résonnaient d'accents tragiques pour porter le coup de grâce.

— Ovide Plouffe, l'éclatement du DC3 est un crime crapuleux, par l'explosion d'une bombe artisanale composée d'une trentaine de bâtons de dynamite reliés à un réveille-matin Big Ben dont voici les restes. Le mécanisme était réglé pour faire sauter l'avion au moment où il volerait au-dessus du fleuve Saint-Laurent. Comme l'avion est parti dix minutes en retard, il a éclaté au-dessus de la terre ferme. L'engin se trouvait dans la soute à bagage, dans le coin gauche. C'est vous qui avez acheté la dynamite, qui avez apporté le colis contenant la statue et l'engin. Vous vouliez vous débarrasser de votre femme afin de retirer l'argent de l'assurance pour vivre à Paris avec Marie Jourdan. C'est un assassinat horrible, le premier du genre dans l'histoire de notre aviation. Vous avez monté votre crime avec une habileté diabolique et tout ce que nous savons de vous indique que vous êtes un être amoral et dangereux pour la société. Sous des airs candides et des goûts pour les choses de l'esprit, vous ne reculez devant rien pour satisfaire vos caprices. Vous êtes une crapule pourvue d'une intelligence supérieure. Allons, avouez, Ovide Plouffe! Votre compte est bon. Avouez, vous sauverez beaucoup de temps à beaucoup de monde. Avouez et vous abrégerez le martyre de votre famille, que vous avez déshonorée. Le plus tôt on vous pendra haut et court, le plus tôt nous serons débarrassés d'un monstre à face humaine!

Bouche bée, Ovide se voyait balancer au bout d'une corde, comme dans les westerns. Un instant il rêva d'avoir des ailes d'aigle, pour s'envoler loin de ce monde affreux; puis il s'imagina en homme invisible, évaporé sous leur nez par la porte et décidé à ne réapparaître qu'une fois déniché le vrai coupable. Alors il bondit comme projeté par un ressort:

— Mais je n'avoue rien! Vous êtes fous! Je suis innocent! Faire une bombe, faire une bombe! J'en serais bien incapable! Questionnez plutôt Berthet, lui saurait la faire. Tenez, à l'hôpital, où je l'ai connu, sa radio démarrait à sept heures du matin, grâce à un réveille-matin relié par des fils à l'appareil! Le voyage en avion avec ma femme, c'est lui qui m'a convaincu de le faire, il a été approuvé par toute la famille! Et c'est lui qui m'a fait acheter la dynamite! La statue!

Ovide s'évanouit un court moment. On le releva. Dans les brumes de son étourdissement, il entendit le policier-chef qui disait:

— Votre associé Berthet sera interrogé dans quelques instants.

On traînait Ovide hors de la pièce. L'officier supérieur donnait des ordres secs:

— A la prison de Québec, tout de suite! Pas de cautionnement possible! Le Procureur Général a assez d'éléments pour une accusation de meurtre prémédité au premier degré!

Ovide claqua des dents. Il ne se réveillait donc pas encore? Le cauchemar se poursuivait. Traîné par deux agents vers la sortie où attendaient un car de police et des photographes, le malheureux croisa dans le corridor Pacifique Berthet accompagné d'un seul gardien. Il lui cria:

— Dites la vérité, Pacifique! Dites-leur que c'est à votre demande que j'ai acheté la dynamite!

Pacifique le taillada du haut en bas de son regard d'acier mais n'afficha aucune réaction.

Les deux tortionnaires qui venaient d'accabler Ovide firent asseoir

Pacifique sur la même chaise, qu'il occupa du mieux qu'il put, la main appuyée sur une béquille. Ils lui firent prêter serment, mais ne lui parlèrent pas d'avocat. Les deux policiers hésitaient, jouaient avec leurs documents. Tout accablait Ovide, mais sa formidable candeur au cours de l'interrogatoire les avaient ébranlés et ils en demeuraient agacés. Ils se défendaient d'être impressionnables, préféraient s'accrocher à leur conviction. Mais il était possible que Pacifique fût complice. Si oui, ces deux-là se protégeraient. Pacifique trouvait également profit dans la mort de Rita: cinquante mille dollars! Et c'est lui qui avait suggéré l'assurance! Ils s'attendaient à une autre sorte de performance de cet infirme au regard d'aigle. Il serait certainement moins émotif qu'Ovide.

— Pacifique Berthet, vous êtes né à Grenoble, en France, dans une famille d'ouvriers. Votre père était ivrogne et votre mère est morte de tuberculose quand vous aviez quatre ans. Vous avez raison de durcir la mâchoire, car votre dossier à Grenoble, consulté à notre demande par Interpol, nous révèle qu'à l'âge de quatorze ans, après quelques vols avec effraction, vous avez été placé dans une maison de redressement pour dix-huit mois. C'est là que vous y avez appris le métier d'horloger. Vous êtes arrivé à Québec en 1932 et vous avez immédiatement trouvé un emploi à la bijouterie LA CANADIENNE. En 1935, vous avez fait une chute sérieuse qui a dégénéré en coxalgie tuberculeuse. Depuis et jusqu'à l'an dernier, vous avez vécu de petits expédients, d'abord de réparations de montres à votre domicile puis, de petits recels et autres peccadilles. Mais rien de bien grave. Exact?

Leur dossier était bien étoffé. Mais il ne cilla pas.

-- Exact! coupa-t-il.

— A part vos petites visites au bordel du 33 rue Saint-Roch, pas de femmes dans votre vie?

— Non!

Il leur jeta un regard haineux, ses réponses crépitaient, brèves, sèches, comme s'il n'eût pas voulu leur laisser l'occasion de faire durer le supplice de la question. Il était tellement sûr qu'ils ne pouvaient rien contre lui!

— Je suis obligé de payer pour cette chose-là. Dans l'état où je suis, je n'ai pas encore rencontré de femme prête à coucher avec moi gratuitement. La seule qui vient chez moi est une ménagère de soixante-dix ans.

— Vous êtes français. Vous vous plaisez dans la Province de Québec?

— Moins aujourd'hui.

— Le 14 juillet, c'est votre jour préféré pour faire des cadeaux, des statues en particulier?

— Je l'avais promise à Monseigneur Folbèche quand il a quitté la paroisse. Il avait l'air déprimé.

— C'est Ovide Plouffe qui l'a achetée à votre demande le 12 juin. Où la gardiez-vous?

— Sur l'établi, dans l'atelier de réparations.

— Ovide Plouffe demeure au-dessus de la bijouterie?

— Comme si vous ne le saviez pas!

— Il peut donc y descendre en soirée?

— Ça lui arrive même souvent. Il vient faire la comptabilité.

— Et vous?

— Moi, je quitte vers six heures et j'y reviens à huit heures le lendemain matin. Quand j'en sors, je n'ai pas le goût d'y remettre les pieds le soir, encore moins la nuit.

— Vous avez acheté une décapotable blanche, qui avait appartenu à madame Ovide Plouffe?

— Oui, je l'ai payée sept cents dollars. Comme on fait de l'argent avec la bijouterie, j'ai pensé me récompenser. Le garagiste m'a installé un levier à main pour actionner l'accélérateur.

Les policiers l'évaluaient, faisaient durer le silence. Le rapport d'Interpol soulignait que Pacifique Berthet était doué d'une intelligence au-dessus de la moyenne. Ils foncèrent soudain:

— Ovide Plouffe nous affirme que non seulement il a acheté pour vous la statue de saint Christophe, il a aussi à votre demande, fait l'acquisition, chez SAMSON ET FILION, de cinquante bâtons de dynamite et de détonateurs afin, paraîtrait-il, de faire sauter des souches à votre chalet du lac Saint-Augustin.

Pacifique savait qu'Ovide n'avait pas mentionné son nom au commis de la quincaillerie et qu'il s'était contenté de dire "pour un chalet". Sa réponse fendit l'air comme un fouet:

— Il a menti! menti! J'ignore absolument cette histoire d'achat de dynamite. Non mais, quel toupet! Qu'est-ce que j'en foutrais, moi, de la dynamite? Il n'y a même pas une seule souche à mon chalet! A moins que vous me fassiez marcher? Je ne peux pas croire qu'il ait inventé ça sur moi! C'est le comble! Mon propre associé!

Les réponses de cet infirme laissaient les policiers à plat. Tout jeune, à la maison de redressement, il avait appris à faire face aux interrogatoires. Pacifique essaya de changer de posture et grimaça de douleur. Le chef demanda:

— Que pensez-vous d'Ovide Plouffe?

— Un drôle de zigue. D'ailleurs, pour consentir à s'associer avec moi, ça prend un drôle de type. Mégalomane, couvé, gâté par sa mère, considéré comme un petit dieu dans sa famille, il vit dans la chimère, sans arrêt. Une famille de profiteurs, ces Plouffe. Ils veulent tout empocher. Quand nous avons fondé le commerce, le vieux paysan, l'oncle Gédéon, a exigé cinquante-cinq pour cent des actions pour Ovide, m'en laissant seulement quarante-cinq, sous prétexte qu'il nous prêtait dix mille dollars. On l'a remboursé en quatre mois. Une dégueulasserie.

— Vous en voulez à Ovide Plouffe?

— Si ce que vous me dites est vrai, à propos de la dynamite, oui Messieurs, oui majuscule! Quel salaud tout de même! Je n'aurais jamais imaginé que ce garçon, que j'ai aidé, pourrait m'embarquer dans une pareille histoire et me faire soupçonner d'un crime!

— Vous avez bien connu sa femme Rita Toulouse?

— Oui. Elle s'est occupée de la vente au comptoir jusqu'au mois de juin. Bonne vendeuse, très gentille. Un peu flirt. A la fin, ça ne semblait pas marcher sur des roulettes entre son mari et elle.

— Vous en connaissez la raison?

— Non. Je me suis habitué à me mêler de ce qui me regarde.

Autant les policiers étaient restés confondus par les explications d'Ovide, autant ils mesuraient froidement les réponses de l'infirme, cet adversaire trop coriace. Le chef dit, comme si cela n'avait pas d'importance:

— C'est vous qui avez insisté pour que le 14 juillet, Ovide Plouffe prenne l'avion et emmène sa femme avec lui, ce projet étant par la suite encouragé par toute la famille?

Il haussait les épaules. Ces policiers québécois ne faisaient vraiment pas le poids.

— D'abord, le voyage d'Ovide était décidé depuis longtemps pour ce jour-là. Comme j'avais peur que la brouille qui le séparait de sa femme en arrive à faire du tort à notre commerce, j'espérais que durant ce voyage, la réconciliation pourrait se faire. En même temps, ils apportaient mon cadeau à Monseigneur Folbèche, la statue de saint Christophe. C'est pas sorcier.

— Quand avez-vous appris l'accident?

— Par la radio, dans mon automobile. Pour un Français qui ne peut pas marcher, la meilleure façon de célébrer le 14 juillet, c'est de rouler en voiture.

— Croyez-vous que les bâtons de dynamite étaient dans la boîte qu'Ovide Plouffe a apportée à l'aéroport? Celle contenant la statue?

— Je vous répète que j'ignorais l'existence même de cette dynamite. Mon colis était prêt depuis un mois, installé au fond de mon établi, et dûment adressé.

On l'attaqua par un autre biais:

— Ovide Plouffe prétend que, lorsqu'il vous a connu, à l'hôpital, vous aviez installé un dispositif qui vous permettait, par des fils reliés entre votre radio et le réveille-matin, de faire démarrer la musique à sept heures pile? C'est vrai, ça?

Pacifique eut les foies blancs un dixième de seconde. Mais il ne broncha pas.

— L'enfance de l'art. C'est tout simple. Je lui ai même expliqué la façon de s'y prendre.

— Alors Ovide Plouffe aurait pu, pendant la nuit du 13 au 14 juillet, descendre à l'atelier, ouvrir votre colis et y insérer les bâtons de dynamite, les détonateurs et le réveille-matin réglé à l'heure fatidique, refaire le colis et aller tranquillement se coucher?

— C'est vous qui le dites. Mais ça me dépasse! Ovide Plouffe, faire une chose pareille? J'arrive pas à l'imaginer! Non.

— Vous étiez au courant de son voyage de trois semaines sur la Côte Nord, avec la jeune Française, Marie Jourdan, qui lui servait de secrétaire?

— Oui, mais il l'a payée à même sa part des profits. Ça le regarde.

— Vous la connaissez?

— Non, mais je pense que cette histoire avec Marie Jourdan était la cause de la brouille entre madame Rita et Ovide.

Ils exhibèrent le squelette du réveille-matin.

— Ça vous dit quelque chose?

Il hésita puis, imperturbable:

— Si je ne me trompe, c'est le squelette d'un Big Ben. Nous en vendons à la bijouterie.

Ils plongeaient dans ses yeux d'acier des regards persécuteurs. Mais il les soutenait.

— A partir de ce réveille-matin, est-il possible de faire éclater une bombe artisanale à une heure précise?

— Vous vous répétez. Vous-mêmes l'avez affirmé tout à l'heure. Je suppose que oui, avec un peu d'habileté. Mais il ne m'est jamais arrivé d'en fabriquer.

— Ovide Plouffe est-il assez habile pour préparer un tel engin?

— Je ne peux pas répondre pour lui; vous devriez le lui demander.

Les policiers, las de se briser les dents contre ce bloc de granit, conclurent:

— Vous n'ignorez pas qu'un colis contenant une bombe artisanale a fait exploser le DC3 au-dessus de Saint-Joachim?

— Après toutes vos questions, maintenant je m'en doute!

— Saviez-vous qu'Ovide Plouffe annulerait son vol et laisserait sa femme partir seule?

— Non. J'étais sûr qu'il prendrait l'avion lui aussi. Je vous le répète, c'est moi le premier qui ai insisté pour que sa femme l'accompagne.

— S'il l'avait fait, et que l'avion tombait dans le Fleuve, ne laissant aucune preuve, vous héritiez de cent mille dollars? Belle opération!

Il réfléchit avec une intensité surhumaine.

— En effet, fit-il en se raclant la gorge. Il faudrait d'abord prouver que ce colis contenait la bombe. Si oui et si c'est Ovide Plouffe qui l'a fabriquée, il est normal qu'il n'ait pas pris l'avion. Je doute fort que, pour me faire toucher cent mille dollars d'assurance, Ovide Plouffe se serait fait tuer en même temps que sa femme?

Il y eut un long silence. Les policiers comprirent qu'à ce train, ils tourneraient en rond longtemps. Chez l'infirme, dans son logis, dans sa bicoque, à la boutique de réparation, on avait perquisitionné mais on n'avait rien trouvé de compromettant. Et il n'avait pas d'ami, de confident qu'on eût pu interroger à son sujet. On ne pouvait encore rien retenir contre lui. Cependant un doute subsistait. Il fallait garder à l'oeil cet infirme trop intelligent, qui avait réponse à tout. Ils se levèrent:

— Pour le moment, Berthet, on vous relâche. Mais restez à notre disposition. Nous aurons besoin de vous avant, pendant et après le procès d'Ovide Plouffe.

— Notre beau commerce est mort! fit-il en soupirant.

Les mains mal assurées, Pacifique se jucha péniblement sur ses béquilles, épuisé, grimaçant, car sa hanche le faisait souffrir. Bien sûr, il était soulagé d'être relâché, mais c'était la parole d'Ovide contre la sienne! Possible aussi qu'on le soupçonne de complicité dans ce meurtre. Depuis deux jours, l'angoisse lui faisait encore plus mal que sa hanche.

CHAPITRE TRENTE-SIXIEME

On poussa brutalement Ovide dans une cellule moyenâgeuse de trois mètres sur quatre à la prison de Québec, où il s'affala sur un grabat. Il y régnait une chaleur suffocante de juillet. Dans son abrutissement désespéré il essayait d'écarter, de nier la terrible vérité: il était désormais séquestré, privé de la société des autres, de la liberté, de ce monde heureux où les oiseaux chantaient dans les arbres tout près, dont une branche estampillait sur le plancher du cachot l'ombre riante de quelques feuilles. Des cris d'enfants jouant à la balle montaient du parc, en bas, où Wolfe arracha Québec à Montcalm en 1759. Titubant, Ovide marcha vers les trois barreaux noirs de la fenêtre, lesquels striaient le bleu du ciel. Il reconnut le banc où, quelques jours auparavant, il s'était réfugié après sa rupture avec Marie Jourdan. Il s'était alors vainement essayé à l'imaginer à ses côtés pour lui confier l'histoire de sa vie, ses aspirations. Sur ce même banc, au cours du mois précédant son mariage, il avait passé avec Rita de longues soirées coupées de baisers sensuels, de caresses timides aux seins et aux cuisses. Dans ce même banc encore, la semaine dernière, il s'était grisé à l'idée de l'évasion massive des prisonniers de cette prison; il avait rêvé d'en scier tous les barreaux, pour ensuite courir avec les fugitifs vers la liberté.

Au pied du cap, le Saint-Laurent emportait le paquebot EMPRESS OF FRANCE vers l'Atlantique, vers l'Europe; des petits voiliers, des yachts à moteurs le croisaient, le longeaient et le saluaient, tandis que des baigneurs à la plage de l'Anse-aux-Foulons se lançaient dans les vagues nées de son passage. Elles éclaboussaient la rive avec un bruit sourd qui parvenait jusqu'aux oreilles d'Ovide.

Et lui était ici! Prisonnier! Ça ne pouvait être vrai! Son cauchemar durait trop longtemps! Peut-être ne s'en réveillerait-il jamais? Ovide pleurait sans larme des sanglots secs qui lui échappaient comme à une bête. Lui, Ovide Plouffe, incarcéré et bientôt accusé de meurtre! Un long cri d'épouvante monta de ses entrailles, éclata, déchirant. Puis il se rua tête première sur la paroi de pierre. Assommé, il s'écroula. Un garde accourut et fit venir l'infirmier.

***

Après l'arrestation d'Ovide, la famille s'était rendue immédiatement chez Joséphine. Mais les parents de Rita s'étaient désistés avec froideur. Ils n'iraient pas à ce goûter d'après-funérailles chez les Plouffe. D'autres invités en firent autant. On commençait déjà à faire le vide autour du clan.

Chez les Plouffe rassemblés dans la cuisine, régnait une immobilité tragique, traversée de longs soupirs, de bribes de phrases imprégnées d'une angoisse intolérable. Guillaume, Napoléon et Tit-Mé arpentaient la pièce, les mains croisées derrière le dos, courbés, silencieux, s'arrêtant parfois près de Joséphine, véritable amas de chair douloureuse tassée dans sa berçante, le regard perdu au loin, lui caressaient la nuque. Ils disaient dans un souffle, avec une molle conviction:
— Vous savez bien que c'est une erreur, que ça va s'arranger! Ayez confiance.

Pour toute réponse, Joséphine émit une plainte sourde. Son Ovide arrêté comme un bandit, en plein cimetière, après avoir jeté cette poignée de terre sur le cercueil de Rita! A côté de Joséphine, Cécile, sur une chaise à dos droit, retenait ses pleurs et lui frictionnait les mains:
— Vous le savez bien, maman, que la vie est pas juste. Ovide va nous revenir! C'est une erreur! Ils vont bien s'apercevoir qu'il a rien fait. Des placotages de jaloux!

Jeanne, la femme de Napoléon, approchait elle aussi une chaise de l'autre côté et, tout comme Cécile, tapotait les mains glacées de sa belle-mère.

— Cécile a raison. Un malheur comme ça, c'est pas possible que ça dure. En attendant que ça finisse, y faut qu'on se tienne ensemble, serré, serré.

Debout, bras croisés et tête penchée, Monseigneur Folbèche, les yeux mi-clos, priait sans doute. Sur la banquette près de la porte de gaze, le commandant Bélanger ne soufflait mot et semblait très démonté. Ce genre de malheur le dépassait, lui donnait le goût de fuir. Tout près du téléphone accroché au mur, Gédéon, le poing crispé, attendait un appel hypothétique.

— Rien, rien, on n'est pas capable de rien savoir, se tourmenta Guillaume, et c'est arrivé il y a déjà trois heures!

Napoléon se planta devant Gédéon et hurla:

— Mais qu'est-ce qu'elle fait votre Auréa? Votre secrétaire de Duplessis! Entendre parler que vous aviez tellement d'influence!

Bredouillant, humilié, tragiquement inquiet, Gédéon n'avait jamais éprouvé une telle impuissance. Déjà deux heures écoulées depuis son appel à la secrétaire du Premier Ministre. Elle ne le retournait pas! Et Ovide était déjà emmuré dans un donjon de silence, maçonné par la société. Gédéon tentait d'évaluer l'immensité de la tragédie. Il ne restait plus à Ovide, pour le moment, que les prières de ceux qui l'aimaient. Le paysan tremblait devant ce Napoléon rendu féroce par la douleur, dont les yeux exorbités le suppliaient:

— Patientons encore, protesta Gédéon. Si mademoiselle Auréa rappelle pas, c'est parce qu'elle espère des nouvelles elle aussi, probable?

— Si on ouvrait la radio, on saurait peut-être, fit timidement le commandant Bélanger.

— Non! cria Joséphine. Pas de radio!

On n'ouvrit pas l'appareil, car on savait qu'on y entendrait de terribles nouvelles. Tit-Mé, par la porte de gaze, jeta un regard à la rue.

— Y a du monde qui se ramasse, en bas.

— Ah! mon Dieu! murmurèrent les trois femmes.

— Je vais aller voir se qui se passe, fit le commandant, heureux de ce prétexte inespéré lui permettant de s'esquiver rapidement.

Napoléon et Guillaume vinrent vérifier, leur désarroi se manifestant par un long soupir saccadé. Leurs épaules se collèrent. Napoléon regarda longuement Jeanne, qui comprit et, embrassa à nouveau la main grassouillette de Joséphine. La sonnerie du téléphone retentit, lequel, comme un coup de tonnerre, les fit tous sursauter. Gédéon se précipita. "Enfin! Mademoiselle Auréa?" Aussitôt les traits de son visage tombèrent. Aux Plouffe haletants il fit non de la tête. Ce n'était pas mademoiselle Auréa. Mais il écoutait et son visage devenait livide, sa moustache tremblait. Il raccrocha. Tous comprenaient. Il ne demandèrent même pas: "Et puis?" Gédéon se défilerait-il? Les laisserait-il apprendre la vérité de quelqu'un d'autre? Son regard tomba sur la photo de son frère Théophile qui sembla lui dire: "T'es mon frère aîné, Gédéon. Attends pas! Prends tes responsabilités! Parle! Fais tout ce que tu peux pour les aider!"

Gédéon se dit que c'était un devoir qui incombait d'abord à Monseigneur Folbèche. Mais celui-ci ne disait rien. Gédéon se racla la gorge.

— On peut accuser quelqu'un, vous savez, et se tromper. Ça arrive souvent; après on libère l'accusé.

— L'accusé de quoi? cria Guillaume.

— Ben. C'est une voisine qui vient d'appeler et qui dit qu'on prétend à la radio qu'Ovide va être accusé du meurtre de Rita et de vingt-deux autres passagers de l'avion, avec une bombe. Ovide est rendu à la prison de Québec. Ça a pas de bon sens.

Toute vie fut interrompue dans la cuisine, comme si la même explosion les eût tués eux aussi.

— C'est pas vrai! C'est pas vrai! hurla Joséphine.

Tous se précipitèrent sur elle, s'agglutinant autour de son désespoir. Elle leur échappa, se dressa, et bondit vers Gédéon.

— Gédéon! Appelle Maurice Duplessis lui-même! Je veux le voir tout de suite!

Gédéon la faisait se rasseoir.

— Attendons à demain, Joséphine. Aujourd'hui, c'est pas possible. Faut qu'on retrouve nos nerfs. Et tu sais ce que c'est, la radio. On prétend qu'on va l'accuser, mais c'est loin d'être fait. Pâmons-nous pas!

Monseigneur Folbèche qui, tout ce temps, s'était tu, avait prié tout bas, s'approcha de Joséphine et, de son index, lui fit une croix sur le front. Il parla d'une voix ferme:

— Joséphine, je vous dis qu'Ovide n'est pas coupable de cette chose monstrueuse. Donc, il sera libéré.

Epuisée, elle pleura contre cette main qui l'avait bénie. Elle se lamentait:

— Il est dans une cellule, tout seul, et il veut mourir de peine, je le sens! Et je suis pas là! Emmenez-moi à la prison, que je lui parle, que je le console, que je lui dise qu'on est avec lui! Tous nous autres!

Le vieux prêtre les examina. Il faisait face à une famille assommée, qui ne réagissait plus. Une chaude lumière s'installa en lui. Il redevint soudain le berger sans peur et sans reproche, comme si ces Plouffe eussent représenté toute son ancienne paroisse. Il se dressa et les secoua de sa voix vibrante:

— Je reste ici avec vous tant que cette stupide erreur judiciaire ne sera pas corrigée. Et ce n'est pas au presbytère que je vais demeurer! Le nouveau curé me traite comme un intrus, je nuis à son autorité! Si vous le voulez bien, Joséphine, c'est ici même que je vais m'installer, en bas, dans le logement de Guillaume. Je dirai la messe tous les matins. J'obtiendrai facilement la permission de l'Archevêché. Pour un temps, le vicaire s'occupera seul de ma paroisse, là-bas. Qu'en pensez-vous, Joséphine?

Joséphine renaissait, haletante. Le Christ venait s'installer chez elle! Sa maison deviendrait une chapelle! Ovide était presque sauvé! Elle éclata, vibrante:

— Oui! Oui! Monseigneur! Que vous êtes bon! Cécile! va falloir aller préparer sa chambre!

— Tit-Mé, fit Guillaume, tu retournes à Anticosti tout seul. Moi je peux pas. Faut que je reste.

Gédéon se promenait de long en large, comme endiablé tout à coup.

— Moi, faut que je déniche un bon avocat criminaliste. Ça coûtera ce que ça coûtera!

— On partagera les frais, fit Napoléon en s'approchant de Jeanne, qui acquiesçait.

— C'est entendu que, même si c'est cher, je paierai ma part, fit Cécile.

— On n'aura jamais vu une famille se tenir comme ça, continuait Napoléon. Rentre à la maison, Jeanne, va t'occuper des enfants, des téléphones des clients. Nous autres, la famille, on va se parler.

— Je suis pas de la famille? dit-elle doucement.

Il hocha tristement la tête.

— Dis pas des choses de même. On est embarqué dans une épreuve terrible, et chacun de son bord doit protéger le bien gagné, notre équilibre, notre énergie. Mais c'est d'abord Ovide qu'y faut sauver. Pour quelque temps, va falloir que tu m'aides encore plus, que tu me guettes. Protège les enfants, surveille notre commerce. Ça va être ben dur, Jeanne!

Elle se serra une seconde contre lui, embrassa Joséphine et partit.

— Le commandant est pas remonté. On le reverra plus, fit doucement Cécile.

Elle pensait au petit Nicolas, aux frais d'avocat qui seraient très élevés. L'avenir s'annonçait pénible et ne lui réserverait plus grand' joie. Des idées saugrenues lui traversaient l'esprit: finie l'espérance de conquérir le jeune assistant-contremaître. Demain, elle se rendrait sur les quais, jeter dans le Fleuve l'uniforme de Miss Sweet Caporal et cette robe de mariée qu'elle s'était faite, jadis, qui n'avait jamais servi.

Personne ne parlait, chacun essayant d'évaluer les retombées de cette affaire sur sa propre vie. Gédéon songeait que son influence auprès de Maurice Duplessis serait finie. Il craignait aussi qu'aucun avocat criminaliste de calibre ne veuille accepter de défendre l'accusé d'un meurtre aussi odieux. Napoléon savait que son commerce en souffrirait au point de frôler de faillite. Finis ses contrats du gouvernement. Déjà Napoléon acceptait bravement ces malheurs, pourvu que l'essentiel fût sauf: la libération d'Ovide. Guillaume se disait qu'il ne pourrait pas reprendre avec Marie Jourdan cette idylle commencée au bord de la Jupiter. Etre si fort et se sentir si impuissant! A la guerre, il tuait des ennemis, faisait des prisonniers, accomplissait des actions extraordinaires. Et ici, en temps de paix, il ne pouvait rien pour sauver son propre frère! Au fait, si Ovide était réellement coupable? Il frissonna, songeant à l'Allemande qu'il avait abattue, là-bas. Ovide, trahi par sa femme, en aurait-il fait autant? Il pensa à leur cabane d'Anticosti, où Tit-Mé et lui s'étaient promis de vivre de beaux jours jusqu'à l'automne. Ah! combien sa mère semblait souffrir!

Joséphine se berçait, les yeux clos, geignant d'une plainte saccadée, monotone, comme si elle eût tenu un enfant dans ses bras et se fût endormie en même temps que lui. Tit-Mé ouvrit furtivement le fourneau, en sortit deux tourtières mises à chauffer pour le retour des funérailles et les installa sans bruit sur la table.

— Le ketchup est dans l'armoire, dit faiblement Joséphine.

Guillaume secoua son frère Napoléon:

— On va les retrouver, nos sens, on va les retrouver! grondait-il tout bas. Faut qu'on sorte notre frère de là! Faut!

En effet, chacun essayait de faire lever du plus profond de lui-même cette flamme du courage sans laquelle aucun salut ne peut s'accomplir.

CHAPITRE TRENTE-SEPTIEME

Deux jours passèrent où, malgré les démarches de l'oncle Gédéon auprès du bureau du Premier Ministre et de Monseigneur Folbèche auprès de l'Archevêché, toute rencontre avec Ovide fut interdite. Celui-ci, la tête douloureuse d'une "prune" résultat de son plongeon contre le mur de la cellule, se voyait transporté comme une guenille, d'interrogatoire en interrogatoire; ses souffrances de chaque instant frôlaient l'hallucination et le faisaient flotter dans une demi-conscience où il s'acharnait à répéter "Je suis innocent! Je suis innocent!"

Puis la nouvelle de l'accusation contre Ovide Plouffe de meurtre prémédité, s'abattit sur la ville de Québec comme un coup de gong apocalyptique, se répandit instantanément à travers le monde. Pour la première fois dans l'histoire, un criminel avait fait sauter un avion au moyen d'une bombe à retardement, afin de se débarrasser de sa femme et en vue de recevoir les cinquante mille dollars d'assurance qui lui permettraient de s'installer à Paris avec une serveuse de restaurant. Dans toutes les familles, à tous les niveaux de la société, on ne parlait que du meurtre fabuleux, imaginé par ce garçon de famille modeste, aux apparences tranquilles, autodidacte, bijoutier, amateur d'opéra et commentateur à la radio. Les photos d'Ovide, menottes aux mains, de Rita, en Miss Sweet Caporal, de Marie Jourdan, qu'on disait sa maîtresse, de l'accusé et de sa femme le jour de leur mariage, faisaient la une de tous les journaux. Des centaines de curieux défilaient devant la bijouterie, fermée jusqu'à nouvel ordre, longeaient et lorgnaient ensuite la maison de Joséphine. Des gamins y lancèrent même des cailloux dans les vitres. Guillaume les remplaçait à mesure. La ville obtenait une publicité mondiale, devenait le point de mire de l'actualité: l'infamie rendait Québec célèbre. Des quatre coins du globe, des reporters excités bouclaient leurs valises et convergeaient vers elle. On en comptait déjà une vingtaine sillonnant la cité, la paroisse, à l'affût de détails croustillants et inédits. Quelques-uns osèrent même se présenter chez Joséphine, mais Guillaume les repoussa. On assaillit Pacifique Berthet, bien sûr, puis tous ceux qui, de près ou de loin, avaient bien connu Ovide Plouffe et Rita Toulouse.

Le plus anxieux et le plus fébrile de tous ces journalistes arriva de New York, à l'aéroport de l'Ancienne-Lorette. Ce long jeune homme élégant, bien découpé dans un costume gris rayé, était Denis Boucher, Québécois de naissance, jadis voisin des Plouffe et grand ami d'Ovide. Il avait fait ses armes comme correspondant de guerre, puis travaillait à présent pour les grands magazines américains TIME et LIFE. Il s'emplit les poumons de cet air de Québec qu'il n'avait pas respiré depuis quatre ans et consulta sa montre. Son rendez-vous avec le Premier Ministre, obtenu par la haute direction de TIME, était fixé à midi. Encore deux heures d'attente. Denis avait donc le temps d'arrêter chez les Plouffe. Quelle veine lui tombait du ciel! Ses amis lui raconteraient des choses qu'ils ne diraient jamais à d'autres! Denis connaissait le milieu comme le fond de sa poche. Il insisterait aussi pour obtenir du Premier Ministre la permission de rencontrer l'accusé. L'affaire finie, il repartirait de Québec reporter célèbre. Désormais il serait quelqu'un à New York. Son ami Ovide, coupable d'un meurtre pareil! Allons donc! Quelle aventure exaltante Denis vivait! Il sauta dans un taxi.

***

La maison des Plouffe était en quarantaine, comme si la peste y avait sévi. Les voisins, les amis faisaient souvent un détour pour ne pas la longer, de peur de rencontrer Joséphine, ses fils ou Cécile. Quel dévouement montrait Monseigneur Folbèche, installé au rez-de-chaussée, dans le logis de Guillaume, où il célébrait la sainte messe tous les matins à l'intention de l'accusé et de sa famille ou, insinuaient les mauvaises langues, pour exorciser la maison du génie diabolique d'Ovide! Les Plouffe, hagards, déboussolés, essayaient de se ressaisir, de ramasser les débris de courage qui leur restait pour former front commun contre le désespoir et organiser à tâtons la lutte aveugle qui sauverait l'accusé.

On fit d'abord savoir à Joséphine qu'elle ne pourrait voir son fils avant le dimanche suivant. Les autorités, point de mire de l'univers, traversaient une crise de fureur et de zèle où la magnanimité ne trouvait plus place: Ovide était devenu être abject indigne même de l'affection des siens. Quel monstre! La photo du journal le montrant avec sa maîtresse au consulat de France inspirait le dégoût total. Il y riait à belles dents, le verre d'une main, de l'autre, tenant Marie Jourdan par la taille, pendant que sa femme mourait avec vingt-deux autres personnes, dont plusieurs enfants!

Tit-Mé était retourné à Anticosti. Avant son départ, Napoléon et Guillaume avaient tenu avec lui un colloque de mousquetaires. Il y aurait de l'action! On n'allait pas se laisser faire! Le moment venu, on lui enverrait un télégramme à Port-Menier où n'apparaîtrait qu'un seul mot: "Matane". Alors Tit-Mé devrait se rendre immédiatement à cet endroit, sur la côte de Gaspé, et téléphoner à Guillaume. Tit-Mé n'aima pas les yeux de celui-ci, devenus deux tisons vengeurs, en fut inquiet: Guillaume, champion tireur, avait-il l'intention d'abattre d'une balle de 270FM, le bourreau qui s'apprêtait à tuer son frère? Tit-Mé, le prenant à part, lui avait dit:
— Fais pas le fou, toi, là. Si tu tues, t'es pendu. Alors, plus de cabane. Jamais!

Ce matin-là, tandis que Monseigneur Folbèche arpentait la cuisine, dans son logis d'occasion, en lisant son bréviaire, les deux frères, coudes sur la table de cuisine, crispés, se faisaient face, les dents serrées. Ils attendaient des nouvelles de leur mère. De force ou presque, elle avait traîné Gédéon vers le Parlement, où aucun gendarme ne pourrait l'empêcher d'aller se jeter aux genoux du Premier Ministre. Gédéon n'avait pu obtenir cette rencontre? Joséphine fonçait quand même comme une bête désespérée. Guillaume, incrédule, hochait la tête.

— J'ai pas grand'confiance que maman puisse le voir.

— Tu la connais pas encore? Je te dis, moi, qu'elle va réussir!

Guillaume se leva, arpenta la cuisine de long en large, puis se rassit.

— L'avocat que mon oncle Gédéon a engagé, personne le connaît. Un jeune sans expérience!

— Le bonhomme a tout fait pour avoir les meilleurs; pas un a voulu. Et puis, qu'est-ce que ça peut faire? Ovide se défendrait tout seul que ça ferait pareil! Puisqu'il est innocent! protesta Napoléon.

Guillaume ne poursuivit pas. Il n'osait saper, par son scepticisme, cette volonté de vaincre qui animait Napoléon, Joséphine et Cécile. Oui, Cécile! Il pensa à cette admiration affectueuse qui grandissait en lui pour sa soeur, laquelle, en dépit du calvaire que cela constituait pour elle, se rendait quand même à la manufacture, où ses compagnes ne lui parlaient déjà plus, soit par gêne, soit par commisération, soit par une sorte de condamnation de la tribu, tout ce qui s'appelait Plouffe étant honni et rejeté.

— Notre Cécile est bien courageuse, fit Guillaume dans un soupir.

Son frère approuvait:

— Je suis bien fier d'elle. Elle fait face à la musique, même si personne lui parle. Le fait qu'elle soit là, à son établi, qu'elle travaille comme si de rien n'était, ça veut dire: "Mon frère est innocent". Elle si près de ses sous, a même promis de partager les frais d'avocat. Y a seulement toi qui as pas l'air sûr. Ça m'agace!

— Y a de quoi. Penses-y comme il faut. C'est pas croyable, toutes les preuves qu'ils ont amassées contre lui; c'est inquiétant!

Napoléon rougissait de colère.

— Tu recommences encore! Je te répète que c'est une affaire de fous. Le coupable, c'est Pacifique Berthet, son associé. J'ai jamais aimé sa face, à ce gars-là. Et dire que j'ai passé trois soirées à lui fabriquer des belles béquilles en aluminium!

Guillaume était incapable de s'accrocher à une idée fixe et de s'y tenir, comme Napoléon. Son séjour en Europe, sur les champs de bataille, les drames qu'il avait vécus, observés, avaient développé en lui le virus du doute, à propos de tout, de n'importe quoi.

Tenaillé par le secret de la trahison de Rita, ignoré de toute la famille, croyait-il, trahison qu'elle avait avouée à Ovide, Guillaume alla trop loin:

— Napoléon, as-tu pensé que...on sait jamais, Ovide, devenu comme fou d'amour pour Marie, l'aurait fait sauter, l'avion?

Les yeux du plombier s'exorbitèrent, se strièrent de sang. D'un bond, après avoir poussé sa chaise du pied, il sauta sur Guillaume, le secouant avec fureur.

— Répète-moi jamais ça! entends-tu? C'est comme si tu déroulais une corde pour le pendre! Ovide, notre p'tit frère, a rien fait. Ces maudits soupçons-là, arrête-moi ça! Tu comprends? Que je t'entende plus jamais!

Il lâchait son frère, qui se raccouda, la tête entre les mains, ne voyait pas les larmes qui mouillaient les cils de Napoléon.

— Le monde est tellement changé, soupira Guillaume. Y a pus rien comme avant.

— On n'a pas changé, nous autres, coupa Napoléon encore essoufflé.

Guillaume semblait parti très loin.

— On dit ça! Prends, toi, un petit plombier, t'es devenu un homme d'affaires. Tu fais des combines avec les politiciens pour obtenir des contrats. Tu paies des commissions, même.

Napoléon fit la moue.

— Oui. Parlons-en! Des contrats qui commencent à diminuer, de tous mes clients en général. Et je suis à veille de perdre les plus importants, ceux du gouvernement, justement; surtout celui de la prison. Les concurrents se démènent, font des démarches. Je suis prêt à faire faillite, Guillaume, mais je défendrai Ovide jusqu'au bout! rugit-il pour masquer le sanglot qui nouait sa gorge.

Guillaume, après réflexion, laissa tomber:

— J'ai pensé à ça souvent. De près, de loin, veux, veux pas, on est toujours responsable de la mort de quelqu'un. Par exemple, as-tu pensé que si on s'était mêlé de nos maudites affaires à Anticosti, si on n'avait pas brisé la romance entre Ovide et Marie, as-tu pensé que peut-être Rita serait pas morte?

Ces paroles de Guillaume firent pâlir Napoléon. Puis il éclata:

— On a tué Rita, à c'te heure! C'est ça, vas-y! Tant qu'à être parti! Es-tu fou? T'es comme Ovide, tu jongles trop. En tous cas, je t'avertis! Doute si tu veux, invente-toi des remords de cave, mais démoralise-nous pas! On a été honnête et si c'était à recommencer je recommencerais! Mets-toi le dans la tête!

— Tu vois? Ça te travaille, hein, toi aussi?

Napoléon se retint pour ne pas sauter à nouveau sur Guillaume.

— Ce qui me travaille, c'est de faire libérer Ovide. Rien que ça! Et on va réussir! Si tu veux pas m'aider, reste dans ton coin. Y a toujours ben une limite!

Guillaume eut honte soudain de troubler ainsi Napoléon, si bon, si borné mais si entier.

— Si tu savais comme j'aimerais redevenir tel que j'étais avant la guerre. Tranquille, je riais souvent. On faisait les fous, tous les deux, tu te rappelles?

Napoléon grinçait des dents à nouveau.

— Y est pas question de nos petits souvenirs! Pense donc à Ovide! C'est terrible ce qu'il doit endurer. J'aimerais ça le serrer contre moi si fort, assez fort pour lui briser les côtes. Je lui dirais plusieurs fois de suite: "lâche pas, on est avec toi, on t'aime et on va te sauver! Les Plouffe, ça peut accomplir n'importe quoi!" Ah! si maman peut réussir à parler au Premier Ministre!

Une longue silhouette, tenant deux petites valises, se découpait derrière la gaze de la porte:

— Allô les gars!

Ils se retournèrent brusquement, prêts à chasser un autre importun de journaliste. Guillaume, le premier, le reconnut.

— Denis Boucher!

— C'est not' Denis! s'exclamait Napoléon, bondissant vers la porte. Entre!

Ils se donnèrent l'accolade. Denis Boucher! Sa présence faisait naître l'espérance. Denis Boucher, le meilleur ami d'Ovide, était accouru du bout du monde. On alla tout de suite à l'essentiel:

— T'es venu pour aider Ovide! je suis certain! exultait Napoléon.

Denis corrigea doucement:

— Comme ami oui. Mais je suis d'abord ici à titre de journaliste et je dois assurer la véracité des faits. C'est à ma demande auprès de l'Editeur, à New York, que j'ai obtenu le mandat de couvrir le procès. Ma connaissance du milieu, de votre famille et d'Ovide lui-même devrait me faciliter les choses. Grâce à vous, aussi, dix millions de lecteurs connaîtront exactement Ovide et auront des informations, liront des anecdotes qu'aucun autre reporter ne pourra fournir. Allez-vous m'aider?

— Si on va t'aider! A mort!

Ils s'accrochaient à lui, mendiaient de tout leur être une phrase importante. Denis comprit. Il lui fallait être catégorique.

— Je connais Ovide par coeur et je suis convaincu qu'il n'est pas coupable! fit-il avec fermeté.

— Je te l'avais dit! Guillaume! hurla Napoléon.

***

Gédéon, atterré, suivait Joséphine qui, en ligne droite, fonçait dans le corridor menant au bureau du Premier Ministre. Gédéon savait bien que sa démarche serait vaine. Mais comment refuser cette faveur à une mère désespérée? Gédéon n'affichait plus cette souveraine confiance en lui-même qui l'habitait l'automne dernier, quand il avait parcouru le même corridor pour sortir Tit-Mé du pétrin. Maurice Duplessis, plus fort de son pouvoir après la fin de la grève de l'amiante, avait depuis pris ses distances avec ses organisateurs ruraux. Du moins c'est de cela que Gédéon tentait de se persuader, refusant d'admettre que c'était l'explosion de l'avion causée par son neveu Ovide Plouffe qui avait mis fin à son influence sur le cher Maurice. On le disait furieux. Il avait perdu davantage qu'une élection: les Américains ne le respectaient plus, eux qui se voyaient privés par la tragédie de Saint-Joachim, de trois des plus importants dirigeants de leur industrie sidérurgique. Sa "Belle Province" était devenue un lieu de honte! Joséphine ralentit le pas. Où était ce fameux bureau? Des journalistes éconduits en sortaient justement. Auréa, la secrétaire, fronça les sourcils en apercevant cette matrone rondelette et essoufflée, talonnée par Gédéon haletant. Il doubla Joséphine:

— Bonjour, Mademoiselle Auréa. Vous voyez, je suis venu, même si vous m'avez pas rappelé. Je vous présente ma belle-soeur Joséphine, la mère d'Ovide Plouffe.

— Il est innocent, Mademoiselle! Faut que je voie monsieur Duplessis! s'exclama Joséphine.

La secrétaire, embarrassée, hocha la tête vers Gédéon:

— Vous n'auriez pas dû venir, Monsieur Plouffe. Le patron ne sera pas content du tout.

— Faites ça pour moi, Mademoiselle Auréa! Je veux le voir une seule minute! supplia le paysan.

Elle hésita, puis se dirigea vers la porte du Premier Ministre et l'ouvrit. Gédéon eut peine à retenir Joséphine qui s'était précipitée à la suite de la secrétaire. Celle-ci revint au bout d'une minute et dit à Gédéon:

— Il va vous voir, mais seul. Je vous avertis qu'il est à prendre avec des pincettes.

Gédéon réussit à faire s'asseoir Joséphine près du bureau d'Auréa. Elle protestait, éplorée:

— Mais c'est moi, la mère d'Ovide! C'est à moi d'être reçue. Il a eu une mère, lui aussi, monsieur Duplessis, il me comprendrait!

Gédéon insistait:

— Prends patience, je vas préparer le terrain. Sois raisonnable, Joséphine. Parle avec Auréa. Tu vois, j'ai au moins obtenu de le rencontrer! Sois fine et calme-toi.

Le froid à l'estomac, il laissa Joséphine à la secrétaire et eut l'impression d'entrer dans un antre: celui du Chef.

Ce qui fut dit entre les deux hommes resta à tout jamais secret, Gédéon refusant par la suite d'aborder le sujet. Mais il fut humilié, brisé, honteux d'être l'oncle de cette fripouille, Ovide Plouffe, cet assassin qui, de plus, dans des lettres ouvertes aux journaux, s'était déjà permis de traiter Duplessis de potentat, de dictateur, d'ennemi de tout progrès.

Joséphine attendait, attendait. Plus la conversation durait, plus elle s'accrochait à son espérance. Elle dit à la secrétaire, qui lui offrait un café:

— Non, merci. Mon Dieu, que vous avez l'air d'une femme de coeur! Vous me comprenez, vous, hein? C'est terrible de voir son enfant accusé d'un meurtre qu'il a pas commis. Ah! je suis tellement découragée, Mademoiselle! Tâchez de parler en bien de notre famille à monsieur Duplessis. Je suis sûre que vous avez beaucoup d'influence sur lui. Hein? Tâchez!

Puis elle parla d'Ovide, son enfant si bon, si exceptionnel. La secrétaire promit à Joséphine de répéter ses paroles au Premier Ministre, mais elle tempérait, cependant:

— Monsieur Duplessis est un homme bon et sensible, c'est vrai. On le dit tout-puissant. Mais il ne peut rien contre le cours normal de la justice, particulièrement dans un cas comme celui-ci.

— Mais s'il veut, il est tout-puissant contre l'injustice aussi!

C'est ça que je lui demande! Je vous jure qu'Ovide est innocent, Mademoiselle! Oui je vous le jure!

Elle se mit à pleurer, comprenant l'inutilité de sa démarche. Elle en fut convaincue quand lui parvint un violent éclat de voix:

— Deviens-tu fou? Gédéon? On dirait que tu t'imagines qu'Ovide Plouffe a seulement coupé quelques poteaux de téléphone, comme ton fils Tit-Mé? Il a tué! Il a tué vingt-trois personnes!

Du corridor, un jeune homme jaillit soudain derrière Joséphine. La secrétaire fit non de la tête.

— Le Premier Ministre ne reçoit aucun journaliste. Je regrette.

Il lui tendit une copie de télégramme.

— Je suis Denis Boucher, du TIME de New York. Mon rendez-vous est pour midi.

Elle se mordit la lèvre.

— Oh! excusez-moi! En effet, il vous attend. Patientez un instant, je vous prie.

Joséphine se retournait lentement, médusée.

— Mais c'est mon Denis! Mon beau Denis!

— Madame Plouffe!

— T'es venu pour Ovide, ton seul ami! s'extasiait Joséphine, en l'embrassant et en le serrant contre elle.

— J'irai chez vous ce soir, chère Madame. Nous reparlerons de tout ça. Prenez courage. Tout n'est pas perdu! fit-il, se dégageant.

— Rien! rien n'est perdu! corrigeait-elle. Et parle pour notre Ovide!

La secrétaire prit le téléphone et avertit son patron que le journaliste de TIME était arrivé. Quelques secondes plus tard, Gédéon, presque poussé dehors, apparaissait dans l'antichambre, livide, mais tenant une enveloppe. La secrétaire précéda Denis Boucher dans le bureau du Premier Ministre.

— Il veut pas me voir! cria Joséphine.

Gédéon la saisit par le bras, l'entraîna comme une bouée dans le corridor.

— Pas aujourd'hui. C'est mieux. Mais j'ai c'te lettre-là. On peut visiter Ovide, toute la famille, cet après-midi, à deux heures. Une permission du Chef lui-même, signée de sa main. Et j'ai obtenu aussi que Napoléon perde pas son contrat de la prison.

Elle verrait Ovide! Joséphine oubliait Duplessis. Denis, si intelligent, venu spécialement de New York, plaiderait encore mieux qu'elle la cause de son fils. Le vieux couple malheureux se rendit à la maison pour rassembler le clan en vue de la grande visite et Napoléon interpréta la protection de son contrat comme un signe d'espoir. L'arrivée soudaine de Denis Boucher s'annonçait aussi comme une intervention de la volonté divine.

En effet, Duplessis tenait à l'interviou de Denis Boucher. Il lisait TIME et LIFE chaque semaine, en connaissait la portée mondiale. Il fut cauteleux, aimable pour ce jeune homme qui avait vécu à Québec et qui pouvait faire ressortir les qualités du peuple de La Belle Province, encenserait intelligemment son bon gouvernement, ses richesses naturelles, sa main-d'oeuvre excellente et bon marché. Cette explosion d'avion, crime odieux, était incompréhensible dans un milieu si conservateur qui admirait et aimait tellement les Américains! Bien sûr, Denis comprenait parfaitement. Il fit beaucoup de charme, lui aussi, promit à Duplessis d'écrire un article sympathique. Il eut droit à un sauf-conduit spécial. Il serait l'unique journaliste à rencontrer le célèbre prisonnier seul à seul, dès le lendemain. Mais il ne fallait pas ébruiter la chose.

CHAPITRE TRENTE-HUITIEME

Recroquevillé sur le grabat de sa cellule trop étroite, Ovide, depuis trois jours, touchait à peine ses repas. Les yeux vitreux, très fébrile, il sursautait au moindre bruit: celui des clés du geôlier, celui des prisonniers passant devant sa cellule, qu'il pouvait apercevoir par un guichet pas plus grand qu'un hublot de navire. Dans cette ouverture, apparaissaient souvent les figures grimaçantes d'incarcérés revenant du préau. Ils invectivaient Ovide et, de l'index, indiquaient l'endroit du col où la corde l'étoufferait.

— Couic! Couic! criaient-ils.

Il se toucha la gorge et essuya de son mouchoir déjà souillé la sérosité jaunâtre venue d'une fissure qu'il s'y était faite, longue de cinq centimètres. Le geste répété des prisonniers avait déclenché chez Ovide un tic, se gratter le cou de l'index, même pendant son sommeil.

Que de couic! il avait entendus depuis trois jours! Ils lui rappelaient les poules chipées auxquelles Guillaume, à l'époque de la crise économique, tordait le cou avant de les plumer. Il constatait avec terreur que tous les pensionnaires de la prison, voleurs à l'étalage, fraudeurs, receleurs, le méprisaient, le haïssaient. Ils lui criaient par le hublot de quitter les lieux au plus vite pour la potence, n'acceptant plus d'habiter une prison où logeait un criminel aussi monstrueux. Heure après heure, leurs couic! devenaient plus rageurs et le geste de leurs mains sur la gorge se faisait plus lent, plus précis, plus appuyé, plus vengeur. Comme ils le détestaient!

L'idée du suicide effleura Ovide. Mais comment faire? Sans miroir dans cette cellule, il ne pouvait vérifier l'étendue de sa blessure, mais au toucher, il la voyait s'agrandir. Elle lui rappelait, en plus menue, la plaie purulente qu'il avait observée, à l'hôpital, à la hanche de Pacifique Berthet. Il se traîna devant les barreaux. Comment les oiseaux osaient-ils encore chanter devant lui? Qu'il était seul! Qu'il était abandonné de tous! Aucune nouvelle de sa famille ou des événements extérieurs. Et pourtant, les Plouffe avaient dû essayer de le joindre, surtout sa mère? Ah! pourvu qu'eux au moins ne le soupçonnent pas, ne l'accusent pas comme le reste du monde!

Ces trois jours avaient été pour lui un martyre de tous les instants, prémonitoire de ce que devait être l'enfer. Grinçant leitmotiv, l'interrogatoire des deux policiers tournait dans sa tête comme un disque usé qui ne s'arrêtait jamais. Pourquoi Pacifique niait-il lui avoir demandé d'acheter la dynamite? Il le revoyait, rangeant ces bâtons meurtriers dans le grand tiroir de son établi. S'il y avait bombe dans la statue de saint Christophe, c'était lui, Pacifique, qui l'y avait mise! Mais il n'y avait aucun témoin de la demande de Pacifique à Ovide quant à l'achat des explosifs? Avait-on arrêté l'infirme? Il se rappelait maintenant le désarroi de Berthet quand il l'avait vu sourdre vivant, au retour du consulat. La police ne pouvait rien invoquer contre Pacifique, tandis que lui, Ovide, était écrasé par un formidable réseau de preuves circonstancielles. Il grondait de douleur, de révolte, mais seuls des sons gutturaux, inarticulés, sortaient de sa gorge. Alors il se retournait sur son grabat, face au mur, se sentant devenir fou. Et il le souhaitait. Peut-être était-il vraiment le coupable, puisqu'il était déchiré en deux personnalités depuis si longtemps: l'Ovide qui agissait et l'autre qui le regardait faire? Peut-être avait-il, dans une crise de somnambulisme, mis les bâtons de dynamite dans les bras de la statue de saint Christophe, installant sur la tête de plâtre, en guise de couronne, ce réveille-matin Big Ben relié aux bâtons par des fils de laiton? Tous les êtres humains ne portent-ils pas en eux, obscurément, un criminel qui sommeille? Que de fois, en pensée, il avait rêvé de tuer ceux qui l'insultaient, l'humiliaient, se moquaient de lui! Stan Labrie, par exemple. La justice n'avait peut-être pas tort de soupçonner Ovide Plouffe? Ah! ciel! Il aurait dû pardonner à Rita.

Puis, de révolte désespérée contre la saleté du monde et pour crier la pureté de ses sentiments, la hauteur de ses idéaux, il avait réclamé du papier, un stylo. Comme Caryl Chessman, il s'expliquerait, raconterait sa vie, ses frustrations, sa solitude dans un monde où il ne s'adaptait pas. On les lui refusa. S'il s'agissait d'une confession, on exigeait un témoin. Des clés tintèrent. Il sursauta, cacha sa blessure du revers de la main, car la figure du geôlier surgissait dans le hublot. La porte s'ouvrit.

— Suivez-moi au parloir. De la visite pour vous.

— L'avocat?

On ne répondit pas. Un policier devant et un derrière, menottes aux poignets (on ne devait prendre aucun risque avec ce monstre), Ovide s'arrêta net devant sa famille en vêtements du dimanche: Joséphine, Cécile, Napoléon, Guillaume, Monseigneur Folbèche et l'oncle Gédéon.

Il y eut d'abord un lourd silence où Ovide les examina comme sur une photo de famille, figés par la pose. Eux, abasourdis, ne voyaient ni le fils, ni le frère, ni l'ami. Il était un Ovide de légende, prêté par les ténèbres, où il retournerait bientôt. Ce fut Joséphine qui parla la première:

— Ils t'ont mis des menottes? Pas besoin de menottes!

— Qu'importe, j'ai toujours été enchaîné! murmura-t-il.

Le policier, voyant Monseigneur Folbèche, les lui enlevait. Quand il eut les mains libres, il bondit sur sa mère. "Ah! maman!" "Mon petit, mon petit!" Cécile se joignit à elle et répétait, comme une idiote: "Tout le monde sait que t'es innocent, innocent, innocent, innocent. A la manufacture, tout le monde te défend. Ton martyre va bientôt finir!" Puis ce furent Napoléon et Guillaume qui le saisirent, le serrant entre eux deux si fort, qu'il crut étouffer. "Lâche pas! Lâche pas! On s'occupe de toi! Tu seras libéré! Aie pas peur!"

— Et Arlette? bredouillait Ovide.

Bien sûr, il était préférable qu'Arlette ne vît pas son père ici, dans un si pitoyable état. Maigre, fiévreux, les cheveux raides et sales, la figure bariolée d'écorchures de rasoir, il oubliait sa plaie au cou, que Joséphine la première remarqua:

— Mais qu'est-ce que c'est que ça, qu'est-ce qu'ils t'ont fait?

— En dormant, je me suis égratigné. La nervosité, vous comprenez. C'est devenu un tic.

— Et ils sont trop sans-coeur pour te mettre de la teinture d'iode? Vous, la police, avertissez donc le directeur! Vous avez une infirmerie, ici, non?

Elle le prit par les mains, faisant reculer les autres. Elle le regardait avec une intensité telle, qu'on eût dit qu'elle voulait l'aspirer tout entier pour qu'il reprît place dans ses entrailles. Elle s'enfuirait ensuite. Ovide répondait à ce voeu, éprouvait le même désir de se fondre en elle en une impossible transsubstanciation. Avec une douce naïveté d'enfant réprimandé injustement, il murmura: "Je suis innocent, maman, c'est une erreur affreuse".

Joséphine aurait voulu trouver des phrases extraordinaires, rassurantes, capables d'envelopper son Ovide comme des langes tièdes imprégnés d'amour et de confiance. Elle ne put que dire:

— Bien sûr que t'es innocent! Ta cellule est confortable, j'espère?

— Toutes les cellules se ressemblent, maman. Ça n'est pas ma première.

— T'es sorti du monastère, tu sortiras de prison, coupa Cécile.

C'est Napoléon qui secoua le cauchemar, les fit tous revenir à la réalité.

— Ovide, mollis pas. Ton ami Denis Boucher vient d'arriver de New York, et il va écrire la vérité à la face du monde entier. Il commence son enquête aujourd'hui et on va l'aider!

— Denis! s'écria Ovide. C'est bien vrai?

C'est la seule nouvelle qui le fit se redresser un peu. Que Monseigneur Folbèche dît sa messe à son intention dans le logis de Guillaume, tous les matins, ne l'avait pas trop ému. Que Napoléon, à coups de menton volontaires, lui promît sa libération pour bientôt ne le convainquait pas non plus. Tous ces gens ne semblaient donc pas se rendre compte qu'il était accusé de meurtre, accablé de preuves circonstancielles éclatantes! Mais que Denis Boucher fût là, avec sa plume, son intelligence et son amitié!

— Aimeriez-vous vous confesser? dit doucement Monseigneur Folbèche.

— Confesser quoi? fit-il, rétif.

— Vous confier, si vous aimez mieux. Ça vous ferait du bien.

— Dis oui, fit doucement Joséphine.

— Plus tard, plus tard, merci, dit-il tout bas, craignant la réprobation de sa mère.

Puis Gédéon osa parler:

— On a engagé ton avocat à matin. Un petit gars ben brillant. Il te verra après-midi. Fais-y confiance. Dis-y tout!

Ovide hoqueta:

— On m'en a avisé. Et je sais d'avance qu'il va me suggérer de plaider les troubles psychologiques, la folie peut-être!

Ses jambes flageolaient. Il s'assit sur un tabouret qu'on lui avançait, puis, tête dans les mains, pleura.

— Arrête ça, fit Napoléon, en le prenant par les épaules. La preuve qu'on te croit pas coupable, c'est que Duplessis a pas voulu m'enlever le contrat de plomberie de la prison. Hein, mon oncle? Ça été décidé à matin.

Sur le visage de Gédéon, aucun trait ne bougea.

— En plein ça.

Mais depuis que son neveu Ovide était entré dans la salle, il le voyait pendu au bout d'une corde. C'est Guillaume qui, nerveux, courut après le prisonnier qu'on ramenait à sa cellule.

— Et surtout, mets pas le nez à ta fenêtre. Tu entends! Quelqu'un pourrait te tirer dessus! Ovide, je t'aime tu sais!

Guillaume dut revenir à sa mère évanouie.

***

A son retour à la manufacture, Cécile fut avisée de prendre un repos de quelques semaines. Elle eut beau protester, plaider la nécessité de gagner de l'argent pour participer au paiement des frais d'avocat, rien n'y fit. Sa seule présence à l'établi, où elle continuait de travailler comme une fourmi, indiquait sa foi en l'innocence de son frère et sa confiance de voir ses camarades partager la même conviction. On fut charitable, on lui fit comprendre que le chagrin étirant son visage huit heures par jour démoralisait ses consoeurs, ralentissait la production et faisait régner une atmosphère malsaine dans son département. Elle n'eut pas le courage d'annoncer la mauvaise nouvelle à sa mère et s'en alla se coucher, prétextant une forte migraine.

Napoléon eut une conversation pénible avec son gérant de banque. Celui-ci insistait, craignant qu'à cause de la sale histoire arrivée à Ovide, les clients l'abandonnent. Il était urgent que Napoléon se fasse payer les comptes dus, baisse son inventaire, au cas où sa marge de crédit se verrait coupée. En tel cas, ce serait la faillite de NAPOLEON ET FILS. Assis sur le coin du bureau métallique maculé de cambouis, couvert de factures, Guillaume voyait Napoléon suer à grosses gouttes.

— Le gérant de banque me lâche pas. Il est convaincu que je vas m'écraser. Tu parles d'une vie. Depuis l'arrestation d'Ovide, je suis même pus capable de travailler. Jeanne a beau faire son possible, on glisse, on glisse! C'est vrai, tu sais! Les clients appellent presque pas, comme si tout à coup, on était devenu des plombiers pourris, des minables, des pestiférés. Et les enfants, qui sont plus endurables!

Guillaume se leva, les poings serrés, agité d'une fureur impuissante.

— Chienne de vie de chienne de vie! On est grand, on est fort, on est honnête et on peut rien!

Et, donnant des coups de poing dans les murs, comme s'il eût pu abattre des barrières:

— J'ai envie de prendre ma carabine et de tuer, de tuer! Mais qui? A la guerre, tu cours, tu fonces, tu cries, tu sais que tu vas rencontrer des ennemis et que tu vas en faucher plusieurs! Et tu vas être décoré, en plus! Mais à quoi ça te sert de savoir viser s'y a pas de cible! C'est tout le monde entier qui est contre nous autres, Napoléon. Je suis même plus capable de lire les journaux. Partout la photo d'Ovide Plouffe, le monstre! Notre frère, Poléon! C'en est même rendu que je pense qu'il est coupable!

— Ferme-toi!

Le cri de Napoléon avait claqué tellement sec qu'il gela la crise de Guillaume. Ses épaules s'affaissèrent.

— Excuse, Poléon. Moi, je sais plus! Je comprends plus!

Napoléon lui martela la poitrine de petits coups de poing fraternels.

— C'est surtout pas le temps de lâcher, de faire des folies. Ovide est innocent, ça va finir par éclater. En attendant on est responsable de toute la famille. Si t'as le goût de tuer tant que ça, prends ta carabine et va descendre des corneilles. Y en a plein les arbres! Ça va te calmer, maudit énervé. Les banques, les plomberies, les placotages des journaux, c'est temporaire. Regarde maman, c'est pour elle que c'est le plus terrible, et pourtant...

— Penses-tu que Denis Boucher peut faire quelque chose, pour vrai? quémandait Guillaume, penaud.

Napoléon réfléchit profondément.

— De lui je m'attends à tout. Un peu croche, mais fort. C'est surtout l'ami d'Ovide.

***

Malgré cette atmosphère dramatique, Denis Boucher marchait allègrement vers la maison de Joséphine, portant deux valises, dont celle de sa machine à écrire. Bien sûr, la terrible tragédie qui s'abattait sur Ovide le consternait, mais en même temps il éprouvait une étrange allégresse: celle du reporter presque anonyme, à l'emploi d'une énorme usine journalistique, perdu dans la grande ville de New York, découvrant soudain un sujet sensationnel susceptible d'assurer son avenir.

C'est pendant la guerre qu'il avait rencontré les correspondants du magazine TIME. Il leur avait tellement plu par son charme, son intelligence et son caractère primesautier, qu'à la fin des hostilités on lui avait fait obtenir un emploi au bureau chef, dans le secteur des arts et des lettres. Mais il n'y était qu'un gratte-papier parmi tant d'autres. Quelle audace il avait eue de réclamer qu'on l'envoie "couvrir" le procès d'Ovide Plouffe! Il ne décevrait pas ses employeurs, les émerveillerait au contraire. TIME, grâce à son correspondant spécial Denis Boucher, battrait de plusieurs longueurs LE MONDE, LE FIGARO, le TIMES de Londres, le NEW YORK TIMES et tous les journaux canadiens. On verrait de quoi il se montrerait capable!

Quelle entrevue extraordinaire Duplessis lui avait accordée! Les traits passionnés du célèbre Premier Ministre sur les richesses minières, forestières et hydroélectriques du Québec, sa haine des intellectuels pluralistes, ennemis de la tradition, qui se permettaient de dénoncer son nationalisme et son autorité politique, avaient fait bouillonner à nouveau chez Denis les élans de sa jeunesse ardente. Denis lui-même, à l'époque, avait dénoncé le nationalisme et prôné le socialisme, au grand désespoir de Monseigneur Folbèche. Cher curé!

Ah! pauvre Ovide. Quelle histoire! Denis se rappela cette soirée où son ami, désespéré, lui avait avoué ne pouvoir s'adapter à aucun groupe, ni à aucun métier. Ovide était-il du genre à devenir meurtrier? Il est vrai que les marginaux rêveurs et déséquilibrés peuvent parfois déboucher sur le crime? Toutes ces présomptions contre Ovide! C'était inimaginable! Ovide avait-il revécu à sa manière l'opéra *Paillasse*, où le poignard dans la poitrine de Colombine se transformait en bombe à retardement dans un avion? Pour cela, il fallait que Rita l'eût trompé. A vérifier. Ovide un criminel? Ah! non, pas Ovide, si sensible, qui, dans le hangar derrière sa maison, racontait à l'enfant Denis Boucher les librettis des grands opéras. Il lui lisait aussi de célèbres romans français, dont *Fantomas*, *Les Misérables*, communiquant à sa jeune intelligence avide la soif de connaître les rudiments de la culture, lui ouvrant la voie de l'aventure intellectuelle!

Le romancier soudain possédé par un grand sujet n'est pas plus exalté que Denis Boucher le fut quand il mit les pieds dans les rues de la paroisse où il avait grandi et qu'il avait quittée depuis tant d'années. Rien n'était changé, pourtant il sentait bien qu'un monde transformé y habitait. A preuve, cet incroyable meurtre. Les grandes villes vous éparpillent, vous écrasent, votre esprit ne les domine pas. Ici, dans cette basse ville de Québec, Denis se sentait puissant, souverain tout à coup. Il tenait dans ses mains ce quartier ouvrier qui, à cause d'Ovide, était devenu le point de mire de l'univers!

Comme il avait hâte de revoir Madame Plouffe, dont le visage ravagé l'avait troublé dans l'antichambre du Premier Ministre! Quel enfer pour elle! Pourvu que lui, Denis, arrive à se convaincre de l'innocence d'Ovide! Alors, aussitôt, dans sa première dépêche, après avoir rencontré l'accusé à la prison, il laisserait soupçonner l'erreur judiciaire; évidemment, sur la même lancée, il plairait au Premier Ministre en participant à redorer le blason du Québec.

Son front se rembrunit, son pas ralentit. Cet après-midi, au Cercle des journalistes, dans un bar et même dans la rue, il avait trouvé partout la même haine contre Ovide, la conviction unanime qu'on le pendrait haut et court. Il longea la bijouterie placardée, puis l'église qui lui rappela le curé Folbèche. Comme il se sentait chez lui, ici, dans ces rues étroites, comparées à la 5ème Avenue! Des gens, des jeunes filles, des amis d'enfance le reconnaissaient. "Denis, Denis Boucher! Ça parle au diable! D'où tu sors? Te v'là revenu?"

— Bien oui. J'arrive de New York, de la grande Amérique! Pour une vacance!

Maintenant il lui fallait convaincre Joséphine de le garder chez elle le temps que durerait le procès. Il gravit les marches deux par deux et, comme jadis, bondit dans la cuisine. Joséphine, les yeux rouges et reniflant, préparait un panier de provisions pour Ovide. Monseigneur Folbèche réconfortait Cécile qui, dans une longue crise de larmes, venait d'avouer son licenciement de la manufacture.

— Parfois, disait Monseigneur, il faut égrener les épreuves comme un chapelet et garder quand même l'espérance.

— Hellô! fit Denis.

— Mon Denis! s'exclama Monseigneur.

CHAPITRE TRENTE-NEUVIEME

Joséphine put enfin dormir, cette nuit-là. Elle commençait son état de siège contre les assauts du destin, forte déjà de deux puissants alliés, le bon Dieu, puis Denis Boucher à la tête d'une armée de dix millions de lecteurs. Dans sa maison même, au rez-de-chaussée, veillaient l'ostensoir, les saintes espèces et Monseigneur Folbèche; tout près d'elle, sur le même plancher, Denis Boucher fourbissait son arme, sa machine à écrire au ruban tout neuf. Le reporter n'avait pas eu de peine à se faire héberger. Joséphine, ravie, l'avait installé avec Guillaume dans l'ancienne chambre de celui-ci, remonté près de sa mère, parce que gêné par la promiscuité du tabernacle et du curé. Denis écrirait ses reportages sur la table de cuisine, sous les yeux mêmes de Joséphine. Il s'était dit que l'atmosphère de cette maison et la présence de la famille éplorée, le conditionneraient et donneraient à ses dépêches une authentique dimension humaine. Plus encore: c'est ici, au coeur du champ de bataille, qu'il découvrirait l'essentiel: pourquoi Ovide s'était jeté dans un tel pétrin et comment prouver son innocence.

Il était minuit et cette soirée de fin juillet était si belle, que le reporter sortit sur la galerie et s'assit, genou droit dans ses mains croisées, sur le banc de tramway que le défunt Onésime avait donné jadis à Cécile. Il fit l'inventaire des événements, se remémorant la haine dont Ovide était l'objet, les accablantes présomptions contre lui. Denis se surprit à murmurer: "je ne donne pas cher de sa peau". Il se secoua. Aux premières heures de son arrivée à Québec, Denis s'était grisé des retrouvailles avec les lieux, les amis d'enfance. Et tout à coup, sur le point de s'endormir, il apercevait le précipice qui le séparait d'eux, restés figés dans une existence sans horizon. Il lui fallait l'admettre: il leur était devenu étranger. Il essaya de chasser cette amère constatation: si le cynisme le gagnait ses reportages manqueraient de chaleur. Et ces Plouffe qui comptaient sur lui comme ultime planche de salut! Par deux fois, avant d'aller se coucher, Joséphine, impatiente, lui avait demandé pourquoi il ne commençait pas à écrire tout de suite pour clamer l'innocence de son fils. Ça l'avait agacé.

La nuit fraîchissait. Il boutonna son pyjama. Un léger bruit le fit alors se retourner. Cécile, en jaquette, nu-pieds, se tenait immobile derrière la gaze de la porte.

— Viens t'asseoir, Cécile. Viens causer?

Sans un mot elle s'installa à ses côtés. Il dit après un long silence:

— C'est une bonne chose que pour un temps, tu n'ailles pas à la manufacture, Cécile.

Le coeur gros, mais essayant de retenir son émotion, elle soupira:

— Je sais plus ce qui est bon ou ce qui est mauvais. C'est fou, avec Rita, je riais, je rajeunissais, je commençais à oublier que je suis seulement une vieille fille finie.

Denis eût dû protester, la réconforter. Son impatience l'en empêcha et il préféra demander:

— Donc, vous vous entendiez bien, Rita et toi?

Bien sûr! Elle lui raconta, multipliant les détails, comment elle avait commencé d'apprécier sa belle-soeur, ce printemps, quand Ovide se montrait si froid avec sa femme.

— Pourquoi ce froid? Ils s'étaient disputés?

Cécile s'était souvent posé la question.

— Peut-être qu'il pensait seulement à ses billets à la radio et aux affaires de politique? Il y avait aussi la serveuse Marie Jourdan. Pour Ovide, tu comprends, les Françaises, c'est pas rien! Peut-être aussi parce que Rita voulait plus travailler à la bijouterie? Ovide, là-dessus, a jamais appris pourquoi, mais moi je le sais. Rita me l'a dit.

— Ah? Pourquoi?

— Rita, fit-elle, après avoir hésité un long moment, m'a fait pourtant promettre de jamais en parler. Et même si je le dis, y a pas eu de témoin. Ça avancerait pas grand'chose. J'en suis certaine.

— Comment voulez-vous que je vous aide si vous me cachez des informations? Je veux tout savoir!

— T'as raison, soupira-t-elle. Pendant qu'Ovide était en voyage, imagine-toi donc que Berthet, son associé, avait pris un p'tit coup. Il s'est traîné aux genoux de Rita en lui disant qu'il l'aimait. Elle a eu peur, puis s'est fâchée en le traitant de sale infirme!

— Hein? fit Denis.

— Ben oui, mais elle l'a regretté. Après, elle a pas voulu retourner au comptoir. Elle avait peur de lui et je la comprends. Elle a rien dit de ça à Ovide, pour éviter la chicane dans les affaires, qui allaient bien. Ça fait qu'Ovide a remplacé sa femme par un commis, moins bon qu'elle dans la vente.

Denis l'interrompit:

— Elle l'a traité de sale infirme, dis-tu? Et tu hésitais à me l'apprendre? Mais c'est terriblement important!

— Je sais bien. C'est pour ça que je me suis décidée à t'en parler. J'attendais que maman soit endormie. Encore une fois, je te le répète, y a pas eu de témoin. Et je suis la soeur d'Ovide. Je pourrais être accusée d'inventer une histoire pour protéger mon frère. Va pas écrire ça, toi, là!

Denis s'emballait soudain.

— D'abord, Cécile, dis-toi que tu ne seras accusée de rien. Mais tu m'as mis sur une piste formidable. Grâce à toi je vais pouvoir mieux orienter mes recherches!

— Seigneur, soupira-t-elle. Je me demande...

Elle s'interrompit. Guillaume montait l'escalier, portant sous le bras un coffre d'outils de plombier. "Pas encore couchés?" fit-il, et disparut à l'intérieur, très furtivement.

Denis et Cécile causèrent encore quelques minutes. Elle put même sourire en racontant cette sauterie où, costumée en Miss Sweet Caporal, elle dansa le boogie woogie avec l'abbé Marquis. Puis elle rentra. Denis commença aussitôt à dresser son plan pour le lendemain. A la première heure, il verrait Pacifique Berthet. Quand Denis réintégra la chambre partagée avec Guillaume, il surprit celui-ci en train d'extraire de la boîte à outils une carabine Winchester 270FM. Mais Guillaume ne fit que lever les yeux.

— Es-tu allé à la chasse aux corneilles? dit Denis.

L'autre haussa les épaules.

— Tu lis pas les journaux?

— Je lis surtout ceux où j'écris.

— Le lendemain de l'arrestation, le fils de seize ans d'un des directeurs américains morts dans l'accident, est arrivé à Québec armé et décidé à descendre Ovide. La police l'a poigné sur les Plaines d'Abraham proche de la prison et l'a retourné aux Etats-Unis. Mais ces millionnaires-là peuvent payer un tueur professionnel? Donc je fais la patrouille aux alentours, surtout en bas de la cellule d'Ovide. C'est pour ça que je lui ai fait promettre de jamais se montrer à la fenêtre. On sait jamais.

Denis s'inquiéta de la lueur intense et dure qui brûlait le regard de Guillaume, cette lueur lui rappelant les champs de bataille de l'Europe.

— La guerre est finie, Guillaume. Ça n'est pas le temps de faire une bêtise qui se retournerait contre ton frère. Penses-y et sois prudent, fit-il, plus inquiet pour Ovide.

Avec un grognement sourd pour seule réponse, Guillaume s'étendit, dévêtu sur les couvertures, la nuque dans ses mains croisées. Puis, voyant que Denis s'apprêtait à dormir:

— Y a un type qui me chicote et personne en parle.

Denis rejeta son drap.

— Hein?

— Ouais, fit Guillaume. Tu te rappelles Stan Labrie?

— Sûr! Je me rappelle! L'impuissant! Il n'est pas mort, celui-là?

Guillaume mesurait ses paroles. Comment attirer l'attention de Denis sur Stan Labrie sans lui révéler du coup que cette gouape avait entraîné Rita dans de menues débauches responsables de l'échec du mariage d'Ovide?

— Tu sais, fit-il, évasif, Stan Labrie, après la guerre, a fondé un réseau "d'hôtesses" pour les congressistes de passage à Québec. Tu comprends ce que je veux dire? Malgré le mariage de Rita, il a continué de rôder autour d'elle. C'est lui, le maudit, qui lui a fait obtenir son titre de Miss Sweet Caporal. Mais Ovide y a vu, et Rita s'est pas laissé avoir!

— Pourquoi me parles-tu de Stan Labrie, alors? fit Denis, qui sentait une réticence chez Guillaume.

— Parce que le jour des funérailles, juste après l'arrestation d'Ovide, je l'ai vu courir derrière Berthet qui se sauvait entre les pierres tombales. J'étais loin, mais j'ai de bons yeux. Y a quelque chose de curieux là-dedans. Mais j'ose pas les approcher, ces deux-là. Je les étriperais avant qu'ils commencent à se défendre. Ça me donnerait quoi?

Denis Boucher s'assit sur le bord du lit; il n'avait plus sommeil.

— Mais tout converge sur cet infirme! Guillaume? Nom d'un chien! que vient faire Stan là-dedans? Il s'agit de sauver la vie de ton frère! Sors tout ce que tu sais!

Guillaume se retint. Révéler l'inconduite de Rita, utilisée par Stan Labrie, c'était accabler Ovide d'un puissant motif capable de lui mettre la corde au cou? Il haussa les épaules.

— Je t'ai dit ça, comme ça, parce que ça me chicote. Stan doit connaître des choses qu'on sait pas sur l'infirme. Stan est un gars qui s'acharne sur nous depuis des années. Que veux-tu que je te dise de plus? geignit-il. Je passe cinq mois sur douze à l'Ile d'Anticosti!

Denis se recoucha, convaincu que Guillaume ne disait pas tout.

— Très bien. Demain, je verrai Berthet, Marie Jourdan, Stan Labrie et Ovide. Mon flair suppléera bien à vos réticences.

— Laisse Marie Jourdan en dehors de ça! Pauvre petite, elle a déjà assez souffert. Elle a rien à faire là-dedans.

Denis fronça les sourcils.

— Tiens! Toi aussi, Marie Jourdan?

— C'est pas tes oignons, grogna Guillaume en lui tournant le dos. Si tu veux, demain, j'irai te conduire chez l'infirme avec l'auto de Napoléon?

— Non, merci. J'irai seul. Ta présence inquiéterait Berthet et tu nuirais à ma stratégie. D'ailleurs TIME paie toutes mes dépenses.

Denis commençait à en vouloir à ce Guillaume trop discret, fermé, et peut-être sur le point de commettre une bêtise avec sa carabine. Le reporter garda l'oeil ouvert longtemps. Ces Plouffe, qu'il avait connus si francs, si directs, savaient sur Ovide et Rita des choses qu'ils gardaient farouchement pour eux. On se tenait, dans la tribu! Des éléments désordonnés se bousculaient dans son esprit: *Stan Labrie, le réseau d'hôtesses, Miss Sweet Caporal, Sale infirme.* Il réussit enfin à s'endormir, renforcé dans sa conviction, Rita avait trompé son mari et celui-ci le savait.

***

Le lendemain matin, comme dans son enfance, Denis fut servant de la messe célébrée avec une ferveur émouvante par Monseigneur Folbèche, qui utilisait pour autel la table de cuisine. Le brave prêtre voyait dans l'arrivée de Denis Boucher un message d'espérance à eux tous envoyé par le Seigneur, il était presque heureux. Autrefois l'adolescent Denis, contestataire incorrigible, avait été son cauchemar et à la fois son paroissien préféré, aimé comme un fils. Il sourit d'attendrissement à l'entendre réciter le *Suscipiat* avec un léger accent américain. Napoléon, Jeanne, Cécile, Joséphine restèrent agenouillés tout le long de la cérémonie, absorbés par la célébration, marmonnant des prières. Guillaume, sur un seul genou, semblait de marbre. A l'Elévation, étrange présage, une vitre vola en miettes; le caillou lancé par un gamin effleura la tête de Napoléon, qui ne bougea même pas. Denis fut soulagé de quitter cette atmosphère trop lourde, de sauter dans le taxi qui l'attendait. Joséphine et Napoléon l'avaient suivi. Penchés dans la portière, ils le harcelaient:

— Faudrait absolument commencer à écrire aujourd'hui, Denis, ça presse! répétait Joséphine.

Napoléon enchaîna:

— J'aimerais ça que tu viennes visiter ma boutique après-midi. Tu vas voir que je suis outillé moderne, aussi moderne qu'à New York.

— Oui, oui, fit Denis impatienté.

Le taxi démarra. Ces Plouffe commençaient à lui taper sur les nerfs. Il ne fallait pas le leur montrer mais les comprendre. Il consulta son carnet. Un bon reporter sait dénicher les adresses avec une célérité étonnante pour le commun des mortels. Arrivant directement devant le chalet de Pacifique Berthet au lac Saint-Augustin, il trouva l'infirme arrosant les géraniums au fond du terrain.

L'ouïe aussi développée que la vue, Pacifique, percevant une présence, virevolta sur ses béquilles. Tel une bête prête à mordre il fit face à ce jeune homme désinvolte, mains aux poches, qui l'examinait avec insistance.

— Hellô! Mon nom est Denis Boucher, du magazine TIME de New York.

— Je n'ai rien à dire et allez-vous-en! J'en ai marre des reporters!

— Vous êtes français?

— Et vous? grogna Pacifique.

— Oui, cher compatriote.

Le goût de l'arnaque verbale, faiblesse et force de Denis, montait à sa bouche. Ses yeux pétillaient. Il se devait de frapper immédiatement, sinon il reviendrait bredouille.

— Je suis depuis vingt-quatre heures à Québec. Un peu partout on parle de vous en ville. Cette assurance sur la vie de madame Rita Plouffe, vous en êtes aussi bénéficiaire?

Touché! Pacifique avait blêmi.

— Pensez ce que vous voudrez! J'en ai rien à foutre!

— A votre aise, fit Denis, nonchalamment. C'est dommage pour vous, cette attention qu'on vous porte. Pensez que j'écris pour dix millions de personnes. C'est beaucoup. D'un trait de plume, si vous m'aidez, je peux faire sauter le soupçon qui vous pointe, aussi facilement que d'autres font sauter un avion.

Pacifique scrutait Denis intensément, comme s'il eût été devant le mécanisme d'une montre sophistiquée. Il examinait ses traits fins, la forme de sa bouche, de ses mains, l'éclat intelligent, presque amusé du regard. Ce garçon semblait très malin. Prudence!

— Que voulez-vous que je vous dise? Ne suis-je pas assez éprouvé, tel que vous me voyez, sans qu'on me soupçonne en plus d'un meurtre commis par un fou?

— Ovide Plouffe? suggéra Denis.

— J'ai pas dit ça, corrigea sèchement l'infirme.

Voyant Berthet enclin à parler, le reporter s'installa sur la petite véranda, jambes pendantes dans le vide. Alors Pacifique devint plus bavard, fit le récit des circonstances où Ovide et lui s'étaient rencontrés pour la première fois. Devant l'attention passionnée du reporter, il conclut:

— Et savez-vous pourquoi il s'est intéressé à moi? Parce que je m'appelle Pacifique Berthet et que je viens de Grenoble. Il m'a raconté qu'un grand écrivain, un certain Stendhal, s'était inspiré, dans le temps, du meurtre commis par un nommé Berthet pour écrire un roman.

— J'espère que vous n'êtes pas un deuxième Berthet! fit étourdiment Denis.

— Comme farce plate, c'est réussi! trancha l'infirme.

— Excusez-moi! fit Denis, se mordant la lèvre. Puis, se frappant le front: *Le Rouge et le Noir* de Stendhal. Ça me revient! C'est bien là du Ovide Plouffe!

Il y eut un silence. Berthet se repliait, soupçonneux à nouveau. Denis s'en voulut de son exclamation imprudente.

— Vous connaissez Ovide? fit Berthet, grattant nerveusement le sol du bout de sa béquille.

Denis haussa les épaules.

— Tout le monde en parle. Il est facile d'imaginer son portrait psychologique. C'est passionnant. C'est un criminel vraiment exceptionnel.

— Montrez-moi votre carte de journaliste, coupa Berthet, qui regrettait de ne pas l'avoir exigée avant.

Denis la lui exhiba. A demi rassuré, Pacifique scruta à nouveau le visage du reporter, en ajoutant:

— Oui, un bien drôle de zigotto, Ovide Plouffe.

Puis il glissa un coup d'oeil furtif à ses géraniums.

A partir de là Denis se heurta à un mur. Il s'en voulut de sa maladresse. Il ne tirerait plus rien de cet homme alerté, fermé, pétrifié depuis longtemps dans son amertume d'incurable. Il salua Pacifique et lui décocha un clin d'oeil cynique.

— Je crois que nous nous reverrons.

— Je n'y tiens pas, dit sèchement l'infirme.

Denis fit signe au chauffeur de taxi qu'il partait à l'instant, mais prit le temps de laisser tomber:

— J'ai entendu dire entre les branches que la police avait découvert dans le sac à main de la victime, Rita Toulouse-Plouffe, intact parmi les débris de l'avion, le journal intime qu'elle rédigeait chaque jour. Il paraît qu'elle y parle de vous; elle laisse même entendre que vous l'aimiez beaucoup.

Pacifique devint livide, mais encaissa le coup sans broncher et sans dire un mot. Satisfait d'avoir marqué son précieux point, Denis partit en lui disant, moqueur, "A la prochaine, Monsieur Berthet."

Sur le chemin le menant chez Marie Jourdan, le reporter devint convaincu de la participation de Berthet au célèbre crime. Quoique imperceptible, la réaction de l'infirme devant l'incident inventé du journal intime confirmait les dires de Cécile. Berthet avait aimé Rita!

Denis se frotta les mains et songea que le mensonge est comme une roche lancée dans l'eau calme: elle produit des cercles, mais on ne peut jamais prévoir combien. Aucun doute: ce pavé dans la mare de Berthet en créait beaucoup! L'infirme, en ce moment, devait s'en ronger les ongles! On verrait, on verrait! Pour l'instant le reporter se passionnait de plus en plus pour son enquête. Berthet était un coupable possible, mais Denis ne pouvait chasser le point d'interrogation accolé à son ami Ovide. Ces grands noms, Stendhal, Berthet, puis celui de Julien Sorel, à qui Ovide et lui-même Denis, s'étaient identifiés jadis, ne s'étaient-ils pas mis à tournoyer dans l'esprit vulnérable du trop sensible disquaire, à créer un maelström piégeant l'autodidacte dans la folie? Comme les policiers, Denis effeuillait la tragique marguerite. Berthet, Ovide, Berthet. Qui était le vrai coupable? Les apparences jusque-là condamnaient absolument l'accusé. Denis eut alors très hâte de le rencontrer cet après-midi afin d'être rassuré. N'était-il pas délégué à Québec pour rapporter les faits, pour servir à dix millions de lecteurs une information sans bavure? Denis se promit de refréner ses tendances à la subjectivité et au coup de pouce à la vérité. Par contre, un bon journaliste n'est-il pas aussi un limier?

***

Quand, à l'appartement de Marie Jourdan, on lui ouvrit la porte, il se trouva en face d'une forte femme, à l'accent parisien, matrone sans doute à l'emploi du Deuxième Bureau. Marie était maintenant sous la protection du consulat français, pour qui cette affaire devenait extrêmement délicate. A Paris on suivait avec inquiétude les développements de cette odieuse affaire de meurtre, où la fille d'une comédienne liquidée par le maquis était compromise. Cela, au moment où l'on désirait panser les plaies de la division nationale entre Pétainistes et Gaullistes. Cette gardienne était certainement chargée d'isoler Marie des importuns, journalistes tout spécialement.

— Je vous répète, Monsieur, que Mlle Jourdan ne voit aucun reporter. Vous entendez! Je regrette!

Denis comprit qu'il était inutile d'insister. Même le nom prestigieux de TIME n'ébranlait pas cette femme qui, à n'en pas douter, avait à répondre en haut lieu. Derrière l'épaule du gendarme en jupon, Denis aperçut Marie, debout contre le mur, qui l'observait avec angoisse, les mains fébrilement croisées. Comme elle était belle! Il comprit Ovide et peut-être même Guillaume d'avoir été séduits. Il lui sourit de loin:

— Prenez courage! Je suis aussi un ami d'Ovide Plouffe! Il n'est pas coupable! Je vais l'aider!

On lui claqua la porte au nez. Ni étonné ni trop déçu, il se contenta d'avoir vu cette Marie Jourdan. Il l'eût volontiers emmenée en voyage au bout du monde pour plusieurs mois!

— Maintenant, à l'attaque de Stan Labrie! fit-il entre ses dents.

***

Vers onze heures, ce matin-là, Stan Labrie, arrosoir en main, rafraîchissait des fleurs, dont les pots s'alignaient sur le balcon à l'arrière de sa garçonnière.

Depuis la mort de Rita, il vivait dans une angoisse mêlée d'inquiétude, de chagrin, de remords. Chaque jour Bob l'architecte le harcelait au téléphone, craignant que l'enquête ne révélât son aventure avec la femme d'Ovide. Si jamais l'architecte était appelé à la barre aux témoins, c'en était fini de sa fructueuse carrière à Québec et de son mariage. Stan bredouillait toutes sortes de réponses à moitié rassurantes. Non, il n'avait encore entendu parler de rien qui les concernât. Et qu'avait à voir l'explosion de cet avion avec ses fredaines d'amateur de jolies femmes? Mais Bob raccrochait, plus tourmenté encore.

Stan ne s'intéressait plus à rien, sauf aux journaux, dévorés dès leur parution. Il négligeait son réseau "d'hôtesses". Les beautés de sa troupe, éparpillées aux quatre coins de la ville, l'appelaient souvent, en quête d'agréables et lucratives missions. Elles le traitaient de lâcheur quand il leur expliquait que l'été, il avait moins de coeur à l'ouvrage, se contentant de soigner ses pétunias et de faire un peu de recrutement sur les plages. Il leur demandait d'être patientes et raisonnables. Par une chaleur pareille, les clients rêvaient davantage de pêche à la truite et de promenades en chaloupe, sous les ombrages, qu'à des ébats amoureux où la sueur colle à la peau.

A vrai dire, il songeait de plus en plus à quitter ce métier d'entremetteur, que la mort de Rita lui faisait maintenant haïr. Il ne sortait que tôt le matin pour ses journaux. A chaque coup de sonnette il sursautait, craignant le pire: une visite des policiers.

Il remplit l'arrosoir avec lassitude. Il s'ennuyait de Rita, souffrait d'une dépression empirant chaque jour. Plus la rumeur publique vouait Ovide à la pendaison, plus il s'épouvantait. Mais qu'y pouvait-il, puisque le mari de Rita était coupable? C'était clair! Tout concordait. Mais au moment de conclure que le meurtrier devait être châtié, l'image fulgurante de Pacifique Berthet sur ses béquilles arrivait à la rescousse d'Ovide, se surimposait, obsédante, impossible à chasser.

Puis il commença d'humecter le secteur "pots aux roses". Le jeu de mots l'épouvanta. Dans toute cette tragédie, c'était lui, jusqu'à un certain point, le pot aux roses. Si jamais on le découvrait! Son esprit en désarroi commençait vraiment à divaguer, puisque, immédiatement après cette évocation farfelue, il revoyait Rita, venue l'été dernier, à l'époque des cinquante dollars orange, l'aider à soigner ses fleurs. Brandissant la chaudière vide, elle avait chanté, drôlatique: "Le lendemain, elle était souriante, à sa fenêtre elle venait chaque jour, elle arrosait ses petites fleurs grimpantes, avec de l'eau de son petit arrosoir."

Comme ils avaient ri! Et maintenant elle était morte. Il n'entendrait plus jamais son rire perlé de gamine, il ne verrait plus Rita qui incarnait pour lui toutes les femmes qu'il ne posséderait jamais! Le coeur lourd il déposa le seau-arrosoir et rentra dans son appartement. L'ameublement et la décoration, d'une délicatesse quasi féminine, se ponctuaient çà et là d'une touche plus virile. Bref, son lieu de vie reflétait l'ambivalence de sa physiologie.

Un coup de sonnette strident le fit sursauter. Cette fois c'était sans doute la police! De la main, il essaya machinalement de calmer les battements de son coeur. Il était sûrement malade et sa vulnérabilité à l'angoisse devenait de plus en plus évidente. Si tous les innocents de la terre se mettaient à fouiller leur passé, ils découvriraient, comme lui, se dit-il, des zones sombres où, sans le vouloir, ils avaient participé à tuer quelqu'un: à y réfléchir de plus en plus souvent, ils en viendraient aussi à sursauter à toute alerte. Sèche, la cruelle sonnerie déchira à nouveau tout son être. Il mit ses lunettes à verres fumés (celles qui avaient été témoin de la scène d'amour-papillon à la rivière Montmorency) et ouvrit doucement la porte. Les yeux écarquillés, il recula de deux pas:

— Bonjour cher Stanislas! Je peux entrer?

CHAPITRE QUARANTIEME

Stan ne rêvait pas. Ce revenant était bien Denis Boucher tant haï, le petit salaud, l'ami d'Ovide, celui qui avait instruit jadis les parents de Rita alors sa fiancée, de son impuissance, brisant ainsi leurs amours. Peu après Rita avait épousé Ovide. Jamais Stan ne s'en était remis.

— Il y a longtemps qu'on s'est vu; près de dix ans, hein?

— Qu'est-ce tu viens faire ici? fit l'entremetteur sur la défensive.

Cette visite de Denis augurait mal. Tout en s'amusant de la réactin de l'autre, marquée d'inquiétude, Denis examinait la pièce.

— C'est gentil, gentil, chez toi. Les affaires ont l'air bonnes? L'après-guerre te réussit, à ce que je vois. Des meubles d'acajou, des coussins de soie! Chapeau!

— Si c'est tout ce que t'as à me dire, fiche le camp!

Denis souriait comme un pêcheur expert. Il se préparait à bien le ferrer, son Stanislas.

— Tu me chagrines. Tu t'informes même pas de ce que moi, je suis devenu.

— Je m'en balance! Va-t'en! Je t'ai assez vu.

Il essayait de pousser Denis vers la porte; mais celui-ci levait son index comme pour réclamer la parole à l'école.

— Pas avant de te dire que moi, après cinq années de guerre, j'ai été trois fois décoré pour courage exceptionnel. Je suis maintenant reporter pour les magazines TIME et LIFE, de New York, et je suis venu "couvrir" le procès d'Ovide Plouffe. Tu connais?

— Journaliste pour TIME? fit Stan, soudain transi de peur, bouche bée, bras ballants.

— Eh oui! Alors félicite-moi, ajouta Denis, très détendu, s'installant dans un fauteuil dont il caressa le coussin rose et bleu. C'est moi qui, de Québec, informerai le monde entier sur le meurtre de Rita Toulouse et des vingt-deux autres passagers. C'est passionnant, tu sais. Comme je vous connais bien tous, Ovide, Rita, les Plouffe, et toi, Stanislas, je pense que ça fera de la copie sensatinnelle.

Stan sentit ses membres devenir comme du coton. Son espérance d'être oublié dans cette affaire s'écroulait. Le drame le saisissait dans ses tentacules. Il ne pouvait plus jouer l'autruche. Il bredouilla:

— J'ai rien à faire là-dedans. Je sais absolument rien.

Denis, son visage devenu très dur, persifla:

— Rien à faire là-dedans? C'est à voir! Et ton réseau "d'hôtesses"! Aucun doute que tu as essayé d'y entraîner Rita, tu y as peut-être même réussi! Pour te venger d'Ovide, tu as tenté de briser son ménage. Aujourd'hui, il est accusé de meurtre!

— Comment ça, j'ai essayé d'entraîner Rita? demandait Stan d'une voix blanche.

Denis se fit évasif. Il ne voulait pas répéter le coup du journal intime, servi à Berthet.

— Il y en a qui sont au courant de certaines choses, dit-il, évasif. De toute façon j'ai l'intention de te faire danser.

Stanislas se retenait pour ne pas trembler. Il était presque inaudible.

— Qu'est-ce que tu veux que je fasse! se plaignait-il, la voix brisée d'épouvante. J'ai tué personne, moi!

— Pourtant, tu pourrais apporter un témoignage intéressant? Non?

"Un témoignage intéressant". Justement ce que Stan craignait le plus au monde. Ah! Bob s'écroulerait sûrement d'une syncope. Stan regretta de n'avoir pas écouté l'architecte, qui le suppliait de partir en voyage pour au moins six mois. Dans sa panique, il tomba dans le piège tendu par Denis. Il trouva des mots vibrants:

— C'est ça, tu voudrais que j'aille salir la mémoire de Rita, de plusieurs personnes de la haute classe, des professionnels!

Denis éclata:

— Tiens! Elle a donc trompé Ovide?

Stan, hébété, se mordit la langue.

— C'est pour ça qu'y faut pas que je témoigne. Ça ferait paraître Ovide encore plus coupable; par vengeance, tu comprends, il aurait pu faire sauter sa femme?

L'argument était de taille. En effet il s'avérait préférable que ce pan de vérité ne soit pas connu des jurés, du public. Cela expliquait sans doute la réticence des Plouffe à parler des incartades de Rita.

— Ovide était-il au courant?

— Oui, elle s'est confessée. Elle aurait jamais dû. Mais elle a craqué. Elle était si franche, chère petite.

— Ah! Zut! marmonna le reporter.

Triste, Denis réfléchit profondément. Comme Ovide avait dû souffrir! Stan toussota, un peu soulagé. Il remontait doucement du fond de l'abîme.

— Crois-tu Ovide coupable? jeta Denis, au hasard.

— Si tous les cocus du monde faisaient sauter des avions pour se débarrasser de leur femme, ça ferait toute une hécatombe! Les filles ont un naturel bien volage, c'est presque incroyable, déplora l'entremetteur.

— Crois-tu Ovide coupable? t'ai-je demandé.

— A vrai dire je me pose la question. Tu sais, crois-moi, je l'ai jamais détesté, Ovide Plouffe. C'est un drôle de gars. Il m'a volé Rita mais j'ai jamais pensé lui faire du mal. C'est à elle que je voulais faire plaisir, parce que, dans le fond, elle était pas sa femme pour vrai, il était un mari de roman, un mari jamais sorti du livre.

Pas si bête, l'animal, songeait Denis, qui continuait quand même à se méfier et ne lâchait pas prise.

— Alors t'es pas convaincu de la culpabilité d'Ovide?

Stan n'aimait pas du tout cette question, qui pouvait l'entraîner dans une participation étroite à l'enquête de Denis et déboucherait alors sûrement sur un témoignage en Cour. Il fut très prudent.

— Il a tellement de preuves contre lui, pauvre homme. Comment croire le contraire?

— Mais tu en doutes quand même! Je le sens! Stan, sois donc chic, honnête, une fois dans ta vie. Ce serait formidable si tu pouvais m'aider à faire éclater son innocence! Alors tout te serait pardonné et tu redeviendrais en paix avec toi-même?

— J'aimerais bien ça, murmura Stan, ébranlé. Mais comment?

Denis ferma à demi les yeux, ne laissant filtrer qu'un rayon aigu qui vint à bout des verres fumés du proxénète.

— Tu penses pas que le vrai coupable, c'est Pacifique Berthet?

Stan le pressentait effectivement.

— Ah! lui, j'ai jamais aimé sa face!

— Rita t'avait-elle dit que Berthet, en état d'ivresse, lui avait fait des avances dont elle s'était défendue et qu'elle l'avait traité de "sale infirme"?

L'épouvante étreignit à nouveau le coeur de Stan. Bien sûr, il le savait. Mais l'avouer le conduirait directement à témoigner au procès! Il réussit à ouvrir de grands yeux étonnés.

— J'ai jamais entendu parler de ça! Si oui, elle aurait dû me le dire. Je lui aurais fait son affaire, au Berthet.

Denis sentit que l'autre mentait.

— Aux funérailles de Rita, on t'a vu suivre l'infirme qui se sauvait, aussitôt Ovide arrêté?

Stan, traqué, mais à l'abri, perfectionnait sa prudence.

— Ben, je trouvais ça curieux. Ce Berthet-là m'intrigue. Je me demandais pourquoi il se sauvait comme ça. Mais il a sauté dans son automobile et je l'ai perdu de vue.

Denis se levait. L'entremetteur jouait trop bien sa comédie de gouape innocente. Il l'avait mal ferré et Stan s'était décroché à un certain moment. Lequel? Il tairait maintenant tout détail susceptible d'aider à innocenter Ovide, craignant trop d'être appelé en Cour. D'instinct, quand même sûr de lui, le reporter attaqua à tout hasard:

— Dis-moi ce que tu me caches. C'est essentiel à mon enquête. Je te promets, au nom du secret professionnel, que je tairai mes sources et que tu ne seras pas ennuyé. C'est d'accord?

Stan vint tout près de se mettre à table. Mais il pouvait apporter si peu de choses. "Le risque n'en vaut pas la chandelle", se dit-il. Et pourquoi aiderait-il son pire ennemi, Denis Boucher? Il revenait à la police de découvrir la vérité. Pas à ce petit reporter! Ça, jamais!

— Je te répète que je sais rien! Si je trouve quelque chose, je t'appelle tout de suite, c'est juré!

— Très bien! soupira Denis. Je te donne jusqu'au procès pour m'informer de ce que tu me caches. Pour moi, Berthet est le coupable et toi aussi tu en es convaincu. Gare à toi! Si Ovide est condamné, que je découvre que tu aurais pu aider à l'innocenter, j'écrirai toute ton histoire et j'expliquerai comment tu as été mêlé à ce drame.

L'autre devint livide.

— Et tu vas leur parler de ma santé, je suppose?

— Très certainement, car ça éclaire bien des choses.

Brisé, Stan se prit la tête entre les mains.

— Ah! Seigneur, Seigneur! Mais quand je te dis que j'en sais pas plus! Si je pouvais trouver quelque chose, je me fendrais en quatre pour aider!

Denis mettait la main sur la poignée de la porte.

— Tu as procuré des hommes à Rita. Tu devrais aussi pouvoir me trouver des preuves pour sauver son mari? Je t'avertis! Si Ovide est condamné, tu seras parfaitement cuit, mon gars! Oublie-le pas! Guillaume Plouffe est en ville, l'index appuyé sur la gâchette de sa carabine, et moi, les doigts prêts à taper ton histoire personnelle. A bon entendeur, salut!

La porte claqua. Stan éprouva l'envie de bondir chez Bob pour l'alerter devant cette nouvelle menace. Il lui téléphona, raconta la visite de Denis Boucher et leur conversation. Il lui dit son envie de collaborer pour confondre le vrai coupable. "Jamais!" cria l'architecte épouvanté. Si Ovide était innocent, la vérité triompherait bien sans Stan Labrie, leur honneur serait sauf. Impérativement l'architecte le supplia d'éloigner tout journaliste, lui ordonna même de partir illico en voyage n'importe où, très loin, car Stan semblait devenu trop émotif, trop vulnérable, sur le point de commettre un funeste impair. Stan boucla sa valise et décida de fuir vers Old Orchard, dans le Maine, au bord de l'océan. Denis ne saurait plus le trouver, Guillaume ne pourrait pas le descendre.

***

Denis, dans le taxi en route à la prison de Québec, faillit oublier d'arrêter chez Joséphine prendre le panier de provisions destiné au prisonnier. Nanti d'un sauf-conduit signé par le Premier Ministre lui-même, Denis pourrait remettre le colis de main à main. Le reporter, encore troublé, essayait de tirer au clair ses impressions de la pénible rencontre qu'il venait de vivre. Ce Stan Labrie n'était qu'une pauvre canaille sans envergure, incapable de tremper dans un meurtre. Cachait-il quelque chose de vraiment important? L'énergie que Denis avait mise jusqu'ici à découvrir la vérité subissait une halte. Il se secoua. Non, il ne fallait surtout pas que son enthousiasme s'éteigne, corrodé par cet immense malheur. Le salut d'Ovide était en jeu, d'abord et bien sûr, mais sa carrière de grand reporter aussi. Ses dépêches devraient pétiller de vie, de suspense, d'intelligence et de chaleur humaine. Il lui tarda de serrer la main de son malheureux ami.

***

Gédéon Plouffe, pipe au bec, faisait les cent pas devant la prison de Québec. Il crachait souvent. Le nom des Plouffe, qu'il avait rendu si glorieux dans la Beauce, allait-il sombrer dans la honte, pour toujours? Ovide n'était que le fils de son frère, après tout? Mais il était son neveu! Devant l'opinion publique, le sort de l'accusé semblait scellé. C'était lui le coupable et le procès ne durerait que quelques jours. Le doute qui minait Guillaume, les amis des Plouffe, et commençait même à menacer Denis Boucher, avait déjà vaincu Gédéon. Il n'essaierait maintenant que d'éviter le pire: la pendaison. Pauvre Joséphine, qui se drapait de la présence de Monseigneur Folbèche dans sa maison et affichait un espoir aveugle, têtu! Venant d'une mère, c'était normal. Mais lui, Gédéon, savait qu'Ovide était fini. Les fortes sommes offertes par le riche cultivateur n'avaient attiré aucun avocat de calibre. Le jeune plaideur sans réputation qui voyait actuellement l'accusé réussirait-il à le convaincre de plaider la folie? Oui, la folie arrangerait les choses: il ne serait pas pendu et disparaîtrait dans un asile. D'ailleurs il fallait être fou pour avoir attaqué Duplessis comme Ovide l'avait fait dans ses lettres aux journaux! Un fou, dans une famille, passe encore, mais un pendu! Car Ovide était dément, plus aucun doute là-dessus. Feu Théophile le lui avait dit souvent: "Mon Ovide, c'est un drôle de garçon. Je le comprends pas. C'est comme un étranger." Gédéon grinça des dents et cracha à nouveau dans le gazon. Cette salive était si amère que l'herbe atteinte ne repousserait plus. Comme il regrettait d'avoir permis à Ovide de se lancer dans cette affaire de bijouterie! Mais Rita l'avait tellement supplié! Pauvre petite! Gédéon leva les yeux vers les barreaux du quatrième étage, derrière lesquels il espérait bien qu'Ovide était en train d'accepter de plaider la folie. Au même moment, Denis Boucher descendit de son taxi. Panier de provisions en main, il entra d'un pas rapide dans la prison.

***

Debout près de son grabat, le cou entouré d'un pansement, Ovide, indigné, pulvérisait du regard son avocat, dos à la porte de métal. Les yeux exorbités, ouvrant ses longs bras, il fulminait:

— Moi, plaider la folie, mais c'est vous qui êtes craqué?

Dominé, l'avocat bredouillait devant ce client étrange, qui lui parlait de haut malgré sa situation. Cet Ovide Plouffe était un détraqué dangereux.

— Vous ne vous en sortirez pas autrement, mon ami, même si vous prétendez être innocent. Une telle multitude de preuves vous accablent, qu'elles suffiraient à vous faire pendre dix fois plutôt qu'une.

— Et vous vous dites mon défenseur! hurla Ovide. Me faire passer pour chaviré? Jamais! Je préfère être pendu la tête haute, lucide et innocent, que mis au rancart pour la vie dans un asile! Si je reste seul à défendre mon intégrité, eh bien! je resterai seul! Alors vous verrez ce que vous verrez. Je crierai mon innocence avec tant de sincérité que le jury sera convaincu!

— Comment voulez-vous que je vous défende, alors? se plaignit l'avocat.

Ovide cria:

— Vous ne pourrez jamais me défendre! Vous êtes convaincu de ma culpabilité! Vous êtes inutile!

Un hoquet de désespoir lui monta à la gorge. Ovide parut s'étouffer.

L'avocat se tassait contre la porte, commençait à craindre que cet énergumène lui saute au cou et l'étrangle. Entendant les cris, un garde vint vérifier par le hublot.

— Allez-vous-en! hurla Ovide à son défenseur.

L'avocat frappait dans la porte, demandant qu'on lui ouvre au plus vite.

— Votre oncle Gédéon sera bien déçu, et votre famille également. Vous voulez être pendu, c'est votre affaire! fit-il en guise d'adieu.

— Ma famille sait que je suis innocent et parfaitement sain d'esprit! Mais vous direz à mon oncle Gédéon que ce n'est pas avec ses sales combines de paysan futé que je sortirai de cette aberration! Si Dieu veut que triomphe l'injustice et que je sois pendu, je le serai! rugit-il dans un sanglot déchirant.

L'avocat sorti, Ovide, épuisé, s'écroula sur son grabat. A quoi bon vivre! Autrefois, au temps de ses malheurs plutôt futiles, il s'évanouissait, l'inconscience lui permettait une halte reposante. Maintenant, malgré les exhortations puis les ordres donnés à son coeur pour qu'il s'arrête de battre, celui-ci frappait à coups réguliers dans sa cage thoracique, comme pour vivre intensément les battements qui lui restaient jusqu'au terrible jour. Car Ovide ne se faisait plus d'illusion. Le monde entier semblait le souhaiter: il monterait à l'échafaud! Ce n'était qu'affaire de semaines. Pacifique Berthet, l'associé infâme, le vrai coupable, ne se trahirait pas. Et si Berthet n'y était pour rien? Un autre mystérieux colis avait pu être placé dans l'avion par un agent soviétique par exemple, en vue d'exterminer trois capitalistes américains? Un agent ennemi aurait pu savoir qu'Ovide Plouffe déposait dans le DC3 un colis d'un mètre de long! Cette hypothèse ne résistait pas longtemps à la réflexion. Son propre paquet contenait les explosifs! C'est lui, Ovide Plouffe, qui avait acheté cinquante bâtons de dynamite! Et Pacifique affirmait ne pas être au courant! A force de se tordre les mains, ses doigts étaient fendillés et ses poignets rouges d'irritation. Mais Ovide, au moment de sombrer pour vrai dans cet état de folie que Gédéon lui souhaitait, eut droit à une accalmie. Le garde introduisit un autre visiteur dans la cellule. Il y eut un long moment de silence où les deux hommes entrecroisèrent leurs regards brûlants d'une intensité émue.

— Denis Boucher! Ah! merci! merci! Ah! Denis!

— Tu vois, je suis venu, dit doucement le reporter, consterné de trouver Ovide dans un état si minable, pire encore qu'il ne l'avait imaginé.

En quatre ans, Ovide avait vieilli du double. Denis essayait de retrouver l'ancien ami, mais y parvenait mal. Le fier Ovide Plouffe, une loque!

— C'est terrible, hein? murmurait l'accusé. J'ai honte! Toi, le seul ami que j'aie jamais eu, toi, que j'ai rêvé rejoindre sur le plateau du succès, pour que tu sois fier de moi, tu me retrouves en prison, accusé d'un meurtre que je n'ai pas commis! Comme tu es beau, Denis, triomphant, libre, heureux! Moi aussi, j'aurais dû aller vivre à New York!

— Pourquoi ce pansement à ton cou? T'es-tu blessé? dit Denis, incapable de retrouver le lien fraternel qui les unissait jadis.

— Euh...Une attaque d'amygdalite. C'est humide ici, la nuit. Et le jour on étouffe. Cette pierre!

— Dans les tranchées, à la guerre, c'était pareil: humide et insalubre. Mais toute guerre a une fin, Ovide.

Gêné par le regard perdu de cet homme qui avait guidé son adolescence, Denis éprouva une seconde le besoin de partir. Entré ici avec un vague scepticisme, il buvait les paroles de l'accusé, observait tous ses gestes, toutes ses réactions, pour y déceler l'étincelle qui le rassurerait entièrement sur son innocence. Mais ce malheureux n'était pas Ovide! La conversation étant insoutenable, il déposa le panier d'osier rempli de petits paquets entourés d'un ruban.

— Ta mère t'envoie des provisions. Elle te fait dire de tout manger. Il y a des cretons, du saumon fumé, des biscuits, des confitures et, une lettre signée par toute la famille. Ça va te faire plaisir, il y a aussi un message de la part de ta fille.

"Arlette!" s'écria Ovide en tremblant. Il saisit l'enveloppe et la décacheta. Sur une feuille lui apparut, dessinée aux crayons de couleur, une maison délabrée, coiffée d'un immense soleil jaune orange. Elle avait signé en lettres moulées: "Je t'aime, papa. Ta petite Arlette."

— Regarde, Denis, fit-il, s'écroulant en sanglots sur son lit.

Le reporter retint les larmes qui lui montaient aux yeux, lui remit le dessin, Ovide l'enfouit sous sa chemise. Denis s'assit sur le tabouret devant le prisonnier et lui serra les deux mains.

— Ta famille, tes amis sont tous avec toi. La messe est dite à ton intention, chaque matin, dans le logis de Guillaume, devant tous! Tu le sais. Je suis le servant. Si tu voyais la ferveur qui règne! C'est très beau. Quant à moi, tu l'as appris, je suis installé chez ta mère et, dès ce soir, j'écris mon premier reportage. TIME est lu par dix millions de lecteurs, Ovide! Tu te rends compte! Tu verras comment j'y parle de toi, de ton intelligence, de ta franchise, de la hauteur de tes sentiments.

Ovide buvait ces paroles lumineuses.

— Toi seul peux retourner l'opinion publique! Toi seul peux vraiment m'aider!

Denis n'osa pas lui raconter ses visites à Berthet, à Stan Labrie, ni les confidences de Cécile et de Guillaume. Le pauvre homme avait besoin de plus que ça.

— Je mène ma petite enquête; justement, j'ai vu Marie Jourdan aujourd'hui.

— Marie? murmura Ovide. Tu es déjà au courant? Ah! le mal que je lui fais, Denis! Qu'a-t-elle dit?

Le pieux mensonge fusa:

— Je ne lui ai parlé que très brièvement. Son accès est défendu aux journalistes, mais elle a pu me confier un message à ton intention: "courage, je crois en votre innocence!"

— Ah! très chère Marie! exulta Ovide. Je la reconnais bien là! Et toi, toi, Denis, tu y crois aussi, hein? C'est capital pour moi, tu sais. Je te jure que je suis le jouet de circonstances inouïes. Une véritable toile d'araignée. Berthet m'a fait acheter la dynamite, mais il le nie! Imagine donc que mon avocat me conseille de plaider la folie! Je ne suis pas fou, Denis! Tu le vois bien! Si tu me crois, je suis sauvé! Tu me crois? Je veux que tu me croies!

Frappé par le ton de cette supplication, Denis se leva, transfiguré soudain, prit Ovide par les épaules et, scandant chaque parole, il martela:

— Je te crois, mon meilleur ami, nous te sauverons! C'est juré!

Ils tombèrent dans les bras l'un de l'autre, puis le reporter se fit raconter l'extraordinaire histoire, l'incroyable odyssée de cette monstrueuse accusation de meurtre. Cependant Denis nota que, pas un instant le disquaire ne fit allusion aux escapades de Rita. Respect pour le souvenir de celle-ci, omission prudente? Il opta pour le respect. Gagné d'un contagieux enthousiasme, il le transmit à Ovide. Pour le moment, ce soir, il ferait crépiter sa machine à écrire! Il deviendrait célèbre du premier coup, ferait d'Ovide Plouffe un portrait magistral imprégné de sympathie. Deux amis retrouvés! Denis lui recommanda, en le quittant:

— Tâche de manger toutes ces bonnes choses, essaie de bien dormir cette nuit. Pense au dessin de ta petite fille, à ce soleil au-dessus de la maison. C'est ton soleil!

L'entrevue avait duré trois heures.

CHAPITRE QUARANTE ET UNIEME

Le procès pour meurtre débuta le lundi suivant.

Pour les Plouffe, blêmes de leur angoisse, de leur souffrance et de n'avoir pas vu le soleil depuis le 14 juillet, le martyre atteignait l'inhumain, l'intolérable. La fébrilité agitait leurs membres en toutes sortes de tics, même les objets qui les entouraient semblaient frémir de terreur. Sans la foi aveugle de Monseigneur Folbèche, la présence optimiste de Denis et l'obstination animale de Napoléon, les Plouffe se seraient écrasés dans les convulsions du désespoir. Car l'immensité du drame ne pouvait trouver place dans le cadre étroit de ces existences faites pour les peines et les joies ordinaires. Les Plouffe croulaient sous l'ampleur inouïe de cette épreuve incommensurable: Ovide, l'orgueil de la famille, était menacé de mourir pendu! Joséphine ne parlait plus, ses lèvres, agitées par un constant tremblement, ânonnaient des prières auxquelles elle ne comprenait plus rien. Guillaume et Napoléon, figés dans une prostration totale, semblaient deux grands chênes abattus, couchés sur le sol avec toutes leurs branches. Cécile ne mangeait plus et promenait son visage émacié d'un bout à l'autre de la cuisine.

Anéantis, les Plouffe n'étaient plus que les débris d'une famille jadis heureuse. Monseigneur Folbèche continuait de célébrer la messe chaque matin pour Ovide, mais refusait de voir désormais les autres paroissiens venant aux nouvelles. Tout aux Plouffe, tout au Christ, il refusait de perdre confiance. La foi en un Dieu juste, l'obstination dans l'espérance, viennent à bout de toute épreuve, pensait-il. Sur un point cependant, les Plouffe se retrouvaient tels qu'en eux-mêmes, seraient tous présents, à chaque minute du procès, à faire bloc avec Ovide, le soutenant de leur amour, de leur espoir, et partageant son supplice.

Denis Boucher les appuyait de toutes ses forces. L'impact de ses reportages apparaissait comme la seule lueur de salut de l'accusé. Son premier article dans TIME avait paru trois jours auparavant.

Reportage éblouissant de vivacité, de couleur, de détails inédits, passionnants, parfois truculents: son patron immédiat l'appela de New York pour l'en féliciter et l'inciter à continuer dans cette veine. Denis s'affirmait, décrivant les Plouffe, Ovide, Rita, Berthet, Monseigneur Folbèche, le Québec, avec une pénétration étonnante, apportant des éclairages nombreux, divers et significatifs, lesquels faisaient pâlir les articles des autres journaux. Respectant sa parole donnée au Premier Ministre, il se garda de parler de sa visite à Ovide. Mais le récit extraordinaire, authentique que lui avait fait celui-ci fut sa première source d'inspiration. Au Cercle des journalistes, il fut assailli de questions émerveillées et perplexes. Oui, perplexes. Pourquoi, dans ce morceau choisi, aussi littéraire que journalistique, où il vantait les richesses du Québec, les qualités particulières de la population restée française, insistait-il sur la personnalité de l'Honorable Duplessis? Il y soulignait que le Premier Ministre, sous une apparente rigidité autocratique, était un homme sensible, bon, visionnaire dévoué corps et âme à l'avenir de sa Province. TIME, d'habitude, était plus sévère dans ses jugements?

Du même souffle, Denis faisait d'Ovide Plouffe un portrait chaleureux, le décrivant comme un Don Quichotte ne comprenant rien aux bassesses de ce monde. Dans quel but l'auteur posait-il, mine de rien, tant de questions sur le rôle équivoque de Pacifique Berthet, sur son infirmité, son mutisme et sur son passé à Grenoble?

Il y décrivait Rita Toulouse comme un oiseau léger et charmant, dont la beauté sémillante et le rire perlé faisaient penser à la joliesse et aux trilles d'un colibri. D'enthousiastes épithètes décrivirent la belle Marie Jourdan: jeune Française, fille d'une comédienne liquidée par la Résistance, réfugiée à Québec. Les lecteurs furent émus par l'anecdote du Monseigneur chassé de sa paroisse, revenu d'urgence habiter la maison des Plouffe, y célébrant la messe tous les matins à l'intention de l'accusé! Son reportage témoignait d'une telle connaissance du sujet, du milieu, laissait supposer un drame d'amour si complexe, une situation si enchevêtrée, que le début du procès, à la manchette des journaux du monde entier, devint un suspense de portée internationale.

Denis, transporté d'aise (ne tenait-il pas là le sujet du roman qu'Ovide lui avait jadis conseillé d'écrire?), brûlait d'attaquer le prochain épisode: coûte que coûte revoir Stan Labrie. Le reporter se cogna deux fois à la porte, apprit d'un voisin que le proxénète était parti sans laisser d'adresse. Denis n'en fut pas étonné, mais ragea quand même. Quel lâche, quel individu abject!

La semaine précédente, devant un Ovide absent de ce monde, on avait procédé au choix des jurés. La Couronne et les deux scrutateurs n'avaient pas rencontré les difficultés habituelles. Aucun ne s'était récusé et chacun répondait aux exigences de la loi. Dans cette ville de Québec où il ne se passait apparemment jamais rien, être choisi pour décider de la culpabilité de l'accusé équivalait à gagner à la loterie. Ce procès retentissant ferait sans doute passer ces petites gens à l'Histoire. Quel événement dans leur vie! Ils en parleraient longtemps à leurs amis, à leurs enfants et petits-enfants.

Ovide, paraissant totalement indifférent, n'usa pas du droit d'objection au choix de certains d'entre eux, nettement agressifs à son endroit. Jamais avocat de la Défense n'avait eu client aussi récalcitrant. Ovide lui en voulait, lui parlait à peine depuis sa suggestion de plaider la folie. Ovide avait-il décidé de renoncer à toute lutte, de se laisser couler? En tous cas il le laissait croire.

Le Procureur de la Couronne se frottait les mains d'avance, il aurait la partie belle. Il ne lui serait pas difficile de confondre ce pauvre type responsable de la défense d'Ovide. Le maître déploierait un tel talent, une telle impitoyable logique dans sa charge contre Ovide Plouffe, que sa plaidoierie serait à coup sûr publiée dans la fameuse collection *Procès Célèbres.* Inscrite au tableau d'honneur des annales du droit criminel, elle ferait jurisprudence.

Dans l'esprit du public, dès le premier jour, l'accusé était déjà condamné. Chacun avait ses raisons pour en faire son pendu à soi, comme si le disquaire-bijoutier eût été le coupable multiple des malheurs de tous, le bouc émissaire universel.

Cet Ovide Plouffe était plus qu'un concitoyen qu'on se prépare à juger. Il incarnait d'abord dans toute son horreur le meurtrier diabolique, hautain, méprisant et crachant son fiel. On disait même qu'il invoquait, comme première défense, l'incompréhension des crétins envers l'homme exceptionnel qu'il prétendait être! Enfin! La vertu, la justice, allaient écrabouiller le roi des sépulcres blanchis, qui croient pouvoir, forts de leur supériorité, commettre impunément les pires méfaits. Le roman de cet homme s'écrivait maintenant par des gens qui ne savaient pas écrire et qui choisissaient tous le même dénouement: la pendaison. Honte à ceux qui osaient contrecarrer l'interprétation générale!

Ainsi Denis Boucher, après avoir savouré pleinement l'encens de l'admiration des premiers moments, commença à déceler de la méfiance à son propre endroit. Il se voyait subtilement soupçonné de faire sensation, de jaunisme, de parti-pris, de doutes habilement semés pour influencer l'opinion publique, le Juge et les jurés. Il en ressentit d'abord du malaise, puis se révolta. Qu'on attende son deuxième article! On verrait ce qu'on verrait!

Neuf heures quarante-cinq. La Cour s'ouvrait dans quinze minutes. Des centaines de badauds faisaient le pied de grue aux marches du Palais de Justice afin d'apercevoir et de huer le monstre menotté, amené dans un car blindé. L'édifice déjà bondé bouillonnait d'une activité inaccoutumée: tous prenaient la pose, puisque le monde entier braquait sa caméra sur le spectacle historique qui allait se dérouler.

L'autre côté de la rue, à une table d'encoignure du restaurant OLD HOMESTEAD, l'oncle Gédéon et Denis Boucher parlaient tout bas, mais avec une animation intense. Non le paysan n'assisterait pas au drame, non il ne croyait pas qu'Ovide puisse s'en sortir. Prétextant une allergie asthmatique, il se disait incapable de respirer dans la salle d'audience d'un procès pour meurtre. Que son neveu fût l'accusé n'arrangeait pas les choses! Quand il avait expliqué à la famille les raisons de son abstention, les Plouffe lui tournèrent le dos.

De cette table d'encoignure, le paysan suivrait les péripéties de l'affaire et surveillerait la stratégie de l'avocat d'Ovide, ce freluquet flottant dans sa toge et sensible comme une mauviette. Pourquoi diable cet incompétent avait-il opté pour le droit criminel? Accablé, cerné par les coups de téléphone, les visites inopinées du paysan, désemparé, englué de roueries, d'arguments, de témoins que Gédéon lui suggérait, le procureur d'Ovide arriva à la Cour dans un état d'esprit lamentable.

Denis se leva après avoir consulté sa montre. La Cour ouvrait dans cinq minutes. Le show tragique allait commencer. Gédéon lui répéta:

— Oublie pas la moindre graine de détail. Ecris tout. Tu me rejoindras icitte à midi. Et dis à Joséphine que je suis tellement avec eux autres que c'est comme si j'étais là.

Denis hocha la tête. Il savait que le refus de Gédéon d'assister au procès avait profondément blessé les Plouffe, même si le paysan participait aux frais d'avocat et s'activait pour trouver des témoins favorables.

— J'espère que d'ici midi, vous changerez d'idée, en tous cas. Mettez-vous bien dans la tête qu'Ovide est innocent et que nous le sauverons.

Le reporter partit en courant. Gédéon continua de siroter son café, seul à sa table, triste, un peu honteux de n'être pas avec la famille dans la salle d'audience. Il ne pouvait quand même pas compromettre, par sa présence, à titre d'oncle et de parrain de l'accusé, toute la Beauce? Et qu'est-ce que ça apporterait de plus à Ovide? En homme sage, responsable, il se devait de faire passer le bien commun avant la solidarité familiale. Il n'était pas fier de lui, l'oncle Gédéon. Il commença même à faire des efforts pour se persuader que son filleul Ovide était innocent, victime d'une terrible erreur judiciaire. Denis en avait l'air si convaincu! Il se décida: il paierait seul tous les frais.

Dans la salle d'audience bondée, déjà surchauffée, Denis griffonnait fébrilement. Il écouta avec agacement les premiers témoignages, jetant de temps à autre des coups d'oeil fraternels vers l'accusé, qui ne semblait rien entendre, comme réfugié dans son monde intérieur, incompris, indifférent aux autres et avec lesquels il était désormais trop tard pour communiquer.

Il observa la rangée où se tenaient les proches d'Ovide: Joséphine, Cécile, Napoléon, Guillaume, Jeanne, ainsi que Monseigneur Folbèche. Celui-ci gardait son regard obstinément fixé au-dessus de la tête du Juge, sur le crucifix. Denis remarqua que les Plouffe se comportaient ici comme à l'église. Graves, humbles et angoissés devant la tragique mise en scène de la Cour, leur coeur, affolé comme l'oiseau évadé de sa cage, poursuivi dans une pièce close par les énormes et monstrueuses mains des hommes, les Plouffe communiaient au martyre d'Ovide. Ils tremblaient devant l'allure infernale du procès, dont les témoins semblaient presque tous pousser l'accusé plus rapidement vers la potence. Bientôt ils n'écoutèrent plus et, comme Monseigneur Folbèche, tournèrent leur regard vers le crucifix, osant à peine jeter les yeux sur Ovide, blême, immobile, le cou entouré d'un pansement immaculé. S'il les surprenait trop souvent à le regarder, il verrait peut-être là leur adieu déchirant, silencieux, avant sa montée vers l'échafaud?

***

Jamais, à Québec, procès pour meurtre ne fut plus passionnant. On s'arrachait les journaux, on s'accrochait aux bulletins spéciaux de la radio, où les speakers adoptaient une voix haletante pour en résumer les péripéties. Quelle horreur, ce machiavélique procédé par lequel Ovide Plouffe s'était débarrassé de sa jolie femme! Pour cinquante mille dollars, il avait expédié dans l'éternité vingt-trois personnes et demeurait imperturbable dans son box d'accusé! On était, de toute évidence, en face d'un être effroyable, dénué de toute humanité comme de tout sens moral! Comment cette famille Plouffe, si exemplaire (Guillaume, héros de guerre, champion lanceur de baseball recruté en 1940 par les Reds de Cincinatti), comment cette famille, avec une mère présidente de congrégation et zélatrice de sa paroisse, pouvait-elle avoir engendré un tel monstre? Et ce Monseigneur Folbèche qui collait à eux, faisant corps comme s'il eût été leur père? Pas de quoi trop s'étonner, cependant: Monseigneur Folbèche n'était-il pas ce prêtre révolté, chassé de sa paroisse par l'Archevêché? Il avait même eu l'outrecuidance de témoigner en faveur d'Ovide, décrivant ses qualités de coeur, la droiture de son caractère, ses aspirations de jadis à la vie religieuse. Cette apologie avait agacé la bonne conscience du public qui, tenant son criminel au collet, ne voulait pas le lâcher. Mais la justice suivait impitoyablement son cours; d'ici la sentence du Juge, le suspense deviendrait de plus en plus palpitant et on apprendrait des choses à faire dresser les cheveux. Palpitant, le procès se déroulait comme un jeu infernal aux dés tous pipés. Même l'avocat de la Défense contre-interrogeait les témoins mollement, comme d'accord avec eux. La naïveté de ses questions fit même parfois rire l'auditoire, comme celle-ci à l'ancien patron d'Ovide, propriétaire du ROYAUME DU DISQUE:

— Est-il vrai que l'accusé perdait souvent connaissance quand il écoutait de la musique classique?

— Mon magasin est pas un hôpital! avait-il répondu. J'aurais pas gardé Ovide Plouffe s'il m'avait fallu le ramasser à tout instant. C'était un bon vendeur qui connaissait la musique sur le bout des doigts. J'ai perdu un bon homme. Après son départ, mon commerce a baissé. Je dois même dire que cet expert en n'importe quoi parlait comme un prophète. Il m'a prédit qu'un jour les disques seraient tous des 33 tours et que même la vie des 78 était terminée. Il m'a expliqué scientifiquement comment ça se ferait, mais je me rappelle plus comment au juste.

Le chapelet des témoins s'égrenait. La religieuse qui avait pris soin d'Ovide à l'hôpital le déclara un patient exemplaire, doux et certainement inoffensif. Le médecin traitant, pour expliquer les évanouissements d'Ovide, trouva la formule "spasmes psychologiques dus à une sensibilité exarcerbée par une imagination paroxystique." Elégant, le speaker vedette Claude Saint-Amant, fort à l'aise devant son auditoire, parut ennuyé de voir le nom d'Ovide Plouffe mêlé au sien. Oui, il l'avait rencontré le 14 juillet au consulat de France, oui il avait reçu un téléphone de la station de radio lui annonçant l'écrasement de l'avion, mais ayant tu la nouvelle à l'accusé, il lui avait seulement recommandé de retourner chez lui de toute urgence. Oui le prévenu, l'air inquiet, nerveux, était parti aussitôt. Quant au rôle de commanditaire-éditorialiste qu'Ovide avait joué pendant des mois, une fois la semaine, Claude Saint-Amant souligna le talent et la popularité du prisonnier. Excité par l'intérêt soulevé par son témoignage, le speaker devint pompeux et fit d'Ovide un portrait psychologique ébouriffant, comme s'il se fût agi d'un visiteur de la planète Mars.

Puis on interrogea plusieurs représentants itinérants de l'accusé, vendeurs sur la Côte Nord. Truculents, ils parlèrent cependant en termes fort élogieux de monsieur Plouffe, qui décrivait ses montres comme des "poèmes finement ciselés." Quel homme agréable! A chaque repas il leur offrait l'apéritif et le vin.

Evidemment ces gens avaient été amenés par la Défense. Mais, rappliquèrent après eux, mandés par la Couronne, les cuistres avec lesquels Ovide s'était bagarré CHEZ GERARD. Ils racontèrent la scène: le forcené, armé d'un revolver, les avait menacés. Un fou dangereux, cet énergumène! On fit également témoigner le commis du magasin PAQUET. Il relata la façon dont Ovide avait choisi la statue de saint Christophe, type de marchandise que seuls d'habitude des religieux et des vieilles demoiselles se procuraient. En acquittant la facture il avait déclaré, cynique: "Avec un saint Christophe de cette grosseur, le plus terrible des accidents est foutu". Et l'acheteur était parti en sifflant *Comme la plume au vent*, portant, désinvolte, son colis sous le bras comme s'il s'était agi d'un tapis roulé.

Puis Pacifique Berthet fut appelé. Péniblement, la tête baissée, il se rendit à la barre. Napoléon poussa Guillaume du coude:

— Regarde-le, le maudit hypocrite. Il porte ses vieilles béquilles pour avoir l'air plus misérable! Le chien!

Pacifique fut troublant, émouvant. Les questions du défenseur d'Ovide sur son passé de délinquant à Grenoble tournèrent à son avantage. Jeune, malheureux, il avait fui les lieux de son enfance afin de recommencer sa vie à Québec, cette ville charmante à la population chaleureuse et hospitalière. Il y pratiquait un métier aimé qui lui permettait enfin de mener une existence normale, honnête. Puis était survenu un accident stupide qui avait fait de lui un éclopé chronique, un solitaire. Ce qu'il pensait d'Ovide? Bien sûr il avait été heureux de devenir son associé. Tout avait bien marché. Mais ce qu'il apprenait aujourd'hui le confondait.

Hélas! C'était à présent la ruine! Le magasin était fermé à cause du scandale. L'avenir ne lui offrant plus d'issue, Pacifique confia à la Cour que maintenant il aspirait à la mort.

Dans son second reportage, Denis Boucher manifesta plus clairement son parti-pris pour l'accusé, attirant ici et là, par une incidente habile, l'attention des lecteurs sur le passé de Berthet. Il insinua que celui-ci s'était montré fort habile à inspirer pitié, mais qu'il n'avait pas été totalement convaincant. Il souligna l'efficacité de la Couronne et déplora la faiblesse de l'avocat de la Défense. Ovide, il le décrivit anéanti par la tragédie que constituait le procès à sens unique.

A New York on fit sauter plusieurs paragraphes; en dépit de cela le reportage, à sa parution, déclencha un tollé contre son auteur. On savait maintenant qu'il demeurait chez les Plouffe et qu'Ovide avait été son ami d'enfance. TIME en fut informé, les confrères ne se gênèrent pas pour dénoncer le manque d'objectivité de Denis. Il était inimaginable que le représentant du magazine le plus lu au monde se serve de son extraordinaire tribune pour tenter d'innocenter un copain, tout en laissant planer un doute odieux sur un pauvre handicapé! Les patrons s'alarmèrent. On délégua un reporter senior et Denis se vit dorénavant limité aux travaux de recherche pour son aîné. Humilié, le jeune journaliste se voyait engloutir lui aussi dans le naufrage des Plouffe. Cette affaire qu'il espérait devoir assurer son avenir, devenait au contraire son Waterloo. Tout cela parce qu'il aimait les Plouffe, bien sûr, mais surtout parce qu'il voulait empêcher une grave injustice. Il était convaincu de l'innocence d'Ovide et de la culpabilité de Berthet. Hélas! A trop vouloir bien agir, il avait, par sa subjectivité, fait plus de tort que de bien à la cause qu'il s'acharnait à défendre. Mais Denis Boucher ne lâcherait pas! Rongeant son frein, il cherchait le moyen de retourner l'opinion: pour ça, il lui fallait trouver des preuves! Où se cachait le filon qui le mènerait à la vérité? S'il le découvrait, quelle victoire pour lui, et quelle extraordinaire joie pour l'accusé!

Le procès prit soudain une allure plus corsée. La déposition du vendeur de la quincaillerie impressionna davantage les jurés et resserra de plusieurs crans la corde autour du cou d'Ovide. Celui-ci, raconta-t-il, était venu acheter cinquante bâtons de dynamite à son magasin. Le commis connaissait monsieur Plouffe de réputation, admirait même ses éditoriaux à la radio. C'est pourquoi il n'avait pas eu d'hésitation à lui vendre la dangereuse marchandise. Le client avait expliqué vaguement que ces explosifs serviraient à essoucher un terrain. Il s'était surtout complu à faire l'éloge d'Alfred Nobel, l'inventeur de la dynamite, avec un certain cynisme, comme étant le plus grand bienfaiteur des arts, des lettres et des sciences, Nobel qui, par son prix prestigieux, faisait servir sa mortelle invention à récompenser les cerveaux exceptionnels. Tous les regards se portèrent lourdement vers Ovide. Quel psychopathe! Le témoin continuait:

— Quand je lui ai remis les deux paquets, ceux des bâtons et des détonateurs, en lui répétant d'être prudent, il m'a répondu, sûr de lui: "J'ai l'expérience, vous inquiétez pas. Je n'en suis pas à ma première explosion!" Il a ri, l'air très content. Non, Monsieur le Juge, il n'a jamais été question qu'il achetait ça pour un autre. Il a juste dit, je m'en souviens: "Pour faire sauter des souches à un chalet". Non, il a pas parlé de son associé.

On fit témoigner ensuite l'agent de voyage qui avait reçu la visite d'Ovide Plouffe la veille du meurtre. Sa déposition paraissait de la plus haute importance au Procureur de la Couronne. Oui, l'accusé s'était enquis du tarif aller-retour d'un voyage à deux à Paris en quadrimoteur North Star. Il avait ensuite consulté le bottin des hôtels de la Rive Gauche et s'était arrêté sur celui des SAINTS-PERES, peu coûteux mais situé tout près de l'église Saint-Germain-des-Prés. Il parlait d'un séjour de plusieurs mois. "Avec votre femme?" s'était informé l'agent. Celui-ci crut se souvenir que l'accusé lui avait répondu par un sourire mystérieux, en lui faisant peut-être un clin d'oeil.

Cette déposition ébranla encore davantage l'auditoire. Plus on avançait, plus les témoignages se faisaient accablants. Parut le chauffeur de taxi qui conduisit Ovide et Rita à l'aéroport. Portant son colis sur les genoux, le client lui avait enjoint de ralentir, d'éviter les chocs, car il transportait une statue de plâtre très fragile. Vinrent ensuite le préposé aux bagages, à qui Ovide avait demandé la même prudence, les experts de la Canadian Pacific Airlines qui firent la preuve de l'explosion à la dynamite, à l'arrière-gauche de la soute à bagages, là où on avait placé le colis apporté par M. Plouffe. Le frère Léopold, dont la déposition dérida l'assemblée, raconta les raisons et les circonstances de la raclée que lui servit le frère Ovide en 1940.

Pour Marie Jourdan appelée à la barre, un murmure d'admiration parcourut l'assistance: quelle beauté! Les yeux baissés, pâle, à peine audible, elle prêta serment. Visiblement ménagée par le Procureur de la Couronne et par celui d'Ovide, elle n'eut pas à répondre à des questions trop brutales, trop indiscrètes. Elle raconta avoir connu l'accusé au magasin de disques quand, après lui avoir offert *Les Chemins de l'amour* de Poulenc, il s'était évanoui. Elle l'avait ensuite rencontré CHEZ GERARD en compagnie de sa femme et du couple Napoléon et Jeanne. Des mois s'étaient écoulés sans qu'elle le revoie. Puis soudain ce printemps, il était réapparu au cabaret, causant un esclandre à cause d'elle et brandissant un revolver vide. D'un commun accord avec Gérard Thibault, elle avait alors quitté son emploi. Ovide, mis au courant, surgit à son appartement, lui proposant un poste de secrétaire pour l'été. Comme il s'agissait d'accompagner l'accusé en voyage, elle avait hésité, puis accepté. Ovide Plouffe semblait tellement honnête! Durant toute la tournée, il s'était conduit de façon parfaitement correcte. Mais au retour, consciente du mécontentement de la famille d'Ovide, elle l'avait prié de ne plus la revoir. A brûle-pourpoint le Procureur de la Couronne, semblant se rappeler une question oubliée, demanda:

— Au fait, Mademoiselle Jourdan, l'accusé vous a-t-il proposé un voyage à Paris avec lui?

Elle pâlit au souvenir d'Ovide fabulant tout haut à l'avant de la goélette.

— Il en a parlé, oui, mais comme d'un rêve impossible à réaliser. Il paraissait malheureux.

Elle put retourner à son siège. Guillaume la dévorait du regard. Il revivait intensément leur scène d'amour au bord de la Jupiter. Pas une seule fois il ne put capter son attention. Ovide, ressuscité tout à coup, s'était mis à trembler pendant qu'elle parlait. Un moment il eut peur qu'on exhibe les photos. Il n'en fut rien. On les réservait peut-être pour plus tard?

Le Procureur d'Ovide, croyant présenter un témoin important pour la Défense, convoqua au prétoire le Grand Commandeur de l'Ordre des Chevaliers de Colomb. Ce dernier affirma qu'effectivement, l'accusé, par ses mérites, son dynamisme, son dévouement, avait très vite grimpé les trois premiers échelons de la hiérarchie de l'Ordre, réplique catholique des Francs-Maçons de France. On avait même songé, pour très bientôt, à lui accorder la plus haute distinction, le quatrième degré. On n'avait jamais vu auparavant chez les Chevaliers, quelqu'un brûler aussi prestement les étapes du succès et des honneurs.

Ovide, dans son box, était effaré du nombre de gens qu'il avait croisés pouvant parler de lui. Il se croyait inoffensif, sans importance, méconnu, et voilà que des dizaines d'individus avaient une opinion sur ses qualités, ses défauts. Il se dit qu'on ne se rend souvent compte de cette réalité qu'à la fin de sa vie.

Les témoignages occupèrent des jours entiers. Au milieu de la deuxième semaine, on fit revenir Pacifique Berthet pour un second interrogatoire, plus serré celui-là. On le réservait, comprit Denis, comme le dernier coup de massue à asséner au monstre. Denis, tout humble maintenant à côté du reporter senior de TIME, qui commençait à partager ses convictions sur toute l'affaire, se félicitait à présent de la fuite de Stan. Son témoignage eût donné encore plus de poids aux motifs d'Ovide pour se débarrasser de sa femme. Mais Stan devait savoir quelque chose d'important pour le salut d'Ovide, Denis en était persuadé.

Arc-bouté sur ses béquilles, Berthet s'attira à nouveau la commisération générale par sa pâleur et ses grimaces de douleur causées par les lancinements de sa hanche malade. Il répéta aux jurés que ce procès le faisait de plus en plus souffrir. Comment il avait connu Ovide? A l'hôpital, bien sûr, où il avait tout de suite été saisi par la curieuse personnalité de l'accusé, issu d'un milieu si ordinaire.

— Ce qui me revient à la mémoire, aujourd'hui, c'est que monsieur Plouffe a d'abord été frappé par mon nom, Berthet, qui lui rappelait celui d'un criminel d'il y a cent ans, à Grenoble. Il m'a appris que ce Berthet avait inspiré un roman célèbre, *Le Rouge et le Noir*, d'un dénommé Stendhal.

Les journalistes français griffonnaient, enchantés de l'anecdote.

— Est-il vrai que vous avez émerveillé l'accusé par votre appareil-radio qui s'allumait à heure fixe, grâce à un fil relié à votre réveille-matin?

— C'est vrai. Mais ce n'est pas sorcier. D'ailleurs j'ai longuement expliqué le procédé à l'accusé. Du premier coup cependant, il avait compris. Je suis sûr qu'il aurait pu en faire autant sans problème.

Avec terreur Ovide l'écoutait mentir. Cet homme était un vrai démon! Comment, dans sa naïveté, en était-il arrivé à tomber dans ses griffes? Lui, Ovide, habile en mécanique! Quelle énormité! La raison élémentaire pour laquelle il ne possédait pas d'auto était fort simple: il ne comprenait rien aux engins. Les moteurs lui apparaissaient comme des secrets inviolables. Une seule fois il avait levé le capot de l'auto blanche de Rita et l'avait refermé tout de suite. Sa gaucherie faisait le désespoir des siens. Il avait pris des jours à réussir son premier noeud de cravate: son esprit était vif mais ses mains ne suivaient pas. Il n'arrivait qu'à contorsionner l'objet en des noeuds plus ridicules les uns que les autres. Il pensa à la corde qui l'étoufferait en lui brisant le cou et se dit que le bourreau n'en ferait qu'un seul, parfait celui-là au premier essai. Ovide écoutait témoigner Pacifique, convaincu maintenant qu'il était le vrai meurtrier, mais assuré également qu'il ne se trahirait pas. Pacifique ne l'accablait pas non plus. Il décrivait tout bonnement son association avec monsieur et madame Plouffe, leur décision conjointe de souscrire un contrat d'assurance à trois. Ovide voyageait beaucoup et leur commerce, où Rita se révélait une précieuse collaboratrice, reposait sur la participation de chacun. La disparition d'un membre du trio rendait presque inopérants les deux autres. Le Procureur d'Ovide posa à Berthet une question intéressante:

— Vous nous avez affirmé tout à l'heure que vous croyiez Ovide Plouffe mort en même temps que sa femme et que vous avez failli vous évanouir de stupeur en le voyant arriver à la bijouterie. C'est vrai? Pouvez-vous nous parler de ce moment avec précision?

— En effet. Mettez-vous à ma place. Je le croyais parti avec elle?

— S'il n'était pas revenu, c'est vous qui touchiez cent mille dollars?

Pacifique Berthet qui, depuis le début du procès, attendait cette question, et s'y était préparé, répondit calmement:

— C'est vrai. C'était l'entente. Que voulez-vous que j'y fasse? Mais de là à faire sauter vingt-trois personnes pour les obtenir, ça n'est pas mon genre! Imaginez! est-ce que je pourrais continuer à vivre après un massacre pareil?

Les seules réserves qu'il eut ensuite au sujet d'Ovide concernaient ses dépenses de voyage somptuaires et ses frais de relations publiques plutôt exagérés. Celui-ci avait toujours des idées de grandeur, mais en connaissance de cause, Berthet s'était quand même associé à lui.

— Avez-vous, oui ou non, demandé à Ovide Plouffe d'aller acheter pour vous une grande statue de saint Christophe?

Berthet acquiesça avec fermeté:

— Oui. Monseigneur Folbèche était venu me voir avant son départ de la paroisse et, tout en me reprochant de ne pas pratiquer de religion, il m'avait demandé de prier quand même à ma façon pour lui. J'ai dit oui. Comme Monseigneur aime les statues, j'ai pensé, au lieu de prier, à lui faire cadeau d'un saint Christophe. Dans le Nord, avec les mauvais chemins, les gros camions, les avions de brousse, un homme distrait comme Monseigneur Folbèche est plus exposé qu'en ville aux accidents. Tenez! J'y pense! Je me rappelle qu'Ovide m'avait dit à propos d'accidents, que dans la Bible, section de l'Ecclésiaste, il est écrit et c'est vrai, j'ai vérifié: "L'homme est soumis aux circonstances et aux accidents, l'homme ne connaît pas son heure." Ça m'avait frappé. La statue achetée, dans sa boîte, je l'ai déposée sur l'établi de mon échoppe en attendant le prochain départ de mon associé pour la Côte Nord. Le 14 juillet, fête des Français, avec sa femme, il se proposait de rendre visite à Monseigneur Folbèche. C'était un voyage de réconciliation: l'idée me ravissait, ayant été le premier à le suggérer; la famille s'est ensuite jointe à moi. Ce jour-là, j'étais très heureux, à cause bien sûr de leur départ comme deux amoureux, puis parce que j'étrennais une voiture le matin même de la fête nationale de mon pays. J'en ai profité pour demander à Ovide d'apporter mon cadeau à Monseigneur. Je croyais que ce 14 juillet serait le plus beau de ma vie, il a été le pire! Ah! quelle tristesse!

On continua l'interrogatoire. Comment s'était passé le séjour de Rita au comptoir de la bijouterie? Il expliqua qu'il la voyait à peine, un mur séparant l'atelier du magasin. Elle lui apportait des montres que les clients voulaient faire réparer. Elle était gentille, gaie, il l'aimait bien. Puis elle cessa de venir au comptoir, il ne la vit plus. Il avait cru percevoir des disputes violentes chez le couple, au-dessus. Pourquoi? Il l'ignorait. Mais Berthet se dit persuadé d'une chose: Rita devait être furieuse du voyage d'Ovide avec Marie Jourdan. Le regard de Denis croisa celui de Cécile. Elle bondit et, pointant de l'index l'infirme, cria:
— Vous dites pas, par exemple, que vous avez essayé d'embrasser ma belle-soeur, et qu'elle vous a repoussé en vous traitant de sale infirme!

Quelle bombe inattendue dans la salle d'audience!

Il y eut un lourd silence, puis des murmures. Le Juge fit rasseoir Cécile mais, se ravisant, la fit venir à la barre, remplaçant Pacifique Berthet livide. On la fit prêter serment et Cécile donna plutôt un coup de poing sur l'Evangile. "Je jure!" Cécile relata que sa belle-soeur Rita, désemparée, lui avait raconté l'incident, lui demandant d'en garder le secret pour ne pas créer de dispute entre les deux associés. Cécile se rendit compte tout à coup que cette foule était suspendue à ses lèvres. Elle perdit contenance, bafouilla, sa voix devint moins assurée, de sorte qu'après quelques phrases, on mit en doute son affirmation. N'était-elle pas la soeur de l'accusé, prête à n'importe quel mensonge pour le sauver, puisqu'il était perdu? Son intervention n'était que le cri de désespoir d'une brave fille, qui peut-être inventait n'importe quoi? Puis elle se tut, défaillant presque. L'audience, imaginant soudain un tout autre drame, avait été secouée. Son avocat demanda à l'accusé si sa soeur avait dit vrai. "Je n'en ai jamais entendu parler," coupa sèchement Ovide, quand même bouleversé par cette nouvelle. C'était donc là la raison du refus de sa femme de continuer son service au comptoir? Ah! ce monstre de Berthet!

On fit revenir Berthet qui, en maître-horloger, suivait tous les rouages de la réaction de la foule. Il parlait lentement, la voix menacée d'un sanglot:

— Ce que vient d'affirmer la soeur de l'accusé est épouvantable et complètement faux! Madame Rita Plouffe, il est vrai, était très attirante. N'importe quel homme normal échappait difficilement à son charme, mais de là à...dans mon cas surtout, il y a longtemps que j'ai renoncé à toute idée de conquérir une femme. Je respectais celle de mon associé, elle était un vrai rayon de soleil dans la boutique. Je ne comprends pas que la soeur de l'accusé puisse inventer une chose pareille. C'est tellement cruel! Ah! Seigneur!

Il éclata en vrais sanglots brefs. Pour l'assistance, Cécile devenait odieuse. On attendit que l'infirme se calme, on poursuivit. Ce colis contenant la statue, Pacifique l'avait-il apporté chez lui, à son chalet?

— Mais pourquoi l'aurais-je apporté? Avec ces maudites béquilles? J'en serais parfaitement incapable! Tout le temps le colis est resté sur mon établi. D'ailleurs c'est l'accusé lui-même qui l'a transporté de la boutique au taxi, le matin du 14 juillet.

La question choc arriva:

— Oui ou non, avez-vous demandé à Ovide Plouffe, le 12 juin dernier, de vous acheter cinquante bâtons de dynamite pour faire sauter des souches à votre chalet?

Le masque de Pacifique devint de marbre.

— Je jure que je ne lui ai jamais demandé d'acheter de la dynamite et que j'ignorais absolument tout de cet achat.

Ovide, écumant, bondit presque hors du box:

— Vous mentez! Vous mentez! Moi, je jure devant Dieu, sur la tête de mon enfant, que cet homme m'a demandé d'acheter ces bâtons de dynamite et les caps détonateurs!

Les deux policiers pouvaient à peine contenir cet Ovide Plouffe écumant, gesticulant comme un forcené. L'atmosphère, tendue, tragique, qui régnait dans la salle d'audience, donnait aux murmures de la foule une ampleur apocalyptique. Joséphine se dressa, les yeux exorbités:

— Il faut croire mon Ovide, Monsieur le Juge! Il a jamais menti de sa vie!

On la fit rasseoir, doucement, tous comprenant le désespoir de cette bonne mère de famille. Le silence devenait lourd pendant qu'Ovide, les yeux secs, son corps secoué de soubresauts, se rasseyait en portant la main à son cou blessé. On arrivait au bout du tunnel. Le noeud du procès: c'était la parole de Pacifique, contre celle d'Ovide, accusé cerné de présomptions accablantes. Pacifique, le teint terreux, grimaçant, pitoyable, retrouvait péniblement son siège.

— Je le tuerais! gronda Napoléon.

On se dirigeait inéluctablement vers la condamnation d'Ovide. Napoléon retenait Guillaume par le bras, car ce géant, ramassé pour l'attaque, pouvait bondir vers les policiers, vers le Juge, vers le Procureur de la Couronne, pour les frapper, les frapper, les frapper...Que n'avait-il une bonne grenade numéro 36 pour faire sauter cette misérable salle d'audience où les Plouffe étaient en train de mourir à eux mêmes, dans la honte!

CHAPITRE QUARANTE-DEUXIEME

Le jour des plaidoiries arriva. Tous étaient persuadés, après tant des témoignages écrasants, qu'Ovide serait condamné. Le Procureur de la Couronne réussit l'ouverture de son spectacle en bon comédien. Le monde entier l'observait, il prenait place dans l'histoire du droit criminel. Pendant trois quarts d'heure, il fit la synthèse de la démarche d'Ovide vers son crime, rappelant les faits précis, les motivant, les agençant de telle sorte que l'auditoire buvait ses paroles comme un récit limpide, d'où Ovide émergeait monstrueusement coupable. La famille et l'accusé lui-même semblaient ébranlés. Celui-ci par moments, secouait la tête comme pour chasser ces semblants de vérité. Mais pour le grand avocat, cette exhibition brillante n'était qu'un jeu de virtuose. Il tenait davantage à prouver son érudition et l'envergure de son esprit pénétrant. Depuis trois semaines il consultait psychologues, psychiatres respectés, dévorait les documents relatant le comportement caractériel des meurtriers célèbres de l'Histoire. Quelle veine il avait, le Procureur, lui-même ami d'un fameux avocat parisien, de dénicher un accusé pareil dans la ville de Québec! Après ce procès, ce n'est pas en confrère de province qu'on le recevrait à Paris! Un bras vengeur vers l'accusé mais, les yeux tournés vers le secteur où les journalistes étrangers griffonnaient fiévreusement, il surveillait le crescendo que devait prendre la dernière partie de son allocution meurtrière.

"Nous sommes en face d'un être dangereux, d'un mégalomane à

personnalité double, d'une réincarnation de Docteur Jekyll et Mister Hyde. L'après-midi il se grise, les larmes aux yeux, des mélodies de Francis Poulenc, mais le soir, sa femme et son enfant au sommeil, il descend dans la boutique de réparations de son associé et fabrique une bombe à retardement qui tuera son épouse et vingt-deux autres personnes. Qu'importe! Il poursuit une idée fixe: son rêve d'évasion vers Paris avec une autre femme, Marie Jourdan. Honnête, flairant un danger, elle lui signifie son congé. Il la poursuit quand même. Il espère la convaincre de partir avec lui et pour cela, il lui faut beaucoup d'argent. Sa femme est assurée pour une somme de cinquante mille dollars. Elle mourra donc! Ce qui s'est passé et se passe dans un esprit aussi complexe, aussi pervers, demeure un mystère.

"Un tel monstre à figure humaine n'apparaît qu'exceptionnellement dans le monde. Le sort l'a voulu dans la ville de Québec et issu d'une famille respectable. Mais les desseins de Dieu sont insondables. Ovide Plouffe, enfant, est de santé plutôt fragile. Il rêvasse constamment, lit pêle-mêle tous les livres qui lui tombent sous la main, écoute en transe la musique classique et l'opéra. Sa famille le traite comme un petit génie. Sa mère ne lui refuse rien. Devenu gâté, exigeant, il ne peut tolérer d'objection à ses désirs. A l'école primaire, il a failli tuer un camarade qui le traite d'efféminé. Plus tard, révolté contre la vie, il entre dans un monastère comme frère convers. Il en est chassé pour avoir assommé d'un coup de poing le religieux qui l'éveillait de trop bonne heure. Marié, un enfant, notre homme s'aigrit, vivotant à maigre salaire dans un magasin de disques, où un jour il reçoit une cliente d'une grande beauté, Marie Jourdan, qui lui demande le disque *Les Chemins de l'amour*, de Francis Poulenc. Au premier coup d'oeil il en devient si follement amoureux qu'il s'évanouit. On le transporte à l'hôpital.

"Depuis quelque temps il songe à quitter sa femme avec qui il ne s'entend plus. Trop coquette, elle échappe à son autorité, avec la fâcheuse manie de le contrarier constamment. N'a-t-elle pas, malgré l'interdiction formelle du mari jaloux, accepté d'incarner Miss Sweet Caporal? Il lui fait des scènes violentes. On a vu à quel point l'accusé est hanté par le mythe de la France. A l'hôpital où Ovide Plouffe est sous observation, il a comme voisin de lit,

Pacifique Berthet. Celui-ci l'intéresse au plus haut point, d'abord parce que français et surtout parce qu'il lui rappelle le criminel Berthet, qui inspira Stendhal dans la création de son roman célèbre, *Le Rouge et le Noir.* Par quel mystérieux déclic son cerveau chavire-t-il à ce moment-là reste un phénomène inexplicable. Ovide Plouffe commence à devenir, à son insu, Julien Sorel, le héros du roman et criminel lui-même, Julien Sorel qui tue par amour et par ambition. A partir de sa première rencontre avec Berthet, Ovide Plouffe est aux prises avec un irréfragable dédoublement de la personnalité. Il s'associe à Berthet, puis le commerce de bijouterie démarre. Celui-ci, immobilisé dans son arrière-boutique de réparations, le laisse libre comme le vent et l'encourage à sillonner la Province à grands frais. L'accusé rêve bientôt de contrôler les ventes des montres dans tout le pays mais ne fait pas que cela, il vise en même temps d'autres sommets.

"Voyez la démarche psychologique de cet autodidacte mégalomane, dévoré d'ambition, essayant de se hisser au rang des intellectuels diplômés de l'Université. Je dis bien diplôme, car Ovide n'en a pas. C'est sa plus grande frustration. Il se met alors à écrire des lettres aux journaux; on en publie même dans LE DEVOIR. Il achète à la radio, pour la réclame de sa bijouterie, chaque semaine, un cinq minutes de temps d'antenne, dont il profite pour émettre ses opinions politiques contre le Pouvoir, parler littérature, musique et pour moraliser sur tous les sujets. Il mentionne à peine son commerce, au grand mécontentement de Berthet. L'ascension sociale le tourmente. Il se joint alors aux Chevaliers de Colomb et n'a de cesse d'atteindre le quatrième degré, tremplin idéal pour son ambition effrénée. Sous ses airs doucereux, affables, il cache un être immoral, redoutable d'orgueil et d'égoïsme. Rien ne doit lui résister. Les actes de violences qu'il a commis au cours de sa vie ne sont que des peccadilles comparées au meurtre inouï qu'il va bientôt commettre. De quelle nature sont ces évanouissements qui le mènent à l'hôpital? Le médecin affirme que ce sont des spasmes psychologiques. Mais si nous creusions davantage? Ces malaises ne seraient-ils pas causés par la naissance du deuxième Ovide Plouffe, celui qui tuera? Après sa rencontre avec Pacifique Berthet, sa santé est florissante. Plus de perte de connaissance! Il ne s'est même pas évanoui en prison. La conscience de ce triste individu a sombré lors de son fatal dédoublement de personnalité.

"L'aventure commerciale est un succès. Cet ancien tailleur de cuir devenu disquaire puis homme d'affaires intellectuel, se déchaîne. Ses élucubrations, ses attendrissements, ses prétentions, ses instincts de violence n'ont plus de borne. Un soir, après une dispute avec sa femme, il court chercher le revolver dans le tiroir-caisse de la bijouterie, comme s'il voulait tuer quelqu'un. Mais qui? Il se rend au restaurant CHEZ GERARD, rencontre Marie Jourdan, qui y travaille comme serveuse. Des clients éméchés la taquinent. Voilà pour l'accusé l'occasion rêvée d'émerveiller la jeune fille. Chevaleresque comme un héros de cinéma, il frappe l'insulteur, puis brandit son arme, heureusement pas chargée. On connaît la suite. Alors il n'aura de cesse de conquérir la belle Française et d'aller vivre avec elle à Paris. C'est à ce moment que le criminel apparaît entièrement chez Ovide Plouffe.

"Quand son associé lui demande d'acheter une statue de saint Christophe pour Monseigneur Folbèche, le sinistre projet de l'accusé prend forme. Ce colis de la statue, quel réceptacle idéal pour une bombe artisanale! Victime de lectures désordonnées que son esprit ne peut digérer, ayant lu toute la collection des prix Nobel, il est hanté par le mot dynamite. Donc, le même jour il se rend, en un deuxième temps, chez le quincaillier SAMSON ET FILION, éblouit le commis par son érudition, achète cinquante bâtons d'explosifs et des détonateurs sans plus de formalités. On lui fait totalement confiance! Ovide Plouffe est tellement connu! Il pousse même la criminelle légèreté jusqu'à affirmer qu'ils serviront à faire sauter des souches sur un terrain, près d'un chalet d'été, sans plus.

"Ovide Plouffe, grand lecteur renseigné dans plusieurs domaines, s'est perfectionné en horlogerie comme l'avaient fait avant lui Beaumarchais et Voltaire! Tard le soir, la veille du meurtre, il descend à l'atelier, ouvre le colis contenant la statue et bourre les espaces vides par des bâtons de dynamite et des détonateurs, qu'il relie à un Big Ben, dont il possède plusieurs spécimens dans sa bijouterie. Hélas! Ovide Plouffe se rappelait trop bien l'incident de la radio de Berthet à l'hôpital. Il règle l'heure de l'explosion à dix heures et demie pile, heure où il sait que, pour l'avoir pris souventes fois, le DC3 volera au-dessus du Saint-Laurent.

"Les mystères de la psychologie sont fabuleux. On en perçoit à peine l'existence. Mais il faut constater que, dans le cas présent, notez-le, les symboles de la mer et de la mère jouent un rôle prépondérant dans le destin de l'accusé. Surprotégé, couvé par sa bonne maman, il n'a jamais viscéralement oublié l'eau dans laquelle il a vécu pendant neuf mois. C'est pourquoi *Les Chemins de l'amour,* dont la première strophe commence par "Les Chemins qui vont à la mer" et chantée par Yvonne printemps pour qui Poulenc l'avait spécialement écrite — Ovide Plouffe voue aussi une grande admiration à son mari Sacha Guitry, dramaturge célèbre — c'est pourquoi la mer, dans la diabolique démarche du criminel, devra recevoir les débris de l'avion explosé et les victimes déchiquetées, sans laisser de traces significatives. Enrichi de cinquante mille dollars, il sera libre de fuir avec Marie Jourdan, qui n'en sait rien, vers Paris, la ville dont il se nourrit l'imagination depuis sa tendre enfance. Pourquoi devient-il si nerveux à l'aéroport? Parce que l'avion partait avec dix minutes de retard! L'appareil s'écrasera sur la terre ferme, à Saint-Joachim! Il n'y a pas de crime parfait, Ovide Plouffe!

"Deux jours auparavant, l'accusé avait consulté un agent de voyages, prévoyant sans doute que son crime ne serait jamais découvert et qu'il pourrait jouir impunément de son innommable meurtre. Comment peut-on imaginer chose pareille? Le matin même du jour fatal, il se rend avec sa femme à l'avion, la statue sur les genoux. Calme, gentil, il avertit le chauffeur que son colis est fragile. Tous espèrent et croient que la réconciliation du ménage s'accomplira au cours du voyage. Au dernier moment Ovide Plouffe annule son billet et laisse son épouse partir seule. Il s'est trouvé une bonne excuse, au cas où plus tard on se poserait des questions. L'accusé s'est confié quelques jours auparavant au supérieur des Pères Blancs d'Afrique, le suppliant de lui laisser faire une retraite de trois jours dans son ancienne cellule, afin de se retrouver, de planifier sa vie. Qu'y fait-il alors? Il esquisse des croquis de femmes nues au bord d'une rivière. Un homme est couché entre les deux, et c'est Ovide Plouffe lui-même! Deux personnalités, deux femmes! Il n'est même pas bigame! Puis il devient survolté. La hantise de l'explosion de l'avion décuple son désarroi et le déchire. Il ne peut rester un moment de plus dans cette cellule et s'enfuit par la fenêtre. Où? Au consulat de France où l'on célèbre le 14 juillet dans le jardin, où se trouve Marie Jourdan. Avez-vous vu la photo de l'accusé riant à belles dents pendant que sa petite femme et vingt-deux autres passagers meurent de sa main? Etrange, il ne semblait pas se croire coupable, n'étant pas sur les lieux du crime. C'est odieux, c'est épouvantable: l'inconscience, le cynisme, la cruauté de ce meurtrier dépassent tout entendement!

"Ovide Plouffe, vous avez refusé l'examen des psychiatres, car mon confrère, que je plains, espérait vous faire plaider la folie. Ce n'est pas tellement par orgueil que vous avez reculé, mais parce que vous saviez que ces spécialistes des troubles mentaux découvriraient en vous le monstre décrit tout à l'heure, et les motifs psychologiques qui l'ont poussé à cette infamie."

L'accusateur fit monter le ton de sa plaidoirie à un tel degré d'indignation contagieuse que, requérant la peine de mort contre Ovide, il émit le voeu et le mot que tous avaient dans le coeur et sur les lèvres.

Celui qu'il avait le plus secoué était le Procureur d'Ovide lui-même. Il s'amena à la barre comme une loque et, d'une voix timide, sans conviction aucune, essaya d'établir qu'on ne possédait aucune preuve qu'Ovide avait lui-même introduit la dynamite dans le colis. Un murmure désapprobateur lui fit perdre complètement contenance. Sans regarder son client, qui souriait de mépris, il débita mollement son allocution, qui devint de plus en plus une postface à la plaidoirie du Procureur de la Couronne.

Il retourna à son siège sous les regards de pitié de l'audience. Puis ce furent les recommandations du Juge aux jurés, dont le contenu et le ton condamnaient déjà l'accusé. Ce magistrat, féru de belles-lettres, avait été complètement possédé, charmé par les couleurs littéraires de l'envolée oratoire du Procureur de la Couronne. Il insista quand même pour que chacun prenne sa décision en toute équité, en son âme et conscience.

La demi-heure que prirent les jurés pour arriver à leur décision unanime parut interminable. Les Plouffe, soudés les uns aux autres dans l'horrible expectative, soufflaient à peine, les yeux maintenant accrochés à Ovide, pantelant, résigné comme l'agneau qu'on va abattre. Puis le président du jury prononça le verdict:
— Ovide Plouffe, coupable de meurtre au premier degré!

Cette phrase horrible fut livrée comme si elle eût été enveloppée de ouate. Et pourtant, dans le crâne, dans tout l'être d'Ovide, elle éclata comme un coup de tonnerre venu du fond des âges. C'est dans un brouillard qu'il vit le Juge enfiler ses gants noirs et prononcer les mots fatidiques:

— Ovide Plouffe, je vous condamne à être pendu haut et court jusqu'à ce que mort s'ensuive!

Gardé debout par les policiers qui le soutenaient, il lança un grand cri fauve:

— Je suis innocent! Je suis innocent! Je suis innocent de votre meurtre!

Dans le brouhaha général, Joséphine, entourée de ses enfants, de Monseigneur Folbèche, de Denis Boucher, roula, tangua jusqu'au box où se débattait Ovide et réussit à s'accrocher à lui:

— Ovide! Ovide! Ovide! Mon p'tit garçon!

Celui-ci, les yeux fous, cria, pendant que les policiers, émus, tentaient de le détacher de sa mère:

— C'est faux! C'est affreux! Je suis innocent! Ah! maman!

Ovide Plouffe se préparait à payer de sa vie le privilège d'avoir vécu en rêveur d'exception.

***

Pendant que la nouvelle de la condamnation à mort roulait aux quatre coins de l'univers et que le public de Québec, soulagé, réintégrait le cours de la vie ordinaire, la conscience tranquille, puisque la loi du talion avait triomphé, un meurtre un coupable, on avait reconduit Ovide à sa cellule, où on le prépara à son transfert à la prison de Bordeaux, à Montréal. Il y serait pendu dans un mois si d'ici quinze jours il n'interjetait pas appel. Son seul grief possible: le Juge avait erré en utilisant presque toute la thèse du Procureur Général. L'oncle Gédéon étudiait cet aspect avec le jeune Procureur d'Ovide, sans conviction toutefois. Si au moins le condamné avait collaboré! Rien!

Ovide ne bougeait plus, restait couché tout le jour, se refusait à manger. La barbe longue, pas faite, il ne portait même plus la main à son cou toujours enveloppé d'un bandage, où les lancinements continuaient leur litanie de couic! Il souhaitait que cette infection montât à son cerveau afin de mourir au plus vite, avant sa pendaison. Pauvre tête d'Ovide grouillante de toutes les péripéties du procès! Lui, Ovide Plouffe, Docteur Jekyll et Mister Hyde? Deux personnalités, la bonne et la mauvaise, la main gauche ignorant la main droite. Peut-être était-ce vrai? Confus, Ovide se demandait maintenant s'il avait inventé cette histoire où Pacifique lui avait fait acheter cinquante bâtons de dynamite. Le mauvais Ovide Plouffe n'avait-il pas machiné cette horrible chose à l'insu du bon Ovide? Se serait-il levé, la nuit, pendant que Rita dormait, pour bourrer la boîte contenant la statue, de bâtons de dynamite reliés à un réveille-matin? C'est vrai, il avait déjà fait du somnambulisme. Une nuit, étant gamin, il s'était levé, endormi, avait ouvert le tiroir de la commode où Napoléon rangeait ses rares vêtements soigneusement pliés et avait abondamment fait pipi dessus. Surpris par sa mère, elle le fit se recoucher. Au lever, Napoléon, instruit par Joséphine, lui avait servi une colère terrible. Mais le jeune Ovide ne se souvenait de rien. Avec la statue, la même crise de somnambulisme du mauvais Ovide s'était peut-être répétée?

Quel diabolique enchaînement de circonstances accablantes! Interjeter appel? Il ne pourrait jamais se dépêtrer devant tant de faits exacts et contre tant de gens! Il commençait lentement à se croire coupable, mais chaque fois qu'il allait sombrer dans cette folie, une voix hurlait à son secours: "C'est Pacifique Berthet qui t'a demandé d'acheter la dynamite, cela est indubitable!" Alors il se tordait de plus en plus faiblement sur son grabat. Mais, en écho, une épouvante venant du plus profond de lui-même répondait:

— Tu es innocent de ce meurtre, d'accord, mais coupable d'un autre pire encore: avoir cultivé ta marginalité et y avoir soumis le destin de ceux qui t'aiment. Tu les as ainsi plongés dans le malheur en envoyant ta femme à la mort. C'est ça, ton crime, Ovide Plouffe! Tu mérites la corde!

Puis il gémissait. Non, il ne voulait pas de second procès.

***

Chez les Plouffe, Denis Boucher et Monseigneur Folbèche assistaient, impuissants, au désespoir qui anéantissait maintenant toute la famille. Joséphine ne priait même plus, restait au lit, prostrée, muette. Cécile et Guillaume arpentaient sans arrêt la cuisine, se croisant comme deux marionnettes éperdues. Napoléon faisait irruption plusieurs fois par jour avec des airs de sanglier effarouché, puis s'en retournait. Denis, qui ne lâchait pas prise, se rendait souvent vérifier si Stan était de retour, ou rôdait aux alentours du chalet de Pacifique Berthet. Qui sait? Un indice apparaîtrait peut-être, contre toute espérance, qui ferait éclater la vérité?

Ce fut Napoléon qui réagit le premier. Il arriva en trombe à la maison, entraîna Guillaume sur la véranda.

— Tiens-toi prêt. Tit-Mé est arrivé à Matane. Il vient de me téléphoner. Il attend nos instructions. Mon plan va marcher.

— Enfin, on va commencer à vivre! fit Guillaume en se dressant.

— Tu sais compter? Sept de vingt et un, il reste combien? fit le plombier.

— Quatorze. Pourquoi?

Napoléon grogna:

— Je te demande ça comme ça. Mais j'aime ta réponse.

Le même matin, Monseigneur Folbèche obtint la permission de voir Ovide dans sa cellule. Paternellement, lui tenant les mains, il entendit son entière confession, Ovide lui racontant des choses jamais confiées à personne. Il lui dit toute la vérité sur Rita, Marie, Pacifique Berthet, Stan Labrie. Le prêtre lui fit écrire une lettre à sa famille, dans laquelle il demandait pardon de la peine qu'il leur imposait, une lettre où il leur disait son amour et leur criait son innocence. Il était victime d'une prodigieuse erreur judiciaire, redoutait un second procès, car il n'aurait jamais la force d'endurer encore une fois ce martyre. Il demandait au ciel la grâce de mourir avant. Dans cette même missive, il remerciait d'avance Jeanne, sa belle-soeur, de servir de mère à la petite Arlette, lui demandait de la protéger toujours et de lui parler de son père comme d'un homme honnête abattu injustement par la

Société. Il la mettait en garde contre la méchanceté du monde.

C'est d'un pas assuré que Monseigneur Folbèche quitta la prison. Quand il entra chez les Plouffe, il ne trouva personne dans la cuisine. La porte entrouverte de la chambre de Joséphine laissait filtrer des chuchotements. Debout, blêmes, immobiles, Cécile, Guillaume et Napoléon surveillaient le médecin de la famille prenant le pouls de Joséphine, qui respirait par saccades.

— Nous allons immédiatement la conduire à l'hôpital, fit le docteur au trio, avec un regard qui signifiait: "Elle est en train de se laisser aller."

Monseigneur Folbèche approcha du lit, prit la main de sa paroissienne, la serra longuement.

— Joséphine, je viens de voir Ovide. Vous me comprenez, Joséphine?

Elle acquiesçait faiblement.

— Maintenant, écoutez-moi bien: je sais qu'Ovide n'est pas coupable!

Elle ouvrit les yeux, essaya de se relever en s'appuyant sur son coude.

— Ce n'est pas le temps d'aller à l'hôpital! ordonna le prêtre. Sauvons Ovide d'abord. Et il est essentiel que vous soyez là. Nous devons le convaincre de réclamer un second procès. Les derniers sacrements, en ce qui vous concerne, ça sera pour une autre fois. Comment nous y arriverons? Je ne le sais pas encore. Mais le bon Dieu veille, qui fera triompher la justice. J'irai crier son innocence au coin des rues, si nécessaire!

— Et on se prépare à lui donner un coup de main, au petit Jésus, grogna Napoléon. Il se grouille pas assez vite.

Monseigneur leur lut le feuillet qu'Ovide avait rédigé d'une main tremblante. Ils pleurèrent tous, puis une saine révolte les gagna. Les Plouffe remontaient aux barricades pour défendre Ovide. Ils retrouvaient un souffle plus régulier, une nouvelle lumière brillant dans leurs yeux. Joséphine s'assit au bord du lit et, d'une voix raffermie, commanda:

— Cécile, fais chauffer la soupe!

Soutenue par ses deux fils, elle se leva et se dirigea jusqu'à sa chaise berçante. Avec un fracas énergique on rangea les chaises autour de la table. Le médecin écouta à nouveau les battements de coeur de Joséphine, reprit son pouls et se gratta la tête:

— C'est à n'y rien comprendre. Tout est redevenu normal!

— Vous voyez? sourit Monseigneur. On va réchapper tout le monde.

Napoléon, le visage transfiguré, vint s'accroupir aux genoux de sa mère.

— Vous allez avoir des surprises! Des bonnes! Maman! Dites donc, dans votre valise de noces, avez-vous encore les deux soutanes blanches qu'Ovide a rapportées du monastère?

Elle acquiesça faiblement:

— Bon! On est correct, Guillaume! Ça va marcher!

Joséphine fut à tel point bouleversée, pénétrée par la confiance qui émanait de son fils aîné, qu'elle commença machinalement à se bercer et réclama une cigarette SWEET CAPORAL.

CHAPITRE QUARANTE-TROISIEME

Tout fut prêt pour neuf heures du matin. Il restait trois jours pour interjeter appel, mais on déménagerait Ovide demain à la prison de Bordeaux à Montréal, où les soins de l'infirmerie seraient plus adéquats, vue l'extrême faiblesse de l'accusé.

Guillaume, dents serrées, oeil fixe, comme à l'époque où son commando partait à l'assaut du camp ennemi, attendait son frère dans la camionnette de plomberie NAPOLEON ET FILS, entrepreneur plombier et couvreur. Les aînés de Napoléon venaient de partir pour le terrain de jeux. De la fenêtre, celui-ci leur avait crié plusieurs fois, "Bonne journée, les p'tits gars! Soyez sages!" Guillaume se félicita de son mutisme. Malgré les questions nombreuses, personne à la maison ne soupçonnait encore le but réel de leur expédition. Seuls Tit-Mé, son aîné et lui-même savaient. Napoléon, cependant, se devait d'en instruire sa femme.

Assise, toute pâle, devant le gros sac de toile déposé par son mari sur la table, Jeanne appréhendait le pire. Napoléon, contre son habitude, n'avait pas dormi de la nuit, tournant et se retournant à côté d'elle. Il revint de la chambre, trompette à pistons en main et la fourra dans le sac. Puis il s'assit devant elle et lui prit les mains avec émotion.

— J'ai peur, Napoléon. Qu'est-ce que tu mijotes?

Il avait le coeur gros.

— Je te remercie de m'avoir rien demandé, ma Jeanne. Dis-moi que tu m'aimes toujours.

— Je t'aime toujours voyons, même plus qu'avant.

— Es-tu prête à approuver n'importe quoi que je ferai pour sauver Ovide?

— N'importe quoi que tu feras! fit-elle dans un élan de confiance aveugle, totale.

— Si Ovide meurt de faiblesse ou pendu, on est fini. Et c'est déjà rendu loin. On n'a plus une minute à perdre. Regrettes-tu d'être entrée dans ma famille?

— Si j'étais pas entrée, je serais morte.

Il parlait avec une gravité effrayante:

— Je vas te demander d'avoir du courage, encore plus même que quand t'étais à l'hôpital. Guillaume et moi, on va essayer de faire évader Ovide. Réussis, réussis pas, je vas être arrêté.

Elle ne put refréner une grimace horrifiée.

— Je m'en doutais, se plaignit-elle doucement.

— Tu m'approuves de faire ça, hein? Sans quoi, Ovide, mon frère va mourir!

Elle acquiesçait. Il retenait ses larmes. Devant la soumission silencieuse de sa femme, il éprouvait le besoin de s'agenouiller pour la vénérer. Une autre se serait écroulée en jérémiades, aurait essayé de le détourner de ce commando. Il se retint, trouva une voix ferme:

— Merci, Jeanne Duplessis, ma femme de toujours et pour toujours. Ici, pendant mon absence, que rien ne change. Je te veux pas découragée. Chaque matin, lève-toi comme une championne. Continue à prendre les contrats, à tenir la comptabilité, à faire rouler la vie de la maison.

— Et à marcher la tête haute! fit-elle. Je suis derrière toi cent pour cent, mon mari.

Il prit le visage de Jeanne dans ses mains puissantes, longuement, puis, au centre du front, déposa un baiser extraordinaire, comme s'il eût communié à cette femme sans qui il ne pouvait imaginer de continuer à vivre.

***

Dans la camionnette emportant le commando Plouffe, Napoléon, bouleversé, se disait que Dieu, il y a longtemps, l'avait voulu plombier, puis entrepreneur, en vue d'obtenir et de garder le contrat d'entretien de la prison de Québec, à seule fin de faire évader Ovide, ce prédestiné. Cette conviction donna une nouvelle teinte de sacré à l'expédition, téléguidée par Dieu lui-même.

La prison de Québec, Napoléon la connaissait maintenant dans ses moindres recoins, aussi bien que sa propre maison. Il s'y rendait effectuer ses réparations, ses examens, quand bon lui semblait, et s'y était fait beaucoup d'amis. En juin dernier on lui avait même permis de jouer de sa trompette pour les gardes et les prisonniers pendant la récréation. On l'avait ovationné. On s'était habitué à sa carrure trapue et à sa jovialité bon enfant. Cette popularité de Napoléon avait valu à Ovide certains adoucissements de la part de ses gardiens, et la cessation des couics! dans le hublot par les détenus.

Ce contrat lui donnait peu de soucis. Le toit, fait de plaques de cuivre solide, n'exigeait que le remplacement des clous rongés par la rouille ou éclatés au froid de l'hiver, mais les gouttières nécessitaient une surveillance plus suivie. Des feuilles mortes, des glands, des noix, des brins d'herbe, des branchettes s'y accumulaient, faisant pourrir la tôle, corrodant les soudures. Chaque fois qu'on voyait Napoléon suspendre sa passerelle, accrochée par des câbles en bordure du toit, des prisonniers apparaissaient derrière leurs barreaux et, quand il atteignait leur niveau, Napoléon leur glissait parfois des cigarettes, des friandises, ou des bouteilles de boisson gazeuse.

La prison de Québec ne faisait pas souvent parler d'elle. Conçue d'abord en fonction du paysage, elle n'abritait généralement que les auteurs de larcins. L'intérieur et les cellules exiguës en avaient été conçus selon une inspiration romanesque et moyenâgeuse. Elle n'était point entourée de hauts murs où les sentinelles faisaient le guet, prêtes à abattre les fugitifs. Elle ne comportait pas de miradors d'où les gardes armés de mitraillettes et de réflecteurs briseraient les évasions. Voisin du Musée de la Province de Québec, au centre d'un des plus beaux parcs publics du monde, on se demandait souvent pour quelle raison on y avait érigé le sombre édifice destiné à faire souffrir de pauvres hères face au fleuve Saint-Laurent.

Le directeur de cette prison d'opérette, fonctionnaire pacifique, débonnaire, attendait patiemment le jour de sa retraite. La vue des prisonniers le démoralisait. Il essayait de ne les rencontrer que le jour de leur libération, satisfait le reste du temps de remplir et de signer d'innombrables formules et rapports. Les gardes provenaient pour la plupart du même milieu ouvrier que les Plouffe, ayant obtenu cet emploi grâce à leur député, comme d'ailleurs aussi les agents de la Sûreté, ceux-ci encore plus prestigieux que ceux-là à cause de la moto dotée d'une sirène de police. Les gardiens ne sourcillèrent pas quand il virent Napoléon, flanqué de son géant Guillaume, accrocher les câbles à poulies aux rebords de la couverture, et faire descendre lentement sa passerelle le long des gouttières de métal comme à l'accoutumée. On ne s'étonna même pas que ce jour-là, NAPOLEON ET FILS choisissent d'inspecter l'édifice. Bien sûr tous savaient qu'Ovide Plouffe était leur frère. (Ce Napoléon devait pouvoir compter sur de bien puissantes influences pour avoir conservé son contrat). On savait qu'ils passeraient devant la fenêtre d'Ovide. Ainsi ils pourraient communiquer une dernière fois avec lui, car un frère est un frère, même s'il est comdamné à mort. Et un Plouffe est un Plouffe, ami d'enfance, compagnon d'équipe au jeu de baseball, voisin de banquette à l'école. Pendant la mise en place de la plateforme, deux gardes leur firent un clin d'oeil, tournèrent le dos et s'occupèrent ailleurs. Un gardien de prison peut être aussi un homme de coeur. Il ferme les yeux sur certaines irrégularités, respecte les drames de famille.

Face au Fleuve où un transatlantique voguait doucement vers le Golfe, près des arbres centenaires et de la végétation luxuriante des Plaines d'Abraham, en toute quiétude, comme si les hommes et la nature s'étaient faits les complices des Plouffe, la passerelle descendait le long du mur en heurtant les aspérités de la pierre. Les prisonniers, derrière leurs barreaux, respectueux, à chaque étage, n'attendaient rien ce jour-là et disaient: "Nos sympathies, les gars!" La plateforme atteignit le niveau de la cellule d'Ovide. Guillaume martelait régulièrement la gouttière, faisant mine d'examiner le métal. Napoléon, après avoir vérifié la bonbonne d'air comprimé à ses pieds, scruté furtivement les alentours, s'accrocha aux barreaux et appela:

— Ovide! Ovide!

La forme amaigrie, le visage hagard garni d'une barbe déjà longue, bougea sur le lit, puis les yeux brillants de fièvre du condamné s'ouvrirent. Médusé, il crut reconnaître son aîné, et se frotta les paupières. Encore une hallucination! Le délire, le mirage, comme dans le désert. Puis il entendit un sifflement étrange, plutôt un chuintement. Un filet de feu rongeait un des trois barreaux, celui du centre, distant de sept pouces des deux autres. Ensuite un homme pourrait passer! Napoléon, armé de son chalumeau à acétylène dernier cri, qui avait attaqué le métal, s'énervait, soufflait, protégé de lunettes spéciales.

— Vas-y! encore personne! chuchota Guillaume, calme comme une cathédrale et martelant sans hâte la gouttière. Moins d'une minute s'écoula et la tige de fer, extrémités incandescentes, tomba dans la cellule avec un tintement sourd. "Aide-moi, bon gueux d'Ovide!" s'impatientait Napoléon, qui put enfin sauter à l'intérieur, portant dans ses bras une salopette, une casquette de plombier NAPOLEON ET FILS et sa trompette à pistons.

— Envoie, ouste, lève, enculotte-moi ça, on te fait évader!

Comme une loque sans muscles, sans force aucune, Ovide était écrasé au bord du grabat.

— Grouille-toi, on te fait évader! Je te dis!

Ovide se mit à claquer des dents. C'était maintenant la folie pure. A trente-neuf de fièvre, normal: sa fin arrivait. Suant à grosses gouttes, Napoléon réussit à lui faire enfiler la salopette, à lui enfoncer la casquette sur la tête, à le saisir comme un colis qu'il transmit à Guillaume, lequel l'installa debout, mains accrochées aux câbles. Puis doucement, calmement, il fit descendre la passerelle jusqu'au sol, comme si toute cette opération eût été de la routine. Quand Napoléon, de la fenêtre édentée, les vit démarrer dans la camionnette, abandonnant la plateforme couchée par terre, son visage s'éclaira comme celui d'un ange du paradis et il poussa un long soupir de soulagement. Alors il pleura de joie en s'accroupissant au bord du grabat. Un garde vint vérifier, par routine, dans le hublot de la porte. Mais il lui tournait le dos. Plus les minutes passaient, plus cette crampe qui lui contractait le ventre depuis hier se relâchait. Une heure s'écoula. Ovide était sauvé! Il filait vers sa cachette! Une clé tourna dans la serrure. Il se mit debout, au garde-à-vous, tenant sa trompette à pistons. Devant les deux gardiens ébahis, il déclara en éclatant d'un grand rire:

— Eh ben! oui, c'est moi! Mon frère est parti. Vous pourrez pas me pendre, j'ai rien fait!

Et, les joues gonflées comme des ballons, il joua *Ô Canada.*

***

La camionnette filait vers la liberté.

— Je ne rêve pas, hein, Guillaume, je ne rêve pas? soufflait le fiévreux fugitif barbu, déguisé en plombier, à côté d'un Guillaume crispé, mais souriant de triomphe.

— Comme à la guerre!

Il vibrait, se sentait multiplié.

— Non, tu rêves pas, mon petit Ovide, ils nous auront pas, nous autres, les Plouffe! Mais parle pas, ménage tes forces. Fais semblant de dormir, cache-toi la figure avec tes mains. Faut pas montrer ta maudite barbe.

Ils traversèrent les Plaines d'Abraham, descendirent la côte Gilmour (que Wolfe et son armée avaient gravie pour conquérir Québec en 1759), roulèrent normalement pour ne pas attirer l'attention, longèrent le Fleuve jusqu'au quai de la traverse de Lévis, laissèrent la camionnette devant la gare maritime et, portant un gros sac et une malle, se faufilèrent, Ovide défaillant presque, ses jambes le portant à peine, vers la salle des lavabos publics, où ils s'engouffrèrent.

Dix minutes plus tard, ils en sortirent transformés en Pères Blancs d'Afrique, soutane immaculée, capuchon rabattu. Guillaume portait le baluchon et la valise. Ovide, mains dans les manches et, sur le nez les lunettes à monture dorée ayant appartenu à son père Théophile, parvenait tant bien que mal à cacher son visage barbu. Ils marchèrent pendant une centaine de mètres, puis Guillaume constata, enfin satisfait:

— En trouvant la camionnette ici, ils vont croire qu'on a pris le bateau et penser qu'on a ensuite filé vers la frontière américaine.

— Je suis épuisé! dit l'évadé dans un souffle.

— C'est pas le temps de casser. Fais un dernier effort. Je peux tout de même pas te porter dans mes bras en public?

Guillaume songea à héler un taxi, mais se ravisa. Il se méfiait des chauffeurs, qui connaissent trop bien la police. Ils grimpèrent dans l'autobus, presque vide à cette heure de la matinée, et en descendirent juste devant la gare centrale des autocars à long parcours. Guillaume acheta les billets. On longerait la Côte Nord jusqu'à Baie Sainte-Catherine. Aux premiers jours de son commerce, Ovide y était monté quelques fois. La prospérité aidant, il choisit ensuite l'avion. Ils montèrent à bord. Ovide reconnut le chauffeur, mais comme Guillaume, d'autorité, s'occupait de tout, son frère le suivait, courbé, tête baissée. Comment le reconnaîtrait-on, dans ce froc de moine, avec cette barbe et ces lunettes au bout de son nez? Les deux religieux, salués respectueusement par les passagers déjà installés, se rendirent à l'arrière, où Guillaume fit s'asseoir Ovide près de la fenêtre, à droite, afin qu'il pût admirer le Fleuve. Calé dans le coin de la banquette, il pourrait dormir, méconnaissable, dans le secret de sa cagoule. En s'asseyant, Ovide défaillit, épuisé; Guillaume s'en aperçut. Des sueurs couvraient le front de son frère et ses mains étaient moites. Le vétéran lui toucha les doigts, en vérifia la chaleur. Quelle fièvre! Il prit peur et lui saisit le poignet, vérifiant le pouls, qui battait faiblement. D'une poche de sa soutane, il extirpa un petit flacon de gin et secoua Ovide. Celui-ci ouvrit enfin les yeux, hagard, comme sortant d'une crise d'épilepsie. Il balbutia:

— Où sommes-nous?

— En autobus, mon cher père, à l'air libre. Tiens, prenez ça.

Guillaume s'assura que personne ne les observait et fit avaler l'alcool au malade, qui récupéra un peu de couleur.

— Où allons-nous? murmura Ovide.

— Chut!...A l'Ile d'Anticosti, murmura Guillaume. Tiens, regarde ton ancien couvent.

L'autobus longeait le monastère où Ovide avait passé douze mois qui l'avaient jadis profondément marqué. Mais il était trop faible pour constater qu'aujourd'hui comme autrefois, la soutane avait toujours pour lui symbolisé la fuite.

— Essaie de dormir, murmura Guillaume on a pour six heures d'autobus.

Ovide, épuisé, se recroquevilla comme un foetus et, le visage tourné vers le Fleuve, ne vit pas, heureusement, les collines de Saint-Joachim où Rita était morte. Hélas! le chauffeur le lui rappela qui annonçait d'un ton sinistre: "A votre droite, Mesdames et Messieurs, c'est là que l'avion DC3 est tombé, tuant vingt-trois personnes."

***

La nouvelle de l'évasion éclata comme une bombe! Aussi sensationnelle que l'explosion de l'avion, l'arrestation et la condamnation de l'accusé, elle s'assortissait d'un élément cocasse, extraordinaire: Napoléon Plouffe, le plombier, avait coupé le barreau central et pris sa place dans la cellule en jouant triomphalement, avec sa trompette à pistons: *Ô Canada!*

La photo des trois frères parut à la une dans tous les journaux d'après-midi. On reconnut le héros de la guerre, le champion lanceur, le beau, l'athlétique Guillaume Plouffe. Les poursuivants devaient être prudents devant ce tireur d'élite, ce guerrier redoutable, sans doute armé de plusieurs revolvers 38, de grenades, de tout un arsenal, aux côtés du criminel fugitif, expert dynamiteur. Donc, danger extrême: il fallait les abattre à vue. Mais le rire éclatant de Napoléon, sa bonne gueule dans le journal, le coup de la trompette à pistons, donnèrent vite aux fugitifs des allures de Robin des Bois modernes. Les Plouffe devenaient des personnages de légende.

Les populations s'enflamment pour les actes héroïques, les mystères de l'aventure, elle s'enthousiasment pour les échappés de la corde qui retrouvent leur liberté. Autant on avait désiré la pendaison d'Ovide autant, maintenant, on souhaitait secrètement le succès de son évasion. Après tout, l'histoire de ce Berthet était loin d'être claire? Et puisque la famille du condamné à mort avait mis tant de courage à le faire fuir, peut-être n'était-il pas le vrai coupable?

Le jour même, quelques gardiens à la prison de Québec se virent imposer un mois de congé sans solde; le directeur fut mis à la retraite. Au ministère de la Justice, la fureur régnait. Les limiers de la Sûreté du Québec couraient vers les frontières américaines, ou vers Montréal, car cette camionnette abandonnée près de la traverse de Lévis indiquait une piste importante. A la radio, on donna le signalement des fugitifs. L'un costaud, l'autre malingre et barbu, sans doute déguisé. Des gens appelaient, prétendant les avoir vus détaler dans un champ ou ramer dans une chaloupe.

On ne pensait pas du tout aux Pères Blancs. Vers quatre heures de l'après-midi, Ovide et Guillaume arrivaient à Baie Sainte-Catherine et prenaient le traversier pour Rivière-du-Loup. Appuyés au bastingage, tournant le dos aux autres passagers, les deux faux moines semblaient admirer la mer en priant, la tête effleurée de temps à autre par des goélands volant trop bas.

— Ça va mieux? dit Guillaume.

— Oui, presque plus de fièvre, je crois. L'air du large est si bon. Mais je me sens fatigué, tellement fatigué. Je ne rêve pas, hein, Guillaume?

— Non, tu rêves pas. On t'a fait évader et on s'en va se cacher dans notre cabane à la Jupiter. Là tu vas te reposer, retrouver ta santé. Personne nous aura. L'important, c'est de gagner le plus de temps possible. Denis Boucher a l'air bien confiant de le poigner, le vrai coupable.

Ovide souriait avec hébétude, n'osa pas encore se sentir heureux, mais une douceur tiède, bienheureuse, l'envahissait. Les vagues étaient fortes, mais le mal de mer ne le menaçait pas. Il avait dévoré tout à l'heure les trois sandwiches au jambon préparés par Jeanne et tirés du baluchon bourré de victuailles. Lunettes sur le bout du nez, ne voyant presque rien à travers ces verres de presbyte, Ovide évoqua le voyage qu'il avait fait sur ce même traversier avec Marie Jourdan.

— Marie doit être retournée en France? murmura-t-il.

— Ça doit! Ah! on parlera de tout ça quand on sera arrivé à la Jupiter.

Guillaume était nerveux, sur un qui-vive constant, scrutant le comportement de chaque personne passant près d'eux. L'évasion du prisonnier Ovide était déjà connue et alimentait les conversations parmi les groupes de passagers, fermiers, touristes, bûcherons.

— Faut pas attirer l'attention. Tournons le dos, continuons de regarder la mer et taisons-nous.

Ils arrivèrent au quai de Rivière-du-Loup en fin d'après-midi. Tit-Mé les y attendait au bout de la passerelle de débarquement, le chapeau derrière la tête, observant les alentours d'un oeil sournois. Il ne reconnaissait pas les deux ecclésiastiques. C'est Guillaume qui chuchota, en lui pinçant le bras:

— Qui cherchez-vous, mon fils?

— Ça parle au diable! fit Tit-Mé.

Mais le temps n'était pas aux paroles. Ils sautèrent dans l'autobus presque vide partant pour Matane et se réfugièrent à l'arrière. On parlait tout bas, par bribes.

— T'as pas coupé ta barbe? C'est ça qui te change bien plus que la soutane. Votre évasion est connue de partout. J'ai hâte de quitter la côte, dit Tit-Mé.

— La maudite barbe! On n'a pas eu le temps de la couper, déplora Guillaume dans un souffle. J'aime pas ça. T'as le bateau?

— Oui. Mon vieux pêcheur, le père de ma grosse Yvonne. Je me suis tenu tranquille, elle est à Montréal et j'ai pas bu. Il va nous traverser de nuit. On en a pour vingt-quatre heures au moins. J'ai doublé le prix. J'ai dit qu'y fallait que vous soyez au camp douze demain soir pour confesser les gars, et leur célébrer la messe après-demain matin. J'ai pas eu de trouble à obtenir mon congé du contremaître.

Tit-Mé se pencha, examina Ovide, qui avait les yeux clos et les mains décharnées appuyées sur son missel. Il chuchota:

— Pauvre Ovide, un vrai cadavre barbu! Ça pas d'allure. Laisse-moi faire, je vais te l'engraisser à notre cabane. Ah! si on avait Marie, ce serait encore mieux!

— T'as jamais vu une épreuve effrayante comme ça pour une famille, soupira Guillaume, le coeur gros, serrant de sa main puissante, en guise de conclusion, le biceps de Tit-Mé.

Et comme le fiacre de la chanson, le vieil autobus emporta, cahin-caha, le trio vers le quai de Matane où attendait, en fumant sa pipe, le loup de mer, barbe blanche, peau ridée, jaunie, séchée par les vents marins. De sa barque montait une forte odeur de poisson.

***

Les flancs largement évasés, comme une soucoupe avec poupe, la barque du pêcheur gaspésien, propulsée par un moteur à essence, teuf teuf monotone qui tambourinait sur la nuit, fendait les vagues courtes du fleuve Saint-Laurent et fonçait vers le Golfe. La lune éclairait le visage blafard d'Ovide, recroquevillé dans la proue. On l'avait enveloppé de couvertures de laine et recouvert d'une grosse toile. Tout s'était bien passé jusque-là. Maintenant on avait mis le cap sur la Jupiter. Guillaume, à l'arrière de l'embarcation, respira longuement l'air marin. Heureux, il se détendait. N'avait-il pas réussi un exploit?

Le pêcheur était fier de son bateau. Les Gaspésiens avaient dû, par nécessité, au cours de leur histoire, concevoir cette forme de barque se mariant mieux à la mer que n'importe quelle création de constructeur moderne, tout comme les "habitants" avaient créé le type de maison à toit penché et plafond bas, adaptée à la neige et aux rigueurs de l'hiver. Ce pays immense et dur, ce climat brutal, ce golfe Saint-Laurent impitoyable, les Canadiens français les avaient domptés, apprivoisés, semblables aux Plouffe essayant avec une détermination farouche à soumettre le destin. Guillaume, évitant de son mieux de se faire voir de face par le marin, restait immobile, silencieux, les mains enfouies dans les amples manches blanches de sa soutane, une couverture de laine sur les épaules, la nuit étant fraîche. Il se disait qu'après avoir connu la gloire d'une vedette de baseball, puis cinq ans de guerre où il avait frôlé souvent la mort, le teuf teuf de la vie ordinaire n'avait pas réussi à le happer. De retour au pays, il avait vécu dans un désarroi et un ennui infinis. Et soudain ce drame d'Ovide, puis cette évasion spectaculaire! C'est pour cela qu'il était fait: l'action! le danger! Aujourd'hui, à nouveau, il se sentait vivre complètement. Bien sûr, tôt ou tard, on les découvrirait, Ovide n'étant qu'un pendu en sursis. Alors Guillaume se demanda s'il n'irait pas jusqu'à donner sa vie pour défendre son grand frère Ovide, innocent du crime. Mais demain, c'est demain, son tempérament particulier de champion lui faisait vivre totalement et sans angoisse chaque instant de sa mission. Après tant d'années, son coeur battait toujours à soixante. Il pensa à son père Théophile, s'en ennuya soudain avec acuité. S'il avait été là! Le bloc familial n'en eût été que plus solide, dur comme du granit.

***

Vingt heures plus tard, au centre de la barque, où se trouvaient le moteur et le gouvernail, Tit-Mé se tenait à côté du vieux pêcheur. Celui-ci en vareuse et bonnet de laine, pipe en gueule édentée, l'oeil gris scrutant l'horizon, essayait d'apercevoir la ligne d'Anticosti. Tit-Mé devenait disert, trop, peut-être. Il expliquait au loup de mer, qui s'étonnait de la faiblesse du Père Blanc recroquevillé dans la pointe du bateau:

-- Des apparences seulement. Ces chicots-là, quand ça travaille pour le bon Dieu, ça résiste à tout. Prenez les saints martyrs canadiens. Des Jésuites peut-être, mais ils étaient tous maigres. Quand les Indiens les ont torturés, ils ont mis du temps à mourir. Faut pas se fier aux apparences.

— On sait ben, fit le pêcheur. Ce que t'en connais, des choses! Je comprends que mon Yvonne te trouve de son goût.

— Moi, se rengorgeait Tit-Mé, j'ai toujours été ben catholique. Vous avez vu le crucifix que je me suis fait tatouer sur le bras? fit-il en retroussant sa manche.

— Yvonne m'en a parlé. C'est vrai qu'il est beau. Moi je prie le bon Dieu surtout quand la morue mord pas, expliqua le vieux pêcheur.

Dans le calme de la mer, Tit-Mé se découvrait moralisateur:

— Il faut prier tout le temps, jamais perdre de vue le gros gibier, qu'on appelle le diable. Le garder à l'oeil.

Le pêcheur cracha, se pencha pour rallumer sa pipe, les mains autour de la flamme.

— Le diable à Anticosti? Pouah! C'est rien que du chevreuil et du saumon.

— Dites pas ça, le père. Les touristes américains, c'est surtout des protestants anglais. Ils emmènent des fois des femmes, boivent comme des trous. Les guides se mettent à les imiter, pis à coucher même avec les "touristesses". Ça se comprend. On n'a pas de prêtres, pas de messes, pas de confession. C'est pour ça que j'ai fait venir deux Pères Blancs d'Afrique. Des prêtres habitués à la forêt, aux bêtes sauvages. Et ça presse, je vous le dis, le père! Torrieu!

Guillaume l'entendait, s'impatientait, s'inquiétait. Comment arrêter le bavardage de Tit-Mé? Il toussa:

— Mon cher fils Aimé, parler trop dans le Golfe peut vous faire perdre la voix.

Tit-Mé, emporté par sa fabulation, ne comprit pas tout de suite.

— J'ai la gorge très bonne. Vous inquiétez pas, cher père.

— Y a pas à dire, c'est beau de votre part d'amener des prêtres de même, opinait du chef le vieux marin, ami du curé de sa paroisse, et qui ignorait les excès auxquels s'adonnaient Tit-Mé et sa fille Yvonne. Allez-vous coucher à l'embouchure de la Jupiter?

Tit-Mé répondit avec une autorité d'évêque:

— Non, on se traînera pas les pieds. On saute tout de suite dans le canot et on monte jusqu'au mille douze, au grand camp. Ça presse plus que vous pensez. Les Américains ont amené des actrices qui jouent dans les *Ziegfield Follies.* Ces filles-là, ça danse presque les fesses à l'air. C'est mauvais pour nos gars. Ça les excite! Ils voient plus le poisson! Mais nos Pères Blancs vont s'en occuper. Une grand'messe au bord de l'eau, à côté de la fosse à saumon. Ça convertira pas les Américains ni les danseuses, mais, de la galerie du camp, ils vont assister à la cérémonie et ça va leur faire penser au ciel.

— Mon fils, vous contez trop d'histoires! fit Guillaume, tranchant.

Mais le vieux timonier gloussait d'un petit rire mouillé de crachins, pendant que Tit-Mé tournait des yeux de chien coupable en direction de Guillaume, qui lui faisait de furieux signes de la tête.

— Et la quête sera bonne! fit le marin. Hi! Ils s'en paient une tranche, ces touristes-là! Faut être Américain pour avoir du "fun". Des danseuses les fesses à l'air! Du bon scotch en plus. Dans le temps de monsieur Menier, ça aurait pas été permis. Je viens vous rechercher quand?

Tit-Mé avait changé de ton:

— On le sait pas encore. Ça peut être long, vous savez, essayer de convertir tout ce monde-là. Faut espérer qu'avec deux Pères Blancs d'Afrique, deux experts, ça prendra pas des mois. Ça se peut qu'on reparte par le bateau de la compagnie, de Port-Menier.

Le marin souriait à la nuit en songeant aux danseuses. Toute sa vie, dans l'interminable solitude de la mer, il avait pensé aux femmes en halant ses filets gonflés de morues et de maquereaux.

Déposés à l'embouchure de la Jupiter après toute une journée de navigation, le trio regarda la barque s'éloigner. Il était neuf heures du soir.

Guillaume et Tit-Mé, soutenant Ovide puis le soulevant de terre, coururent à la cabane de la liberté, y allumèrent un feu, croquèrent quelques biscuits, burent quarante onces de gin et s'endormirent d'un sommeil de bête.

CHAPITRE QUARANTE-QUATRIEME

A Québec, les Plouffe savouraient la nouvelle stupéfiante qui passionnait la population. La maison de Joséphine devenait à nouveau un centre d'attraction, mais cette fois elle n'était plus un lieu méprisable, en quarantaine. L'exploit des trois frères, unis comme des mousquetaires, donnait un exemple de solidarité familiale inouï, rappelait les romans de cape et d'épée. Un vent de sympathie et d'admiration les entourait, comme si dans le match qu'Ovide Plouffe avait entrepris contre la mort, pour sa liberté, les spectateurs se rangeaient à nouveau du côté de ces champions Plouffe, comme à l'époque du jeu d'anneaux de fer, des parties de baseball et des courses cyclistes. La bonne gueule hilare de Napoléon en prison, joues rebondies, jouant pour les prisonniers des solos de trompette à pistons, l'ampleur de son sacrifice, qui lui avait fait abandonner famille, commerce et liberté pour remplacer Ovide en cellule, l'évasion spectaculaire de ses deux frères, transformaient à nouveau les Plouffe en héros.

Après quarante-huit heures, malgré une recherche déchaînée de toutes les polices, on ne détenait aucune piste. Les fugitifs s'étaient évaporés. Des groupes de voisins, de curieux, s'attroupaient devant la maison des Plouffe et, comme une papesse, Joséphine apparaissait à la fenêtre. On l'applaudissait et elle souriait d'orgueil. Aux policiers qui la bombardaient de questions, elle jura ses grands dieux qu'elle ignorait absolument où ses garçons, qui n'étaient pas des "jaseux", pouvaient bien être allés. Elle était sûre cependant qu'à leur départ, ils n'étaient pas armés. Donc et surtout, il ne fallait pas tirer sur eux. De si bons enfants! Elle le dit également aux journalistes, quoique Denis Boucher essayât d'empêcher les intervious.

Joséphine, renseignée par Jeanne, en savait long maintenant. Les deux complices, toutes réjouies, se parlaient par clins d'oeil devant Cécile agacée, car la mère prenait une douce revanche sur sa fille en la gardant hors du secret, qu'en vain Denis essayait lui aussi de percer. En de telles circonstances, pensait Joséphine, on en dit toujours trop, même à ceux qu'on aime. Les deux femmes connaissaient donc la retraite des fugitifs, heureuses de les savoir à l'abri sous des millions d'arbres, comme des écureuils.

A la prison de Québec, la présence de Napoléon à la place de son frère, avait confondu et embarrassé les autorités. On avait prescrit une expéditive enquête préliminaire, un refus de cautionner et un maintien de l'incarcération. Au bureau de l'entrepreneur, le téléphone sonnait constamment, les affaires prospéraient. Chaque jour Jeanne se rendait voir son mari et on la recevait comme un personnage. Ovide n'était pas innocenté, on le traquait toujours comme une bête féroce, mais le vent de l'opinion continuait de tourner. Cécile décida alors de rentrer à la manufacture vêtue de ses plus beaux atours. Le contremaître lui permit de réintégrer l'atelier où son arrivée déclencha même des hourras!

Comme elles étaient fortes, ces femmes Plouffe! Elles résistèrent à toutes les questions des policiers, démontrant autant de puissance de caractère que les trois frères. Elles détenaient un secret et le défendaient farouchement. L'oncle Gédéon, à qui on avait reproché son absence au procès, revint de la Beauce, où il devenait célèbre à nouveau auprès de ses concitoyens, qui voyaient en cette évasion: du Gédéon tout craché! Il ne les détrompait pas.

Au rez-de-chaussée, Monseigneur Folbèche, qui disait maintenant sa messe en prononçant les Alleluia! sur un ton victorieux, imaginait le doigt de Dieu derrière la bourrasque d'espérance déferlant soudain sur tout le clan. Bientôt, il en était persuadé, il reprendrait sa place comme curé de la paroisse, car son successeur n'était pas apprécié. Que pouvaient celui-ci, l'Eglise même, contre un Monseigneur Folbèche applaudi quand on l'apercevait dans la rue?

Denis Boucher, à qui les éditeurs de New York n'avaient encore rien réclamé, avait télégraphié un reportage époustouflant sur l'évasion d'Ovide. On l'appela pour lui demander de poursuivre son travail, mais le plus subjectivement possible, cette fois. Son étoile luisait à nouveau. Il était installé à la table servant d'autel à Monseigneur Folbèche et tapait comme un enragé sur sa machine à écrire, une énergie fantastique le poussant de nouveau en avant. Ah! TIME avait perdu confiance en lui? Il allait émerveiller, reconquérir l'estime de la direction, et devenir vraiment célèbre cette fois. Au moment où dans son texte, il comparait Napoléon à un Louis Armstrong de province (une histoire en or pour les Américains), Monseigneur Folbèche, à l'autre bout, dépouillait le courrier accumulé, que son vicaire de la Côte Nord venait de lui faire parvenir. C'étaient des annales religieuses, des revues, des journaux et des lettres de paroissiens. Tout à coup, tenant avec stupéfaction une enveloppe et la retournant en tous sens, il s'écria, interrompant le reporter:

— Nom d'une pipe, qu'est-ce que c'est que ça? Denis! Regarde! Une lettre de Pacifique Berthet!

— Quoi?

Denis avait bondi, lisant par-dessus l'épaule du curé. "De Pacifique Berthet à Monseigneur Folbèche." Estampillée le 14 juillet, le JOUR DU CRIME! Le prêtre la déchira fébrilement et en tira l'unique feuillet. Ses yeux, et ceux de Denis s'arrondirent. Il n'y avait rien d'écrit! Une page blanche!

Les deux hommes se regardèrent avec stupéfaction. Cette enveloppe et cette page blanche prenaient la dimension d'un mystère insondable. Comment l'expliquer? Il fallait aller rencontrer Berthet! Non, pas lui, mais plutôt le Juge en chef et tout de suite, en grand secret! Quel fait nouveau! Cela semblait d'une extrême urgence. Ils appelèrent immédiatement un taxi et se rendirent au Palais de Justice.

L'auguste personnage, lui-même décontenancé, fit venir le Chef de la Sûreté, à qui Denis jura avoir été témoin de l'ouverture de la missive muette. Dans quel but Berthet avait-il envoyé une feuille vierge à Monseigneur Folbèche, le jour du crime? La fébrilité s'empara du Chef. On leur demanda de se tenir cois. C'est la police qui verrait Pacifique, sur-le-champ. Denis pensa à Stan Labrie. Ah! s'il pouvait revenir de voyage! L'animal!

***

Sombre, assis sur sa véranda, Berthet se rongeait les ongles. Si Ovide, évadé, décidait de venir le descendre? Il avait demandé la protection de la Sûreté, dormait mal, ne buvait aucun alcool, désirant garder toute sa lucidité pour faire face au pire, qu'il sentait venir inéluctablement. D'ailleurs, depuis le procès, il se savait épié. Des individus costauds, jamais vus dans les environs, qui se faisaient passer pour des courtiers en ventes de terrains, déambulaient mains aux poches, près du chalet. Il en avait même repéré un, caché dans un bosquet, qui l'observait. La police, bien sûr. On le surveillait ou on le protégeait? Transi d'angoisse, Pacifique se déplaçait à peine, ne se rendant à ses géraniums que pour les arroser une fois par jour. Et cette compagnie d'assurances qui ne donnait pas signe de vie! Sa réclamation était faite, mais il n'osait téléphoner. Pourtant, on lui devait bel et bien cinquante mille dollars! Inquiétant présage. Ne laissait-on pas entendre, dans les journaux, que le Procureur de la Couronne rêvait de trouver des complices du crime d'Ovide Plouffe, afin de tirer de ce meurtre fabuleux une gloire encore plus grande? Pacifique serrait les poings. Il était plus intelligent qu'eux tous! Ils ne l'auraient pas! L'infirme sursauta: une voiture de police entrait en trombe sur le terrain; les freins grincèrent, bloquant les roues et faisant voler les gravillons. Les deux tortionnaires qui l'avaient interrogé la première fois s'approchèrent. L'infirme essaya de contenir les battements épouvantés de son coeur. Puis les deux hommes avancèrent en roulant les épaules et s'assirent nonchalamment sur le bord de la véranda, les deux jambes pendantes, avec un calme, un détachement qui contrastaient avec la brusquerie de leur arrivée.

— Dites donc, Monsieur Berthet, le 14 juillet, vous rappelez-vous avoir écrit une lettre à Monseigneur Folbèche, à son presbytère de la Côte Nord?

Il s'agrippa aux bras de sa chaise. La lettre! La maudite lettre! Prudence! Que savaient-ils? Il parut chercher dans sa mémoire.

Comme il détestait ces flics aux longues jambes puissantes se balançant dans le vide et qui, tout à l'heure, pourraient marcher à grands pas justiciers! Il se rappela exactement l'insistance d'Ovide, au moment du départ pour l'aéroport, l'incitant à griffonner un mot gentil pour accompagner son cadeau à Monseigneur. D'abord, Ovide avait glissé l'enveloppe dans sa poche de veston. Mais il avait dû la remettre à sa femme? Pourquoi les policiers étaient-ils arrivés en trombe? Pour le conditionner? Qui avait bien pu parler de la lettre? Elle n'aurait pas sauté avec l'avion? Le chauffeur de taxi? L'avocat d'Ovide n'avait jamais effleuré le sujet au cours du procès. L'infirme était dans le noir. Il geignit:

— Vous me martyrisez, c'est du harcèlement! Le meurtrier, vous l'avez déjà condamné. Quand allez-vous me laisser en paix?

Ils jouaient la naïveté:

— Un meurtre comme ça, c'est jamais fini. Mais dites-nous, le 14 juillet, avez-vous, oui ou non, envoyé une lettre à Monseigneur Folbèche?

— Oui, ça me revient, maintenant. Je l'ai donnée à Ovide pour qu'il la remette à Monseigneur, avec la statue.

Pacifique eut des sueurs froides et une crampe au plexus. Avait-on trouvé cette lettre dans les débris de l'avion, ou encore Ovide la leur avait-il remise, l'ayant oubliée dans sa poche?

— Pourquoi n'en avez-vous pas parlé au procès?

L'infirme toussota, colmatant d'avance les failles qui pourraient se produire dans ses réponses à l'aveuglette.

— Je croyais que ça n'était pas important. Personne n'en a parlé!

Les deux hommes tournèrent la tête simultanément vers lui, le terrorisant de leurs yeux d'anges.

— Et qu'avez-vous écrit dans cette lettre?

Il avala sa salive. S'il disait "rien" on le soupçonnerait d'avoir prévu la chute d'Ovide dans l'avion? Ah! le maudit Ovide, qui sans doute, avait rédigé un plaidoyer avant son évasion, y révélant des détails inédits, dont cette histoire de lettre? Alors Pacifique commit sa première grande erreur.

— Bien, je ne me rappelle pas au juste. Quelques mots, probablement, des bons souhaits. Presque rien.

— Lui avez-vous demandé de prier pour vous?

— Non, je ne crois pas aux prières.

Ils se levèrent et dirent presque simultanément:

— Vous auriez dû! Bien le bonjour, Monsieur Berthet, reposez-vous bien! Si ça peut vous intéresser, Monseigneur Folbèche a reçu cette lettre par la poste.

Ils éclatèrent de rire et partirent sans ajouter un seul mot. La voiture des policiers démarra très lentement, comme un corbillard quittant l'église. Pacifique Berthet, le teint devenu terreux, frissonna malgré cette chaleur de canicule, pendant que le bruit des moteurs hors-bord pétaradant sur le lac martelait son cerveau horrifié.

Pendant ce temps, les policiers se demandaient qui avait bien pu mettre à la poste la lettre reçue par Monseigneur Folbèche. Si c'était Ovide, cela aiderait à prouver son innocence? C'est donc qu'il ne prévoyait pas que l'avion allait sauter? S'il le savait, il avait peut-être substitué une page blanche à la vraie lettre, préparant ainsi son alibi et chargeant Berthet? Pourquoi n'en avait-il pas été question au procès? Il aurait pu se servir de cet élément de preuve? Tout cela paraissait bien compliqué. Mais une chose était sûre: Berthet venait de mentir. Ah! qu'ils avaient hâte de reprendre le fugitif!

***

Après deux jours dans la "cabane du bonheur" comme l'appelait Tit-Mé, Ovide ne s'éveillait pas encore de l'irréalité dans laquelle son évasion l'avait plongé. Calme, silencieux, Guillaume l'entourait de mille soins, tentant de faire vivre à son frère des heures de quiétude absolue. Il sentait bien, Guillaume, que leur retraite était sur le point d'être découverte. On savait que l'été il travaillait comme guide à Anticosti. De là à l'y rechercher...Ovide se laissait cajoler, docilement, se lovant au chaud dans cette liberté délicieuse qu'il n'avait jamais imaginée aussi essentielle à l'homme.

Tit-Mé, plusieurs fois par jour, faisait des rondes dans la forêt environnante, mais n'avait décelé aucun indice de présence humaine. La saison de pêche étant presque terminée, la chasse au chevreuil ne débuterait que dans un mois. Il revenait, souriant, les bras chargés de plantes et d'herbes sauvages. On en faisait des tisanes pour humecter la blessure d'Ovide, ou on les lui faisait boire. L'évadé reprenait vite ses forces et la plaie se cicatrisait. Il prenait des repas plantureux, de gibier, de poisson frais, de crevettes, de homard. Le troisième jour, on l'entraîna à la Jupiter et on l'y plongea nu pour ensuite le savonner abondamment, lui lançant en riant des paquets d'eau cristalline au visage. Plus gaillard, Ovide rit enfin pour la première fois, comme si cette eau pure et ce savon le nettoyaient aussi de son angoisse. On le rhabilla, car le tonnerre grondait au loin. Ovide voulut se rendre au bord de la mer pour admirer le spectacle de l'orage fulgurant qui noircissait l'horizon du côté de Gaspé. Il frémit, se frotta les yeux. Les trombes noires de pluie striant le ciel comme d'immenses barreaux lui rappelèrent sa cellule. Il s'attrista à nouveau. Alors se dessina là-bas un arc-en-ciel parfait, extraordinaire. Son coeur se mit à battre très vite. Une espérance, injustifiée, mystérieuse, l'inondait. Il retourna d'un pas plus alerte vers la cabane, suivi des deux autres, s'assit près du poêle, les joues dans les mains. Alors il contempla longuement Guillaume et Tit-Mé avec une intensité faite de ravissement.

— Regarde-nous pas de même, Ovide, fit Guillaume tournant un peu la tête vers Tit-Mé. Tu nous gênes.

— T'as l'air ben content tout à coup? exulta Tit-Mé. J'en suis t'heureux!

Ovide, qui avait parlé par monosyllabes depuis leur arrivée, éprouva soudain le besoin de réfléchir tout haut pendant des heures.

— Je me demande ce qui arrive à Napoléon, à la prison?

— Y doit être bien traité, il connaît tous les gardiens. T'inquiète pas pour lui, fit le vétéran en haussant les épaules.

Guillaume et Tit-Mé s'étaient entendus pour ne laisser filtrer aucune nouvelle jusqu'à Ovide. Mais ils étaient informés, par leur radio à ondes courtes, de tout ce qui se passait à Québec. Ovide, lucide, sortait des limbes, émergeait de sa torpeur, sensible à une joie qui l'envahissait de plus en plus et continuait, disert:

— Cette évasion, au départ, m'est apparue comme une pure folie. Napoléon, Guillaume, toi, Tit-Mé, n'oubliez pas que vous aurez un dossier judiciaire pour le reste de vos jours?

— On s'en sacre! rit Tit-Mé.

— On s'en sacre! confirma Guillaume. Puisque t'es innocent, on a eu raison. T'es pas content? T'es pas à la prison de Bordeaux, ta santé revient et t'es libre, libre, entends-tu! Quant au reste, on verra, dans le temps comme dans le temps. Tu rumines trop. T'essayes trop de prévoir ce qui va t'arriver, mais ça se passe jamais comme on a prévu. Alors, t'es fou de te torturer les méninges. Vis donc au jour le jour.

— En plein ça, sourit Tit-Mé. Si on te rend heureux et libre pendant un temps, on se considérera bien payé. Au diable les dossiers judiciaires. Ça veut dire qu'on aura eu raison de construire notre cabane. Eh! Dites donc, les gars. Si on jouait une petite partie de cartes?

Ovide toussota pour masquer son émotion et réussit à dire:

— C'est la première fois de ma vie que je découvre ce que c'est, être aimé vraiment.

Sa voix se brisa dans un long sanglot qui ressemblait à la plainte des loups qui, l'obscurité venue, commencent à hurler à la lune.

— Vas-y, braille, crie, vide-toi! dit Tit-Mé.

Il donnait de petites tapes dans le dos d'Ovide qui continuait de sangloter.

— As-tu pensé qu'on fait ça aussi pour maman? demanda Guillaume.

— Et pour la Justice? fit doucement Tit-Mé.

CHAPITRE QUARANTE-CINQUIEME

Le vieux pêcheur qui avait conduit le trio à l'Ile d'Anticosti fut à tel point impressionné par les préoccupations chrétiennes de Tit-Mé, qui voulait exorciser la Jupiter de ses démons américains, en y transportant à grands frais deux pères missionnaires, habitués à la brousse africaine, qu'il en parla au curé de son village.

Celui-ci, édifié à son tour, en fit le sujet de son sermon à la messe du dimanche. Devant ses ouailles mi-émoustillées, mi-passionnées par ce raid des religieux sur Anticosti, le curé clamait:
— Oui, dans ce monde assailli de toutes parts par la débauche, il est doux à mon coeur de prêtre de constater qu'un humble guide de pêche de chez nous, touché par la grâce, a importé de son propre chef deux missionnaires Pères Blancs d'Afrique pour célébrer la messe sur la Jupiter, porter la bonne parole, confesser les guides, les touristes peut-être, et surtout faire rhabiller les danseuses des *Ziegfield Follies* qui, par leur démarche langoureuse et sensuelle, soumettent nos bons Gaspésiens à une tentation constante et aux mauvaises pensées du sexe qui, immanquablement, comme l'alcool, rendent l'homme semblable à la bête et souvent le font mourir!

Cette homélie n'accomplit pas exactement ce que le curé en attendait. Loin de ressentir l'horreur de la chair, les hommes, pour la plupart des bûcherons éloignés de leur famille dans la forêt pendant de longs mois, se mirent à rêver que des danseuses viendraient leur tenir compagnie dans la solitude des chantiers forestiers. Ils devaient se contenter jusque-là de photos de filles presque nues, arrachées à des magazines américains et épinglées sur les billots des murs du camp. Les épouses des guides de chasse et pêche, privées de leur mari de juin à octobre, se mordirent les lèvres d'inquiétude. Si ça se passait ainsi à Anticosti, ça pourrait être la même chose ailleurs? Mais leur homme se gardait bien d'en parler au retour à la maison. Des femmes touristes, qui boivent, doivent certainement essayer de conquérir les beaux gars de la Gaspésie, musclés, dorés par le soleil et vulnérables parce que privés trop longtemps de leur compagne?

Mais le plus intrigué par le sermon du curé fut nul autre que le garde-chasse de la région. Il arrivait justement de sa tournée à la Jupiter, et n'avait vu aucun Père Blanc, ni aucune danseuse? D'ailleurs le territoire d'Anticosti était à peu près désert, la saison du saumon étant terminée. Curieuse, cette histoire d'un guide de chasse et de deux missionnaires? La brousse d'Afrique ne ressemble pas du tout à celle d'Anticosti! Ovide Plouffe, le célèbre évadé, aurait-il quelque parenté avec le guide Tit-Mé Plouffe? Et les journaux n'avaient-ils pas mentionné que le fameux Guillaume Plouffe était lui aussi guide à Anticosti?

Les gardes-chasse, comme tous les surveillants, en arrivent à posséder une âme de flic. Le zélé fonctionnaire se rendit chez le chef de région de la Sûreté du Québec et lui fit part de cette histoire. Alors le téléphone Matane-Québec fit des étincelles. Une vedette du gouvernement, portant douze policiers armés jusqu'aux dents, fila immédiatement vers l'embouchure de la Jupiter, à l'endroit où le pêcheur avait déposé les fugitifs. Ils n'eurent pas à chercher longtemps. Brave Tit-Mé qui voulait trop bien faire la cuisine pour Ovide! La petite fumée qui s'échappait de la cheminée du "camp du bonheur" attira vite l'attention des patrouilleurs.

La liberté du condamné avait duré huit jours. On ramena le trio à la prison de Québec qui, pour la première fois de son histoire, abritait trois frères et un cousin, tous du même nom Plouffe.

Le crescendo du sensationnel continuait sa montée. Le meurtrier Ovide Plouffe repris, sa capture devenait aussi percutante que son crime et son évasion. Mais que se passait-il? Le Procureur Général semblait moins pressé de faire exécuter Ovide, dont le départ pour la prison de Bordeaux était retardé de quelques semaines. On reportait sa pendaison "sine die"?

***

Dans sa cuisine, Joséphine Plouffe, contre toute attente, chantonnait constamment. Ses trois fils étaient à l'abri, en prison à Québec, près d'elle. Quant à la pendaison d'Ovide, c'était certain: elle n'aurait pas lieu. C'est Berthet qu'on soupçonnait, maintenant. Denis Boucher, dans son article du TIME, avait encore une fois pris la vedette avec un scoop fabuleux: la lettre de Pacifique à Monseigneur Folbèche, une feuille blanche! Les soupçons, implacables, s'enroulaient inexorablement autour de Berthet. Monseigneur Folbèche avait même osé lui rendre visite, mais l'infirme l'avait chassé en le couvrant de blasphèmes.

Pour Joséphine, Denis Boucher était devenu plus qu'un ami de la famille; il incarnait, par ses textes magiques, par ses nombreux coups de téléphone à New York, l'exécuteur du contrat qui liait désormais Joséphine à l'espérance. C'est pourquoi elle l'avait à nouveau convaincu d'écrire ses dépêches sous ses yeux attentifs.

— T'as chaud. Repose-toi un peu. Mangerais-tu de la bonne confiture aux fraises des champs, avec du pain de ménage?

Elle le couvait, le chouchoutait, le vénérait, car il était en train d'imprimer la vérité, de sauver Ovide et la famille. Tout à son enthousiasme, le journaliste, faisant crépiter sa machine à écrire, fit non de la tête, trop possédé par la dimension passionnée de son reportage. Les fugitifs déguisés en religieux, la cabane de la liberté, les danseuses des *Ziegfield Follies*, le sermon du curé gaspésien, la capture des prisonniers, leur popularité, le succès de Napoléon à la prison de Québec, les trois frères Plouffe et le cousin Tit-Mé incarcérés dans quatre cellules différentes, le dévouement de Jeanne qu'on accueillait comme une douce mascotte de l'équipe Plouffe lors de ses visites à la prison, l'embarras du gouvernement devant la sympathie du public, tout cela avait constitué pour Denis, installé au coeur même de cette tragi-comédie dominée par la grande Joséphine, une source d'éléments uniques dans l'histoire du journalisme nord-américain. Fameux reportage! Denis tenait maintenant à répéter son triomphe. Tout à coup il cessa de taper, se caressa le menton, soucieux, l'oeil cherchant avidement un détail. Joséphine, qui l'avait récupéré à l'étage, se retourna vivement, inquiète:

— Dis-moi pas que tu trouves plus rien?

— Il me manque un petit quelque chose.

Se levant vivement il se dirigeait vers la porte, poussé par un instinct particulier aux reporters d'envergure. Il dit, l'air mystérieux:

— Je m'en vais essayer de le trouver.

Il partit. Joséphine, le visage durci à nouveau par l'inquiétude, se mit à lire la feuille laissée sur le dactylographe. Mais elle savait tout ce qui était écrit. S'il manquait quelque chose à Denis, c'est qu'Ovide n'était pas encore hors de danger? Elle s'assit dans sa berçante, commença de réciter une dizaine de chapelet en suppliant la Sainte Vierge de permettre au reporter de trouver la solution. Son regard, aussi respectueux que s'il se fût posé sur le tabernacle, enveloppa la machine à écrire où se dressait la partie de la feuille prête à recevoir la vérité que Denis cherchait.

***

Le journaliste marchait très vite vers l'appartement de Stan Labrie. Son intuition lui disait que, les frères Plouffe repris et incarcérés, Stan avait peut-être décidé de rentrer. Il ne s'était pas trompé. Stan Labrie, épuisé de ruminer son inquiétude sur les plages de Old Orchard où, derrière ses verres fumés, il n'évaluait même plus les charmes des jeunes femmes en maillot, osa revenir à Québec dès l'arrestation des frères Plouffe. En proie à un sentiment de sourde culpabilité, à des vagues de peur qui l'assaillaient comme des accès de fièvre, où quand même subsistait l'espérance que toute cette histoire se passerait sans qu'il soit fait mention de son nom, Stan aspirait à retrouver son ancienne quiétude. Mais il avait maigri, vieilli, déambulant comme une âme en peine et n'ayant plus le courage d'opérer son réseau "d'hôtesses". Heureusement il aimait toujours les fleurs, ses fleurs que personne n'avait arrosées pendant son absence. Il les aspergeait avec sollicitude quand Denis, qui avait trouvé la porte déverrouillée, bondit sur le balcon comme un lutin en sifflant *Le lendemain elle était souriante.* Stan se retourna, assez peu surpris:

— Tant mieux, je pensais à toi. Je me proposais justement de t'appeler.

— Eh bien! si je m'attendais à ça! fit Denis, tout poli, changeant sa statégie.

Ils passèrent à l'intérieur. Le reporter le sciait du regard.

— T'as maigri, fit-il.

— Oui. J'en ai pas mal enduré. Tu m'as cherché, hein? J'étais à Old Orchard. Pas une vacance, mais un martyre. J'ai suivi le procès de là-bas. J'ai lu tes articles. T'as tenu parole, t'as pas parlé de moi. Je te remercie, t'as été correct.

— Si je comprends bien, t'es prêt à m'aider maintenant?

Stan se prit la tête entre les mains.

— Oui, peut-être, mais là je suis sûr qu'Ovide est pas coupable. Je te jure que je vais te dire la vérité, à condition de pas révéler d'où ça vient.

— Promis, haletait Denis.

— Tu vas le laisser savoir aux frères Plouffe, que j'ai aidé? Sans dire comment?

— Oui. Ils te laisseront tranquille, ensuite. C'est promis ça aussi. Vas-y.

Stan parlait d'une voix atone de coupable épuisé qui se confesse:

— Après les funérailles, quand j'ai vu Berthet se sauver entre les pierres tombales pendant qu'on arrêtait Ovide, je l'ai suivi dans ma voiture jusqu'à son chalet. Je me suis caché derrière un bosquet et je l'ai guetté. Il avait l'air nerveux. Après avoir vérifié que personne le voyait, il a d'abord pris une pelle sous la galerie, puis l'a rejetée, s'est rendu ensuite à un carré de terre à jardin près de la clôture, a poigné la bêche couchée dessus et s'est mis à brasser des mottes, à faire des sillons. Je me suis demandé comment, par un jour pareil, il pouvait avoir le coeur au jardinage.

— Un carré de jardin, avec des géraniums? s'exclama Denis.

Stan fit non de la tête:

— Depuis ce temps, je me suis demandé s'il n'avait pas enterré là quelque chose. Il avait l'air énervé.

— T'aurais pas pu le dire avant! éclata Denis. T'aurais évité beaucoup d'ennuis à bien du monde! T'en rends-tu compte?

Le reporter, survolté, partit à la course rejoindre sa machine à écrire. C'est très bientôt, à la parution de son présent article, que la police apprendrait, en même temps que la population, cet élément nouveau du petit jardin maintenant couvert de fleurs. Cette fois il atteindrait l'apothéose de la célébrité. A condition, bien sûr, qu'en creusant ce carré de terre, on découvre, sous les géraniums, quelque chose d'inattendu. Qui ne risque rien n'a rien?

***

A onze heures du matin, deux jours plus tard, des millions d'exemplaires du magazine TIME atteignirent les kiosques à journaux de dizaines de pays. Fait inusité, le directeur de la Sûreté du Québec reçut, deux heures avant la population, six exemplaires par courrier spécial. A la lecture du nouveau reportage de Denis Boucher, le Chef ouvrit de grands yeux en lisant: "Notre reporter, lors de sa visite au chalet d'été de Pacifique Berthet, pour obtenir ses commentaires sur la capture d'Ovide Plouffe, a été fort intrigué, au cours de l'interviou, par les coups d'oeil furtifs de l'infirme vers un carré de terre couvert de géraniums. Vérification faite, ces fleurs ont été plantées après le meurtre du 14 juillet. Quant à Ovide Plouffe, interrogé immédiatement après sa capture, relatée dans notre numéro précédent, il a admis simplement qu'il avait mis à la poste, dès sa sortie du monastère, la lettre de Berthet à Monseigneur Folbèche. Il a candidement avoué qu'au procès, dans son désarroi, il avait complètement oublié cet incident, qui l'eût aidé à s'innocenter."

Les téléphones se mirent à tinter à nouveau et les policiers à s'agiter. Denis Boucher, pétri de cette histoire fabuleuse où une bombe chronométrée avait fait périr vingt-trois personnes, réussit à agencer sa stratégie avec la même diabolique précision. Au moment où son reportage atteignait la police de Québec et les lecteurs de l'univers, Denis s'était rendu chez l'infirme pour être témoin du dénouement de la terrible aventure. Berthet, en chemise à carreaux, couché plus qu'assis dans sa berçante, examinait distraitement les planches disjointes de la véranda. Il blasphéma en

apercevant Denis, et son visage, tordu par la haine, blanchit.
— Encore toi, mouche à merde! Petit salaud en train de me tuer avec tes écritures!

Denis n'avait aucune envie de se moquer. Il savait maintenant, examinait avec commisération cet homme infiniment malheureux, l'oeil fiévreux, les membres agités d'un léger tremblement, la barbe longue de deux jours.

Berthet se mit à parler sur un ton déchirant:
— Petit sans-coeur! Vous êtes tous des sans-coeur! Toutes les Rita Toulouse sont des sans-coeur! Comprenez-vous au moins un centième de ce que c'est se traîner sur des béquilles sans espoir de guérison? En t'éveillant, le matin, c'est elles que tu cherches d'abord. Toute la journée, tu ne penses qu'à les placer au bon endroit, à portée de la main. En réalité, tu ne les quittes jamais de l'oeil. Elles sont ton salut et ton cauchemar. Deux boulets. Regarde mes index. Ils sont bardés d'une corne épaisse, pour toujours! Seul Napoléon Plouffe a compris! Ah! j'aurais dû monter avec Rita à bord de l'avion et mourir avec elle! Laissez-moi donc tranquille! Comprenez-moi donc!
Et, son dur regard gris vaincu, il se mit à sangloter. Le reporter, embarrassé, ne sut que dire, comme en s'excusant:
— Je comprends trop bien, oui. Hélas! Monsieur Berthet, c'est la dernière fois que je vous rencontre. Mon travail est terminé. Ne m'en voulez pas. Je n'ai fait que mon devoir de reporter et d'ami d'Ovide Plouffe.

Berthet réprima une grimace de douleur. Sa hanche le faisait souffrir de plus en plus et il devait changer ses pansements deux fois par jour. En fait, la fièvre s'était installée en lui et ne le quittait plus. Denis, l'oreille aux aguets (les policiers arriveraient d'une minute à l'autre), essayait de gagner du temps. Il parla gravement, mais avec bonté:
— Monsieur Berthet, livrez-vous donc à la police. Vous êtes le coupable. Ce serait tellement plus simple pour vous et pour tous.
— Qu'on prouve que j'ai fait acheter la dynamite! hurla l'infirme.

Berthet était envahi par une épouvante fatale. Depuis la

découverte de la lettre blanche envoyée à Monseigneur Folbèche, les enquêteurs l'avaient intervioué plusieurs fois, le faisant parfois se contredire. Depuis, il lui semblait que des milliers d'ennemis rampaient vers lui en une attaque finale, où Denis apparaissait comme le premier assaillant. Ah! ces coups d'oeil furtifs que le reporter jetait à son carré de fleurs! Berthet sursauta en faisant un ha! terrifié. Deux voitures de police avaient traversé le terrain en trombe et s'étaient arrêtées devant les touffes de géraniums. Les deux tortionnaires aux longues jambes, qui avaient arrêté puis interrogé maintes fois, impitoyablement, Ovide et Berthet, sortirent prestement de leur voiture, suivis de quatre hommes armés de pelles. Ils se mirent à creuser, à creuser. Denis observait avidement la réaction de Berthet, dont les lèvres blanchirent et se mirent à trembler. Agrippant ses béquilles de bois, il entra dans le chalet et en ressortit presque immédiatement, soigneusement peigné, sanglé dans un veston noir et s'appuyant sur ses béquilles d'aluminium, résigné cette fois à se laisser emmener. Denis se rendit près des policiers. Les hommes creusaient toujours. Les géraniums saccagés se mêlaient aux pelletées de terre lancées au loin.

— Quelque chose de dur! s'exclama l'un des travailleurs.

Ils purent enfin mettre à jour une statue de saint Christophe et quelques bâtons de dynamite, mêlés à des revues d'aviation et à une grande photo de Rita Toulouse habillée en Miss Sweet Caporal. Denis Boucher ne suivit pas les policiers qui couraient vers Pacifique Berthet, debout, prêt à se livrer.

Ils le flanquaient.

— On vous arrête, Berthet!

L'infirme eut un sourire triste, puis en grimaçant, appuya simultanément ses index sur les boutons commutateurs installés par Napoléon aux tuyaux d'aluminium des béquilles aux yeux clairs. L'explosion, terrifiante, ne laissa des trois hommes qu'un amas de chair déchiquetée.

Berthet n'avait pas laissé de confession. On en vint à la conclusion que l'infirme avait fabriqué sa bombe à son chalet même, plusieurs jours avant le crime. Le matin du 14 juillet, il était arrivé plus tôt à la bijouterie, où ce ne fut qu'un jeu pour lui d'effectuer sans témoin, la substitution des colis. Mais en apprenant que l'avion était parti avec dix minutes de retard, s'écrasant sur la terre ferme, et qu'une forte odeur de dynamite se dégageait des débris, il avait été pris d'une panique décuplée par l'apparition d'Ovide vivant. Il s'était alors précipité à son chalet où, dans un affolement total, il extirpa le bon colis du coffre de l'auto, enterra la statue, les documents, les bouts de fil et la dynamite restante, dont il se réserva quelques bâtons pour en bourrer les tuyaux d'amuminium des béquilles.

Ovide, les Plouffe étaient sauvés, justice était faite, mais deux des meilleurs limiers du Québec étaient morts victimes au devoir.

EPILOGUE

Deux mois plus tard, par un dimanche mordoré du début d'octobre 1949, assis sur le troisième palier du grand escalier reliant la basse ville à la haute ville où, pour la première fois il avait jadis embrassé Rita Toulouse, Ovide Plouffe écoutait tristement le tintamarre joyeux des cloches célébrant la fin de la grand'messe. Depuis sa libération, il continuait de vivre une solitude aussi entière que celle endurée en prison: même relâché, il ne pouvait d'aucune façon se réadapter à la vie ordinaire, aux siens, à son milieu.

L'innocence d'Ovide avait pourtant été reconnue absolument? Il n'avait été en rien complice: même la feuille vierge envoyée à Monseigneur Folbèche par Berthet, ne montrait que les empreintes digitales de l'infirme et de ceux qui l'avaient manipulée depuis. Celles d'Ovide en étaient absentes.

Son évasion, cependant, avait créé un imbroglio unique dans les annales du Droit. Aimé, Napoléon et Guillaume, complices, méritaient un procès. Mais la Justice s'était tellement fourvoyée, les Plouffe devenaient si populaires, d'autres événements politiques accaparaient déjà si totalement les dirigeants, qu'on libéra les délinquants, leur signifiant un non-lieu.

Denis Boucher allait sûrement être désigné comme journaliste de l'année par le magazine TIME. On l'avait déjà récompensé en le mutant au bureau de Paris. Dans une longue lettre à Ovide, lui disant son bonheur, il l'informait aussi qu'il avait déjeuné quelques fois avec Marie Jourdan. Marie et lui s'entendaient fort bien et même, suggérait-il, l'amour, peut-être?

Ce dimanche-là, Joséphine avait invité à déjeuner tous ses enfants et petits-enfants. Ovide descendit le grand escalier et marcha vers la maison maternelle, longea l'église, qui semblait vibrer, vivre à nouveau depuis le retour de Monseigneur Folbèche à la tête de la paroisse. Ovide, habitant maintenant chez sa mère, n'observa que du coin de son oeil morne, par erreur, les locaux de sa bijouterie maintenant occupés par un épicier.

Il avait survécu à un cataclysme intime effroyable, mais ne jouissait pas de sa liberté retrouvée. Sans Rita, il n'était plus rien. La famille, elle, solide comme le roc, renaissait au bonheur. Joséphine, pour remercier le Seigneur, avait cessé de fumer et signifié son congé au commandant Ephrem. Cécile, nommée contremaîtresse de son département, à la manufacture, avait même offert un chandail tricoté par elle au bel assistant-contremaître venu de Montréal. Guillaume et Tit-Mé, maintenant co-propriétaires d'une concession forestière obtenue par l'oncle Gédéon du gouvernement, partaient cette semaine en vue d'organiser leur premier chantier. Les affaires de Napoléon reflorissaient. Sa femme était enceinte de jumeaux, mais ne le savait pas encore. Le plombier, tellement heureux à sa sortie de prison, avait mis les bouchées doubles, ignorant les visées divines: l'année sainte, 1950, verrait naître le plus grand nombre de bessons dans l'histoire de l'humanité. Les succès s'abattaient sur Napoléon, lui laissant à peine le temps d'apprendre à jouer sur sa trompette *La Valse des patineurs.* Il ferait partie, l'hiver venu, d'un trio de musiciens requis pour la patinoire du quartier. Mais cela n'était rien: les béquilles fatales, aux yeux clairs, en aluminium, créées par Napoléon, avaient attiré l'attention du ministère de la Défense nationale, responsable de plusieurs vétérans mutilés. Le gouvernement fédéral s'intéressait à lui! Des infirmes venaient le consulter, espérant une prothèse plus adéquate! Il se détachait donc des gouttières, se passionnait pour les éclopés.

Mais Ovide, lui, qu'adviendrait-il? Il avait une enfant, la petite Arlette, élevée par Jeanne, mais c'est Napoléon qu'elle appelait "papa". Il lui faudrait pourtant essayer de vivre pour elle, de participer à son éducation! Ovide grimaça. Pourquoi évoquait-il soudain l'image de Stan Labrie? L'entremetteur s'engageait dans une nouvelle existence, rencontrait souvent Napoléon. Celui-ci le trouvait sympathique depuis que Denis avait affirmé, mystérieux, que l'entremetteur avait aidé à démasquer Berthet et à sauver Ovide. Stan confia même au plombier qu'il préparait un livre sur le milieu des proxénètes, où il révélerait diverses recettes pour les connaisseurs en plaisirs sexuels, dont celle de l'amour-papillon. Le naïf Napoléon, toujours ignorant des frasques de feue Rita et du rôle joué par Stan, promit à celui-ci de soumettre le manuscrit à son frère cadet, s'exécuta aussitôt. A la grande surprise de son aîné, Ovide fit une terrible colère. Il ne corrigerait certainement pas les fautes de français de ce voyou! Stan Labrie, indélogeable, s'installerait-il "ad nauseam" dans la vie d'Ovide? Par-dessus le marché, l'ex-proxénète se montrait aussi veuf de Rita que le mari! Par deux fois, se rendant au cimetière prier sur la tombe de sa femme, Ovide avait dû rebrousser chemin, le prie-dieu étant déjà occupé par Stan. Quelle glu! Ovide songeait à s'exiler. Mais où!

Une maison d'édition américaine, concurremment avec une autre, prestigieuse, de Paris, le talonnait pour qu'il participe à un livre racontant son incroyable aventure. Il avait refusé, réagissant comme Guillaume à propos de ses souvenirs de guerre: il ne ferait pas de littérature avec son malheur et celui des siens, déjà si éprouvés par sa faute. Pourtant les Américains offraient une somme importante! Ovide flottait à la dérive, espérant un coup de pouce du destin pour se dresser et foncer à nouveau dans l'avenir. Il pensa à son parrain, l'oncle Gédéon, remarié la semaine dernière.

Les cris joyeux des mioches du clan Plouffe, attablés autour de Joséphine, atteignirent ses oreilles. Mais dès qu'il apparut, un silence embarrassé s'établit. Du moment qu'il approchait, il gelait tout le monde. Même innocent, il resterait pour toujours un ancien accusé de meurtre, traînant partout cette marque indélébile.

— Continuez à parler, à rire! Qu'est-ce que vous avez?

Ils essayèrent de redevenir naturels. Mais le ton n'y était pas. Tout à coup Joséphine se frappa le front et marcha d'un pas lourd vers sa machine à coudre, ouvrit le tiroir et lui tendit une lettre.

— Le facteur l'a apportée hier. J'ai oublié de te la remettre.

Il l'examina et l'ouvrit. Tous l'observèrent. Qui lui écrivait?

Bouche bée, il contemplait le chèque de cinquante mille dollars de la compagnie d'assurances. Alors il se vit, vieil étudiant, commençant des études classiques dans une ville étrangère, des études que Rita Toulouse aurait payées de sa vie.

FIN

Cap-Rouge
six août 1981
six août 1982

DU MEME AUTEUR

AU PIED DE LA PENTE DOUCE, roman

Prix de la langue française de l'Académie française
Prix David 1946
Montréal, Editions de l'Arbre, 1944
Paris, Flammarion, 1948
Montréal, Cercle du Livre de France, 1967
Montréal, Editions La Presse, 1975
Traduction américaine par Samuel Putnam:
The Town Below, New York, Reynald & Hitchcock, 1948
Traduction anglaise: The Town Below, Toronto,
McClelland & Stewart, 1967

LES PLOUFFE, roman

Bourse Guggenheim
Québec, Editions Bélisle, 1948
Paris, Flammarion, 1949
Montréal, Cercle du Livre de France, 1968
Montréal, Editions La Presse, 1973
Traduction anglaise par Mary Finch: The Plouffe Family,
Londres, Jonathan Cape, 1952

FANTAISIES SUR LES PECHES CAPITAUX

Montréal, Editions Beauchemin, 1949
Montréal, Cercle du Livre de France, 1969

PIERRE LE MAGNIFIQUE, roman

Québec, Institut littéraire du Québec, 1952
Paris, Flammarion, 1953
Montréal, Cercle du Livre de France, 1971
Montréal, Editions La Presse, 1974
Traduction anglaise: In Quest of Splendor, Toronto
McClelland & Stewart, 1955
Traduction néerlandaise: Peter de Grootmoedige,
Antwerpen, Standaard-Bockhandel, 1956
Traduction anglaise par Harry Lorin-Binsse: In Quest of Splendor,
Londres, A. Baker, 1956

LES VOIES DE L'ESPERANCE, essais

Montréal, Editions La Presse, 1979

LA CULOTTE EN OR, souvenirs

Montréal, Editions La Presse, 1980

CINEMA

L'HOMME AUX OISEAUX, scénario

LES PLOUFFE, en collaboration avec Gilles Carle, scénario

En préparation:

LE CRIME D'OVIDE PLOUFFE

Achevé d'imprimer
par les travailleurs de
Les Imprimeries Stellac Inc.
en octobre mil neuf cent quatre-vingt-deux
pour ETR

Monté et composé chez ETR